HET GEHEIME LEVEN VAN MISS ESPERANZA GORST

MICHAEL COX BIJ DE BEZIGE BIJ

De zin van het duister

Michael Cox

Het geheime leven van Miss Esperanza Gorst

Vertaling Guus Houtzager

2009
DE BEZIGE BIJ
AMSTERDAM

Cargo is een imprint van uitgeverij De Bezige Bij, Amsterdam

Copyright © 2008 Michael Cox
Copyright Nederlandse vertaling © 2009 Guus Houtzager
Oorspronkelijke titel *The Glass of Time*
Oorspronkelijke uitgever W.W. Norton & Company
Omslagontwerp Studio Jan de Boer
Omslagbeeld John Murray Publishers
Foto auteur Jerry Bauer
Het Shakespeare-citaat op p. 421 is vertaald door Jan Jonk en
is afkomstig uit 'Driekoningen, of zo' (opgenomen in
De volledige werken van William Shakespeare, deel 1, 2008)
Vormgeving binnenwerk CeevanWee, Amsterdam
Druk Bariet, Ruinen
ISBN 978 90 234 4031 4
NUR 305

www.uitgeverijcargo.nl

Voor Dizzy – opnieuw

Tevens opgedragen aan de nagedachtenis van
Pat Riccioni
Melissa Allen
Chris Davenport

De waarheid is die vogel, ongezien,
Die in 't grensgebied van dag en nacht
Zijn eenzaam ochtendlied zingt en door wien
De mare van 't daglicht wordt gebracht.

P. Verney Duport
Uit *Merlijn en Nimue*
Uitgegeven in eigen beheer (1876), Derde zang

Aantekening over de tekst

Het manuscript van *Het geheime leven van Esperanza Gorst* bevindt zich in de Houghton Library op Harvard University. Hoewel het, evenals het vermeende persoonlijke geschrift dat in 2006 door deze tekstbezorger onder de titel *De zin van het duister* werd gepubliceerd, pretendeert een verslag te zijn van waargebeurde verwikkelingen rond het oude, thans uitgestorven geslacht Duport, uit Evenwood in Northamptonshire, vertoont het in hoge mate de kenmerken van een roman en dient het in de eerste plaats te worden gelezen als een werk van fictie, of tenminste als een sterk gefictionaliseerde autobiografie.

Het manuscript, dat bestaat uit 647 ongelinieerde vellen kleinfoliopapier, met een verschoten zwartzijden lint bijeengehouden, werd in 1936 voor het eerst gecatalogiseerd als onderdeel van de privébibliotheek van J. Gardner Friedmann uit New York, die het tijdens een reis naar Londen in mei 1924 aankocht. Na Friedmanns dood in 1948 belandde het op Harvard, tezamen met de overige werken uit zijn uitgebreide collectie negentiende-eeuwse fictie.

Net als in *De zin van het duister*, de literaire voorganger van *Het geheime leven van Esperanza Gorst*, heb ik verklarende voetnoten toegevoegd wanneer ik dit noodzakelijk achtte of meende dat ze de moderne lezer van dienst konden zijn. Tevens heb ik stilzwijgend een aantal schrijffouten en inconsequenties verbeterd.

J.J. Antrobus
Hoogleraar post-authentieke Victoriaanse literatuur
Universiteit van Cambridge

Een huis vol geheimen

Getweeën zijn wij met één te veel (meen ik), want men zegt,
Gedrieën kan men beraadslagen, maar twee, dat is slecht.

John Heywood, *Dialogue of Proverbs* (1546)

Milady en haar zonen

I
Het uitzicht vanaf het balkon

Ik wil dat u zich allereerst voorstelt dat u naast mij staat en over de leuning kijkt van een rond, van gordijnen voorzien balkon, dat zich – als een podium van trapezewerkers – hoog boven een grote, indrukwekkende ruimte bevindt.

Als we vanuit deze waarnemingspost onze neus een heel klein stukje door de smalle spleet tussen de gordijnen steken, kunnen we een blik slaan op het uit voorname dames en heren bestaande gezelschap dat aan tafel zit. De dikke fluwelen gordijnen ruiken oud en stoffig, maar bekommert u zich daar niet om. We zullen hier niet lang blijven.

De ruimte die onder ons ligt en die is gedecoreerd in karmijn en goud, is luxueus gemeubileerd. En hoewel zij zeer ruim bemeten is, is het er zelfs op deze kille novemberavond heerlijk warm dankzij de hitte die afstraalt van de gloeiende houtblokken die in de twee grote stenen open haarden liggen opgestapeld.

Aan alle muren hangen spiegels in vergulde lijsten, die als je erlangs loopt voor een eindeloze hoeveelheid weerkaatsingen zorgen. Boven ons overspant een gelambriseerd plafond de hele ruimte. Het is tonvormig en – al zult u me op mijn woord moeten geloven, omdat het nu in de schaduw onzichtbaar is – beschilderd met taferelen die de bruiloft van Heracles en Hebe voorstellen. (Ik dank die informatie aan mijnheer Pocock, de butler, en gewoontegetrouw heb ik het zo snel mogelijk opgeschreven in een van de zakboekjes die ik steeds bij me heb, want ik wil mezelf altijd ontwikkelen en mijn kennis uitbreiden.)

De veertien mensen die vanavond dineren zijn bijeengekomen om eer te bewijzen aan lord Edward Duport, een regeringsambtenaar die in 1605 op deze novemberdag een vinger verloor tijdens de aanval op Holbeche House, waar verschillende betrokkenen bij het Buskruitverraad hun toevlucht hadden gezocht.

Vlak onder ons, aan onze linkerhand, zit de suffe en domme, maar argeloze mejuffrouw Fanny Bristow. Naast haar zit de heer Maurice FitzMaurice, de trotse nieuwe bezitter van Red House in Ashby St John, die zichzelf een prachtkerel vindt, ook al weet de hele wereld wel beter. (Naar zijn gelaatsuitdrukking te oordelen is het hem heel slecht bevallen dat hij genoodzaakt is de hele maaltijd in het onnozele gezelschap van mejuffrouw Bristow door te brengen. Het is zijn verdiende loon, vind ik, omdat hij zo'n hoge dunk van zichzelf heeft.)

Recht tegenover hem zit sir Lionel Voysey uit Thorpe Laxton Hall met zijn belachelijke, lelijke en ordinaire vrouw. Rechts van haar kunt u het zelfgenoegzame gezicht zien van doktor Pordage, die wanneer ik hem uitlaat altijd steels een klamme vinger op mijn hand legt, alsof er een geheime verstandhouding tussen ons bestaat, wat zeer beslist níét het geval is.

Naast de dokter zitten dominee Thripp en zijn vitzieke vrouw zoals gebruikelijk geladen te zwijgen. Ik denk dat mevrouw Thripp een diepe, blijvende wrok jegens haar echtgenoot koestert, maar ik zou niet kunnen zeggen wat die inhoudt. De overige gasten kunnen we overslaan, want ze zijn van geen betekenis voor mijn verhaal.

We komen nu bij de drie leden van het gezelschap van vanavond in wie ik – net als u – in het bijzonder belang stel: de vaste bewoners van dit landhuis.

Als eerste uiteraard milady: de vroegere mejuffrouw Emily Carteret, tegenwoordig de zesentwintigste barones Tansor.

Bekijkt u haar eens. Ze zit aan het hoofd van de tafel, als een koningin, gehuld in zwarte en zilverig glanzende zijde. Wie kan ontkennen dat ze nog mooi is, of dat haar tweeënvijftig levensjaren haar ongewoon welgezind zijn geweest? In het kaarslicht beneden ons spelen flikkerende schaduwen verrukkelijk langs haar bleke huid (het gaslicht mag van haar nooit aan: kaarslicht is zo veel flatteuzer).

Ze fascineert en bekoort de mannen die bijeen zijn in haar in karmijn en goud gedecoreerde eetzaal. Kijk eens hoe ze naar haar lonken als ze denken dat niemand anders het ziet! Mijnheer FitzMaurice, doktor Pordage, zelfs de roodaangelopen sir Lionel Voysey (in haar aanwezigheid altijd op komische wijze onhandig): allemaal raken ze als onnozele jongens in haar ban en zien ze haar alleen zoals zij gezien wil worden.

Natuurlijk, haar roemruchte tragische verleden – een vermoorde vader en een grote liefde die een maand voor hun bruiloft om het leven werd gebracht – maakt haar allure nog groter. Ik vind dat mannen zulke dwazen zijn, in elk geval mannen zoals deze heren. Heeft zij geleden? Ach, er is genoeg leed op de wereld, en we krijgen allemaal ons deel voordat ons de verlossing deelachtig wordt.

Toch is haar leed haar rijkelijk vergoed, en dat is beslist niet haar minst aantrekkelijke kant, zeker voor de vrijgezellen onder haar bewonderaars. Een schoonheid, op romantische wijze getekend door tragische gebeurtenissen, de bezitster van een immens fortuin en een oude titel – en tegenwoordig weduwe! Charlie Skinner, een lakei van lage rang die aardig tegen mij is, heeft me verteld dat mijnheer FitzMaurice bij zijn eerste ontmoeting met zijn knappe buurvrouw zijn geluk nauwelijks kon bevatten en in een staat van hevige opwinding naar Red House terugkeerde. Algauw werd op zijn club verteld dat hij er tegen iedereen die het wilde horen op had gezinspeeld dat zijn dagen als vrijgezel waren geteld.

Ach, die arme, misleide mijnheer Maurice FitzMaurice! Hij staat in zijn ambities niet bepaald alleen. Ze is een veel te formidabele partij, misschien een van de beste van Engeland. Hij heeft veel vooraanstaande rivalen, en zijn eigen gezag is erg gering. En toch blijft hij hopen op het allermooiste, zonder dat hij van het voorwerp van zijn begeerte ooit de minste aanmoediging krijgt.

De waarheid is dat ze nooit zal hertrouwen, en zeker niet met een eersteklas dwaas als mijnheer Maurice FitzMaurice. Een huwelijk zou haar geen materieel profijt brengen. Evenmin zal ze ooit weer voor de liefde bezwijken, want haar hart is stevig vergrendeld tegen alles wat haar uit die hoek kan belagen. Geen man kan ooit de herinnering uitwissen aan haar eerste en laatste liefde, wiens vreselijke dood de grootste slag van haar leven is geweest, zelfs groter dan de moord op haar vader. Kolonel Zaluski, haar overleden man, kon het niet – dat is in elk geval de gangbare mening. Ik heb de man nooit ontmoet, maar volgens Sukie Prout (mijn grote vriendin onder het personeel) konden ze het goed met elkaar vinden en was de kolonel een meegaande man die met een glimlach door het leven ging, zodat je hem meteen mocht. Ik moet er dan ook van uitgaan dat zijn vrouw hem ook graag mocht, en dat dat genoeg voor haar was.

De vruchten van deze onopmerkelijke verbintenis zitten nu aan weerskanten van hun moeder: aan haar rechterhand mijnheer Perseus Duport, die haar titel en haar fortuin zal erven, en aan haar linkerhand zijn jongere broer, mijnheer Randolph Duport. Zíj zijn echter verre van onopmerkelijk.

Mijnheer Perseus – die zojuist een toost op de dappere lord Edward Duport heeft uitgebracht – zal binnenkort meerderjarig worden en lijkt uiterlijk sterk op zijn moeder: lang, weloverwogen in zijn optreden, met een waakzame houding en dezelfde onpeilbare ogen. Hij draagt zijn haar – dat even donker is als die ogen – lang, zodat het welbewust romantisch over zijn schouders valt, wat bij zijn dichterlijke aspiraties past. Hij is erg trots op zijn haar, ook een trekje dat hij van zijn moeder heeft. Hij is ongetwijfeld een bijzonder knappe jongeheer, wat nog wordt versterkt door een zorgvuldig bijgehouden zwarte baard, die hem een gevaarlijk heroïsch voorkomen verschaft. Hij lijkt precies op het portret van de Turkse zeerover dat onder aan de trap in de hal hangt en waarvan ik, toen ik het voor de eerste keer zag, dacht dat hij ervoor model moest hebben gestaan, ware het niet dat het al meer dan twintig jaar geleden is geschilderd.

Zijn jongere broer, mijnheer Randolph Duport, is bijna twintig en niet minder aantrekkelijk dan zijn broer, al steekt hij heel anders in elkaar. Hij is korter en gedrongener, met sterkere armen en benen, warme bruine ogen (volgens Sukie sprekend die van zijn overleden vader), een blozende buitenkleur en een wilde bruine haardos. Hij vertoont niet de minste gelijkenis met zijn moeder. Evenmin is er een spoor van haar temperament in hem aanwijsbaar, zodat de mensen veel meer op hem gesteld zijn dan op mijnheer Perseus. In tegenstelling tot zijn broer heeft hij niets van de hooghartigheid en trots van lady Tansor over zich. Hij is daarentegen een buitengewoon ongedwongen en spontane figuur, die de dingen lijkt te nemen zoals ze zijn en die (volgens de gangbare mening) vrijwel nooit over de gevolgen van iets nadenkt. Mij is verteld dat hij daarom vaak het misnoegen van zijn moeder heeft mogen oogsten. Maar omdat hij het ongebruikelijke vermogen bezit om zijn fouten te erkennen, iets waartoe mijnheer Perseus kennelijk niet in staat is, klaagt hij naar verluidt nooit, maar doet hij de belofte om in de toekomst weloverwogener te werk te gaan.

Misschien is hij zo filosofisch ingesteld doordat hij de jongste zoon is. Mijnheer Perseus, die alle verwachtingen van zijn moeder met zich mee moet torsen, is zich voortdurend bewust van zijn toekomstige verantwoordelijkheden, als hij het hoofd van deze voorname familie wordt. Hij neemt zijn bevoorrechte positie als toekomstige opvolger van zijn moeder erg serieus. En wel in zo'n mate dat hij er een jaar geleden na de dood van zijn vader, kolonel Zaluski, op stond zijn studie aan de universiteit op te geven om lady Tansor, die vroeger voor zulke zaken op haar man had vertrouwd, bij te staan in het toezicht op het beheer van het landgoed en om haar, naar vermogen, te adviseren over de vele andere belangen van de Duports.

Mijnheer Randolph koestert kennelijk geen wrok over het toevallige feit dat zijn broer ouder is en over het materiële profijt dat dit mijnheer Perseus zal opleveren wanneer hij uiteindelijk zijn erfenis krijgt. Hij beweert dat hij vooral verontrust zou zijn als zijn oudere broer iets zou overkomen en hem diens erfenis zou toevallen.

Naar deze drie personen gaat mijn voornaamste en voortdurende aandacht uit in dit huis, waar ik naartoe ben gestuurd om redenen die – op het tijdstip waarover ik schrijf – nog niet volledig aan me zijn geopenbaard. Dus blijf ik afwachten en toekijken, zoals me is opgedragen.

Ik moet gewoonlijk voortdurend klaarstaan voor milady, dag en nacht, maar deze avond was ik van alle taken ontheven. Nadat ik milady voor het diner had gekleed, mocht ik de daaropvolgende uren naar eigen goeddunken doorbrengen – een kostbaar respijt, waarin de bel op mijn kamer (naar ik hoopte) zou zwijgen, zelfs gedurende de koude nachtelijke uren.

Milady slaapt niet goed, en ik word wanneer ze uit haar dikwijls roerige nachtrust ontwaakt geregeld bij haar geroepen om haar voor te lezen of haar lange, donkere haar te borstelen (iets waarop ze bijzonder gesteld is), net zo lang tot ze eraan toe is om weer naar bed te gaan. Als ze dan de slaap niet kan vatten, grijpt ze algauw naar het belkoord om mij weer naar beneden te laten komen.

Soms weerklinkt de bel maar eenmaal op mijn kamer, twee verdiepingen boven de hare. Andere keren moet ik vijf of zes keer mijn warme bed uit om de trap naar haar gelambriseerde slaapkamer af te strompelen, waarna ik geërgerd en vermoeid naar mijn eigen kamer terugkeer.

Maar voor deze gelegenheid heeft milady me verzekerd dat ik tot de ochtend niet zal worden geroepen.

Nadat ik mijn avondtaken had verricht, trok ik dan ook met een uiterst gerieflijk gevoel van opluchting mijn deur dicht. Eerst nestelde ik me op mijn bed om een nieuwe roman van mejuffrouw Braddon te lezen (ik ben dol op romans), maar ik merkte dat ik niet tot rust kon komen. En dus gooide ik het boek opzij en liep op mijn tenen naar het balkon dat uitkijkt over de karmijnrode en goudkleurige eetzaal om gade te slaan hoe mijn meesteres, met haar twee zonen aan haar zijde, haar gasten onderhoudt.

Later, alleen op mijn kamertje onder het schuine dak, schreef ik in mijn Geheime Boek wat ik die dag had gezien en gedacht. Die taak moest ik dagelijks verrichten in opdracht van mijn voogdes, madame De l'Orme. Ik was door haar bureau naar Evenwood gestuurd om de vrouw te dienen wier veertien gasten nu uiteengingen in de duisternis van de koude novembernacht.

II
Het sollicitatiegesprek

'Als je me aanspreekt – mits je sollicitatie uiteraard met succes wordt bekroond – wil ik dat je me "milady" noemt, nooit "uwe edelheid".'

Dat waren de eerste woorden die mijn meesteres tot me had gericht nadat ik in haar privévertrekken was binnengelaten voor een sollicitatiegesprek over de betrekking van kamenier.

'Anderen gebruiken wellicht een andere aanspreekvorm,' was ze verdergegaan, 'maar jij mag dat niet doen. Ik hoop dat je dat begrijpt en het onthoudt. Hoewel weinigen die eer hebben verdiend, hanteer ik strikt de regel dat mijn kamenier door de overige bedienden anders moet worden bejegend.'

Toen ik de kamer binnenging, zat ze aan een kleine secretaire die voor een raam stond dat over het landgoed uitzag. Loom stak ze haar hand met de lange vingers uit om de referentie die ik had meegekregen in ontvangst te nemen. Ze opende de brief en begon te lezen, er amper blijk van gevend mijn aanwezigheid te hebben opgemerkt.

Plotseling wierp ze een harde, zure blik over haar bril en sprak de woorden die ik hierboven heb aangehaald alsof ik haar richtlijn al moedwillig had overtreden, ofschoon ik had staan zwijgen met mijn handen zedig voor mijn buik gevouwen en met een gezicht dat een toonbeeld van onschuld en inschikkelijkheid was.

Op de secretaire lag een nummer van de *Morning Post*. Een advertentie was met rode inkt strak omlijnd.

'Iedereen die vandaag voor de betrekking hierheen is gekomen heeft een advertentie geplaatst,' zei ze toen ze zag dat ik de opengeslagen krant had opgemerkt. 'Mejuffrouw Plumptre, mijn laatste kamenier, kwam dan misschien van een zeer achtenswaardig bureau, maar ze was volkomen ongeschikt. Ik zal nooit meer van bureaus gebruikmaken. Ik was genoodzaakt haar te ontslaan na een hoogst onprettig en verontrustend voorval waarover ik niet wil spreken. Dientengevolge geef ik nu de voorkeur aan mensen die een advertentie plaatsen. Het geeft blijk van initiatief en laat zien dat iemand karakter heeft. Voor een betrekking als deze wil ik over die zaken graag zelf beslissen, dus is het voor jou een geluk dat je advertentie me opviel.'

Voordat ze zich weer tot de brief bepaalde wierp ze me een kil lachje toe.

'Mejuffrouw Gainsborough, je laatste werkgeefster, schrijft dat je haar uitstekend hebt gediend,' zei ze. 'En hoe kon jij het met mejuffrouw Gainsborough vinden?'

'Heel goed, milady.'

Alles berustte op een goed uitgewerkte leugen. 'Mejuffrouw Helen Gainsborough' had nooit bestaan en was een schepping van madame De l'Orme. Alles was vooraf uiterst zorgvuldig uitgedacht, en madame had me verzekerd dat als lady Tansor de verzonnen dame zou willen schrijven ter bevestiging van het in de brief die ze nu las gegeven oordeel over mij, er een antwoord zou komen dat milady in elk opzicht volkomen tevreden zou stellen. Er was zelfs op gerekend dat ze 'mejuffrouw Gainsborough' persoonlijk zou opzoeken of iemand naar haar toe zou sturen, en er waren maatregelen getroffen om daarop in te spelen.

Lady Tansor zette langzaam haar bril af, legde hem neer en richtte haar brilloze blik op mij.

Bij het spelen van de rol die madame me had gegeven beschikte ik over het zelfvertrouwen van de jeugd. Desondanks werkte de kritische blik van lady Tansor me op de zenuwen. Het leek of ze al mijn geheime gedachten uitploos op zoek naar de waarheid over mijn identiteit, en ik moest me flink inspannen om mijn kalmte te bewaren.

'Het is een erg donkere middag,' zei ze, met haar blik nog steeds op mij gericht. 'Kom eens dichterbij, kind – hier, dichter bij het raam, zodat ik je beter kan zien.'

Ik deed wat ze vroeg. Enkele ogenblikken bleef ik roerloos staan en voelde me ongemakkelijk onder haar onderzoekende ogen.

'Je ziet er heel markant uit,' zei ze ten slotte. 'Heel markant. Ik denk dat de mensen je niet gauw zullen vergeten.'

Ik bedankte haar en zei dat ze heel vriendelijk was.

'Vriendelijk?' antwoordde ze, en ze keek me nog eens indringend aan. 'Nee, nee, niet vriendelijk. Je zult mijn vriendelijkheid moeten verdienen.' En op een wat verstrooidere toon vervolgde ze: 'Ik zeg niets vleiends. Het is gewoonweg zo. Jij hebt een gezicht dat men zich altijd zal herinneren.'

Ze keek opnieuw naar de brief.

'Er wordt me hier verteld dat je een wees bent en dat je je ouders nooit hebt gekend.'

'Dat is waar, milady.'

'En voordat je de betrekking bij mejuffrouw Gainsborough kreeg woonde je in bij een oude vriendin van je moeder?'

'Ja, milady.'

'En ik lees dat je dáárvoor in Parijs hebt gewoond, onder de hoede van een voogdes, een weduwe.'

'Dat is juist, milady.'

Ze hervatte opnieuw haar lectuur van de brief.

'Beschouw je jezelf als een vaardig naaister?' was haar volgende vraag, waarop ik antwoordde dat men algemeen vond van wel.

'Ik verlaat Evenwood tegenwoordig niet vaak meer,' vervolgde ze, 'maar wanneer ik genoodzaakt ben naar de stad te gaan, zal ik iemand nodig hebben die zeer zorgvuldig kan inpakken.'

'Ik weet zeker dat ik u niet zal teleurstellen, milady,' zei ik. 'Mejuffrouw Gainsborough reisde erg veel. Ik geloof dat ze nu zelfs in Rusland verblijft, al ben ik met haar nooit naar zo'n ver land op reis geweest.'

'Rusland! Wat fascinerend!'

Ze dacht een ogenblik na en vroeg toen of ik vrijers had.

'Nee, milady,' antwoordde ik – naar waarheid.

'Geen bindingen van welke aard dan ook?'

'Geen, milady.'

'En ook geen levende verwanten, neem ik aan?'

'Dat is juist, milady. Degene die het dichtst bij een ouder komt is mijn voogdes, madame Bertaud. Mevrouw Poynter, de oudste vriendin van mijn moeder, bij wie ik in Londen inwoonde voordat ik een betrekking bij mejuffrouw Gainsborough kreeg, beschouwde ik als een tante. Maar zij is onlangs overleden.'

Na de brief nog even te hebben bestudeerd keek lady Tansor op en keek mij opnieuw strak aan met haar grote donkere ogen.

'Je bent ietwat jong, en dit is pas je tweede betrekking,' zei ze.

De moed zonk me in de schoenen, want het was noodzakelijk dat ik de baan kreeg.

'Ik heb vandaag twee of drie zeer ervaren en competente mensen ontvangen,' vervolgde ze, 'die uitstekende referenties hebben en heel goed in staat zijn de functie op passende wijze te bekleden.'

Ze dacht een ogenblik na en bekeek de brief opnieuw aandachtig, alsof ze op zoek was naar een verborgen betekenis. Tot mijn opluchting werd haar blik vervolgens milder.

'Maar van mejuffrouw Gainsborough krijg je een zeer goede referentie, al heb ik niet de eer die dame te kennen. Normaal gesproken zou ik een dergelijke aanbeveling alleen accepteren van iemand die ik persoonlijk ken, maar in jouw geval zou ik een uitzondering kunnen maken. Ik veronderstel,' voegde ze daar op peinzende toon aan toe, bijna alsof ze hardop in zichzelf sprak, 'dat ik mejuffrouw Gainsborough zou kunnen schrijven, of misschien...'

Ze zweeg even, maakte haar zin niet af en vuurde vervolgens een van haar onverbiddelijkste blikken op me af.

'Aangezien je in Frankrijk bent grootgebracht, mag ik veronderstellen dat je de taal uitstekend beheerst?'

'Ja, milady. Ik denk dat u ervan uit mag gaan dat ik hem vloeiend spreek.'

'En volg je het wereldgebeuren?'

Ik antwoordde dat ik mijn best deed mezelf op de hoogte te houden van wat er op de wereld gebeurde.

'Vertel me dan eens wat je van de Turkse Oorlog vindt – in het Frans.'

Nu wist ik daarover erg weinig, niet meer dan het elementaire, vagelijk tot me doorgedrongen feit dat er vijandelijkheden waren uitgebroken. Over de oorzaken of de mogelijke gevolgen kon ik niets zeggen. Desondanks antwoordde ik in het Frans dat ik de toestand als gevaarlijk beschouwde en dat oorlog in het algemeen iets betreurenswaardigs was en indien mogelijk moest worden vermeden.

Ze lachte me onaangedaan toe, maar zei niets. Vervolgens vroeg ze: 'Wat lees je zoal?'

Hier had ik vaste grond onder de voeten, want ik had altijd boeken verslonden, en madame had mijn leeshonger in mijn kinderjaren voortdurend gevoed. Ook mijn huisleraar, mijnheer Thornhaugh, die de bovenverdieping van madames huis bewoonde en op wie ik te zijner tijd uitvoeriger zal ingaan, had mijn lectuur begeleid. Ik had ook een beetje Latijn en wat Grieks geleerd, maar ik had gemerkt dat ik mijn moeizaam verworven kennis van beide talen snel was vergeten en dus nauwelijks in staat was tot serieuze studie van de beide grote klassieke literaturen.

Mijn hart ging uit naar moderne Franse en Engelse werken, ontsproten aan de verbeelding. Ik was in de ban van poëzie, en vooral van romans.

'Ik ben dol op Stendhal,' beantwoordde ik de vraag van lady Tansor met de spontane geestdrift die ik altijd aan de dag leg wanneer ik het over mijn lievelingsboeken heb. 'En op Voltaire.'

'Voltaire!' interrumpeerde lady Tansor met een geamuseerd lachje. 'Wat vooruitstrevend! En verder?'

'En verder hou ik van monsieur Balzac en George Sand. O, en van Dickens en Collins en mejuffrouw Braddon...'

Ze viel me opnieuw in de rede en stak haar hand op om me te beletten verder te gaan.

'Je smaak lijkt een weinig afwijkend en ongericht, kind,' zei ze. 'Maar misschien is dat vergeeflijk bij een zo jong persoon, en smaak kan gemakkelijk worden gecorrigeerd.'

Vervolgens vroeg ze: 'En de poëzie? Lees je poëzie?'

'O ja, milady. Van de Fransen ben ik dol op Lamartine, De Vigny en Leconte de Lisle. Byron, Keats, Shelley en Tennyson zijn mijn favoriete Engelse dichters.'

'Ken je ook het werk van Phoebus Daunt?'

De vraag werd met merkbare nadruk gesteld, alsof ze er een bijzondere reden voor had, en uiteraard wist ik dat dat ook het geval was. Mijnheer Daunt was de man met wie zij had zullen trouwen, maar die op gruwelijke wijze was vermoord door een oude schoolvriend die al lange tijd een wrok jegens hem koesterde. Het was een vraag die ik had voorzien, want madame had me speciaal het verhaal van de overleden verloofde van lady Tansor verteld, en uitgelegd dat ze zijn nagedachtenis met onverminderde hartstocht was blijven eren. Madame had me ook verschillende dichtbundels van mijnheer Daunt gegeven, die ik plichtsgetrouw en met weinig genoegen had gelezen.

'Ja, milady,' antwoordde ik, en ik keek haar recht in de niet van mij wijkende ogen.

'En wat is je mening over zijn werk?'

Ik had mijn antwoord klaar.

'Ik beschouw hem als een unieke, opmerkelijk oorspronkelijke dichter, die in alle opzichten een waardig opvolger was van de epische dichters uit het verleden.'

Ik sprak die woorden uit met alle warmte en overtuiging die ik in me had en wachtte gespannen af of ze iets van huichelarij in mijn toon of mijn houding had bespeurd. Ze zei echter niets, zuchtte alleen en schoof het getuigschrift met een languissant handgebaar opzij.

'Ik neem niet de moeite om nog iemand anders voor de betrekking te ontvangen,' zei ze na nog even te hebben nagedacht. 'Je hebt een eerlijk én een markant gezicht, en ik denk dat je snel zult leren. Mijn laatste kamenier was hopeloos dom en tevens – ach, dat doet er nu niet meer toe. Ik zie dat jij helemaal niet dom bent – je lijkt zelfs ongewoon goed opgeleid te zijn voor iemand die solliciteert naar de betrekking van kamenier. Ongetwijfeld heb je je redenen om te solliciteren, maar die gaan mij op dit moment niet aan. Ik heb dan ook besloten: de betrekking is voor jou. Verrast dat je?'

Ik zei dat het niet aan mij was om vragen te stellen bij haar besluit, ten goede of ten kwade. Daarbij wierp ze me weer een indringende blik toe en opnieuw sloeg ik ootmoedig mijn ogen neer, ook al was ik opgetogen dat mijn opzet was geslaagd, precies zoals madame had voorzien. Ze had me voorgehouden dat mijn gang naar Evenwood met succes zou worden bekroond en dat ik niet de minste twijfel hoefde te koesteren aan mijn vermogen om lady Tansor bij wijze van eerste en noodzakelijke stap meteen te bekoren. En dat was juist gebleken.

Er viel een korte stilte, waarin ik met gebogen hoofd wachtte tot mijn nieuwe meesteres zou spreken.

'Uitstekend,' zei ze ten slotte. 'Dat is geregeld. Beloning zoals bepaald in de onlangs door mijn secretaresse opgestelde brief, en alles onder voorbehoud, totdat we weten hoe je het doet. Uiteraard verwacht ik van mijn personeel dat het bepaalde gedragsnormen naleeft, en ik zal niet aarzelen om ongehoorzaamheid of wangedrag te bestraffen. Maar over het geheel genomen zul je me leren kennen als een ruimdenkend meesteres, met haar eigen manier om het huishouden te bestieren. Ik weet dat sommigen me als verbijsterend nonchalant beschouwen omdat ik mijn personeel – althans diegenen onder hen die hebben bewezen mijn vertrouwen te verdienen – te veel vrijheid van handelen laat. Maar ik vind dat niet erg. Ik doe de dingen graag op die manier. Mits op de juiste wijze toegepast, zorgt het in alle rangen voor tevredenheid. En nu: ik vraag me af hoe ik je moet noemen. Ik zie dat in de brief van mejuffrouw Gainsborough je voornaam niet wordt vermeld.'

'Ik heet Esperanza, milady.'

'Esperanza! Wat alleraardigst! Al weet ik niet zeker of dat wel kan. Het klinkt nogal... Europees. Heb je nog een naam?'

'Alice, milady.'

'Alice!'

Ze legde haar hand met theatraal gespreide vingers tegen haar borst, alsof deze inlichting haar voor een ogenblik de adem had benomen.

'Het kon niet beter. Alice! Dat bevalt me buitengewoon. Zo fris! Zo Engels! Ik ga je Alice noemen.'

Ze wendde zich van me af en pakte een kleine zilveren bel die op een tafeltje naast haar stond. Verrassend snel verscheen bij de deur een in livrei gestoken lakei, een lange, magere man.

'Barrington, dit is mejuffrouw Gorst. Ze wordt mijn nieuwe kamenier. Zeg mijnheer Pocock dat hij de anderen wegstuurt en blijf dan buiten wachten om mejuffrouw Gorst naar haar kamer te brengen.'

De lakei wierp mij een tamelijk zonderlinge blik toe – waaruit tegelijk nieuwsgierigheid en kennis sprak –, boog en verliet het vertrek.

'Ik heb je vanavond niet nodig, Alice,' zei lady Tansor toen Barrington weg was. 'Een van de dienstmeisjes kan me helpen bij het kleden. Barrington zal je laten zien waar je gaat slapen. Je moet om acht uur 's ochtends naar me toe komen. Stipt om acht uur.'

Met die woorden pakte ze een boek op dat open op het tafeltje naast haar lag en begon te lezen. Ik ving een glimp op van de titel en de auteursnaam die in goud op de rug stonden:

ROSA MUNDI

P. RAINSFORD DAUNT

Toen ik me omdraaide om weg te gaan, keek ze op en sprak nogmaals. 'Ik hoop, Alice, dat jij en ik het met elkaar zullen kunnen vinden en dat we vriendinnen zullen worden – voor zover de omstandigheden dat toelaten, uiteraard. Denk jij dat dat ervan zal komen?'

'Ja, milady,' antwoordde ik, verbluft door haar vrijmoedigheid. 'Ik weet het wel zeker.'

'Dan zijn we het eens. Goedenacht, Alice.'

'Goedenacht, milady.'

Buiten, in het nu door kaarslicht verlichte schilderijenkabinet, trof ik Barrington aan, die stond te wachten om me naar boven naar mijn kamer te brengen, een dienst die hij in volledig stilzwijgen verrichtte.

Ik had niet veel uit mijn vroegere leven in Frankrijk mee naar Evenwood genomen, alleen een klein koffertje met wat kleren, zes boeken, een paar dierbare snuisterijen uit mijn kinderjaren en natuurlijk mijn Geheime Boek.

'We moeten voor onze zaak niet zomaar op het geheugen vertrouwen,' had madame me voor mijn vertrek gewaarschuwd. 'Het geheugen is vaak een onbetrouwbare vriend. Woorden, lieveling, zijn als ze duidelijk, waarachtig en onmiddellijk worden opgeschreven, onze beste bondgenoot, onze beste verdediging en ons beste wapen. Behoed ze zorgvuldig.'

Toen ik voor het eerst naar Evenwood kwam, waren de bladzijden in mijn boek nog leeg. Maar dit was, zoals ik algauw ontdekte, een huis vol geheimen, en de bladzijden vulden zich snel.

De avond van maandag de vierde september van het jaar 1876 ging ik voor het eerst slapen in mijn krappe maar knusse kamertje onder het schuine dak van landhuis Evenwood, echter niet voordat ik in mijn boek, in het steno dat ik van mijn huisleraar had geleerd, een verslag van mijn sollicitatiegesprek met lady Tansor had geschreven.

In het donker lag ik naar het zachte getik van de regen tegen het glas van de twee dakvensters te luisteren. Ergens sloeg een deur dicht, en in een gang weergalmden stemmen. Daarna was het stil.

Ik stond op de drempel van een groot avontuur. Ik was alleen in dit huis, ik kende er niemand en wist nog niet waarom ik hierheen was gestuurd. Ik wist alleen dat madame me – heel vaak en heel persistent – had gezegd dat ik hiernaartoe móést. Maar toen ik me die eerste nacht opmaakte om te gaan slapen, bestormd door twijfels of ik wel aan madames verwachtingen kon voldoen, voelde ik ook een tinteling van verwachting bij het vooruitzicht eindelijk te zullen begrijpen wat ik toen nog niet kon bevatten.

Morgen. Morgen zou het beginnen. Om acht uur.

Stipt.

1

Op de kamer van milady

I
De Grote Opgave

Ik werd gewekt door het geluid van een klok die ergens buiten zes uur sloeg. Als datzelfde behulpzame instrument gedurende de nacht de uren had geslagen, wat ik veronderstelde, had het pas nu de diepe slaap verstoord waarin ik snel was weggezonken.

Verlangend uitziend naar de eerste dag van mijn nieuwe leven sprong ik uit mijn warme bed, trippelde over de kale planken naar een van de dakvenstertjes en trok het gordijn open.

Als ik naar beneden keek kon ik net een terras met balustrade zien dat zich uitstrekte langs de vleugel waarin lady Tansors vertrekken lagen en waar, twee verdiepingen hoger, mijn eigen kamertje zich bevond. Een trap liep vanaf het terras naar een uitgestrekt terrein met grindpaden en strak aangelegde bloemperken. Daarachter lag het dichtbeboste landgoed deels verborgen onder een vlaag oplossende mist. In de verte was hij dichter, langs de oevers van een groot meer en de meanderende loop van de Evenbrook, een kronkelige zijrivier van de Nene die zo'n vijf of zes kilometer ten oosten van het landgoed in deze rivier uitmondt.

De regen van de vorige avond was weggetrokken en de bleke, grijs-blauwe lucht werd al helderder. Ik beschouwde deze voorbode van een zonnige ochtend als een voorteken dat na mijn succesvolle poging om de betrekking van kamenier van lady Tansor in de wacht te slepen, voor mij alles in dit huis goed zou verlopen.

Dinsdag 5 september 1876: mijn eerste ochtend op Evenwood – en wat een prachtige ochtend! Ik was een poosje eerder in Engeland aangekomen, vol bange voorgevoelens maar vastbesloten om madame niet in haar verwachtingen teleur te stellen – want als ik me iets heb voorgenomen ben ik onverzettelijk. Hoewel ik dolgraag wilde weten waarom mijn voogdes haar plan had beraamd om mij hierheen te laten gaan en daarbij mijn ware identiteit te verhullen, had ik er met moeite in berust af te wachten tot ze mij eindelijk haar plan zou openbaren.

Twee maanden eerder was madame naar mijn kamer gekomen toen ik op het punt stond me ter ruste te leggen.

'Ik moet je iets vertellen, mijn lieve kind,' zei ze en ze pakte mijn hand. Haar gezicht was bleek en afgetobd.

'Wat is er?' vroeg ik, en ik voelde een plotselinge angst opkomen. 'Is er iets gebeurd? Bent u ziek?'

'Nee,' zei ze, 'ik ben niet ziek, maar er is wel iets gebeurd, iets wat jouw leven voorgoed zal veranderen. Wat ik je ga vertellen zal je schokken, maar het moet worden gezegd, en wel nu.'

'Zegt u het dan vlug, lieve voogdes,' antwoordde ik, 'want u maakt me vreselijk bang.'

'Je bent dapper, mijn lieve kind,' zei ze en ze kuste me. 'Goed dan. Je moet naar Engeland – nog niet meteen, maar wel gauw, als bepaalde zaken geregeld zijn – om daar een nieuw leven te beginnen.'

Ik was volstrekt niet op deze buitengewone mededeling voorbereid. Vertrekken uit Maison de l'Orme, het enige thuis dat ik ooit had gekend, en alleen naar Engeland moeten gaan, waar ik nog nooit in mijn leven was geweest, zo plotseling, zonder waarschuwing vooraf, en zonder dat me een nadere verklaring werd gegeven? Het was ongerijmd, onmogelijk.

'Maar waarom?' vroeg ik, terwijl mijn hart bonsde van angst en verbijstering. 'En voor hoe lang?'

'Wat het laatste betreft,' antwoordde madame met een hoogst zonderling lachje, 'als je de taak die ik van je ga vragen tot een goed einde brengt, kom je hier misschien nooit meer terug – ik hoop zelfs uit de grond van mijn hart dat dat het geval zal zijn.'

Terwijl ik haar verbaasd aanhoorde, vertelde ze me vervolgens dat sinds enkele weken advertenties in Londense kranten waren geplaatst met mijn kwalificaties voor de betrekking van kamenier.

'Kamenier!' riep ik vol ongeloof. 'Dienstmeid!' Was mijn voogdes krankzinnig geworden?

'Laat me uitspreken, mijn lieve kind,' zei madame, en ze kuste me nogmaals.

De advertenties bleken te zijn geplaatst met de bedoeling mij aan te bevelen voor een bepaalde vacature waarvan madame op de hoogte was, en daarop was nu een antwoord binnengekomen. Als gevolg daarvan moest ik naar Evenwood, een groot landhuis in Engeland, waar ik een gesprek zou hebben met de eigenares, de weduwe lady Tansor.

'Je moet die dame voor je innemen,' zei madame met klem. 'Dat zal geen probleem opleveren, want jij neemt iedereen voor je in – net als wijlen je lieve vader. Ze zal onmiddellijk zien dat je geen gewoon dienstmeisje bent maar de opvoeding van een dame hebt gehad, en dat zal sterk in je voordeel werken. Maar je hebt nog een sterke kant. Je zult iets over je hebben wat zij niet kan weerstaan, ook al probeert ze dat misschien wel. Meer kan ik niet zeggen. Maar dit moet je geloven, en je moet er kracht uit putten.'

'Maar waaróm moet ik dat allemaal doen?' vroeg ik, verbluft door haar woorden. 'Dat hebt u me nog altijd niet gezegd.'

Opnieuw klonk dat zonderlinge lachje. Ik denk dat het was bedoeld om me te kalmeren, maar ik werd er nog heviger door verontrust.

'Mijn lieve kind,' zei ze, 'wees niet boos op me, want ik zie dat je boos bent, en ik begrijp hoe je je moet voelen. Dat jij kamenier van lady Tansor wordt heeft een doel, een belangrijk doel, maar voorlopig mag je dat nog niet weten. Als je té snel té veel weet wordt het veel moeilijker voor je om je rol te spelen, en het zal ten koste gaan van je onschuld en onervarenheid – eigenschappen waarvan je gebruik zult moeten maken. Als je deze betrekking in de wacht sleept, en ik ben er zeker van dat je dat lukt, moet je je meesteres er dagelijks van overtuigen dat je echt bent wie je voorgeeft te zijn. Ze mag geen argwaan tegen je koesteren. Totdat je haar volledige vertrouwen hebt gewonnen geldt daarom: hoe minder je weet, hoe beter. Want door je onwetendheid zul je je natuurlijker en minder gemaakt gedragen. Als je bij haar in de gunst bent gekomen, is het tijd dat je van alles op de hoogte zult zijn – en dat zal ook gebeuren. Dat beloof ik je op mijn erewoord.

Vertrouw je me dus, kindje, zoals je me altijd hebt vertrouwd, en geloof je dat ik alleen handel in jouw belang, dat ik sinds de dag van je geboorte altijd toegedaan ben geweest en altijd toegedaan zal blijven?'

Wat moest ik op zo'n smeekbede zeggen? Het was maar al te waar. Ze had dagelijks bewezen dat ze vol zorg en liefde voor me was. Ik moest haar nu beslist vertrouwen, maar moest dat een blind vertrouwen zijn? Als ik het niet deed, zou ik alles verloochenen wat ze voor me had gedaan en betekend. Ik had geen moeder, geen vader en geen broers of zussen. Ik had alleen madame, die met haar melodieuze stem slaapliedjes voor me zong en me zachtjes troostte als ik ontwaakte uit de afschuwelijke nachtmerries waarvoor ik altijd gevoelig ben geweest. Ik wist zeker dat ze me nooit zou misleiden of me met opzet in gevaar zou brengen. Waarom zou ik haar woorden in twijfel trekken dat de taak die ze me nu wilde laten verrichten zeer in mijn belang was, zoals ze alsmaar benadrukte?

In mijn hart wist ik dat de verplichting die ik jegens madame had, het me onmogelijk zou maken haar verzekeringen van de hand te wijzen dat mijn vertrek naar Engeland absoluut noodzakelijk was. Desondanks accepteerde ik ze met de grootst mogelijke tegenzin. Ik had het gevoel dat mijn voogdes me geen andere keuze had gelaten, door met mijn liefde voor haar mijn zeer natuurlijke en redelijke bezwaren opzij te schuiven.

'Mijn lieve kind,' zei madame toen ik mezelf weer een beetje in de hand had, en haar schalkse gezicht straalde van opluchting. 'We weten maar al te goed dat dit voor jou veel gevraagd is, terwijl je nog maar zo jong bent. Maar we weten ook dat jij het vermogen bezit...'

'We?' viel ik haar in de rede.

Voor het eerst aarzelde ze met haar antwoord, alsof ze zich iets had laten ontglippen wat ik niet mocht weten.

'Mijnheer Thornhaugh en ikzelf natuurlijk,' zei ze na een ogenblik te hebben nagedacht. 'Op wie zou ik anders doelen?'

Ik vroeg wat mijn huisleraar met de zaak te maken had.

'Mijn lieve kind,' antwoordde ze met een glimlach, en ze raakte me daarbij zachtjes aan, 'je weet hoezeer ik op het advies van mijnheer Thornhaugh ben gaan vertrouwen, aangezien ik me niet op een echtgenoot kan verlaten. Ik heb dat advies nu meer dan ooit nodig.'

Ik begreep waarom madame mijn leraar deelgenoot had gemaakt van wat ze 'de Grote Opgave' bleef noemen, want hij was in alle opzichten een uitzonderlijk mens, in wie ook ik een volledig vertrouwen stelde. Maar waarom had ze mij er niet vanaf het begin over verteld?

'Ik heb mijnheer Thornhaugh in vertrouwen genomen,' erkende ze. 'Wil hij me kunnen bijstaan, dan moet hij alles weten. Ik zou dit niet voor jou hebben verzwegen als mijnheer Thornhaugh daar zelf niet op had gestaan. Het pleit voor hem dat hij aanvoelde hoe delicaat de zaak ligt. Hij had het idee dat het pijnlijk voor jou zou zijn als ik je zou vertellen dat je leraar op de hoogte is van iets wat jij nog niet mag weten. Hij had natuurlijk gelijk. Vergeef je me?'

Zwijgend zaten we met de armen om elkaar heen geslagen en wiegden zachtjes heen en weer, totdat madame ten slotte zei dat we ons gesprek 's ochtends zouden hervatten.

Vanaf die dag bereidde ze me voor op wat komen ging. Haar eigen kamenier onderrichtte me elke dag in de verschillende taken die ik zou moeten verrichten, en ik kreeg een exemplaar van Isabella Bentons voortreffelijke handboek voor de huishouding, waarin de vele zware verplichtingen van een kamenier werden beschreven. Avond na avond bestudeerde ik dit werk toegewijd, en ik vergat later niet het naar Evenwood mee te nemen.

Dikwijls hield ik niet op madame te vragen naar het doel van de Grote Opgave en waarom het nodig was dat ik daarvoor Frankrijk verliet.

'Het is je noodlot, mijn lieve kind,' zei ze op een uiterst plechtige en overtuigende toon die me meteen de moed ontnam om door te vragen. 'En tevens je plicht.' Meer hielden haar antwoorden nooit in, en dus legde ik me uiteindelijk, in het besef dat het onmogelijk was het noodlot te tarten, bij het onvermijdelijke neer.

Ongeveer een week later, toen ik op een nevelige augustusochtend in de salon zat te lezen, kwam madame naar me toe. Ik zag onmiddellijk dat ze me iets van het grootste belang te vertellen had.

'Ben je klaar, mijn lieve kind, om aan de Grote Opgave te beginnen?' vroeg ze, blozend van opwinding.

Ze stak haar beide handen naar me uit. Ik pakte ze, en met hecht ineengeslagen vingers stonden we tegenover elkaar.

'Ik ben klaar,' antwoordde ik, hoewel ik opnieuw misselijk was van angst en in stilte nog altijd wrokkig was over de positie van onvoorwaardelijke gehoorzaamheid aan de wil van madame waarin ik was geplaatst.

'Denk niet dat je alleen zult staan,' zei ze en ze streelde me zachtjes door mijn haar. 'Ik zal er zijn als je me nodig hebt – en dat geldt natuurlijk ook voor mijnheer Thornhaugh – en ook zul je in Engeland altijd iemand in de buurt hebben.'

'Iemand?'

'Ja, een goed en betrouwbaar mens, die ervoor zal zorgen dat jou niets overkomt en die in mijn plaats over je zal waken. Je zult die persoon echter niet leren kennen, tenzij – wat God verhoede – je daar door de omstandigheden toe wordt genoodzaakt.'

En zo kwam het tijdstip waarop ik het huis aan de Avenue d'Uhrich moest verlaten alsmaar naderbij. Die laatste dagen prentte madame me steeds weer in dat het noodzakelijk was om, als ik de betrekking kreeg, het volledige vertrouwen van lady Tansor te winnen. Intussen waarschuwde ze me dat dat niet vlug of gemakkelijk zou gebeuren. Vervolgens vertelde ze me dat lady Tansor in haar hele leven maar één intieme vriendin had gehad, maar dat aan die vriendschap voor zover zij wist jaren geleden een einde was gekomen.

'Je mag niet lang alleen dienstmeisje blijven,' vervolgde ze, 'je moet een plaatsvervangster voor die verloren vriendin worden. Het welslagen van de Grote Opgave is daarvan afhankelijk.'

Voor de laatste keer waagde ik het te vragen wat het doel van de Grote Opgave was, ook al wist ik op dat moment al hoe madames antwoord zou luiden. Vooralsnog (altijd was het een tergend 'vooralsnog') moest ik vertrouwen in haar blijven stellen, al beloofde ze me drie 'instructiebrieven' te zullen sturen. In de laatste zou eindelijk worden onthuld wat het doel van de Grote Opgave was en hoe het moest worden verwezenlijkt.

Vanaf dat moment heb ik het gevoel gekregen dat mijn leven niet aan mij toebehoort en dat het nooit werkelijk van mij is geweest. Daarentegen schijnt het me toe dat ik voordien een zeer genoeglijke en benijdenswaardige jeugd heb gehad, waarin ik veilig in mijn beschermde wereldje verbleef. Ik was vaak alleen maar nooit eenzaam en had een rijk innerlijk leven, waarin ik voortdurend genoot van aangename fantasieën – behalve als de nachtmerries kwamen en ik het uitschreeuwde van angst. Maar hoewel ik er bang voor was, verontrustten zelfs die dromen me niet erg meer wanneer het de volgende dag licht werd en ik ontwaakte met de aanblik van het lieve gezicht van madame, die als ik heel bang was geweest altijd in de stoel naast mijn bed zat te slapen, met haar hand beschermend op de mijne.

Van mijn moeder kon ik me niets herinneren. Ik beeldde me soms in dat ik een vage herinnering aan mijn vader had, als aan een plek die je lang geleden een keer hebt bezocht maar waarvan je alleen nog een flauwe, onduidelijke notie hebt, die toch altijd dezelfde onuitwisbare indruk met zich meebrengt. Merkwaardig genoeg pijnigde deze fragmentarische herinnering me nooit. Daarvoor had ze te weinig substantie en kwam ze te zelden boven. Alleen op verjaardagen voelde ik me soms eenzaam omdat ik wees was. Maar dan berispte ik mezelf vanwege mijn ondankbaarheid jegens madame en beschouwde mezelf als een hoogst zelfzuchtig schepsel. Wezen over wie ik in boeken had gelezen waren dikwijls arme stakkers, die wreed werden behandeld door een boosaardige voogd of stiefmoeder. Dat was mij nooit overkomen. Madame was lief en zorgzaam. Het huis aan de Avenue d'Uhrich was groot en gerieflijk, al was het door hoge muren van de buitenwereld afgeschermd. Ik kwam niets tekort, het ontbrak me niet aan lichamelijk comfort of geestelijke stimulans. Ik ontving liefde, besefte dat en gaf liefde terug. Hoe had ik dus verdrietig of ongelukkig kunnen zijn?

Toen ik nog heel klein was nam madame me vaak mee naar de kleine begraafplaats van St-Vincent, om me te laten zien waar mijn vader en moeder begraven lagen: naast elkaar, onder twee platte granieten zerken, in de diepe schaduw van de omheining. Met mijn hand stevig in de hare staarde ik naar de zerken, gefascineerd door de strenge beknoptheid van de inscripties:

MARGUERITE ALICE GORST
1836-1858

EDWIN GORST
OVERLEDEN IN 1862

De inscriptie van mijn moeder maakte me altijd verdrietig: ze had zo'n mooie naam en was – zoals ik op een dag besefte, nadat ik had leren rekenen – zo jong door de dood weggerukt.

Naar de inscriptie van mijn vader voelde ik een vreemde en bizarre nieuwsgierigheid, want doordat er maar één jaartal stond scheen het mijn kinderlijke geest toe dat hij nooit was geboren, maar toch kans had gezien om te sterven. Natuurlijk kon ik dat eenvoudigweg niet begrijpen, totdat madame me vertelde dat zijn geboortejaar onbekend of onzeker was.

Als ik in stilte met madame naar de graven keek probeerde ik me, bij gebrek aan portretten of foto's van mijn ouders (waarop ik kon terugvallen), vaak voor te stellen hoe ze eruit hadden gezien – of ze klein of groot en donker of blond waren geweest. En voor zover mijn beperkte levenservaring en kennis van de wereld mijn jeugdige speculaties konden voeden, vroeg ik me af door wat voor omstandigheden ze hier, op hun laatste rustplaats, terecht waren gekomen. Het lukte me echter nooit.

Gedurende mijn kinderjaren had madame me dikwijls verteld dat mijn moeder een mooie vrouw was geweest (zoals elke moeder dat natuurlijk hoort te zijn in de verbeelding van een weeskind dat haar nooit heeft gekend) en dat mijn vader een knappe, schrandere man was geweest (zoals elke vader van een weeskind dat ook hoort te zijn). Ze had mijn vader namelijk voor zijn huwelijk gekend, en ook later toen mijn moeder en hij enige tijd bij haar in Maison de l'Orme hadden ingewoond.

Tezamen met eenvoudige gegevens zoals het feit dat ze naar Parijs waren gekomen en zich bij madame aan de Avenue d'Uhrich hadden gevestigd, waar ik was geboren, waarna zij waren gestorven – mijn moeder kort na mijn geboorte, mijn vader enkele jaren later – was dat het enige wat madame me over mijn ouders vertelde. En gedurende mijn kinderjaren hoefde ik niet meer te weten. Toen ik ouder werd, werd ik erg nieuwsgierig en wilde ik meer over hen aan de weet komen. Op haar vriendelijke maar onverzettelijke wijze ontweek madame mijn vragen echter altijd. 'Ooit, mijn lieve kind, ooit,' zei ze, en ze maakte met kusjes een einde aan mijn aandringen.

Zo was ik onder de liefdevolle hoede van madame opgegroeid, zonder meer over mezelf te weten dan dat ik Esperanza Alice Gorst heette, op 1 september 1857 was geboren en het enige kind was van Edwin en Marguerite Gorst, die allebei op de begraafplaats van St-Vincent rustten.

II
De toekomstige lord

Door een klop op de deur werd ik uit mijn dagdromen opgeschrikt. Ik rende terug naar mijn bed, trok snel mijn ochtendjas aan en deed open. Het was Barrington, de hoofdlakei, die een blad in zijn handen hield.

'Ontbijt, juffrouw,' zei hij somber.

Nadat hij het blad op de tafel had gezet gaf hij een kuchje, alsof hij nog wat wilde zeggen.

'Ja, Barrington?'

'Mevrouw Battersby wil weten, juffrouw, of u voortaan de maaltijden in de hofmeesterskamer gebruikt.'

'Is dat hier voor de kamenier van milady gebruikelijk?'

'Ja, juffrouw.'

'En is mevrouw Battersby het hoofd van de huishouding van milady?'

'Ja, juffrouw.'

'Goed dan. Doet u mevrouw Battersby alstublieft mijn allerhartelijkste groeten en zegt u haar dat ik met alle genoegen mijn maaltijden in de hofmeesterskamer zal gebruiken.'

Hij maakte een flauw buiginkje en vertrok.

Jonah Barrington

Lakei. Lang en pezig, recht van lijf en leden, militaire houding, ingevallen wangen, neerslachtige gelaatsuitdrukking, volle, stugge, grijze haardos. Grote oren waaruit plukjes wit haar komen, als zijderupsen. Vijftig jaar oud? Kleine, samengeknepen mond, die de indruk wekt dat hij verbluft en afwijzend staat tegenover de wereld waarin hij zich op onverklaarbare wijze bevindt, al heb ik het gevoel dat hij in zijn hart een vriendelijk mens is. Heeft een discreet maar oplettend air over zich.

Deze beschrijving van Barrington noteerde ik in mijn Geheime Boek nadat de persoon in kwestie was weggegaan en ik mijn thee had opgedronken en mijn met boter besmeerde boterham had opgegeten. Vervolgens waste ik me, stak me in de eenvoudige zwarte japon, het gesteven witte schort en het mutsje die madame me had meegegeven en ging, voor het eerst alleen, het landhuis Evenwood in.

De smalle houten trap die vanuit mijn kamer naar beneden liep bracht me eerst naar een witgeschilderde gang en vervolgens, terwijl hij breder en monumentaler werd, naar het door een rij boogramen verlichte schilderijenkabinet waar zich de deur naar de privévertrekken van milady bevond.

Het was nu bijna zeven uur, en dat bood me genoeg tijd voor een verkenningstochtje voordat ik lady Tansor moest helpen. Nadat ik de schilderijen in het kabinet had bekeken ging ik dus verder naar beneden, zodat ik ten slotte uitkwam in de grootse, galmende hal, met in de hoogte de koepelvormige lichtkap waardoor nu de ochtendzon naar binnen straalde.

Onder de lichtkap hing in een halfronde alkoof een schilderij, omringd door zes kaarsen in hoge houten kandelaars. Er stond een gedrongen, eigenzinnige, trotse landheer op afgebeeld, samen met zijn vrouw, die liefdevol een baby in haar armen hield.

De dame was van een hoogst uitzonderlijke schoonheid en gratie. Haar overvloedige donkere haardos was opgestoken onder een mutsje van zwarte kant en om haar lange, blanke hals droeg ze een smal fluwelen bandje.

Ik kan niet zeggen waarom, maar haar beeltenis had meteen een eigenaardige en blijvende uitwerking op me. Terwijl ik naar haar keek leek het of mijn hart wat sneller klopte. Later stond ik vaak aandachtig naar het schilderij te kijken, alsof ik haar met een dergelijke toewijding en concentratie weer tot leven zou kunnen wekken. Want hoe onverklaarbaar en fantastisch het ook mocht lijken, ik wilde haar met hart en ziel leren kennen, met haar praten, haar stem horen en haar zich weer tussen de levenden zien bewegen.

Algauw ontdekte ik dat ze Laura Duport was, de eerste echtgenote van wijlen lord Tansor, de voorgangster van milady, en dat de schattige baby Henry Hereward Duport was, de enige zoon van de lord, op wie korte tijd alle hoop voor de voortzetting van diens opvolgingslijn gevestigd was geweest. De kleine jongen was hem evenwel op zevenjarige leeftijd op wrede wijze ontvallen, na een noodlottige val van zijn pony. Lord Tansors hart was gebroken – en ook het hart van zijn arme vrouw, want Sukie Prout heeft me later verteld dat zij uiteindelijk volkomen krankzinnig was geworden. Gewond en onder het bloed werd ze aangetroffen op het landgoed, waarover ze bij strenge vorst ronddwaalde met alleen haar onderjurk aan. Ze werd teruggebracht naar het huis, waar ze korte tijd later overleed, en werd bijgezet in het mausoleum aan de rand van het landgoed.

Ik wendde me van het portret af en keek om me heen.

Links van me bevonden zich twee hoge, vergulde deuren, waarboven een uit steen gehouwen schild prijkte met (naar ik later ontdekte) het wapen van de Tansors erop. Omdat een van de deuren een stukje openstond, wierp ik er een blik door en betrad vervolgens een rijk gemeubileerde, overwegend in geel gedecoreerde kamer, waar aan een massief gouden ketting een enorme kroonluchter hing die mij voorkwam als een vreemd, kristallen galjoen dat door de lucht zweefde.

Door dit vertrek liep ik naar een tweede kamer, waarin ditmaal de kleur rood overheerste, en vervolgens naar een derde en een vierde kamer, die alle weelderig waren gedecoreerd en ingericht. De muren hingen vol met schilderijen in barokke lijsten, vaak van enorme afmetingen, met rijke wandtapijten en torenhoge spiegels. Overal waar het oog op viel bevonden zich verzamelingen kostbare voorwerpen van alle soorten, vormen en maten.

De vierde kamer, die ik als de groene salon leerde kennen, kwam uit op de schitterende pronksalon. De muren en het hoge plafond waren volledig bedekt met in felle kleuren geschilderde taferelen uit het oude Athene en het oude Rome. Zuilen en bouwwerken waren door de kunstenaar zo vernuftig weergegeven dat ik op het eerste gezicht bijna geloofde dat ze echt waren en uit steen waren vervaardigd.

Ik nam even plaats op een vergulde stoel met een hoge rugleuning als van een troon, zodat ik de sfeer van grenzeloze en tomeloze weelde die de kamer uitstraalde beter op me kon laten inwerken.

Als kind had ik gedacht dat madames huis aan de Avenue d'Uhrich het grootste en prachtigste huis was dat er bestond, maar vergeleken met Evenwood was het niets – minder dan niets.

Elke ochtend wakker worden in het besef dat ik gebruik kon maken van deze enorme kamers en de schatten die er lagen! Wat zou dat geweldig zijn! Ik vermaakte me een ogenblik met de fantasie over hoe het moest zijn om elke dag weer te ervaren dat zo'n huis helemaal van jou was. Het kwam me vreemd voor dat één geslacht, dat zich alleen onderscheidde door zijn gemeenschappelijke bloed, voor altijd aanspraak kon maken op deze betoverende pracht en praal – die me overvloediger, weelderiger en zinnenprikkelender aandeed dan de sultanspaleizen waarover ik in de verhalen van Scheherazade had gelezen.

Madame had mijnheer Thornhaugh gevraagd mij ter voorbereiding op mijn reis naar Evenwood iets over het oude geslacht Duport te vertellen. Hij had me laten zien wat er over hen in *Burke's Heraldic Dictionary* was geschreven, en ik kwam daaruit te weten dat de eerste baron Tansor bij zijn geboorte Maldwin had geheten, en in 1264 door de koning naar het parlement was ontboden. Ook vond ik uit dat de baronstitel van de Duports een *Barony by Writ* was, een baronstitel 'op alle', die zowel op mannen als op vrouwen kon overgaan.

Wijlen lord Tansor was in 1863 overleden. Omdat hij geen rechtstreekse mannelijke of vrouwelijke erfgenamen had, waren zijn titel en zijn bezit overgegaan op mijn meesteres, zijn naaste tweedegraads bloedverwante, die vervolgens zijn naam had aangenomen. Alles wat ik kon zien en aanraken was nu van haar, ze kon ermee doen wat ze wilde. Op een dag zou dit alles aan haar oudste zoon, mijnheer Perseus Duport, toebehoren. Vervolgens zou hij trouwen en zou er een kind worden geboren dat ook door deze kamers zou lopen in de wetenschap dat ze van hem of haar waren.

Zo zou de grote rivier van erfelijke bevoorrechting blijven stromen en de Duports op zijn kalme, glinsterende water meevoeren van dit leven naar het volgende, generatie na generatie.

Een smalle gang achter de pronksalon bracht me naar een hoge houten scheidingswand die zwart was van ouderdom en was versierd met levensecht houtsnijwerk van vogels en dieren; hoog erboven lag een overwelfd balkon. In de scheidingswand bevond zich een dubbele deur die uitkwam op de in karmijn en goud gedecoreerde eetzaal die ik eerder heb beschreven.

Daar bleef ik even staan, vol verlangen om mijn ontdekkingsreis voort te zetten, maar beseffend dat ik vooralsnog ver genoeg was gegaan en angstig om zelfs maar een seconde te laat te komen om milady te kleden.

Snel keerde ik op mijn schreden terug, kamer na kamer. Ik kwam onderweg niemand tegen, totdat ik opnieuw in de grote, galmende hal belandde.

Toen ik mijn voet op de eerste traptrede zette, hoorde ik achter me een deur opengaan.

Een lange jongeheer – met een zwarte baard en lang donker haar – bekeek me aandachtig. Enkele seconden zei hij niets, maar vervolgens groette hij me, zij het zonder een zweem van een glimlach.

'Mejuffrouw Gorst, neem ik aan. Mijn moeder heeft me van uw aanstelling op de hoogte gebracht. Goedemorgen.'

Dat waren de eerste woorden die ik van de lippen van mijnheer Perseus Duport hoorde komen, de oudste zoon van milady en de toekomstige lord.

Hij had voor zo'n jonge man een diepe, krachtige stem die weergalmde door de hoge, met marmer geplaveide hal. Ik maakte een kleine reverence en groette hem terug.

'Waar komt u vandaan?' vroeg hij. 'Gaat u naar boven, naar moeder?' De stem klonk nu zachter, maar het knappe gezicht bleef strak en uitdrukkingsloos.

Aarzelend legde ik uit dat ik vroeg was opgestaan om even met het huis kennis te maken voordat ik om acht uur lady Tansor ging bijstaan.

'Acht uur, hè? Ze verwacht u zometeen, weet u,' zei hij, en hij haalde zijn vestzakhorloge tevoorschijn. 'Ze hecht groot belang aan punctualiteit. Het vorige meisje was er niet toe in staat, maar ik weet zeker dat u het wel kunt. Het is vijf voor acht. U moet u haasten.'

'Ja, mijnheer.'

Ik maakte weer een reverence en draaide me om, maar hij riep me terug.

'Als u vrij bent, juffrouw Gorst, moet u naar mij toe komen. Dan zal ik u rondleiden door het grote labyrint.'

Hij zweeg even en hield plagerig zijn hoofd schuin.

'Weet u wat het eerste labyrint was?'

'Ja, mijnheer. Het verblijf van de minotaurus, dat door koning Minos van Kreta was gebouwd.'

'Voortreffelijk! Helemaal goed! Maar nu moet u wel rennen. U kunt me vinden in de bibliotheek, en die is bereikbaar via de kleine trap naast moeders vertrekken. Ik breng er vaak de ochtend door, als dat mogelijk is. Ik lees heel veel. Leest u veel, juffrouw Gorst?'

'Ja, mijnheer. Ik geloof van wel.'

'Alweer voortreffelijk! Nou, nu moet u gaan, want anders maakt u een slechte start met moeder, en dat zou niet kunnen, weet u.'

Hij wierp me een nauwelijks zichtbaar lachje toe, maar zijn onweerstaanbare ogen stonden vriendelijk en daardoor voelde ik me zeer vereerd en geen klein beetje verrast: dat de oudste zoon van milady zich had verwaardigd de nieuwe kamenier van zijn moeder zo veel aandacht te schenken! Ik moet ook bekennen dat – en dat verwarde me nog meer – mijn hart wat sneller klopte, alsof ik zojuist een lichamelijke inspanning had verricht, en ik voelde dat ik onder zijn onverstoorbare blik een kleur kreeg. Ik was er zeker van – hoop op iets anders kon ik niet toelaten – dat hij alleen uit hoffelijkheid aardig tegen me deed, maar ik kon niet verklaren waarom dit eenvoudige vertoon van welgemanierdheid me zo sterk had beroerd. Ik zou het gesprek graag hebben voortgezet, maar de tijd drong, en na nogmaals een reverence te hebben gemaakt rende ik de brede, bochtige trap op en kwam op slag van achten voor de deur van milady aan.

Stipt op tijd.

III
Kamenier

Lady Tansor zat met haar rug naar me toe aan haar toilettafel, gehuld in een schitterend geborduurde Chinese ochtendjas van bloedrode en smaragdgroene zijde.

'Je moet mijn haar eerst borstelen, Alice, en het dan pas opmaken,' zei ze en ze stak me zonder zich naar me toe te wenden een zilveren haarborstel toe.

Ik haalde de borstel langzaam door de dikke zwarte haarstrengen en trok er voorzichtig de klitten van de nacht uit, net zo lang tot alles goed viel en naar haar zin was. Vervolgens kreeg ik te horen hoe ze haar haar opgemaakt wilde hebben en hoe het moest worden opgestoken op de wijze die zij prefereerde, want ze moest (omdat haar eigen haar zo zacht en vol was) niets hebben van het gebruik van haarstukjes en wenste geen haarwrong.

Toen ik klaar was, nam ze me mee naar een klerenkast van massief eikenhout, waar ik haar vele japonnen voor overdag te zien kreeg. Vervolgens opende ze daarnaast een muurkast van vergelijkbare omvang waarin tientallen schitterende avondjaponnen hingen. Een derde kast, voorzien van schuifladen, zat vol met Japanse zijden sjaals van het Great Shawl Emporium en andere kostbare accessoires.

Daarna ging ze verder en opende andere laden en kasten zodat ik de inhoud kon bekijken. Tientallen hoeden en mutsen, laden vol spelden, knopen en broches, alle mogelijke schoenen en ceintuurs, gespen en strikken, waaiers en handtasjes, toiletdozen met kristallen parfumflesjes en doos na doos barstensvol exquise sieraden – allemaal werden ze voor mijn verblufte blik tentoongespreid.

'Nu mag je me kleden, Alice,' zei milady daarna, en ze wees naar de kast met haar japonnen voor overdag. 'De donkerpaarse fluwelen japon, denk ik.'

Ten slotte ging milady voor haar passpiegel staan en verklaarde dat ze tevreden was.

'Uitstekend, Alice,' zei ze. 'Je hebt behendige vingers, en mijn haar ziet er erg goed uit, bijzonder goed. En deze broche combineert veel beter dan die andere, zoals je zei. Ik zie dat je oog voor deze zaken hebt. Ja, uitstekend.'

Ze complimenteerde me nogmaals en keek kalm en afwezig naar

haar spiegelbeeld, haast alsof ze alleen was, terwijl haar vingers verstrooid met de broche speelden.

'O!' riep ze opeens uit. 'Ik ben het medaillon vergeten! Hoe kon ik!'

In haar toon klonk hevige smart door. Ze keerde zich naar mij toe, bleek van plotselinge verontrusting, en gebaarde uitzinnig naar een houten doosje op de toilettafel. Snel begreep ik dat ze bedoelde dat ik het moest openen.

In het doosje zat een beeldschoon, traanvormig medaillon dat was bevestigd aan een zwart fluwelen bandje dat sprekend leek op het bandje dat de eerste vrouw van wijlen lord Tansor droeg op het portret dat mij zo had gefascineerd.

'Hier – breng het hier!' snauwde ze. 'Maar raak het medaillon niet aan!'

Ze griste het doosje uit mijn hand, haalde het medaillon eruit en liep naar het raam, waar ze een ogenblik hijgend bleef staan. Daarna deed ze de fluwelen band om haar hals, en probeerde vergeefs het sluitinkje dicht te krijgen.

'Wilt u dat ik help, milady?' vroeg ik.

'Nee! Je mag me niet helpen. Dit is de enige taak die ik zelf moet verrichten. Help me er nooit bij, begrepen?'

Ze keek me opnieuw aan, en in haar vlammende ogen was een heftige gemoedsaandoening zichtbaar. Een moment later had ze zich weer afgewend voor een tweede poging om het sluitinkje dicht te maken. Uiteindelijk slaagde ze erin, en daarna opende ze het raam en liet een welkome vlaag koele lucht het bedompte vertrek binnenstromen.

Terwijl een briesje haar haar in de war bracht bleef ze bij het raam staan, haar blik gevestigd op de bosrand in de verte, die duidelijk zichtbaar werd nu het gordijn van ochtendmist geleidelijk optrok.

Ten slotte, toen ze kennelijk was gekalmeerd, ging ze in het zitje in de vensternis zitten en pakte een in leer gebonden boekje.

'Je kunt nu gaan, Alice,' zei ze rustig. 'Ik heb je pas rond het avondeten weer nodig. Maar morgen heb ik werk voor je en moet je me baden. Gelieve hier om acht uur te zijn.'

En dus verliet ik haar, terwijl flauwe straaltjes waterig zonlicht haar gezicht en haar deden oplichten, en zij intussen haar bril op haar neus zette, het boekje opensloeg en begon te lezen.

2

Waarin een vriendin wordt gemaakt

I
Mijn kennismaking met Sukie Prout

Al sinds ik een klein meisje ben heb ik iets in mijn karakter waardoor ik voortdurend probeer mezelf te verbeteren. Een bijzondere passie heb ik altijd voor woorden gehad. Aangemoedigd door mijnheer Thornhaugh heb ik van jongs af de gewoonte ontwikkeld om nieuwe woorden op te schrijven die ik uit mijn lectuur heb opgestoken. Vervolgens herhaalde ik ze voor het slapengaan in mezelf, net zo lang tot ik wist hoe ze klonken en wat ze betekenden.

Soms ging het om woorden die ik uit de mond van anderen had gehoord. Of ik sloeg zomaar het exemplaar van Walkers *Pronouncing Dictionary* open dat ik van mijn huisleraar had gekregen, om te zien welke wonderbaarlijke (een van mijn lievelingswoorden) ontdekking ik zou doen.

Mijnheer Thornhaugh had me eens verteld dat we, als we ongevoelig zijn voor de hogere macht van de taal, niet meer zijn dan kruipend gedierte dat sprakeloos op uitsterving afstevent. Als we echter de taal, in al zijn rijkdom, goed aanleren en gebruiken, kunnen we met de engelen wedijveren. (Ik heb die woorden onmiddellijk genoteerd: ik gebruik het bewuste stukje papier nog altijd als boekenlegger.)

Ook streef ik fanatiek naar feitenkennis – eveneens een voorliefde die door mijnheer Thornhaugh werd aangemoedigd. Ik moet bekennen dat die neiging een soort vloek is, maar wel een prettige – tenminste, dat vind ik.

Als ik naar iets keek, wilde ik graag dat ene onweerlegbare feit kennen dat er bepalend voor was. Ik moest vervolgens twee of drie bijkomstige feiten achterhalen (ik noemde ze mijn 'Rijtje Dienstmeisjes', die het grote Koninginnenfeit bedienden), die het eerste feit meer substantie verschaften. Daarna had ik het idee dat ik waardevolle kennis had verworven en was ik gelukkig.

Mijnheer Thornhaugh drong er regelmatig op aan dat ik die op zichzelf staande feiten combineerde om boven het bijzondere uit te stijgen en een groter begrip van het geheel te verwerven. Ik deed erg mijn best, maar het was voor mij onmogelijk. Het bijzondere trok me altijd aan, bracht me op een ander fascinerend bijzonder feit, enzovoort. Wanneer ik de bloemen van mijn kennis een voor een plukte en ze afzonderlijk opborg, was ik zo tevreden dat alle gedachten aan hogere geordende en synthetiserende kennis (ook twee schitterende woorden) uit mijn hoofd verdwenen.

Ondanks deze tekortkoming, die zelfs mijnheer Thornhaugh niet kon verhelpen, vond ik het verwerven van feitenkennis gedurende mijn jeugd een genot en heb ik in mijn gewoonte volhard. Toen ik klein was, was het een spelletje voor me en vond ik het helemaal niet vreemd dat een meisje er evenveel plezier aan kon beleven als aan het spelen met poppen of aan touwtjespringen in de tuin.

Uit deze korte opmerkingen zou men kunnen concluderen dat ik in Maison de l'Orme een eenzame, geïsoleerde jeugd heb gehad, met als enig gezelschap mijn boeken. Ik had echter ook speelkameraadjes, al werden ze altijd zorgvuldig door madame uitgekozen.

Bijzonder goed bevriend was ik met Amélie Verron, een meisje van mijn leeftijd. Haar vader, een ambtenaar, was in de Avenue d'Uhrich onze naaste buur. Monsieur Verron was weduwnaar, en ik denk dat madame zich als buurvrouw verplicht voelde zich over zijn enige kind te ontfermen. Door de week maakte mijn kinderjuffrouw elke dag een ochtendwandeling door het Bois met Amélie en mij, terwijl Amélie op zondagmiddag samen met haar vader thee bij ons kwam drinken.

Amélie was een stil, nerveus kind met een zwak gestel. Ze vond het altijd goed als ik in ons spel het voortouw nam. Toen ze op veertienjarige leeftijd overleed, liet ze in mijn jonge bestaan een leegte achter die door niemand kon worden opgevuld. Een van onze lievelingsbezigheden was schooltje spelen in de salon, of op mooie dagen onder de kastanje in de tuin. Te midden van haar medescholieren – een zwijgend gezelschap van lappenpoppen en knuffelbeesten – zat Amélie op een krukje met een uitdrukking van grote ernst en concentratie, langzaam en plechtig op een lei te schrijven, want ze was een gehoorzaam leerlingetje. Voor haar paradeerde ik heen en weer – gehuld in een lang zwart tafelkleed dat een professorentoga moest voorstellen – en dicteerde op luide toon de namen van de Merovingische koningen (ongetwijfeld zeer in de stijl van mijnheer Thornhaugh) of andere kennis die ik kort tevoren van mijn huisleraar of uit mijn eigen lectuur had opgedaan. Ik moet blozen als ik bedenk hoe onuitstaanbaar ik moet zijn geweest, maar die lieve Amélie klaagde nooit.

Door dit schooltje spelen ontdekte ik algauw dat ik een grote voorliefde – en, denk ik te mogen zeggen, een uitgesproken begaafdheid – voor de voordrachtskunst had, en zeer tot vermaak van mijnheer Thornhaugh kwam de gedachte bij me op dat ik later actrice zou kunnen worden. Om aan deze voorliefde tegemoet te komen werd in een van de kamers boven een toneeltje voor me opgebouwd, compleet met een vrolijk beschilderd kartonnen voortoneel met rode pluchen gordijnen. Daar droeg ik, voor een dankbaar publiek dat bestond uit madame, mijnheer Thornhaugh en Amélie, lange passages voor uit *Paradise Lost* (een speciale favoriet van mijnheer Thornhaugh) die ik uit mijn hoofd had geleerd, of voerde ik hele scènes van Molière en Shakespeare op. Ik speelde zelf alle rollen en gaf elk personage een eigen stem. Ik had er toen geen idee van dat die kinderlijke opvoeringen en mijn vermogen om mijn ware zelf achter een gespeeld personage te verbergen me later bij het spelen van de rol van kamenier van lady Tansor nog goed van pas zouden komen.

Ik wil niet de indruk wekken dat ik een voorlijk kind was, want dat was ik zeker niet. Ik was evenwel, als ik de kans en de mogelijkheden kreeg, zeker van mijnheer Thornhaugh, geneigd om de vermogens die God me had geschonken ten volle te benutten, en deed dat ook.

Vaak was ik ongehoorzaam en ondeugend – soms zo erg dat zelfs aan madames geduld een einde kwam. Dan werd ik naar een lege zolderkamer gestuurd waar alleen een bed, een stoel en een driepotige tafel met een kruik water aanwezig waren, en waar ik zonder boeken, pen en papier of andere afleiding mijn straf moest uitzitten.

Ik had altijd spijt van mijn zonden – vaak haatte ik mezelf erom. In werkelijkheid kon ik er niet tegen als madame en mijnheer Thornhaugh boos op me waren vanwege mijn slechte gedrag. Als gevolg daarvan legde ik, als ik werd betrapt, in mijn excuses een bepaalde vindingrijkheid (ik zal het woord 'sluwheid' niet gebruiken) aan de dag – niet om te ontkomen aan de straf die ik, naar ik wist, verdiende, maar om te voorkomen dat madame of mijnheer Thornhaugh slecht over me zou denken. Later zwoer ik dat ik nooit meer ondeugend zou zijn. Ondanks mijn goede bedoelingen bleek dat uiteraard altijd onmogelijk. Van lieverlede echter ontdekte ik in mezelf een sterk plichtsgevoel en een actief geweten, en begon ik mijn gedrag wat te verbeteren, al hadden madame en ik zelfs in latere jaren weleens ruzie nadat ik me weer eens had misdragen. Ik kon toen niet meer naar mijn vroegere strafinrichting worden gestuurd, maar het schuldgevoel over mijn ondankbare overtredingen groeide uit tot een werkzaam alternatief.

Nu had ik opnieuw de gezaghebbende stem van de plicht gehoord. Madame had me voor deze opgave – deze Grote Opgave – gesteld. Wat hij ook inhield, wat ze ook van me verlangde, ik was vastbesloten haar niet teleur te stellen.

Toen ik na milady te hebben gekleed naar mijn kamer was teruggekeerd, dacht ik aan Amélie. Ik haalde mijn opschrijfboek tevoorschijn om het tweede feit te noteren (het eerste betrof de datering en de schilder van het portret van de zeerover in de hal) in wat spoedig zou uitgroeien tot een waar reservoir van feiten over het landhuis Evenwood en zijn inventaris:

Zitkamer van lady T. Klein ovaal portret. Jeugdige cavalier in kniebroek van blauwe zijde. Mooi lang haar. Gesigneerd door *sir Godfrey Kneller.*
Opm. Kneller Duitser.

Aangezien milady me tot het avondeten niet nodig had, zat ik me een poosje af te vragen wat ik de rest van de dag moest doen. Ik moest me voorstellen aan mevrouw Battersby, het hoofd van de huishouding, en ik had beloofd na aankomst madame zo snel mogelijk te zullen schrijven. Ook wilde ik mijn verkenning van het huis hervatten. Bij die laatste gedachte herinnerde ik me dat mijnheer Perseus Duport had aangeboden me te zullen rondleiden. Dat hij me had opgemerkt had me verrast, en des te meer dat hij een gesprek met me was begonnen. Had hij werkelijk gemeend wat hij zei? Misschien had hij de nieuwe kamenier geplaagd, om te zien of ze zo dwaas was hem te geloven. Maar hoewel zijn gezicht een strenge en ondoorgrondelijke uitdrukking had behouden, was zijn toon oprecht geweest. Goed dan: ik zou hem in de bibliotheek opzoeken, en desnoods als dwaas door het leven gaan.

Toen ik mijn deur sloot, hoorde ik iemand de trap op komen. Een ogenblik later verscheen op de overloop onder me een kleine, hijgende gestalte die een zwabber en een grote, klotsende emmer water bij zich had.

Het was een sproetig meisje van twee- of drieëntwintig. Ze droeg een lang, gestreept schort en een vreemdsoortig opbollend mutsje, dat een beetje leek op dat van een bakkersvrouw en dat ze strak over haar voorhoofd had getrokken. Een paar kastanjebruine pijpenkrullen hadden kans gezien eruit te ontsnappen.

Toen ze mij zag bleef ze staan, zette haar zwabber en haar emmer neer, maakte een reverence en glimlachte breed.

'Goedemorgen, juffrouw,' zei ze.

Toen ik afdaalde naar de plek waar ze stond, maakte ze plaats.

'En wie ben jij?' vroeg ik glimlachend, want ze leek me een hoogst innemend schepseltje.

'Sukie Prout, juffrouw. Hoof-dienstbode.'

'Nou, Sukie Prout, hoof-dienstbode, ik vind het heel prettig om kennis met je te maken. Ik ben juffrouw Gorst, de nieuwe kamenier van lady Tansor. Maar je mag me Alice noemen.'

'O nee, juffrouw,' zei Sukie zichtbaar verontrust. 'Daar kan ik niet aan beginnen. Mevrouw Battersby zou het nooit toestaan. Ze zou het te gemeenzaam vinden wanneer een van de bedienden de kamenier van milady zo zou aanspreken, en als ze me hoorde zou ze me berispen. Ik moet u "juffrouw" noemen, juffrouw, als u het niet erg vindt.'

Ik wilde lachen, maar haar grappige gezichtje stond zo ernstig dat ik me snel vermande. Omdat ik me de toorn van mevrouw Battersby (van wie ik me al een uitgesproken ongunstige indruk aan het vormen was) niet op het lijf wilde halen, stelde ik voor dat Sukie me met 'juffrouw Alice' zou aanspreken als het hoofd van de huishouding het niet kon horen.

'Ben je bang van mevrouw Battersby, Sukie?' vroeg ik, omdat ik zag dat ze angstig bleef.

'Bang? Nee, niet zozeer, juffrouw. Maar ze heeft iets over zich waardoor je er wel voor zorgt dat je doet wat ze verlangt. En als ze kwaad is kan ze soms erg scherp zijn, al schreeuwt ze nooit tegen je, zoals de oude mevrouw Horrocks. Op de een of andere manier lijkt het erger doordat ze niet schreeuwt, als u begrijpt wat ik bedoel, juffrouw. Ik kan het niet goed uitleggen, en misschien ben ik er gevoeliger voor dan de anderen, maar ze is iedereen de baas – zelfs mijnheer Pocock. Bij het personeel dan, bedoel ik. Ik heb mijnheer Pocock horen zeggen dat het allemaal een kwestie van karakter is, maar ik snap niet goed wat hij daarmee bedoelt.'

'Ik wil nog steeds graag dat je me onder vier ogen "juffrouw Alice" noemt,' zei ik. 'Of de grote Battersby het nu leuk vindt of niet. Wil je dat doen?'

Sukie stemde ermee in, zij het enigszins schoorvoetend.

'Dat is dan geregeld,' antwoordde ik. 'Ik vind het erg leuk om kennis met je te hebben gemaakt, Sukie Prout, hoof-dienstbode, en ik hoop vurig dat we voortaan goede vriendinnen zullen zijn.'

'Vriendinnen! De kamenier van milady wil vriendinnen zijn met malle Sukie Prout!'

Ze slaakte een opgetogen gilletje en sloeg haar hand voor haar mond.

'Word je zo genoemd, Sukie?' vroeg ik.

'O, ik bekommer me er niet om,' zei ze met een houding van stil verzet, 'want ik weet dat ik inderdaad een mal stakkertje ben. Als ik groter en pienterder was zouden ze me beslist anders noemen, dus wat schiet je ermee op om te klagen?'

'Je maakt op mij helemaal geen malle indruk, Sukie,' zei ik. 'Sterker nog, je lijkt me nu al de aardigste en verstandigste persoon die ik hier heb ontmoet.'

Een lichte blos kleurde haar ronde wangen.

'Kun je me misschien één ding vertellen, Sukie, want daar ben ik nieuwsgierig naar,' vroeg ik terwijl zij haar emmer oppakte. 'Waarom is juffrouw Plumptre ontslagen?'

Sukie zette de emmer weer neer, keek omhoog en omlaag langs de trap en zette een fluistertoon op. 'Nou, juffrouw, dat was een enorm schandaal. Er werd gezegd dat ze een kostbare broche had gestolen die milady op haar toilettafel had laten liggen toen ze een dagje naar Londen was gegaan. Ze ontkende natuurlijk, maar Barrington zwoer dat hij haar de vertrekken van milady uit had zien komen op het moment dat de broche was verdwenen, en toen haar kamer werd doorzocht lag hij daar. Het rare was dat ze bleef ontkennen dat ze hem had gestolen, en daar begreep niemand wat van, want het ding was in haar kamer gevonden, en milady was er vreselijk door van haar stuk gebracht. En dus werd ze zonder getuigschrift weggestuurd. U moet wel bedenken dat ze nooit bij milady in de smaak was gevallen. Maar uiteindelijk is het goed uitgepakt, want nu bent u hier, juffrouw, om haar plaats in te nemen.'

Het geluid van een deur die een verdieping lager werd dichtgetrokken deed Sukie opeens ontsteld omlaagkijken.

'Ik moet gaan, juffrouw – juffrouw Alice, bedoel ik – voordat mevrouw Battersby me te pakken krijgt.'

Daarop maakte mijn nieuwe vriendin een reverence, wenste me goedemorgen, pakte haar zwabber en haar emmer en ging verder.

II
De bediendenkamer

Ik begaf me naar de stenen wenteltrap die volgens mijnheer Perseus Duport van het schilderijenkabinet naar de bibliotheek voerde.

Toen ik er aankwam aarzelde ik.

Ik wilde graag met eigen ogen de beroemde Duport Library zien, die volgens mijn huisleraar overal in Europa een grote reputatie had, maar was het wel gepast om op de vleiende uitnodiging van mijnheer Perseus in te gaan? Wat zou lady Tansor ervan zeggen? Misschien kon ik alleen een kijkje nemen, om te zien of mijnheer Perseus er was, en vervolgens een besluit nemen. En dus trippelde ik de trap af.

Beneden belandde ik in een smalle gang met een opvallend plafond dat in zijn geheel met ingewikkelde schelpenmotieven was versierd. Rechts van me bevond zich een glazen deur die uitkwam op het terras dat ik vanuit mijn kamer kon zien liggen. Aan de andere kant van de gang bevond zich een kleinere, witgeschilderde deur, die ik nu zo voorzichtig mogelijk opende.

Het schouwspel waarop ik werd onthaald deed me naar adem snakken.

Voor me strekte zich een enorme rechthoekige ruimte uit, gedecoreerd in oogverblindend wit en goud. Tegenover me rezen acht hoge ramen met halfronde architraven op, die uitzicht boden op het terras en de daarachter gelegen tuinen. Ze reikten tot het schitterend gestucte plafond en lieten het vroege ochtendlicht de grote ruimte binnenstromen. Tussen de ramen en over de hele lengte van de tegenoverliggende muur stonden hoge boekenkasten met rasterwerk, terwijl aan weerszijden van het middelste gangpad twee rijen vrijstaande kasten stonden, alsmede een aantal uitstalkasten met glazen bovenblad. Ik had nog nooit zo veel boeken in één ruimte bij elkaar gezien en vroeg me af wat een wonderbaarlijke hoeveelheid tijd, werk en geld het moest hebben gekost om zo'n collectie bijeen te brengen.

Achter in de ruimte zat, met zijn rug naar me toegekeerd, de karakteristieke gestalte van mijnheer Perseus Duport aan een schrijftafel te lezen.

Wat moest ik doen? Ik wilde zijn uitnodiging dolgraag accepteren, maar was ervan overtuigd dat ik er nu niet op in moest gaan en zelf een ander deel van het huis moest verkennen. Dus sloot ik langzaam de deur. Terwijl ik dat deed, zag ik dat er iemand van het terras de gang in kwam.

Ik was er zeker van dat de nieuwkomer mijnheer Randolph Duport was.

Het contrast tussen de broers was opvallend. Mijnheer Randolph was een volle kop kleiner dan mijnheer Perseus en had bredere schouders op een stevige, welgevormde tors, die de indruk wekte dat hij een robuust gestel had en actief in het leven stond. Ook als hij geen lange, afgedragen rij-jas en bemodderde en al even versleten laarzen aan had gehad, had ik uit zijn gebruinde gelaatskleur en zelfverzekerde houding kunnen opmaken dat hij van het buitenleven hield.

Zijn gezicht, dat werd overheerst door een dikke, golvende kastanjebruine haardos, wekte bij mij meteen de indruk dat hij een gelijkmatig, open karakter had. Ik kan niet ontkennen dat hij al met al een buitengewoon knappe jonge landheer was, met een bijzonder innemende uitstraling waarvoor ik ongevoelig noch – moet ik eveneens toegeven – onverschillig was. Ik kon me voorstellen dat mijnheer Randolph Duport in mijn vorige leven, aan de Avenue d'Uhrich, een indruk op me zou hebben gemaakt die tot heel wat smachtende zuchten en tranen had geleid. In mijn nieuwe bestaan was er uiteraard geen sprake van dat ik mezelf kon verbeelden me in amoureuze zin aangetrokken te voelen tot de aantrekkelijke jongste zoon van milady. Desondanks was ik jong en ontvankelijk genoeg om het als aangenaam te ervaren dat ik onder één dak woonde met twee zulke begeerlijke jongemannen als mijnheer Randolph en mijnheer Perseus Duport.

Toen mijnheer Randolph mij zag, brak er op zijn gezicht een stralende glimlach door.

'Hallo daar!' riep hij uit, terwijl hij de terrasdeur sloot en op mij afkwam. 'Wie mag dat zijn? Ah, ik weet het al! Moeders nieuwe kamenier, nietwaar? Hoe gaat het met u? Erg leuk om met u kennis te maken, juffrouw Girst – Garst – Gorst. Zo was het toch! Juffrouw Gorst!'

Hij lachte nu: een volle, oprechte, spontane lach waarmee hij mij ook aan het lachen maakte.

'Maar kijk eens,' zei hij, en hij sloeg een zachtere, vertrouwelijke toon aan en trok opeens een ernstig gezicht, 'we zouden nu eigenlijk niet moeten lachen, moet u weten. Ik kom mijn broer vertellen dat Slake dood is.'

Bij het zien van mijn verblufte gezicht legde hij uit dat professor Lucian Slake, de bibliothecaris, die ochtend aan een beroerte was gestorven.

'Als een donderslag bij heldere hemel,' zei hij hoofdschuddend. 'Volkomen onverwachts. Als je het mij vroeg was hij zo gezond als een vis, die ouwe Slake. Ik heb hem gisteren nog gezien, en toen zag hij er piekfijn uit. Maar zo gaat het. De dood komt wanneer hij wil.'

Na deze ontnuchterende bespiegeling wenste hij me een goede morgen toe en ging de bibliotheek in.

Ik verstoorde het gesprek van de broers niet, voelde me heimelijk vereerd dat ze aandacht voor de nieuwe kamenier van milady geen van beiden beneden hun waardigheid leken te vinden en besloot mijn verkenning in de buitenlucht voort te zetten.

Ik ging de terrasdeur uit en liep via een overwelfde poort en een lage trap naar een strak, zonbeschenen gazon dat was bezaaid met croquetpoortjes. Aan de overkant van het veld lokte een open deur met ijzerbeslag, zwart van ouderdom, in een bouwvallig stuk muur met kantelen erop.

Enkele ogenblikken later bevond ik me in het paradijs.

Ik stond in een oude, vierhoekige ruimte, zoals je die aantreft in een kathedraal of in een van de universiteitsgebouwen in Oxford of Cambridge, waarvan mijnheer Thornhaugh me afbeeldingen had laten zien. Aan drie zijden lagen donkere kruisgangen met waaiergewelven. De vierde zijde, waarin een groot, gebrandschilderd en erg oud raam was aangebracht, vormde het oostelijk deel van de kapel. Midden op de binnenplaats was een fontein in werking, waarvan het geluid zacht en tinkelend resoneerde.

Op de met bloemblaadjes bezaaide tegels van het centrale gedeelte stond een groot aantal urnen en bakken, sommige van lood, andere van verweerde steen, waarin een weelde van herfstgeraniums, varens en maagdenpalmen groeide. Ertussenin stonden lage, gecanneleerde zuilen; sommige droegen borstbeelden van Romeinse keizers met uitdrukkingsloze ogen. (Ik herkende onmiddellijk Lucius Septimius Severus, van wiens naam ik als kind had genoten.) Andere zuilen, die werden omstrengeld door glanzende groene klimop, waren leeg en kapot.

Ik baande me een weg naar de overkant van de binnenplaats, ging op een ijzeren bankje zitten en vlijde mijn hoofd tegen de warme stenen van de kapelmuur.

Het geluid van klaterend water vermengde zich alleraangenaamst met het zachte gekoer van een paartje witte duiven die net op dat ogenblik waren neergestreken op een fantastische duiventil die het grote huis zelf moest voorstellen. Terwijl ik het tafereel in me opnam, gingen mijn gedachten uit naar madame. Wat zou zij op dit tijdstip doen, en mijnheer Thornhaugh, die nu zonder leerlinge zat? Wat zou hij genieten van Evenwood, in het bijzonder van dit paradijsje!

Mijnheer Thornhaugh had me als eerste de legenden van koning Arthur voorgelezen en me net zulke, in de allerschitterendste kleuren geschilderde tafereeltjes als dit laten zien in een middeleeuws getijdenboek dat hij in zijn bezit had. En nu zat ik hier, lijfelijk en wel, op zo'n plek, een tot leven gekomen Camelot – dat tastbaar voor me lag maar toch droomachtig en onwerkelijk aandeed.

Een schitterend beschilderde klok met een zon als wijzerplaat, die boven de ingang van de vierhoekige binnenplaats hing, sloeg halfeen en herinnerde me eraan dat het geruime tijd geleden was dat Barrington mij het blad met mijn ontbijt had gebracht. En dus sprong ik overeind om op zoek te gaan naar de hofmeesterskamer, waar naar ik hoopte een middagmaal zou worden verstrekt.

Ik was nog niet lang op zoek of ik zag Sukie, die haar emmer leeggooide in een afvoerput.

Ze begroette me met een opgewekte glimlach en een schuchter zwaaiend handje en keek vervolgens nerveus om zich heen, alsof ze zich ervan wilde vergewissen dat niemand haar schandelijk verwaande optreden had gadegeslagen.

Ik vroeg of ze me de weg naar de hofmeesterskamer kon wijzen.

'Jazeker, juffrouw,' zei ze en ze zette haar emmer neer. Vervolgens voegde ze, terwijl ze nog een blik over haar schouder wierp, daar op giechelende fluistertoon aan toe: 'Juffrouw Alice, moet ik eigenlijk zeggen.'

Ze bracht me naar een deur aan de andere kant van het terrein en ging me voor over een reeks uitgesleten traptreden, waarna we in een gang aanlandden die naar de bediendenkamer liep – een spelonkachtige ruimte die werd verlicht door een rij ronde vensters boven in de muur tegenover de enorme schouw met fornuis die de ruimte domineerde. Zo'n vijf leden van het personeel nuttigden er hun middagmaal gezeten rond een grote tafel.

'Het is die deur daar, miss Alice,' fluisterde Sukie, en ze wees naar een matglazen scheidingswand aan de overkant van het vertrek.

Terwijl ik door de kamer liep voelde ik de nieuwsgierige blik van de andere bedienden op me rusten. Een of twee van hen begroetten me met een glimlach, en een oude heer met een grijze baard stond op toen ik voorbijkwam en maakte statig een buiging voor me.

Ik bleef staan bij de open deur van de hofmeesterskamer.

Er zaten drie mensen rond een tafel, in een ernstig gesprek verwikkeld.

'Vanochtend om negen uur,' zei een van hen – een kleine man van middelbare leeftijd die een paar dunne strengen rossig haar zorgvuldig met pommade over zijn verder kale hoofd had geplakt. Het bleek mijnheer Pocock, de butler, te zijn.

'Zijn vijfde beroerte,' vervolgde hij. 'Dat kun je op je grafsteen laten zetten!'

'Nee toch, mijnheer Pocock. Zijn vijfde beroerte. Nou, nou.'

Deze satirische opmerking was afkomstig van een tamelijk vlezige, in livrei gestoken jongeman met sardonische gelaatstrekken.

'Geen twijfel mogelijk,' antwoordde mijnheer Pocock en hij gaf een nadrukkelijke knik met zijn hoofd. 'Dokter Pordage werd erbij geroepen, en zijn repetitor, Henry Creswick, zoals jullie weten, heeft het altijd bij het rechte eind.'

De derde aanwezige, een bejaarde man met een verweerd gezicht en borstelige grijze bakkebaarden, gaf nu de mening ten beste dat dit allemaal goed en wel was, maar dat mijnheer Pocock de roeken niet mocht vergeten. Spoedig volgde de verklaring van deze cryptische opmerking.

'De roeken weten het, mijnheer Pocock. Die weten het krek altijd. Ik heb ze haarscherp gezien – vijf of zes van die joekels, toen we gistermorgen de heuvel op liepen. Ze fladderden daar om hem heen als de zwarte maatjes van de dood. Ik zeg tegen Sam Waters: die is voor morgenavond dood, en dat was-ie ook.'

Op dat moment begreep ik dat ze het over de plotselinge dood van professor Slake, de bibliothecaris, hadden.

'Onthou het maar goed,' vervolgde de bejaarde man, 'die weten het krek altijd. Ik heb nog nooit meegemaakt dat ze ernaast zaten. Met milady's vader, toen op die dag in '53, toen ging het net zo. Ik zag hem naar Stamford rijden, met achter hem aan de grootvaders van die joekels die de professor achterna kwamen. Toen zei ik: Die moest maar goed uitkijken – dat zul jij niet meer weten, Robert Pocock. Het was voor jouw tijd. Maar ik heb het gezegd, en zo is het gegaan.'

Nadat hij een slok uit een grote tinnen kroes had genomen, wilde de bejaarde man – mijnheer Maggs, de hoofdtuinman, leerde ik later – nog enkele opmerkingen over het geval maken, maar op dat moment betrad een jonge vrouw die een blad met een fles wijn en een leeg glas in haar handen hield, het vertrek.

III
Het hoofd van de huishouding

Ze bleef een ogenblik in de deuropening staan en bekeek mij met een hoogst zonderlinge glimlach, haast alsof ze me al kende, hoewel ik haar nooit eerder had ontmoet. De anderen, die bemerkten dat haar aandacht door iets was getrokken, draaiden allemaal hun hoofd naar mij toe.

'Neemt u mij niet kwalijk dat ik u stoor,' zei ik en ik voelde me erg slecht op mijn gemak terwijl vier paar nieuwsgierige ogen me opnamen. Maar ik was nu actrice, waar ik als kind van had gedroomd, en ik bezat de macht van een actrice om mijn publiek ervan te overtuigen dat ik iemand anders was dan ik was. Verder dus met het personage van de volgzame juffrouw Gorst, de zojuist aangestelde kamenier van milady.

Mijnheer Pocock kwam met een uitnodigende glimlach overeind.

'Mejuffrouw Gorst, neem ik aan,' zei hij. 'Komt u binnen, komt u binnen – als ik namens u mag spreken, mevrouw Battersby?'

Hij wierp een vragende blik op de jonge vrouw met het blad, die hem toeknikte, het blad op een buffet zette en naar het hoofd van de tafel liep. Zonder een poging te doen mij te begroeten of zichzelf formeel voor te stellen, stond ze me enige tijd aan te kijken en ging vervolgens zitten.

Dit was dus de geduchte mevrouw Battersby. Uit het weinige dat ik van Sukie over haar had gehoord, had ik me een beeld gevormd van een tirannieke oude bediende, humeurig en bekrompen, een kleingeestige helleveeg die volkomen was vastgeroest. Maar de vrouw die ik nu zag week zo ver van dat beeld af als maar mogelijk was.

Ik schatte haar niet ouder dan een jaar of dertig, en hoewel ze niet lang was, had ze een slanke, elegante gestalte. Lichtbruin haar, opgestoken onder een leuk kanten mutsje, omlijstte een klein, welgevormd gezicht, dat menigeen ondanks een lichte molligheid bij de kin en de hals van een ingetogen schoonheid zou hebben gevonden. Ik was bijzonder getroffen door haar handen met de lange, spits toelopende vingers en nagels die alle tekenen van regelmatige verzorging vertoonden – absoluut niet de ruwe boerinnenhanden van de mevrouw Battersby die ik me had voorgesteld.

Al even verrassend was haar gedrag. Ik had vulgaire strijdlustigheid en provinciale kleingeestigheid verwacht. Ze had evenwel een air van beschaafde behoedzaamheid over zich – het zelfverzekerde uiterlijk van een ontwikkeld mens met een actief en kritisch verstand. Deze indruk kreeg zowel iets verwarrends als iets verleidelijks door de bijzondere vorm van haar mond, die aan één kant naar boven en aan de andere kant naar beneden krulde en in een permanente halve glimlach gefixeerd leek te zijn – cynisch en uitnodigend tegelijk. Ze droeg als het ware een gespleten masker – de ene helft stond lief en beminnelijk, de andere gemelijk en afkeurend, zodat ze gezamenlijk bij de waarnemer onbegrip en verwarring over haar ware gemoedstoestand zaaiden. Zoals ik nog zou ontdekken, was mevrouw Jane Battersby nooit direct en ondubbelzinnig: ze hield alles voor zich en broedde erop, of maakte iets heel geleidelijk en door vage toespelingen kenbaar.

'Het is prettig met u kennis te maken, juffrouw Gorst,' zei ze ten slotte, met een glimlach of niet, dat was me niet duidelijk. 'En ik vind het prettig dat u hebt besloten hier met ons uw maaltijden te gebruiken, zoals uw voorgangster dat ook graag deed. Wilt u wat rundvlees?'

Ze had een zachte, lage stem, sprak op een onmiskenbaar verfijnde toon en articuleerde de woorden langzaam en weloverwogen. Ze knikte naar de jongeman, Henry Creswick, die zich voorstelde als de lijfknecht van mijnheer Perseus Duport, een stoel voor me klaarzette, me een bord, een glas en bestek overhandigde en ten slotte wat rundvlees en aardappel voor mij opschepte.

De anderen sloegen me zwijgend gade terwijl ik mijn maaltijd gebruikte en mijn gerstewater dronk – ik zou nog ontdekken dat lady Tansor haar personeel alleen bij het avondmaal het drinken van wijn en bier toestond, en dan slechts in strikt voorgeschreven hoeveelheden.

Het leek of niemand zich in staat voelde een gesprek met mij aan te knopen voordat mevrouw Battersby, die resoluut bleef zwijgen, het initiatief nam en de anderen zodoende toestemming gaf. Ze sprak pas toen mijn bord leeg was en vroeg toen hoe Evenwood me beviel.

Ik antwoordde dat ik nog nooit zo'n schitterend huis had gezien.

'Schitterend is het zeker,' zei ze, waarbij haar verwarrende glimlach een verzachtende uitwerking had op wat ze kennelijk echt dacht, 'voor diegenen die hier alleen maar wonen en kunnen rondkijken. Maar voor alle anderen is het uiteraard een wereld vol werk.'

Vervolgens wendde ze zich tot mijnheer Pocock.

'Er zit weer een lek in het dak boven de oude kinderkamer, en het linoleum zit onder de kalk. Ik heb Sukie Prout er vanochtend naartoe moeten sturen. Al een maand geleden heb ik lady Tansor meegedeeld dat Badger moet komen om het te repareren, maar er is nog niets gedaan en Badger komt alleen als milady hem er persoonlijk heen stuurt.'

'Volgens mijnheer Baverstock is de ruimte ernstig verwaarloosd,' zei mijnheer Pocock hoofdschuddend. 'Er is genoeg geld, maar ze laat de dingen op hun beloop en volgens mijnheer Baverstock luistert ze niet wanneer haar wordt verteld wat er nodig is. In de tijd van de oude lord Tansor zou het niet zijn gebeurd, en wijlen de kolonel, God zegene hem, zou de zaak ter hand hebben genomen, daarover is geen twijfel mogelijk. Ik dacht dat mijnheer Perseus het wel zou zien, maar hij heeft het te druk met zijn verzen.'

'Ah,' zei mijnheer Maggs, 'maar zij is er ook niet zo eentje als de ouwe lord. Ja, dat was een man met macht. Die had in het hele land een vinger in de pap. In die tijd kwamen ze allemaal naar Evenwood – zelfs de eerste minister – om te horen wat de lord van de dingen vond. De koningin is hier zelfs een keer geweest, met haar Duitse Albert. Maar de grote lui uit Londen komen nu niet meer.'

Ook hij schudde treurig het hoofd.

'Nee, zij is er niet zo eentje als de ouwe lord, en dat zal ze nooit worden ook.'

'Genoeg, Timothy Maggs.'

Na deze berisping verschool mijnheer Maggs zich beschaamd voor de zacht dwingende blik van mevrouw Battersby door in zijn stoel achterover te leunen en drie trekken van zijn lange stenen pijp te nemen.

'En waar bent u eerder geweest, juffrouw Gorst?'

Henry Creswick had nu het woord genomen.

'Ik heb een betrekking als kamenier bij mejuffrouw Helen Gainsborough gehad.'

'Mejuffrouw Gainsborough?'

Die vraag kwam van mevrouw Battersby.

'Van High Breeches?'

'Nee,' antwoordde ik, zelfverzekerd terugvallend op het verhaal dat madame over mijn denkbeeldige vroegere werkgeefster had verzonnen. 'Van Stanhope Terrace in Londen.'

Het hoofd van de huishouding dacht een ogenblik na.

'Weet u, juffrouw Gorst,' zei ze, en haar glimlach werd nu breder, 'ik geloof niet dat ik op Stanhope Terrace iemand met die naam ken. Ik heb korte tijd daar vlakbij een betrekking gehad, en ik dacht dat ik iedereen in de buurt wel kende. Is dat niet merkwaardig?'

'Mejuffrouw Gainsborough woont er pas sinds kort,' antwoordde ik luchtig, en ter afleiding nam ik een slok gerstewater. 'Ook reist ze heel veel. Ik hou niet van reizen, en daarom ben ik naar een nieuwe betrekking op zoek gegaan.'

'Ah,' zei mevrouw Battersby. 'Dat zou de verklaring kunnen zijn.'

Ik wendde me tot mijnheer Pocock.

'Neemt u me niet kwalijk dat ik ernaar vraag,' zei ik, 'maar toen ik binnenkwam had u het geloof ik over professor Slake.'

'Nou,' antwoordde de butler met een welwillende glimlach, 'u bent beslist niet van gisteren, juffrouw. U kent het nieuws zowat nog eerder dan wij.'

Toen ik uitlegde dat mijnheer Randolph Duport me over de dood van de professor had verteld, verscheen er een zeer argwanende trek op het gezicht van mevrouw Battersby.

Had ik voor mijn beurt gesproken? Kennelijk vond ze het ongepast dat de zojuist aangekomen kamenier de dood van de professor ter sprake bracht.

'Heeft mijnheer Randolph Duport u het nieuws verteld?' informeerde ze.

Ze stelde haar vraag op een beleefde toon en natuurlijk met een glimlach. Toch kreeg ik opnieuw het gevoel dat ik van een overtreding werd beschuldigd. Ondanks haar vragen over mejuffrouw Gainsborough had ik geen angst dat ze diepere argwaan tegen me koesterde, en ik was vol vertrouwen dat ik bij mijn eerste optreden op Evenwood mijn rol goed had gespeeld. En dus glimlachte ik ingetogen naar haar terwijl ik vertelde dat ik bij de bibliotheek mijnheer Randolph toevallig had ontmoet toen hij zijn broer wilde gaan vertellen dat professor Slake was overleden.

'Ah,' zei mijnheer Maggs grimmig. 'Mijnheer Dag en mijnheer Nacht!'

Henry Creswick bulderde van het lachen om deze geestigheid, wat mijnheer Maggs en hem op een strenge blik van mijnheer Pocock kwam te staan.

'Kom, kom, Timothy Maggs,' zei de butler. 'Zo is het wel genoeg.'

'Nou, het is anders krek zoals het is, Robert Pocock,' wierp mijnheer Maggs tegen. 'Iedereen die ogen in zijn hoofd heeft kan het zien. Toen ze nog in de wieg lagen verschilden ze al als dag en nacht, en zo zal het altijd blijven.'

'En wat was uw mening over mijnheer Randolph Duport?' vroeg mevrouw Battersby, die me tijdens deze woordenwisseling met een onderzoekende blik was blijven fixeren. 'Maakte hij een prettige indruk op u?'

'O ja! Ik vond hem een erg prettige man,' antwoordde ik, geestdriftig maar onbezonnen.

'En dat is hij ook,' zei mijnheer Pocock instemmend. 'Vraag aan iedereen wie van de twee broers hun het beste bevalt, en altijd is het mijnheer Randolph en niet mijnheer Perseus.'

'Ik vermoed dat juffrouw Gorst er niet anders over denkt,' merkte mevrouw Battersby op, en opnieuw maakte haar raadselachtige glimlach het onmogelijk na te gaan of haar opmerking al dan niet was bedoeld mij te berispen omdat ik, aanmatigend, uiting gaf aan mijn sympathie voor de jongste zoon van mijn werkgeefster, maar ik vatte haar woorden wel zo op.

Op dat moment werd de conversatie door het geluid van een bel onderbroken.

Mijnheer Pocock riep iets naar iemand in de aangrenzende ruimte, die terugriep: 'Gele salon. Mijnheer Perseus, zou ik zeggen. De ander is weggegaan.'

'Is Barrington daar?'

'Nee,' werd er geantwoord. 'Alleen Peplow.'

'Stuur Peplow dan,' zei mijnheer Pocock.

Net toen de butler achterover wilde leunen en een slok gerstewater wilde nemen, kwam mevrouw Battersby overeind. Daarna stond hij ook op, met het onaangeroerde glas gerstewater in zijn hand. Henry Creswick en mijnheer Maggs volgden zijn voorbeeld.

'Welnu, juffrouw Gorst,' zei het hoofd van de huishouding, en ze glimlachte nu voluit en rechtstreeks, 'ik ben erg blij dat ik met u heb kennisgemaakt, en ik hoop dat u spoedig het gevoel zult hebben deel uit te maken van onze kleine familie. Als u iets nodig hebt laat u dat uiteraard aan mijnheer Pocock of aan mij weten. Gaat u lady Tansor bedienen?'

'Ze heeft me pas rond het avondeten nodig.'

'Dan moet u genieten van deze prachtige dag,' antwoordde ze met een glimlach.

Zonder nog een woord te zeggen draaide ze zich om en ging dezelfde deuropening door waarlangs ze was binnengekomen.

Ik maakte me ook op om te vertrekken, maar bedacht toen dat ik mijnheer Maggs nog iets wilde vragen.

'Ik hoorde daarstraks toevallig dat u het over de vader van lady Tansor had,' zei ik. 'Is hij ook aan een beroerte gestorven?'

'Carteret! Aan een beroerte!' riep mijnheer Maggs uit. 'Nee, die niet. Die is vermoord, juffrouw, in koelen bloede. Om zijn geld, toen hij het landgoed op reed.'

'Nee, daar zit je fout, Maggs,' viel mijnheer Pocock hem in de rede. 'Niet om zijn geld. Zoals ik je al eerder vertelde, heb ik daar iets over gehoord. Ik denk dat hij maar heel weinig geld bij zich had, alleen een tas met documenten.'

'Maar zijn belagers dáchten krek wel dat hij geld had,' wierp mijnheer Maggs sceptisch tegen. 'Zo is het, al kon het de roeken niet schelen hoe het zat. Die maakt het niet uit hoe een arme sterveling als Paul Carteret in zijn graf komt. Ze weten alleen dat het zo ver is, en dat is alles.'

Het gesprek werd nog een poosje in deze trant voortgezet, waarbij mijnheer Maggs zijn onwankelbare geloof in de profetische vermogens van de roeken uitsprak en mijnheer Pocock een rationelere wending aan de conversatie probeerde te geven.

Net toen ik opnieuw wilde vertrekken, bood mijnheer Pocock aan me een achtertrap te laten zien waarlangs ik naar zijn zeggen recht-streeks naar mijn kamer kon gaan.

'Uiteraard staat het de kamenier van milady vrij om de grote trap te nemen,' zei hij. 'Maar de achtertrap is vlugger.'

We liepen door dezelfde deuropening als mevrouw Battersby en gin-gen een smalle, witgeschilderde gang in, waar prenten en oude kaarten van het graafschap aan de muren hingen, en kwamen uit onder aan een houten trap.

'Daar zijn we dan, juffrouw,' zei mijnheer Pocock. 'Van hieruit kan het niet meer misgaan. U hoeft alleen de verdiepingen maar te tellen. U komt vlak bij uw kamer uit.'

Terwijl ik toekeek hoe hij naar de bediendenkamer terugliep, schoot me nog een gedachte te binnen.

'O, mijnheer Pocock!'

Hij bleef staan en keek om.

'Kunt u me iets vertellen? In de zitkamer van milady hangt een schil-derij van een kleine cavalier, wie is dat?'

'Ah,' zei hij en hij liep weer naar me toe. 'Dat is de negentiende baron Tansor als kind. Anthony Charles Duport, geschilderd door sir Godfrey Kneller. Geboren in 1682 – dat heb ik zo goed onthouden omdat het precies een eeuw voor mijn vader was.'

'Dank u wel, mijnheer Pocock.'

'Het is geen moeite, juffrouw. Ik sta altijd tot uw dienst.'

'In dat geval,' riposteerde ik, 'is er ooit een mijnheer Battersby ge-weest – of is die er misschien nog altijd?'

'Nee, nee,' antwoordde de butler, en hij schudde zijn hoofd. 'Batters-by is haar eigen naam. Hier is het altijd de gewoonte geweest om het hoofd van de huishouding mevrouw te noemen, of ze nu getrouwd is of niet. Ah, ik begrijp dat u vindt dat dat niet bij haar past omdat ze er zo goed uitziet en nog zo jong is. Welnu, juffrouw, u bent niet de eerste die er zo over denkt.'

'Dat is maar al te waar,' zei ik instemmend. 'Het past beslist niet bij haar. Maar het is nogal verrassend dat als er geen mijnheer Battersby bestaat, er intussen nog geen andere mijnheer Wie-dan-ook is. Ik stel me zo voor dat ze niet om bewonderaars verlegen zit.'

'Daar kan ik niets over zeggen, juffrouw,' zei mijnheer Pocock wat stijfjes. 'Mevrouw Battersby is erg gesloten.'

Toen ging hij iets dichter bij me staan.

'We weten alleen,' zei hij op vertrouwelijker toon, 'dat ze hiervoor bij een goede familie in Suffolk heeft gewerkt, en daarvoor een betrekking in Londen had. Maar voor zover we hier weten, is ze ongebonden.'

'Geen familie, dus?'

'Het vermelden niet waard, juffrouw. Haar ouders zijn kennelijk overleden. Geen broers of zussen. Alleen een ongetrouwde tante in Londen, die ze van tijd tot tijd opzoekt.'

Op dat moment brak mijnheer Pocock het gesprek af omdat in de verte, vanuit de bediendenkamer, een bel weerklonk. En dus besteeg ik, geïntrigeerd door wat hij me zojuist had verteld, de houten trap en kwam drie verdiepingen hoger op de overloop bij mijn kamer uit.

Een halfuur lag ik op bed naar de lichtblauwe lucht te kijken en over de gebeurtenissen van die ochtend na te denken.

Later stond ik op en schreef een korte brief aan madame, waarin ik haar verzekerde dat alles goed met me ging en haar beloofde te zijner tijd uitvoeriger te schrijven. Vervolgens ging ik naar beneden om de brief op de voor uitgaande post bestemde plek neer te leggen. Om lastige vragen van mijn collega-personeelsleden te voorkomen had ik de enveloppe geadresseerd aan een dame in Londen, op wie ik later nog zal ingaan.

Even voor drieën liep ik naar buiten om mijn verkenning voort te zetten, voordat ik milady moest bedienen.

De septemberzon deed het woud van torens, torenspitsen en schoorstenen dat het landhuis Evenwood zijn karakteristieke agressieve voorkomen verleent, baden in een zacht, goudachtig licht en wierp gedempte schaduwen over de grindpaden en de strak gemaaide gazons. Aan de zuidkant van het huis ontdekte ik een grote, rechthoekige visvijver. Hij werd omgeven door hoge muren, die uitbundig met heldergeel vetkruid waren begroeid. Tot het tijd was om naar het huis terug te keren, bleef ik daar naar de vissen in het roerloze, donkere water kijken; er waren veel grote vissen bij, die traag rondzwommen.

Nadat ik eerst nog mijn gezicht had gewassen, mijn haar geborsteld en mijn jurk gladgestreken, klopte ik op de deur van de vertrekken van milady toen de klok van de kapel vijf uur sloeg.

3

Aan de eerste dag komt een einde

I
Vragen en antwoorden

Milady zat met een boek in haar hand achterovergeleund in het zitje in de vensternis, precies zoals ik haar had achtergelaten.

'Kom eens bij me zitten, Alice,' zei ze, en met een vermoeide zucht legde ze het boek neer. 'Ik ga vanavond toch niet beneden dineren.'

'Uitstekend, milady,' zei ik terwijl ik naast haar plaatsnam.

'Nu, vertel me eens wat jij hebt gedaan. Je moet het vreemd vinden als je de kans wordt gegeven om de hele dag te doen waar je zin in hebt. Maar je mag er niet aan gewend raken. Ik zal je van nu af hard laten werken.'

Ze glimlachte – al was het een flauw, melancholiek lachje. Aan haar ogen zag ik echter dat ze het vriendelijk bedoelde.

Ik vertelde over mijn verkenningstocht van die ochtend door de oostvleugel, maar ik vermeldde niet dat ik mijnheer Perseus en mijnheer Randolph Duport had ontmoet en had kennisgemaakt met Sukie Prout.

'Je kunt Evenwood blijven verkennen,' zei ze, 'en je zult steeds wonderlijke nieuwigheden ontdekken. Iemand heeft mij Evenwood eens beschreven als een huis waaraan geen einde komt en dat voortdurend nieuwe aspecten van zichzelf onthult. Er zijn gedeelten die zelfs ik nooit heb bezocht, en andere die ongetwijfeld altijd onbekend voor me zullen blijven. Misschien, Alice, kun je ten behoeve van mij ontdekkingen doen en me komen vertellen wat je hebt aangetroffen, want ik merk dat je een onderzoekende natuur hebt.'

Vervolgens vroeg ze of ik dacht gelukkig te zullen worden terwijl ik bij haar in dienst was.

'O ja, milady. Zelfs meer dan voorheen, nu ik een beetje vertrouwd ben geraakt met mijn nieuwe omgeving en kennis heb gemaakt met sommige bewoners – vooral met u, milady.'

Ze hoorde het compliment ook met een treurig lachje aan en vroeg me vervolgens wat ik van mevrouw Battersby had gevonden.

Ik antwoordde dat ze me een zeer capabele vrouw leek.

'Capabel!' riep ze uit, en ze klapte in haar handen. 'Daarmee typeer je haar exact! Jane Battersby is zeker capabel. Ze is in menig opzicht een opmerkelijke jonge vrouw, tamelijk mysterieus, met een zekere mondaine wijsheid die tamelijk ongebruikelijk is voor iemand van haar positie. En wie heb je vandaag verder nog ontmoet?'

'Mijnheer Pocock, natuurlijk, en Henry Creswick. En ook mijnheer Maggs.'

'Verder niemand?'

Haar blik was nu op me gefixeerd, op een manier die je uit je evenwicht brengt. Ik besloot de waarheid niet al te veel geweld aan te doen en vertelde dat ik op de overloop onder mijn kamer Sukie Prout had ontmoet.

'Sukie Prout?'

Ze dacht een ogenblik na.

'Ah, een van de dienstmeisjes.'

'De hoofddienstbode, milady.'

'Precies. En verder niemand?'

Op dat moment besefte ik dat ze op de hoogte was van mijn toevallige ontmoetingen met haar zonen. Even wist ik niet wat ik moest antwoorden, maar ze was me voor.

'Mijn zoon Perseus vertelt me dat hij al met je heeft kennisgemaakt. En zijn broer ook, geloof ik.'

Ik had nu geen keus meer: ik moest het feit zo luchtig mogelijk erkennen, al zag ik niet in wat ik verkeerd had gedaan.

'Stelde het zo weinig voor dat je het bent vergeten?' vroeg ze.

'Pardon, milady?'

'De kennismaking met degene die de baronstitel Tansor zal erven en zijn jongere broer?'

Ik dacht dat ze op het punt stond me een reprimande te geven, maar toen zag ik dat er een flauw lachje om haar lippen speelde.

'Schrik maar niet, mijn beste,' zei ze, en ze boog zich naar me over en streek over mijn hand. 'Ik neem je volstrekt niet kwalijk dat je het idee had het niet aan mij te kunnen vertellen. Ik merk dat je ontvankelijk bent voor dat soort kleine, gevoelige zaken. Maar vertel me eens, wie van mijn zonen beviel je het best? Perseus of Randolph?'

Ik moet bekennen dat ik die vraag nogal choquerend vond. Welke moeder stelt nu zo'n vraag over haar twee zonen, die me allebei op hun eigen wijze hoogst aanbiddelijk leken?

'Nou, vertel dan!' drong ze met onbeschaamd plezier aan toen ze mijn aarzeling bespeurde. 'Ik wil het heel graag weten!'

'Dat kan ik echt niet zeggen, milady. Ik ken uw beide zonen nauwelijks, en we hebben werkelijk maar een paar woorden gewisseld.'

'Maar Perseus is de knapste, nietwaar?'

'Zeker is hij knap,' gaf ik meteen toe. 'Maar mijnheer Randolph Duport mag er ook zijn.'

'Maar op een heel andere manier, vind je niet? Die arme Randolph heeft minder verfijnde gelaatstrekken, en als hij in een bepaalde stemming is kunnen ze een beetje grof aandoen. Ik durf wel te zeggen dat hij meer van wijlen zijn vader en diens familie weg heeft dan Perseus. Tot mijn spijt moet ik ook erkennen dat Randolph niet de hoge begaafdheid van zijn broer bezit. Het doet me pijn dat te zeggen, maar het is nu eenmaal de waarheid.'

Ze vervolgde: 'Perseus, moet je weten, is met een groot literair talent gezegend. Hij heeft een hoogst indrukwekkend drama in verzen geschreven, dat naar we hopen binnenkort zal worden gepubliceerd. Het heeft Merlijn en Nimue als onderwerp, wat ik voor een poëtisch drama een hoogst oorspronkelijk thema vind.'

'Heeft Tennyson in *Idylls* niet over hen geschreven?' vroeg ik, heel goed wetend dat dat zo was. 'Al heet Nimue daar meen ik Vivien.'

Ze wierp me een hevig verwijtende blik toe omdat ik het had gewaagd de originaliteit van haar zoon in twijfel te trekken.

'Tennyson behandelt de personages volkomen anders dan mijn zoon,' zei ze kil. 'In mijn ogen op een in alle opzichten inferieure wijze. Hij maakt geen levende mensen van ze, wat Perseus door middel van de dramatische vorm wel doet. Dat is zijn grote talent.'

Ik vroeg of mijnheer Perseus Duport van plan was van de poëzie zijn beroep te maken.

'Een heer die in de positie van mijn oudste zoon verkeert hoeft geen enkel beroep uit te oefenen, zoals u het noemt. Maar het is onmogelijk een geniaal natuurtalent aan banden te leggen. Het manifesteert zich onherroepelijk, net als een goede opvoeding. Ik twijfel er niet aan dat zijn drama, als het wordt gepubliceerd, algemeen erkenning zal vinden als een werk van buitengewone verdienste. Een volgende keer zal ik je het manuscript laten zien, zodat je je er zelf een oordeel over kunt vormen. Je hebt me meen ik verteld dat je heel veel poëzie leest.'

'Ja, milady.'

'En hoe heeft een kamenier zich zo'n voorliefde eigen gemaakt?'

'Mijn voogdes las me al vanaf mijn vroege jeugd gedichten voor,' antwoordde ik, de onuitgesproken belediging negerend. 'Zelfs toen ik nog niet in staat was de betekenis van de woorden te begrijpen, werd ik al door hun klank getroost en viel ik erbij in slaap. Vervolgens werd ik door mijn huisleraar, mijnheer Basil Thornhaugh, voortdurend gestimuleerd om veel te lezen, zowel in het Engels als het Frans.'

'Je hebt een huisleraar gehad! Ik heb nooit eerder een kamenier gehad die dat voorrecht heeft genoten. En wat was mijnheer Basil Thornhaugh voor een man?'

'Een buitengewoon schrandere man,' antwoordde ik, 'die bovendien over veel inzicht en smaak beschikt.'

'Een hoogst opmerkelijke huisleraar dus, naar jouw zeggen. Naar mijn ervaring zijn dergelijke lieden altijd saaie mislukkelingen, maar jouw mijnheer Thornhaugh was kennelijk in alle opzichten uniek. En toch nam hij er blijkbaar genoegen mee een klein meisje les te geven. Hoe kwam dat, denk je? Kon hij geen ander beroep uitoefenen, of had hij verder geen ambities?'

Omdat ik vrijwel niets van het vroegere leven van mijn oude leraar afwist, kon ik geen bevredigend antwoord geven. Ik kon alleen zeggen dat mijnheer Thornhaugh zich naast zijn pedagogische taken aan persoonlijke interesses wijdde en dat hij al lange tijd aan een groot wetenschappelijk werk bezig was.

'Ah!' riep lady Tansor. 'Een kamergeleerde! Ik ken dat type mens. Ze dromen hun hele leven van het magnum opus waardoor hun naam nog vele generaties zal voortleven. Nu begrijp ik het. Niet veel van die mensen verwezenlijken hun ambities. Ze worden er simpelweg door verteerd, want er komt nooit een einde aan.'

Ze wendde haar hoofd een ogenblik af en vlijde het tegen een van de glas-in-loodramen. Vervolgens bracht ze een vinger naar het glas en al pratend tekende ze er verstrooid een motief, of misschien een reeks letters op.

Na het diner vroeg ze me haar voor te lezen uit een ander boek van Phoebus Daunt, *De Erfgenaam: een moderne romance*.*

'Ken je het?' vroeg ze terwijl ze me het boek overhandigde.

Ik zei haar dat ik nog niet het genoegen had gehad het te lezen.

'Dan zullen we hier allebei plezier aan beleven,' zei ze. 'Zullen we beginnen?'

Ik sloeg het boek open en begon voor te lezen.

De dichterlijke gave van mijnheer Daunt leek in het epos zijn natuurlijke uitingsvorm te hebben gevonden. Ik stelde me voor dat *Paradise Lost*, dat ik bewonderde sinds mijnheer Thornhaugh me er in mijn kinderjaren mee had laten kennismaken, hem tot voorbeeld had gediend bij zijn eigen pogingen tot wat je grootse poëzie zou kunnen noemen. In het geval van Milton werd met deze term het verheven karakter van de thematiek aangeduid, evenals de sublieme begaafdheid van de dichter. In het geval van Daunt moet 'grootsheid' nauwer worden gedefinieerd, want kennelijk geloofde hij dat zijn werk meer indruk zou maken naarmate hij meer regels schreef. Als gevolg daarvan was ik, nadat er meer dan een uur was verstreken, nog nauwelijks halverwege het tweede van de twaalf delen.

'Vermoeit het je, Alice?' vroeg lady Tansor, toen ze me over een bijzonder onbeholpen strofe hoorde struikelen (de dichter had de strakheid en helderheid van het rijmloze vers opgegeven ten gunste van het rijm, en dat ging veelvuldig ten koste van de betekenis).

'Nee, milady. Ik zal met alle genoegen verder lezen zolang u het wenst.'

'Nee, nee,' hield ze vol, 'je bent moe. Ik zie het. Ik heb je lang genoeg hier gehouden. Zo! Wat ben ik een attente meesteres! Je moet evenwel

---

* Uitgegeven door Edward Moxon in 1854, Daunts sterfjaar. Net als *Aurora Leigh*, Elizabeth Barrett Brownings latere roman in verzen (gepubliceerd in 1856), is het een eigentijds verhaal, maar (zoals juffrouw Gorst terecht opmerkt) de vorm en het taalgebruik zijn welbewust gebaseerd op het voorbeeld van Miltons epische werk. De hoofdfiguur, Sebastian Montclare, moet een groot landgoed erven, echter zijn gewetenloze neef Everard Burgoyne berooft hem met list en bedrog van zijn erfenis. Zo absurd als de intrige is, zo onbeholpen is het merendeel van de verzen, maar desondanks was het werk populair en werd het goed ontvangen; zelfs tegenwoordig ademen bepaalde passages nog een zekere snoeverige grandeur en bezieling, die een uitgesproken maar verspild talent verraden.

niet denken dat ik al mijn kameniers zo welwillend behandel, want ik heb dat nooit eerder gedaan.'

Ze keek me vol verwachting aan, maar toen ik niet antwoordde liep ze bij het raam vandaan en staarde in het haardvuur.

'Nee,' zei ze bedaard, 'ik ben niet altijd zo welwillend geweest. Maar jij, Alice,' zei ze, en over haar schouder keek ze mij aan, 'hebt kwaliteiten waardoor je anders bent dan anderen. Ik zag het onmiddellijk.'

Ze zweeg even, alsof haar plotseling iets te binnen was geschoten.

'Weet je, ik bedenk ineens dat er geen geringe overeenkomst bestaat tussen jouw positie en die van mevrouw Battersby.'

Ze zag mijn verblufte gezicht en lachte even.

'Ik bedoel dat zij, net als jij, nu een positie inneemt die enigszins onderdoet voor die waarin ze kennelijk is grootgebracht, al lijk jij uiteraard grotere voorrechten te hebben gekend dan mevrouw Battersby – een huisleraar, vertel je me! Je spreekt Frans, je leest romans en poëzie. En ik wed dat je een muziekinstrument bespeelt en kunt zingen, kunt tekenen en schilderen, en je in grote lijnen als een dame kunt gedragen. Ja, ik zou zelfs zeggen dat je qua afkomst en opvoeding een dame bént. Maar net zoals die schrandere mijnheer Thornhaugh van je, die in alle opzichten een heer lijkt te zijn, ben je in een positie terechtgekomen die beneden je capaciteiten en je natuurlijke gesteldheid ligt. Is dat geen merkwaardige overeenkomst?'

'U moet bedenken, milady,' riposteerde ik, nerveus door haar onderzoekende gelaatsuitdrukking, 'dat ik daarin geen keus had. Toen mevrouw Poynter overleed – de oude vriendin van mijn moeder bij wie ik destijds in Londen inwoonde – had ik geen middelen om in mijn levensonderhoud te voorzien. Ik had alleen een kleine lijfrente van mijn vader, die nauwelijks toereikend was. Aangezien ik niet naar Frankrijk terug wilde, ging ik naar een bureau en werd voorgedragen voor de betrekking bij mejuffrouw Gainsborough. En ik was zo gelukkig die te krijgen.'

'Inderdaad, zo gelukkig,' zei ze. 'Je zou verwachten dat iemand zonder ervaring in een betrekking als huisbediende een paar bescheiden aanstellingen zou krijgen, misschien bij een geestelijke of iemand in de kleinhandel. Maar het verbaast me niet in het minst dat je indruk maakte op mejuffrouw Gainsborough, die me een heel verstandige vrouw lijkt. Ik twijfel er niet aan dat ze er net zo over dacht als ik. Ze moet net als ik hebben onderkend dat je uitzonderlijk was, en dat is bij een dienaar of dienares een zeldzame eigenschap.'

66

Nauwelijks was ze uitgesproken, of er werd op de deur geklopt; een lakei kwam binnen die een klein zilveren blad vasthield met een brief erop.

'Deze brief is voor u gekomen, uwe edelheid.'

Hij boog en draaide zich al om.

'Wacht!' riep lady Tansor. 'Deze brief moet persoonlijk zijn afgegeven. Waar is degene die hem heeft bezorgd?'

'Dat kan ik niet zeggen, milady,' antwoordde de lakei. 'Hij werd onder de voordeur doorgeschoven. Niemand heeft gezien wie hem heeft bezorgd.'

Ik kon zien dat de brief slechts vijf of zes regels telde. Op mijn meesteres hadden ze echter een dramatische uitwerking. Terwijl ze de brief las trok alle kleur uit haar gezicht weg. Na lezing verfrommelde ze de brief tot een propje en stak hem in de zak van haar japon.

'Ik denk dat ik een korte wandeling over het terras maak voordat ik me ter ruste leg,' zei ze terwijl ze probeerde te doen alsof er niets was gebeurd. 'In de slaapkamer moet vuil waswater worden weggegooid, en gelieve er ook de haard te ontsteken. Het is wat kil geworden. Leg vervolgens mijn nachtgoed klaar, en blijf in de slaapkamer totdat ik terug ben. Verlaat de slaapkamer niet. Heb je dat begrepen?'

'Natuurlijk, milady,' antwoordde ik. Ik gehoorzaamde graag aan haar orders, al was ik er wel door verbluft.

Ze liep naar de deur, in weerwil van haar pogingen een onbezorgde indruk te maken nog altijd bleek en slecht op haar gemak, maar bleef toen staan.

'Onthoud wat ik heb gezegd, Alice,' zei ze, zonder zich naar me toe te keren. 'Verlaat de slaapkamer niet voordat ik ben teruggekeerd.'

Ze opende de deur, liep het schilderijenkabinet in en liet mij alleen in de plotseling verduisterde kamer achter.

II
De komst van mijnheer Thornhaugh

Nadat milady van haar wandeling op het terras was teruggekeerd en ik de door haar opgedragen taken had verricht, mocht ik gaan.

Mijn meesteres stuurde me nogal bruusk weg. Ze maakte zowel een korzelige als een nerveuze indruk, en zo gretig als ze eerder had geconverseerd, zo afkerig van een gesprek was ze nu.

Bij mijn vertrek vroeg ik of ze zich wel goed voelde.

'Natuurlijk voel ik me goed,' beet ze me toe. 'Doe niet zo betuttelend, Alice. Ik duld geen betutteling.'

'Ik wil niet betuttelen, milady,' antwoordde ik schuldbewust. 'Maar u ziet heel erg bleek. Kan ik u nog iets brengen voordat u gaat slapen?'

Haar gezicht ontspande wat, en ze plofte neer in een stoel naast haar bed.

'Nee, niets,' zei ze. En toen, terwijl ze probeerde te glimlachen: 'Maar dank je wel, Alice. Niet veel andere kameniers zijn zo bezorgd om me geweest.'

'Dan verdienden ze de betrekking als uw kamenier niet, milady,' zei ik in een vlaag van inspiratie. 'Ik beschouw het als een heel belangrijk onderdeel van mijn taak voortdurend acht op milady's welzijn te slaan.'

'Dat,' zei ze, 'is voor een kamenier een hoogst oorspronkelijke opvatting, maar jij bent natuurlijk ook geen gewone kamenier. Goedenacht, Alice. 's Ochtends de gebruikelijke tijd hier zijn, graag.'

Toen ik me omdraaide, zag ik dat ze tranen in haar ogen had.

Ik was nog verbluft door het vreemde gedrag van lady Tansor en besteedde een halfuur aan het beschrijven van de gebeurtenissen van die avond in mijn Geheime Boek. Toen ging ik op bed liggen en liet mijn gedachten de vrije loop.

Algauw dacht ik opnieuw aan madame, en vervolgens aan mijn oude huisleraar, voor wie milady zo veel belangstelling had gehad.

Die lieve mijnheer Thornhaugh! Wat miste ik hem! Evenals madame was hij bijna zo lang ik me kon heugen een constante en geruststellende aanwezigheid in mijn leven geweest. In de eerste duidelijke herinnering die ik aan hem heb sla ik minstens twintig minuten zijn lange, gebogen gestalte gade terwijl hij op een hete zomermiddag, in een diepgaand gesprek met madame verwikkeld, door de tuin van Maison de l'Orme op en neer loopt. Ik was eraan gewend geraakt om met uitzondering van Jean, madames bediende, alleen te midden van vrouwen te verkeren. De aanblik van deze vreemde man met zijn lange, gegroefde, donkere gezicht en zijn vroeg grijzende haar dat tot op zijn schouders viel, verontrustte me aanvankelijk, totdat madame me naar hem toe bracht en hem als mijn huisleraar aan me voorstelde. Zodra ik zijn prachtige ogen zag vervlogen mijn angsten en besefte ik dat er een nieuwe vriend in mijn leven was gekomen.

'Hoe gaat het met u, juffrouw?' vroeg hij.

'*Réponds en anglais, ma chère*,' zei madame met een glimlach.

Aangezien madame vloeiend Engels sprak en die taal me dus al even vertrouwd was als het Frans, vertelde ik mijnheer Thornhaugh in zijn moedertaal dat ik vereerd en verrukt was om met hem kennis te maken. Met verbazingwekkende ernst stak ik hem intussen mijn hand toe, en voor de goede orde maakte ik vervolgens als een echte dame een reverence.

Hij moest erom lachen en noemde me 'koninginnetje'. Daarna stelde hij me een aantal vragen om te kunnen beoordelen hoe goed ik mijn leerstof kende. Hoewel al deze vragen enig ingespannen nadenken vergden, bracht ik het er tot mijn grote trots en vreugde goed vanaf.

'U hebt het goed gedaan, madame,' hoorde ik hem tegen mijn voogdes zeggen. 'Ik voorzie dat ze als een rasechte bolleboos haar lessen zal volgen.'

Ik hoop dat ik mezelf niet als een onverdraaglijk wonderkind voorstel. Mijn schranderheid, als je het zo mocht noemen, bestond louter uit het aangeboren bezit van een goed geheugen en het verlangen om dat met feitenkennis te vullen. Ik geloof echter dat ik, afgezien van het mechanische vermogen om kennis in me op te nemen en te reproduceren, nogal traag en dom was – ik kon niet met staartdelingen en breuken overweg, was als de dood voor vermenigvuldigingen en vond algebra en meetkunde onbegrijpelijk. Ook de verschillende takken van wetenschap zouden altijd een gesloten boek voor me blijven, al probeerde mijnheer Thornhaugh het later weer te openen.

Nadat ik tot ieders voldoening voor mijn examen was geslaagd, stelde madame voor de tuin weer in te gaan, en daar zaten we gedrieën in de schaduw van de kastanje, dronken thee en aten citroentaart.

Mijnheer Thornhaugh praatte aan één stuk door, al kan ik me niets meer herinneren van wat hij zei. Alleen de indruk van een onstuitbare vloed schitterende woorden en oorspronkelijke meningen is me duidelijk bijgebleven. In de ogen van iemand die al brandde van verlangen naar kennis deed hij nauwelijks onder voor een legendarische tovenaar, die de macht had gekregen alles te weten wat de mensheid ooit had geweten en nog aan de weet zou komen.

En zo nam mijnheer Basil Thornhaugh zijn intrek in het huis van madame De l'Orme aan de Avenue d'Uhrich. Hij kreeg vier ruime kamers op de bovenste verdieping, en één daarvan, naast zijn met boeken gevulde studeerkamer, was mijn leslokaal. Zijn verdieping was toegankelijk via een eigen trap die in de achtertuin uitkwam en mijnheer Thornhaugh in staat stelde om naar believen het huis in en uit te gaan. Ik zag hem zelden in een ander deel van het huis, alleen in zijn eigen kamers en in de tuin. Zijn maaltijden gebruikte hij in zijn eentje. Als ik 's nachts wakker werd hoorde ik hem vaak ijsberen in zijn studeerkamer, die recht boven mijn slaapkamer lag. Ik putte dan troost uit de wetenschap dat hij er altijd was, slechts enkele meters boven mijn bed.

Ik vroeg me af wat hij deed nu zijn leerlinge was uitgevlogen. Hij was na mijn kindertijd in madames woning blijven wonen, waar hij zich aan zijn lectuur en zijn onderzoek wijdde. Wel bleef hij me, zolang we dat allebei prettig vonden, informele lessen geven in de disciplines die me het best bevielen. Maar hoewel ik hem toen veel meer als vriend dan als leraar beschouwde, kon ik hem er nooit toe brengen over zichzelf of zijn familie te praten en wees hij mijn vragen altijd van de hand – soms ietwat heftig. Dientengevolge wist ik niets van hem en zijn afkomst. Ik had, ongetwijfeld door deze hardnekkige houding, de indruk dat hij – meer dan iedereen die ik daarvoor en daarna heb gekend – volledig in het heden wilde leven, bijna door eigen vastberaden inzet. En als ik naar een facet van zijn verleden informeerde – iets waar jongedames uiteraard door hun natuur toe worden verplicht – naar de tijd voordat hij in madames huis was getrokken, zei hij altijd dat hij geen belang meer in zijn vroegere leven stelde en dat het dus voor anderen ook niet van belang was.

Hij gaf me slechts één keer een antwoord, en wel toen ik hem vroeg waar hij was geboren. Hij zei dat hij zijn eerste ademteug onder een Franse hemel had genomen, wat mij zeer beviel, maar verder vertelde hij niets.

III
Mevrouw Ridpath

Na verloop van tijd was alles voor mijn vertrek naar Engeland geregeld, en ten slotte vertrok ik in de tweede week van augustus 1876 uit Parijs.

Madame en mijnheer Thornhaugh reisden met me mee naar Boulogne, waar we in Hôtel des Bains overnachtten. De volgende dag reden we naar het station in de Faubourg de Capécure, van waaruit ik de exprestrein naar Folkestone zou nemen. Op het drukke, luidruchtige perron nam ik in tranen afscheid van madame.

'Hou je taai, mijn liefste kind,' zei ze terwijl ze me kuste. 'Ik weet hoe moeilijk dit voor je is, maar als je op mij vertrouwt en het geduld hebt om je in je handelen door mij te laten leiden, komt alles goed. Naarmate je meer zult weten over de reden waarom je aan deze grote onderneming begint, zul je ook moeten leren je eigen intuïtie te volgen en dienovereenkomstig te handelen. Want wees gerust, je hebt het in je om je lot te kunnen vervullen.'

En zo gingen we uiteen. Vanuit het raam zwaaide ik net zo lang tot ze uit het zicht verdween en viel toen op mijn zitplaats neer, overweldigd door alle emoties die het afscheid van een dierbare – misschien voorgoed – in een mens kunnen oproepen.

Mijn enige troost bestond erin dat was afgesproken dat mijnheer Thornhaugh met me mee naar Londen zou reizen om me te begeleiden als ik mijn intrek nam op mijn tijdelijke adres, waar ik zou verblijven voordat ik naar Evenwood zou doorreizen. Ik weet niet hoe ik het vreselijke gevoel van afscheid van alles wat me dierbaar was had moeten doorstaan als hij niet met me mee was gereisd. Naarmate de Engelse kust naderbij kwam begon ik beetje bij beetje op te knappen, terwijl mijn oude leraar met milde, zorgzame overredingskracht mijn vroegere vastberadenheid bij me terugriep.

Na aankomst in Folkestone overnachtten we in het West Cliff Hotel en namen de volgende ochtend de trein naar Londen. Ten slotte arriveerden we in Devonshire Street, waar ik onder de hoede van een oude vriendin van mijnheer Thornhaugh zou verkeren tot het moment van mijn sollicitatiegesprek bij lady Tansor aanbrak.

Mijn tijdelijke voogdes was een frêle, rossige dame van rond de vijftig met een vriendelijk gezicht en heldere, alerte ogen die me onmiddellijk op mijn gemak stelde. Toen ze ons binnenliet informeerde ze uitvoerig en bezorgd naar onze reis, waarna ze ons in de zitkamer liet plaatsnemen en belde om versnaperingen te laten aanrukken.

'Esperanza, dit is mevrouw Elizabeth Ridpath,' zei mijnheer Thornhaugh toen we binnenkwamen. 'Ze is een oude, vertrouwde vriendin van me en zal heel goed voor je zorgen zolang je hier bent.' Vervolgens voegde hij daar op ernstiger toon aan toe: 'Ze weet alles, koninginnetje.'

Mevrouw Ridpath boog zich naar me toe en pakte me bij de hand.

'Ik besef dat het heel vreemd en verwarrend voor je is om hier te zijn, liefje. En dus moet je me zeggen of ik iets voor je kan doen om te zorgen dat je je prettig en gelukkig voelt in de korte tijd dat je hier bij me bent. Mijnheer Thornhaugh en madame De l'Orme hebben me in vertrouwen genomen, en ik wil dat je beseft dat ik het vertrouwen dat ze in mij hebben gesteld nooit zal beschamen. Je kunt altijd op mij vertrouwen, net zoals je op hen vertrouwt.'

Ze kuste me op mijn wang en zei dat ze me na de thee mijn kamer zou laten zien. Als ik wilde kon ik dan even rusten, of we konden met zijn allen een wandelingetje naar het nabijgelegen Regent's Park maken.

'O, laten we naar buiten gaan!' riep ik, en plotseling was ik van hoop en zelfvertrouwen vervuld. 'Ik ben absoluut niet moe!'

En dus gingen we nadat we thee hadden gedronken gedrieën de deur uit en kwamen algauw in het park aan.

Mijnheer Thornhaugh wilde me de Zoological Gardens laten zien, waar we een genoeglijk uurtje doorbrachten. Vervolgens liepen we door de Botanic Gardens en langs het terrein van de Toxophilite Society terug naar Devonshire Street. Gedurende dit kleine uitstapje vermaakte mijnheer Thornhaugh ons op zijn gebruikelijke levendige wijze met zijn kennis van het park en van Londen in het algemeen. Ik wilde dat hij langer in Engeland zou blijven dan hij zich had voorgenomen en drong daar zelfs uit alle macht bij hem op aan. Hij had echter een retourbiljet voor de exprestrein die de volgende ochtend vanuit Charing Cross vertrok en liet zich niet vermurwen: hij mocht madame niet langer dan afgesproken in Parijs alleen laten, want ze zou bezorgd om mij zijn en dolgraag willen weten hoe het met me ging.

Omdat mijnheer Thornhaugh jarenlang niet in de stad was geweest waar hij vroeger had gewoond, had hij met een aantal oude vrienden afgesproken in een hotel in de Strand, waar hij ook zou overnachten.

'Adieu, koninginnetje,' zei hij op de trap voor het huis in Devonshire Street. 'Ik hoef je niet te vertellen dat we voortdurend aan je zullen denken en dat we er alles aan hebben gedaan om je tegen ieder mogelijk gevaar te beschermen.' Vervolgens stelde hij me een zeer verrassende vraag: 'Heeft madame je ooit verteld waarom je Esperanza genoemd bent?'

Ik moest toegeven dat ik daar nooit over had nagedacht.

'Ze heeft me eens verteld dat je zo bent genoemd omdat je de grote hoop van je vader was,' zei mijnheer Thornhaugh, 'waarin hij al zijn vertrouwen stelde. Vraag me niet haar woorden te verklaren: je zult ze op den duur wel begrijpen. En nu moet ik vertrekken. Verder zal ik geen afscheidsspeech meer houden. Madame heeft je alles gezegd wat nodig is. Ik zeg alleen: hou je taai, koninginnetje, want je gaat iets groots verrichten, zoals je op een dag zult begrijpen.'

Met die woorden schudde hij me warm de hand, en vervolgens liet hij hem niet los maar nam hem in zijn beide handen en hield hem vast.

Daarna maakte hij zich van me los en glimlachte; algauw was hij uit het zicht verdwenen.

Ten slotte brak het moment aan dat ik uit Devonshire Street moest vertrekken, slechts enkele dagen nadat ik bij mevrouw Ridpath mijn negentiende verjaardag had gevierd. De reis naar Northamptonshire was saai, en zoals ik al heb beschreven bemachtigde ik meteen de betrekking van kamenier van lady Tansor.

Nu was mijn eerste dag op Evenwood ten einde gekomen. De hierna volgende dagen en maanden zouden heel anders worden, maar deze hoogst gedenkwaardige dag markeerde de grens tussen het leven dat ik bij madame had geleid en mijn nieuwe bestaan als bediende van lady Tansor. Hij vormde ook de eerste fase van de aan mij nog niet geopenbaarde Grote Opgave die madame me had opgelegd.

Eindelijk had ik mijn eerste doel bereikt. Het zaad van mijn toekomst was gezaaid, maar wat voor oogst zou het uiteindelijk opleveren?

Nu moest ik een dag vol levendige herinneringen en een hele menigte indrukken verwerken: een grote, in karmijn en goud gedecoreerde kamer; sombere gezichten van voorouders die op me neerkeken als ik ze voorbijliep; de geur van talloze in lange tijd niet opengeslagen boeken die sliepen in hun leren doodskisten; Sukie Prouts grillige krullen en sproetige gezichtje; een geheime, stille binnenplaats met in het midden een fontein waar vanuit een helderblauwe lucht witte duiven neerstreken; de donkere haarstrengen van milady die door een zilveren haarborstel werden gehaald, en haar vingers die letters op een raam schreven; een beeldschone, langharige, jeugdige cavalier in een kniebroek van blauwe zijde en met rozetten op zijn schoenen; roerloos, donker water, waaronder in stilte vissen zwommen; en, dralend voor mijn geestesoog terwijl de slaap zich langzaam van me meester maakte, de gezichten – zo markant en zo wonderlijk contrasterend – van de twee zonen van milady.

4

Nachtmerries en herinneringen

I
Een droom over Anthony Duport

Ik ontwaakte die nacht in doodsangst, volledig ontsteld door een nieuwe nachtmerrie.

Ik droomde dat ik werd achtervolgd in een aan alle kanten ondoordringbare witte leegte. Het was geen nevel, geen sneeuw en ook niet de hardnekkige, ziekmakende Londense mist, maar iets wat dichter en vreemder was. Al rennende voelde ik een allerhevigste, stekende kou tegen mijn blote voeten en mijn gezicht. Ik wist niet waarheen of waarom ik vluchtte, noch wie mijn achtervolger was – alleen dat ik koste wat kost moest ontsnappen. Bij elke pas die ik nam groeide mijn angst, want achter me hoorde ik iemand hijgen die met de seconde op me inliep.

Ten slotte kon ik niet meer en riep om hulp. Maar terwijl mijn gegil verdween in de leegte die me omgaf, werd het opeens helemaal stil.

Het hijgen was opgehouden, er waren geen voetstappen meer te horen. Was ik ontsnapt?

Ik bleef even staan en keek om me heen. Ik keek en luisterde uit alle macht of er iemand was, en toen stapte uit de dichte, witte leegte een jongetje tevoorschijn. Hij had haar tot op zijn schouders, droeg een kniebroek van blauwe zijde en had rozetten op zijn schoenen.

Hij glimlacht naar me – wat een bekoorlijke, onschuldige glimlach.

'Ik weet niet hoe ik heet,' zegt hij met tranen in zijn ogen. En vervolgens vraagt hij, op zo'n smekende toon dat mijn hart bijna breekt: 'Alstublieft, kunt u me vertellen wie ik ben?'

Ik wil hem dolgraag vastpakken en troosten, hem vertellen dat ik inderdaad weet hoe hij heet. Dat hij Anthony Charles Duport is, geboren in 1682, honderd jaar voor de vader van mijnheer Pocock, en dat hij op een dag de negentiende baron Tansor zal worden. Maar als ik op hem afloop om hem in mijn armen te nemen, raakt zijn mooie, smekende gezicht misvormd en wordt het langzaam verteerd – het haar en het vlees, stap voor stap – totdat het is verworden tot een afgrijselijke, grijnzende schedel die nog altijd op zijn oude, fraai geklede kleine lichaam rust.

Ik ontwaakte uit mijn droom met in mijn oren het geluid van een bel.

Terwijl de nachtmerrie terugweek, besefte ik dat het de bel was die in een hoek van mijn kamer hing, vlak boven de haard. Milady had gezegd dat ze me daarmee zou oproepen als ze me 's nachts nodig had.

Ik trok mijn ochtendjas aan, en terwijl mijn hele lichaam nog altijd beefde door de nachtmerrie stak ik een kaars op en rende de trap af naar de vertrekken van milady.

Met haar hoofd achterover geknikt tegen de stapel kussens zat ze in bed – een monsterlijk zwart gevaarte met zware draperieën van bloedrood fluweel en overal houtsnijwerk van groteske faunen, saters en andere mythologische figuren.

Ik zette de kaars op de tafel naast de deur, zodat de rest van de kamer alleen werd verlicht door de naflakkerende resten van het haardvuur dat ik eerder had ontstoken. De gloed was echter sterk genoeg om me het beschaduwde, doodsbleke gezicht van lady Tansor te tonen, en haar verwarde haren, die als een opbollende mantel over de kussens lagen uitgespreid.

Ze keek me strak aan, maar geestelijk leek ze in een ander, vreselijk oord te vertoeven, alsof ze in een hypnotische trance verkeerde. Ik vloog op haar af, doodsbang dat ze ziek was geworden.

'Milady!' riep ik. 'Wat is er aan de hand? Kunt u wat zeggen?'

Ze keerde haar verbijsterde gezicht naar me toe, en ik zag dat op haar voorhoofd kleine druppeltjes transpiratie parelden. Ook zag ik de oprukkende tekenen van de onbedwingbare tand des tijds.

Zwijgend staarde ze me aan. Vervolgens keerde geleidelijk de kleur op haar wangen terug, en ze opende haar mond om wat te zeggen.

'Alice, mijn beste,' zei ze op schorre fluistertoon. 'Ik hoorde een gil. Was jij dat?'

'Een boze droom, milady,' antwoordde ik. 'Meer niet.'

'Een boze droom!'

Ze lachte een afgrijselijk, vreugdeloos lachje.

'Was het een erg boze droom, Alice? Net zo erg als de mijne? Ik denk van niet.'

'Moet ik u misschien iets brengen, milady?' vroeg ik. 'Wat water, misschien? Of zal ik Barrington de dokter laten halen? Ik ben bang dat u vanavond misschien kou hebt gevat bij uw wandeling op het terras.'

'Wat zei je?'

Ze zat nu rechtop in bed en staarde me aan met een angstige, verontruste uitdrukking op haar gezicht.

'Ben je op je slaapkamer gebleven, zoals ik je had opgedragen?'

'Ja, milady, natuurlijk. Ik dacht alleen dat de nachtlucht...'

Ze hief haar hand op om me te beduiden dat ik niets meer mocht zeggen en zakte toen weer tegen het kussen aan.

'Ik voel me nu behoorlijk goed,' zuchtte ze. 'Ik heb alleen de verrukkelijke vergetelheid nodig van een droomloze slaap. Denk jij dat het mogelijk is om te slapen zonder dat zich dromen aan je opdringen? Ik denk van wel, en ik denk dat dat een zeer benijdenswaardige toestand is. Heb jij vaak nachtmerries, Alice?'

Ik vertelde haar dat ik sinds mijn kinderjaren van tijd tot tijd aan angstdromen had geleden, maar dat ze mijn slaap nu minder veelvuldig verstoorden dan vroeger.

'Dan zijn we lotgenoten,' zei ze. 'Maar jij hebt het beter getroffen dan ik, want de mijne nemen met het jaar in verontrustende mate in aantal toe. O, het is iets afschuwelijks, Alice, als de kostbare slaap je elke nacht weer wordt afgenomen en je hem nooit terugkrijgt!'

Ze had al pratend mijn hand gepakt, en ik zag de angst even terugkeren in haar grote donkere ogen.

'Misschien kun je me weer voorlezen,' zei ze zacht, 'heel eventjes maar.'

Ze wees op een klein, gemarmerd boek met een vergulde rug, dat op het tafeltje naast haar bed lag.

'Pagina honderdtwintig,' zei ze. 'Het eerste gedicht.'

Ik pakte het boek, sloeg het open en wierp een korte blik op de titelpagina. Uiteraard was het weer een werk van de hand van Phoebus Daunt: een bundel verhalende gedichten, lyrische verzen en vertalingen met de titel *Rosa Mundi**, waarin milady op de dag van mijn sollicitatiegesprek had gelezen.

Ik sloeg het door haar gevraagde gedicht op. Ik legde het opengeslagen boek op mijn schoot, stak de kaars naast het bed aan en begon te lezen.

Het gedicht telde slechts zes strofen. Toen ik klaar was, vroeg lady Tansor of ik het nogmaals wilde voorlezen. Ondertussen bleef ze roerloos liggen, met haar hoofd tegen de kussens, en staarde langs de zware, rode draperieën van het bed naar het raam, waarachter een bleke sikkelvormige maan zichtbaar was die hoog boven de bossen in de verte stond.

'Nog een keer, Alice,' zei ze, zonder zich te verroeren.

En dus las ik het gedicht voor de derde keer voor, en daarna voor de vierde – toen kende ik het al helemaal uit mijn hoofd.

'Genoeg,' zuchtte ze. 'Je kunt gaan. Ik denk dat ik nu wel zal slapen. Zou ik je nodig hebben, dan bel ik. Zo niet, dan moet je hier vroeg in de ochtend zijn. Ik heb veel te doen. Zeven uur, graag.'

Ze sloot haar ogen, en ik doofde de kaars. Ik trok de deur zachtjes achter me dicht en keerde uitgeput naar mijn kamer terug.

II
Boete en straf

Even voor vieren ging ik mijn bed weer in en trok de sprei over mijn hoofd. Binnen enkele minuten was ik diep in slaap, en zonder door dromen te worden gekweld sliep ik verder totdat ik werd gewekt doordat er iemand op mijn deur klopte.

Ik opende de deur, en daar stond mevrouw Battersby.

'Juffrouw Gorst,' zei ze, duidelijk opgelucht. 'Hier bent u dus. Ik hoop dat u me wilt verontschuldigen, maar lady Tansor heeft u nodig. Ik denk dat u vanochtend te laat bij haar bent. Ik werd toevallig vanwege een kleine huishoudelijke aangelegenheid bij milady geroepen, en daarom heb ik haar aangeboden u te gaan zoeken.'

---

* *Rosa Mundi en andere gedichten* (Londen: Edward Moxon, 1854) was het eerste van de twee werken van Daunt (het andere was *De erfgenaam*, zie de noot op p. 65) die in zijn sterfjaar verschenen. De laatste twee strofen van het gedicht 'Van de Pers' werden overgeschreven door Edward Glyver, Daunts moordenaar. Het vel papier waarop ze geschreven stonden werd later in de hand van de vermoorde aangetroffen. Ironisch is dat de auteur zijn moordenaar – een oude schoolkameraad – eerder een presentexemplaar van het boek had toegestuurd.

Ik draaide me om en keek op de klok. Ik was bijna een halfuur te laat. 'Ik ga onmiddellijk,' zei ik. 'Dank u, mevrouw Battersby.'

'Het is niets, juffrouw Gorst,' antwoordde ze. 'U zult ongetwijfeld weten dat milady grote waarde aan punctualiteit hecht.'

Die opmerking leek bedoeld als een vriendelijk geheugensteuntje, maar onwillekeurig had ik opnieuw het gevoel dat ik subtiel op mijn nummer werd gezet, ook al had het hoofd van de huishouding niets over mij te vertellen.

'O, juffrouw Gorst,' zei ze terwijl ze zich omdraaide om weg te gaan. 'Ik bedacht dat u het misschien leuk zou vinden thee met mij te drinken, als uw taken het toelaten, uiteraard. Komt u naar de bediendenkamer en vraagt u iemand u naar de kamer van het hoofd van de huishouding te brengen. Zullen we om vier uur afspreken?'

Toen ik de zitkamer van milady binnenging, trof ik haar gehuld in haar rood met groene zijden ochtendjas aan achter haar secretaire, waar ze een brief zat te schrijven.

'Maak je de haard in de kleedkamer aan, Alice,' zei ze zonder op te kijken. 'Leg mijn ondergoed klaar en lucht het, en breng vervolgens mijn bad in gereedheid.'

'Ja, milady. Het spijt me...'

'Niets zeggen,' viel ze me in de rede, terwijl ze verder schreef.

Nadat ik mijn taken had verricht, ging ik naar de zitkamer terug.

'Ik ga nu in bad,' zei ze, en ze verzegelde de enveloppe met daarin de brief die ze had geschreven en legde hem neer. Zonder me zelfs maar een blik waardig te keuren liep ze in haar ritselende ochtendjas voorbij en ging de kleedkamer binnen, waar ik haar bad in orde had gemaakt.

Tijdens het bad van milady werd er niets gezegd. Ze keek me pas in de ogen toen ze met haar bad klaar was en ik haar korset dichtreeg.

'Je hebt me teleurgesteld, Alice,' zei ze terwijl ze haar onverzettelijke blik op me gevestigd hield. 'Heb ik niet duidelijk gezegd dat ik je om zeven uur nodig had?'

'Ja, milady.'

'En wat is je excuus?'

Ik zei haar onomwonden dat ik geen excuus had.

'Goed. Met uitvluchten zou je jezelf geen dienst hebben bewezen. Je bent eerlijk geweest, zoals ik al hoopte. Maar het mag niet weer voorkomen, Alice, ongeacht de omstandigheden, anders krijgt het gevolgen.

Wanneer ik een tijd noem, verwacht ik dat men zich daaraan houdt. Ik hoop dat dat duidelijk is?'

'Volstrekt duidelijk, milady.'

'Uiteraard ben ik misnoegd over je,' vervolgde ze terwijl ze naar de passpiegel toe liep, 'want ik had beter van je verwacht en duidelijk gezegd dat bepaalde normen moeten worden nageleefd. Ik zal je dit keer evenwel niet straffen, maar je zult wel een beetje boete moeten doen.'

Ze verwijderde zich van de spiegel, ging aan haar toilettafel zitten en liet haar vingers door een doos met sieraden gaan.

'Boete doen, milady?' vroeg ik.

'O, het stelt niets voor,' luidde het welbewust zorgeloze antwoord. 'Een wandeling op deze mooie septemberochtend, dat is alles. Naar Easton, om een brief te bezorgen. Ik neem aan dat dat niet te zwaar is?'

'Helemaal niet, milady.'

'Nadat mijn toilet is voltooid kun je gaan – ik denk dat ik vandaag de japon van blauwe tafzijde wil dragen.'

Ik kleedde haar zoals zij het wilde en hielp haar in de gewenste japon, die ik, terwijl milady zichzelf in de spiegel bekeek, volgens de richtlijnen van mevrouw Beeton afborstelde en daarna met een zijden zakdoekje voorzichtig gladstreek. Toen ze tevreden was liep ze terug naar de toilettafel en opende het doosje met het traanvormige medaillon aan het zwarte fluwelen halsbandje, dat ze vervolgens omdeed.

'Je bent nieuwsgierig, nietwaar Alice,' zei ze, 'naar dit medaillon, en je zou wel willen weten waarom het zo waardevol voor me is.'

'Enigszins, milady,' bekende ik.

'Nu, ik zal je erover vertellen maar niet nu, want jij moet boete doen en ik moet nog meer brieven schrijven. De brief die je moet bezorgen ligt op de secretaire. Je moet naar de Duport Arms op Market Square gaan en hem op de balie neerleggen, zodat hij kan worden afgehaald. Let wel, zodat hij kan worden afgehaald. Geef hem onder geen beding persoonlijk aan de ontvanger af. Daarna moet je meteen terugkomen. Uiteraard hoef je tegen niemand van je boetedoening gewag te maken – in je eigen belang.'

Vervolgens vertelde ze, haast alsof het haar toevallig te binnen schoot, dat ze vanwege een dringende kwestie de exprestrein naar Londen moest nemen.

'Het is zo saai,' zuchtte ze, 'en ik heb tegenwoordig zo'n hekel aan Londen. Maar er is niets aan te doen. Ik kom vanavond terug. Ik wil dat je in mijn afwezigheid nog een paar kleine taken uitvoert nadat je de brief hebt bezorgd.'

Dit zijn de 'paar kleine taken' die nog boven op mijn 'boetedoening' kwamen en waarop ik me na mijn terugkeer uit Easton mocht verheugen:

in de zoom van de japon die milady de vorige dag had gedragen was een klein scheurtje gekomen dat moest worden hersteld. Haar schoeisel was door juffrouw Plumptre in jammerlijke staat achtergelaten, en alle schoenen moesten grondig worden gereinigd. Haar hoeden verkeerden in eenzelfde betreurenswaardige toestand ('Ik ben dol op hoeden,' zei ze terwijl ze zich glimlachend naar me toewendde, 'en ik heb er heel veel.') en moesten allemaal worden afgeborsteld. Indien nodig moesten de decoraties worden vernieuwd ('Al kan ik me nu niet herinneren waar het bloementangetje gebleven is. Vraag dat maar aan mevrouw Battersby.') en de hoeden moesten opnieuw worden opgeborgen.

'Uiteraard,' vervolgde ze, 'moet de slaapkamer eens goed worden schoongemaakt, en normaliter zou ik erop staan dat je dat nu doet, maar je mag het na je terugkeer uit Easton doen. Zo! Dat is dacht ik alles. Vooruit nu, maak het bed op terwijl ik wat parfum opdoe en mijn brieven afmaak. Doe het zo vlug mogelijk, zodat je naar Easton kunt vertrekken. En bedenk – de brief moet worden afgehaald, en jij moet meteen terugkomen. Je hoeft niet op een antwoord te wachten.'

III
De oude vrouw

Op weg naar Easton moest ik de Evenbrook oversteken en via de zuidpoort het dorp Evenwood in. Toen ik het poortgebouw naderde – dat eruitzag als een somber en zwart Schots kasteeltje, met boven de doorgang de roestige punten van een nep valhek – was rechts van me door een dichte rij aangeplante bomen een glimp van een schattig huisje zichtbaar. Ik bedacht dat dat het douairièrehuis moest zijn waar milady vroeger had gewoond. Madame had me verteld dat mijn meesteres daar tot de vroege dood van haar vader, de weduwnaar Paul Carteret, met hem had geleefd.

Ik bleef even staan om de omgeving in me op te nemen.

De woning deed me nog het allermeest denken aan het poppenhuis dat mijnheer Thornhaugh voor mijn achtste verjaardag had laten maken. Het was zo'n groot en prachtig cadeau dat zelfs madame er versteld van had gestaan. Maar meneer Thornhaugh zei dat elk meisje een poppenhuis hoorde te hebben, zelfs schrandere meisjes die haast nog meer van hun boeken dan van hun poppen hielden, en met een glimlach had hij madames bezwaren van de hand gewezen dat het erg veel geld moest hebben gekost dat hij misschien niet had kunnen missen.

Het fascineerde me vanaf het moment dat mijnheer Thornhaugh het canvas omhulsel had verwijderd en me had gezegd dat ik mijn ogen mocht opendoen – die ik, om de spanning op te voeren, zo stijf mogelijk had dichtgeknepen.

Wat had ik ernaar verlangd om door een tijdelijke betovering (want ik had altijd als groot voor mijn leeftijd gegolden) zo klein te worden dat ik de minuscule voordeur kon openduwen en alle kamers kon gaan verkennen! Vooral wilde ik door de ramen met hun mousselinen bloemengordijntjes naar de reuzenwereld buiten kunnen kijken, om vervolgens de prachtige, bochtige trap op te rennen, door de kamers op de bovenverdieping te dansen en me ten slotte in een van de miniatuurbedjes te nestelen.

Het douairièrehuis zag er even verrukkelijk en volmaakt uit als mijn poppenhuis, en ik voelde eenzelfde kinderlijk verlangen om er naar binnen te gluren. Maar de strenge instructies van lady Tansor indachtig liep ik door de doorgang van het sombere poortgebouw de weg op.

Toen ik het dorp in liep, sloeg de kerkklok halftien. Op de hoek van de laan die naar de kerk en de aangrenzende pastorie leidde, zag ik een vertrouwde gestalte uit een van de kleine huizen komen en als een muisje de straat op trippelen.

'Sukie!' riep ik.

Ze bleef staan, draaide zich om en rende op me af.

'Juffrouw Alice! Wat doet u hier?'

Ik legde uit dat ik op weg was naar Easton om een brief van lady Tansor te bezorgen bij iemand die in de Duport Arms logeerde.

'Ik vraag me af wie dat kan zijn,' zei ze. 'En waarom zou hij in Easton logeren, en niet in het grote huis?'

'Woon je daar?' vroeg ik, en ik knikte naar het huisje waaruit ze zojuist tevoorschijn was gekomen.

'Ja,' antwoordde ze. 'De dokter is bij moeder langs geweest, en van mevrouw Battersby mocht ik daarvoor een halfuur weg.'

Ik zei dat ik hoopte dat haar moeder niets ernstigs mankeerde.

'Dank u – nee, voor zover we weten heeft ze niets ernstigs. Ze wordt binnenkort 72, en dat vind ik een hele leeftijd, en die brengt natuurlijk zo zijn lasten met zich mee.'

Toen de naam van mevrouw Battersby viel wilde ik Sukie vragen of ze me wat meer kon vertellen over het hoofd van de huishouding, voor wie ik een uitgesproken belangstelling had opgevat. Ik besefte echter dat ik zo snel mogelijk naar Easton moest, om vervolgens aan de verschillende taken te beginnen die mijn meesteres me had opgedragen. Sukie wilde ook erg graag terug naar het grote huis, om niet het risico te lopen dat mevrouw Battersby misnoegd zou raken. Dus scheidden onze wegen, en ik zag Sukies kleine gestalte met fladderende en dansende krullen terugrennen over de laan.

Toen ik het dorp uit was en door de gehuchten Upper Thornbrook en Duck End was gekomen, nam ik de weg naar de flauwe, beboste helling waarop het stadje Easton ligt. De bomen aan weerskanten van de weg vormden een alleraangenaamste koepel van takken, waar de vroege herfstzon nu doorheen scheen.

Toen ik het stadje bereikte was het al druk op Market Square, want het was marktdag en er bevond zich een grote menigte mensen voor de Duport Arms en in de zalen.

Omdat er niemand bij de balie was, belde ik een paar keer, totdat er vanachter een gordijn een zuur kijkende man tevoorschijn kwam met een kromme rug en een vettig zwart lapje voor een van zijn ogen.

'Ik wil deze brief hier bezorgen.'

Hij nam de brief aan en bestudeerde het opschrift door hem dicht bij zijn ene oog te houden.

'B.K.,' mompelde hij in zichzelf, en vervolgens sprak hij de initialen nogmaals uit, dit keer wat trager. Hij draaide daarbij zijn oog omhoog naar het plafond, alsof daarop de informatie stond geschreven die hij zocht. Vervolgens schudde hij zijn hoofd.

'Kent u die heer?' vroeg ik.

'Heer? Hemeltje, nee. Geen heer.'

'Geen heer? Een handwerksman, misschien?'

'Ha! Nee, hoor.'

'Ah, ik snap het. Het is een dame.'

Ik wilde gaan en draaide me om, maar hij riep me terug. Hij dempte zijn toon, boog zijn bebakkebaarde gezicht zo dicht naar me toe dat ik zijn naar bier stinkende adem kon ruiken en zei: 'Ook geen dame. De initialen van de oude vrouw. Daar.'

Hij gaf een knikje in de richting van de deur van de gelagkamer. Door het glas in de deur zag ik een vrouw van rond de zestig die gezeten op een zittekist bij de haard bezig was een glas te ledigen.

'Gin met water,' deelde de man me met een rasperig lachje mee.

'De derde of de vierde.' Nog altijd grinnikend legde hij de brief met de bovenkant omhoog op de balie en verdween weer achter het gordijn.

Ik zou onmiddellijk uit de Duport Arms hebben moeten vertrekken en naar Evenwood terugkeren, zoals lady Tansor me had opgedragen. Toen bedacht ik echter dat madame me had aangemoedigd voor mijn Grote Opgave zelf initiatieven te nemen, en ik besloot nog even te blijven en enkele waarnemingen met betrekking tot de geheimzinnige oude vrouw te doen.

Dit zijn mijn indrukken van haar, die ik in mijn zakboekje noteerde en later woordelijk in mijn Geheime Boek overschreef:

Oude vrouw (B.K.) in de Duport Arms

Leeftijd: zestig, of daaromtrent. Grijs haar en een vrekkig, gemeen gezicht met veel rimpels bij de ogen en een rode neus. Klein. Kromme rug. Vuile nagels. Draagt een jurk die twintig jaar geleden misschien in de mode was, maar nu verschoten en op verschillende plaatsen versteld is. Afgedragen, bestofte laarsjes, de hak van de linkerlaars bijna helemaal afgelopen. Gat in rechterkous vlak boven de enkel.

Ik sloeg gade hoe de vrouw nog een glas gin met water bestelde en vroeg me af waarom ze hierheen was gekomen om een aan haar persoonlijk bezorgde brief van lady Tansor te ontvangen. Wat kon milady met zo iemand te maken hebben?

Nadat de oude vrouw haar glas tot op de bodem had geledigd, veegde ze haar mond af met de vuile mouw van haar jurk. Ze had het intimiderende voorkomen van een door de wol geverfde sluwe vos. Zelfs in haar huidige half aangeschoten staat stonden haar ogen alert en wierpen priemende blikken naar alle kanten, alsof ze op haar hoede was voor gevaar. Ze pakte ter ondersteuning de tafel vast, hees zichzelf overeind en liep met onvaste tred naar de deur van de gelagkamer.

Op haar nadering maakte ik me uit de voeten, maar mijn doortocht werd belemmerd door een groep boeren die net op dat moment vanaf het plein binnenkwam. Ik was genoodzaakt terug te lopen om hen te laten passeren en voelde algauw de aanwezigheid van de oude vrouw vlak achter me.

Toen de laatste boer voorbij was, begaf ik me zo snel mogelijk naar de voordeur. Maar op dat ogenblik kwam de eenogige portier weer vanachter zijn gordijn tevoorschijn en riep de vrouw.

'Mevrouw! Mevrouw! Een brief voor u.'

Half lopend en half struikelend ging de oude vrouw naar de balie en kreeg van de portier de brief.

'Door wie is hij bezorgd?' snauwde ze.

'Door die jongedame daar,' antwoordde de eenogige man, en hij wees mijn kant uit.

'En wie bent u dan wel, juffrouw?' vroeg ze, en terwijl ze naar me toe kwam toverde ze een vlugge maar volstrekt niet overtuigende glimlach tevoorschijn. 'Ik geloof niet dat ik het genoegen heb gehad met u kennis te maken, mijn beste.'

Ik wilde tegen deze onaangename persoon mijn naam niet zeggen, en daarom zei ik simpelweg dat ik een dienstbode van lady Tansor was. Vervolgens verontschuldigde ik me snel en begaf me weer naar de voordeur.

'Nee, nee, blijf nog even, mijn beste,' zei ze en ze legde een groezelige, klauwachtige hand op de mijne. Ik voelde dat haar vingers zich spanden en wilde meteen mijn hand wegtrekken, maar er lag een ongewone kracht in haar greep, die me tegenhield.

Even was ik bang, en kwaad op mezelf omdat ik niet naar Evenwood was teruggekeerd toen ik dat had moeten doen.

'Dienstbode van lady Tansor, zeg je?' zei de oude vrouw. 'En wat een knap meisje ben je, mijn beste. Kom je niet even een praatje maken met een arme oude vrouw die helemaal geen vrienden en vriendinnen op deze wereld heeft?'

Voordat ik kon antwoorden en terwijl mijn hand nog werd vastgehouden, werd mijn aandacht opeens getrokken door het silhouet van een goedgebouwde man die in de deuropening verscheen.

'Hallo, wie hebben we daar?' zei de man toen hij mij zag. 'Zowaar, dat is toch juffrouw Gorst?'

5

Een wandeling met mijnheer Randolph

I
Ik neem de biecht af

De stem die me begroet behoort aan mijnheer Randolph Duport.

Zodra de oude vrouw ziet dat hij binnenkomt en kordaat op mij afstapt, verzwakt onmiddellijk de greep van haar knokige hand en neemt ze de wijk naar de gelagkamer, waar ze met argusogen bekijkt hoe mijnheer Randolph met een stralend gezicht naar mij toe komt.

'En wat brengt u hier op marktdag, juffrouw Gorst?' vraagt hij. 'Komt u soms een koe kopen?'

Ik was zo beleefd even om het grapje te lachen, ofschoon zijn komst me voor een dilemma stelde.

Ik kon hem niet vertellen waarom ik naar de Duport Arms was gestuurd, want lady Tansor had gewild dat mijn opdracht vertrouwelijk bleef. Ik kon mezelf er echter evenmin toe brengen hem glashard voor te liegen. In plaats daarvan vertelde ik iets wat bijna waar was: dat zijn moeder me die ochtend vrijaf had gegeven en dat ik in de Duport Arms een versnapering had gebruikt om vervolgens naar Evenwood terug te keren. Het stond me niet aan dat ik deze onbetekenende leugen nodig had. Maar ongetwijfeld zou ik me voor de vervulling van de Grote Opgave aan meer van zulke uitvluchten – en erger – schuldig moeten maken, en ik moest leren daaraan gewend te raken.

'En hebt u uw versnapering gebruikt?' vroeg hij. 'Prima! Nu, wat is er met uw metgezellin?'

'Metgezellin?'

'De oude dame die bij u was toen ik binnenkwam. Een kennis die u toevallig tegenkwam, misschien?'

'O nee,' antwoord ik haastig. 'Ik ken haar niet. Ze zag me voor iemand anders aan. Ik had haar nooit eerder gezien.'

'Welaan, dan,' zegt hij in opperste tevredenheid, 'als niets u meer hier houdt, mag ik u dan op de terugtocht naar Evenwood vergezellen? Nee, nee! Dat is geen enkele moeite. Ik sta er juist op. Niet meer dan een ochtendwandeling. Zegt u maar ja.'

Ik stemde in met groot genoegen. Daarna ging hij regelen dat men zijn paard naar Evenwood bracht, terwijl ik in de hal wachtte tot hij terugkwam.

Tijdens het wachten sloeg ik een blik op de gelagkamer achter me. De geheimzinnige B.K. was verdwenen.

Mijnheer Randolph kwam spoedig terug en bood me zijn arm aan, waarna we het drukke, zonbeschenen plein op liepen, waar het wemelde van de plattelanders, van hokken met loeiend vee en kraampjes waar allerlei waren te koop werden aangeboden.

Mijn metgezel praatte honderduit op een bijzonder opgewekte en vlotte toon, alsof we oude vrienden waren. Tijdens de wandeling wees hij me op de verschillende openbare gebouwen: het gemeentehuis, de graanbeurs, de balzaal, de imposante kerk van St John the Evangelist en de huizen van enkele vooraanstaande inwoners van het stadje, onder meer de grootse, uit rode baksteen opgetrokken woning van dokter Pordage, lady Tansors huisarts.

'Zo, juffrouw Gorst,' zegt mijnheer Randolph wanneer we het stadje uit lopen en beginnen aan de afdaling van de lange, onder een dicht bladerdak gelegen heuvellaan naar het gehucht Duck End, 'vertelt u me eens wat u van Evenwood vindt.'

Ik zeg hem dat het me op grond van mijn eerste indrukken een oord lijkt waar je je erg moeilijk ongelukkig kunt voelen.

'Ik wil u niet tegenspreken,' zegt hij aarzelend, 'maar weet u, het overkomt ons allemaal weleens dat we ongelukkig zijn – zelfs de bewoners van een oord als Evenwood.'

Ik waag het op te merken dat het misschien toch draaglijker is om ongelukkig te zijn op zo'n prachtige, geordende plek, net zoals lelijke, onaangename locaties het tegenovergestelde bewerkstelligen.

'Zo heb ik er nooit over nagedacht,' antwoordt hij opgeruimd. 'Wat bent u schrander, juffrouw Gorst...'

Het lijkt of hij nog iets wil zeggen, maar zichzelf tot de orde roept.

'Bedoelde u: "voor een kamenier?"' vraag ik, maar omdat ik hem licht zie blozen en hem niet in verlegenheid wil brengen, beken ik onmiddellijk dat ik hem met mijn vraag wilde plagen en me niet beledigd voel – dat ik juist terdege besef wat mijn positie op Evenwood is.

'En toch bent u heel anders dan juffrouw Plumptre en de andere kameniers die moeder heeft gehad,' zegt hij, en op zachtere toon voegt hij daaraan toe: 'Héél anders.'

Ik doe alsof ik hem niet begrijp, want ik wil heel graag weten wat voor beeld hij zich van mij heeft gevormd.

'Ik bedoelde,' legt hij uit, 'dat u op mij niet de indruk maakt dat u voor kamenier in de wieg bent gelegd – dat u ooit een heel ander leven hebt geleid. Daarom gaf moeder aan u de voorkeur boven de anderen. U bent heel anders dan zij – volstrekt niet doorsnee. Ze zag het meteen, en ik ook.'

'Ik weet helemaal niet zo zeker of ik wel weet waarvoor ik in de wieg ben gelegd,' antwoord ik, en ik begin in mijn rol te komen. 'Ik weet alleen dat ik door de omstandigheden genoodzaakt ben om mezelf in de wereld te redden, met alleen die paar kleine voordelen die mijn opvoeding me heeft gegeven – wat denk ik ook voor mevrouw Battersby het geval is.'

'Mevrouw B.?'

Hij lijkt even in verlegenheid te zijn gebracht doordat ik de naam van het hoofd van de huishouding heb laten vallen, maar dan leg ik uit dat lady Tansor heeft opgemerkt dat we in sterk vergelijkbare situaties lijken te verkeren, omdat we kennelijk allebei vanuit een hogere positie in een betrekking als huisbediende terecht zijn gekomen.

'Ah, ja,' zegt hij met een zekere opluchting, alsof hij een ander antwoord had verwacht, en hij voegt eraan toe dat elke vergelijking met mevrouw Battersby zeer ten gunste van mij zou uitvallen. Natuurlijk maak ik tegenwerpingen, maar hij lijkt vastbesloten om zijn compliment te verduidelijken.

'Kom, kom, juffrouw Gorst!' roept hij uit, in gespeeld protest. 'Geen valse bescheidenheid! De vader van mevrouw B. was een dominee met bescheiden middelen – dat heb ik tenminste gehoord. Door financiële tegenslagen raakten zijn kinderen en hij het weinige dat hij bezat kwijt. Hij is, als ik het goed begrijp, berooid gestorven. U, daarentegen...'

Ik kijk hem vol verwachting aan.

'Welnu, er bestaat een standsverschil tussen u en mevrouw B. – denk ik. Omdat ik u pas net heb leren kennen zal ik natuurlijk niet bij u aandringen om te achterhalen of mijn gissing juist is. Van moeder weet ik alleen dat u een wees bent. Grootgebracht door een familielid, veronderstel ik?'

'Door een voogdes, die mijn vader voor zijn dood had aangewezen.'

'En bent u op het platteland opgegroeid?'

'Nee, in Parijs.'

Ik besef opeens dat ik niet meer op mijn hoede ben. Ik moet voorzichtiger zijn, al heb ik niets gezegd wat zijn moeder niet weet. Om verdere, mogelijk lastiger vragen voor te zijn, ga ik over op een ander onderwerp en vraag of hij het dichtwerk van zijn broer over Merlijn en Nimue heeft gelezen.

Hij gooit zijn hoofd achterover en lacht.

'Perseus' gedicht lezen! Nee, nee. Dat is helemaal niets voor mij, ben ik bang. Geef mij maar een hengel en een goed jachtpaard. Nee, juffrouw Gorst, ik heb het niet gelezen en ik denk niet dat het daar ooit van zal komen. Dom van mij, ik weet het. Het is vast iets geweldigs, maar zo is het nu eenmaal. Ik word algemeen beschouwd als de domkop van de familie, vooral door moeder. Het is een kwestie van spieren en hersens, en Perseus heeft alle hersens gekregen.

Het komt allemaal door moeder,' zegt hij dan. 'Zij heeft Perseus al heel jong gestimuleerd. Hij zat altijd te schrijven, en las altijd in dichtbundels, en zij las hem vaak voor – meestal het werk van Tennyson of dat van Phoebus Daunt, de man met wie ze zou trouwen maar die werd vermoord door een krankzinnige oud-schoolgenoot. Een vreselijke geschiedenis. Moeder is er nooit overheen gekomen. Ik neem aan dat u van mijnheer Daunt hebt gehoord?'

Ik vertel hem dat ik Daunts naam ken en dat ik nu met zijn werk kennismaak doordat ik het aan mijnheer Randolphs moeder voorlees.

'Nou,' zegt hij met een wrang glimlachje. 'Dan benijd ik u niet. Moeder wil uiteraard geen kwaad woord over de diepbetreurde dichterprins horen. Het is een groot taboe. Ik denk dat ze Perseus daarom altijd heeft aangespoord om zijn voorbeeld te volgen en een soort plaatsvervanger van hem te worden. Wat mijnheer Daunt betreft, moeders leven wordt nog steeds door hem bepaald – elke dag weer denkt ze voortdurend aan hem, en dat zal altijd zo blijven. En volgende week is het de elfde.'

'De elfde?'

Hij dempte zijn toon.

'Elke elfde dag van de maand wordt mijnheer Daunt door mijn moeder herdacht, want hij is op 11 december 1854 overleden. Op de dag zelf gaat ze naar het mausoleum, waar die arme kerel begraven ligt.'

'Het moet voor je vader niet meegevallen zijn,' merk ik op, 'om te moeten leven met het voortdurend aanwezige spook van de vroegere geliefde van zijn vrouw.'

'Nee,' zegt hij en hij staart bedroefd en afwezig in de verte. 'Vader heeft het altijd geaccepteerd. Hij wist dat niets haar nog kon veranderen. Arme vader! Hij kon de nagedachtenis van mijnheer Daunt niet evenaren – zoals ik Perseus nooit zal evenaren. Moeder gaf op haar manier heel veel om vader, maar ze leeft te veel in het verleden – in de tijd voordat ze hem leerde kennen. Zij ziet niet in wat er verkeerd aan is, maar het ís verkeerd om te lang te blijven stilstaan bij iets wat zich niet meer laat terugdraaien, vindt u ook niet?'

'Dat kan zeker zo zijn,' erken ik, en ik moet denken aan de ouders die ik nooit heb gekend. 'Maar zijn we het ook niet de nagedachtenis van de mensen die ons zijn ontvallen verplicht om hen in ons hart te blijven koesteren?'

'O ja,' zegt hij. 'Beslist. Zeker in een familie als de mijne. Als je een Duport bent kun je niet aan het verleden ontsnappen.'

Onwillekeurig voelde ik me door deze confidenties gevleid, die zo vrijelijk werden uitgesproken tegen iemand die nagenoeg een vreemde en bovendien een dienares was. Ik weet dat het dwaas van me was, maar ik vatte ze op als een compliment waaruit bleek dat hij me graag mocht – kennelijk misschien wat meer dan anderen.

Wat mijn eigen gevoelens betreft, net als na mijn eerste ontmoeting met hem bedacht ik dat het me onder andere omstandigheden zwaar zou zijn gevallen om niet een beetje verliefd op mijnheer Randolph Duport te worden. Ik merkte echter dat mijn hart in het hier en nu, waar ik aarzelend aan de eerste fase van de Grote Opgave begon, in staat was om weerstand te bieden aan wat onweerstaanbaar had moeten zijn – en dat misschien alsnog zou worden.

'Uw vader was toch militair, dacht ik?' zei ik nadat we onze wandeling een poosje zwijgend hadden voortgezet.

'In het Pruisische leger. Hij was opgeklommen tot de rang van kolonel. Maar van geboorte was hij Pools.'

'Pools? Wat interessant.'

'Ja? Ik ben bang dat ik daar nooit zo over heb nagedacht. Ik ben nooit in Polen geweest, en vader praatte er niet vaak over. Hij zei altijd dat hij de voorkeur aan Engeland gaf en dat zijn ontmoeting met moeder en zijn komst hierheen zijn grote geluk waren geweest. We hadden weinig contact met zijn familie. Moeder heeft het nooit gestimuleerd.'

'En bent u in Polen geboren?'

'Nee, hier – op Evenwood. Perseus is geboren in Bohemen, waar vader en moeder elkaar hebben ontmoet. Komt er in het werk van Shakespeare geen koning van dat land voor?'

'Ja,' lachte ik. 'In *The Winter's Tale.* Koning Polixenes.'

'Die kerel, ja. Mijn broer is een soort aankomend koning, denk ik. Maar dat vind ik niet erg. Feit is, juffrouw Gorst, dat ik de natuur erg dankbaar ben dat ze Perseus alle verantwoordelijkheden heeft opgelegd. Ik ben bang dat ik geen goede lord in spe zou zijn geweest, en ik ben oprecht blij dat niet ik maar hij op een dag de kroon moet dragen. Weet u, ik vind dat ik gelukkig ben zoals ik ben, en ik koester geen verlangen om iets anders te worden.'

Hij voelde blijkbaar geen spoor van wrok of afgunst vanwege de hogere positie die zijn broer als toekomstig lord en als gunsteling van zijn moeder in de familie innam, iets waarvan sommige jongste zoons wel last zouden hebben gehad. Ik wees er vervolgens op dat de positie van zijn broer alleen te danken was aan het toevallige feit dat hij eerder was geboren.

'Maar had ik het kunnen redden – als ik dit allemaal zou erven, bedoel ik – als ik als eerste was geboren? Dat is de vraag. Nee, ik zal altijd in de schaduw van mijn broer blijven staan. Als ik me erom bekommerde zou het anders zijn, maar dat doe ik niet. Het geeft me de vrijheid om...'

Hij aarzelde een ogenblik en haalde toen opgewekt zijn schouders op.

'Welnu, de vrijheid om uit te blijven kijken naar iets passends. Ik ben van nature absoluut niet lui, en ik moet íéts met mijn leven doen.'

'En weet u wat u zou willen doen? Hebt u iets bepaalds in uw hoofd?'

Even keek hij me aan met een ongewoon ontwijkende blik.

'Nee, niet echt,' antwoordde hij ten slotte. 'Ik was ooit van plan om ingenieur te worden, maar moeder wilde daar niets van weten. Als ik net als Perseus naar de universiteit was gegaan, zou ik natuurlijk duidelijker hebben geweten waarvoor ik geschikt ben, maar moeder vond dat dat niets voor mij was en stuurde me in plaats daarvan naar een particuliere onderwijsinstelling. En dus blijf ik uitkijken – zoals ik zei in de hoop dat zich uiteindelijk iets zal voordoen.'

Nadat ik nog wat had doorgevraagd vertelde hij me dat mijnheer

Perseus in zijn vorming alles mee had gekregen, terwijl zíjn opvoeding jammerlijk en bijna opzettelijk was verwaarloosd.

De toekomstige lord was naar Eton gestuurd – waar de Duports een lange traditie hadden – en was vervolgens naar King's College, de zusterinstelling van deze school in Cambridge, gegaan. Mijnheer Randolph was intussen toevertrouwd aan een rij opeenvolgende huisleraren van twijfelachtige bekwaamheid, en daarna had hij ingewoond bij een predikant in Suffolk – een voormalig staflid van Brasenose College in Oxford – om zijn studie te voltooien. Daar had hij samen met vijf of zes vergelijkbaar gevormde jonge heren bijna twee jaar verbleven.

'Natuurlijk was het niet hetzelfde als naar de universiteit gaan, maar ik ben nooit zo gelukkig geweest als bij dr. Savage,' zei hij weemoedig, en hij wendde zijn blik af. 'Ik heb er een paar goede vrienden leren kennen – één in het bijzonder. Maar toen moest ik terug naar huis, en daar ben ik sindsdien gebleven en kijk ik naar iets uit.'

We hadden Upper Thornbrook achter ons gelaten, dat bestond uit een groepje aan weerskanten van de hoofdweg uit Easton gelegen kleine huizen met rieten daken, en liepen het dorp Evenwood in. Links van ons lag een groot stuk gemeentegrond dat zich tot bij de rivier uitstrekte. Daar bleven we staan, boven aan een laantje dat de scheiding vormde tussen de meent en het kerkhof met de aangrenzende pastorie, waar Phoebus Daunt had gewoond toen zijn vader er predikant was, en dat tegenwoordig door dominee Thripp en zijn vrouw werd bewoond.

'We kunnen daar langsgaan,' zei mijnheer Randolph, en hij wees naar de pastorie. 'Het is sneller dan de weg heuvelop naar de poort.'

En dus liepen we het laantje af en het landgoed op. Van daaruit kronkelde een smal paadje geleidelijk omhoog, waarna het op de grote oprijlaan uitkwam. Op dat punt werden we onthaald op een schitterend uitzicht op het grote huis beneden ons. De acht van koepeltjes voorziene torens staken donker af tegen de exquise kobaltblauwe lucht.

'Gaat u terug om moeder te bedienen?' vroeg mijnheer Randolph toen we aan onze afdaling naar de rivier begonnen.

'Nee,' antwoordde ik. 'Lady Tansor is naar Londen gegaan.'

'Naar Londen, zegt u? Dat is vreemd. Tegen mij heeft ze niets gezegd, maar ik ben dan ook meestal de laatste die van dat soort dingen op de hoogte wordt gebracht. Het zal wel voor zaken zijn, denk ik, al stuurt ze tegenwoordig meestal Perseus.'

Nu blijven we staan op de fraaie stenen brug over de Evenbrook. Mijnheer Randolph wijst op een plek, een stukje stroomopwaarts, waar hij 's ochtends graag met zijn hengels en schepnetten heen gaat – vissen is een van zijn passies – maar dan breekt hij zijn verhaal af en keert zich naar mij toe.

'Juffrouw Gorst,' zegt hij, en hij zet zijn hoed af en haalt nerveus zijn vingers door zijn haar. 'Ik wil niet dat u verkeerde dingen over me denkt, en daarom moet ik iets zeggen – iets opbiechten.'

Ik geef uiting aan mijn verbazing omdat hij mij iets op te biechten heeft, terwijl we elkaar pas zo kort kennen.

'Dat is het hem nu net,' luidt het antwoord. 'Ik wil niet dat we als kennissen op een ongelukkige manier van start gaan.'

Hij krijgt meteen toestemming om verder te gaan, en ik wacht vol nieuwsgierigheid af wat hij gaat zeggen.

Hij heeft een flinke kleur gekregen, trekt zijn lange rij-jas uit en legt hem naast zijn hoed op de brugleuning.

'Het gaat hierom, juffrouw Gorst,' begint hij, 'u moet weten dat onze ontmoeting van vanochtend niet helemaal toevallig was. Toen ik door het dorp reed zag ik dat u de weg naar Easton nam. Daarom wachtte ik even af, en reed daarna over een van de kleine weggetjes naar het stadje, waar ik net op tijd aankwam om te zien hoe u de Duport Arms binnenging. Ik stalde mijn paard en wachtte op het plein tot u weer naar buiten zou komen. Toen u niet kwam, besloot ik binnen naar u op zoek te gaan. Zo! Dat was mijn biecht. Vergeeft u me?'

'Wat moet ik u vergeven?' vraag ik, geamuseerd door zijn lieve, serieuze gelaatsuitdrukking, die om de een of andere reden het ernstige gezichtje van de kleine Amélie Verron bij me voor de geest roept, terwijl ze zich buigt over een denkbeeldige schooltaak die ik haar heb opgedragen.

'Ik dacht dat u zou vinden dat het, tja, nogal vrijpostig van me was, omdat ik u pas zo kortgeleden heb leren kennen,' bekent hij, 'en dat wil ik niet.'

Ik verzeker hem dat ik zijn gedrag niet in het minst vrijpostig of ongepast vind, al voeg ik daaraan toe dat mevrouw Battersby het daar misschien niet mee eens zou zijn.

'O?' zegt hij en hij wendt zich af om zijn hoed en jas van de brugleuning te halen. 'Waarom zegt u dat?'

Ik antwoord dat ze kennelijk nogal strenge opvattingen heeft over het decorum dat tussen de leden van het huispersoneel en hun superieuren moet bestaan.

Op deze opmerking reageert hij alleen met een knikje, terwijl hij opnieuw de indruk wekt dat mijn woorden hem op een vreemde manier opluchten.

Wanneer we in de buurt van het huis komen, wijst hij op het mooie smeedwerk van de poort en de hoge spijlen aan beide kanten. Daarbij buigt hij zich dicht naar me toe om mijn blik naar de bijzonderheden te dirigeren die hij me wil laten zien. Vervolgens lopen we over de uitgestrekte, met grind bedekte voorhof langs de klaterende, met tritons bezette fontein op de ovale, volmaakt groene grasmat naar de trap van de voordeur toe.

Wanneer mijnheer Randolph op het punt staat te vertrekken, stel ik hem een vraag die vanaf het moment dat we de brug achter ons hebben gelaten door mijn hoofd speelt: waarom is hij me naar Easton gevolgd?

'O, zomaar een ingeving,' zegt hij met een luchtige glimlach. 'Ik had op dat moment niets anders te doen, en ik vroeg me af waarom u op die tijd van de dag naar Easton ging terwijl u moeder hoorde te dienen. Louter nieuwsgierigheid – meer niet. Ik wilde alleen niet dat u zou denken dat ik op een, eh, stiekeme manier achter u aan was gegaan om vervolgens te doen alsof ik u toevallig was tegengekomen. Welnu, daar zijn we dan. Veilig thuis. Goedemorgen, juffrouw Gorst. Het was heel prettig.'

Hij lijkt opeens met alle geweld weg te willen, raakt zijn hoed even aan ten afscheid en loopt snel naar de stallen toe.

Op dat moment besef ik dat er iemand in de deuropening onder aan een van de torens staat. Het is mevrouw Battersby. Ze kijkt hoe mijnheer Randolph de voorhof verlaat, keert zich een ogenblik naar mij toe – hoewel ze niet laat blijken mijn aanwezigheid te hebben opgemerkt –, gaat vervolgens weer naar binnen en trekt de deur achter zich dicht.

II
Een gesprek bij de thee

Die middag bracht ik door met het uitvoeren van de verschillende taken die milady me had opgedragen terwijl zij de dag in Londen doorbracht – en lieve God, wat kreeg ik het er warm van en wat werd ik nijdig en kwaad!

Schoenen, schoenen en nog eens schoenen van alle soorten en in elke denkbare toestand, zoveel dat ik de tel bijna kwijtraakte. En allemaal moesten ze tevoorschijn worden gehaald, afgeborsteld, gepoetst of met melk worden afgesponsd, ingepakt en weer opgeborgen.

Vervolgens kwamen haar hoeden, mutsen en andere hoofddeksels – ook een schier eindeloos aantal. Allemaal moesten ze uit hun dozen worden gehaald om met een plumeau te worden afgestoft. Het fluweel moest worden geborsteld en de hoeden met kapotte of verfrommelde decoraties moesten worden hersteld – maar zonder het bloementange-tje, want ik wilde niet naar beneden om mevrouw Battersby daarom te vragen, zoals milady had geopperd.

Nadat ik de laatste hoedendoos had opgeborgen, haalde ik naald en draad tevoorschijn om de scheur in milady's japon van gisteren te repa-reren. Daarna reinigde en poetste ik de slaapkamer. Ik gooide het vuile waswater weg en vulde tot besluit de lampetkannen met vers water.

Terwijl de felle middagzon al begon te verflauwen, viel ik ten slotte op de sofa in milady's zitkamer neer, uitgeput, vuil en uitgesproken slechtgehumeurd.

Ik moet zijn ingedommeld, want ik schrok wakker in het besef dat het bijna halfvijf was en dat mevrouw Battersby me had gevraagd om vier uur thee met haar te drinken. *Lieve God, alweer te laat!* zei ik bij mezelf, en zo snel ik kon spoedde ik me naar de bediendenkamer.

Toen ik wakker werd had ik net een levensechte droom gehad over mijn wandeling van Easton naar Evenwood, nadat ik de brief van mila-dy aan die vreselijke B.K. had bezorgd. In mijn droom was echter niet mijnheer Randolph mijn verlosser, maar zijn broer. Ik begreep niet waarom mijn geest in mijn slaap mijnheer Randolph door mijnheer Perseus verving, maar ik had de tijd niet om het uit te pluizen, want ik haastte me om mijn afspraak met mevrouw Battersby na te komen.

De kamer van het hoofd van de huishouding, die tegenover de hof-meesterskamer en naast de bediendenkamer lag en bereikbaar was via een korte, smalle wenteltrap, was klein maar gezellig. Twee hoge, lang-werpige ramen keken uit over de binnenplaats waar ik Sukie had aange-troffen terwijl ze haar emmer leeggooide. Voor een zacht brandend haardvuur stonden een gerieflijke sofa, een gecapitonneerde fauteuil en een salontafeltje. Verder was er een streng, eikenhouten dressoir vol ser-viesgoed, en tussen de ramen stonden een kleine klaptafel en twee stoelen. Er was een boekenkast met een bijbel van folioformaat en een aantal andere boeken. Aan de muur tegenover het dressoir hingen twee kleurenprenten van berglandschappen, en het meubilair werd gecompleteerd door een hobbelpaard dat in het geheel enigszins misstond. Toen een van de lakeien me binnenliet, zat mevrouw Battersby in de fauteuil voor de haard een boek te lezen.

Ik verontschuldigde me voor mijn te laat komen en gaf toe dat ik in slaap was gevallen na het verrichten van de taken die lady Tansor me had opgedragen.

'Maakt u zich er alstublieft niet druk om, juffrouw Gorst,' zei mevrouw Battersby vriendelijk, terwijl ze haar boek neerlegde (*Wild Wales* van Borrow, merkte ik onmiddellijk op). 'Het werk van een kamenier kan, net als dat van het hoofd van de huishouding, vaak zwaar zijn, en natuurlijk bent u vandaag al naar Easton op en neer gelopen.'

Ik besef nu dat haar stem iets licht kwinkelerends en muzikaals heeft – misschien een restant van een accent dat ik niet ken. Maar o, die vreugdeloze glimlach! Zo dubbelzinnig, zo suggestief, zo tergend onbegrijpelijk! Ik weet dat ze me met mijnheer Randolph naar huis heeft zien terugkomen. Ze weet ook waar ik ben geweest, al kent ze vast de reden niet. Ik ben er ook zeker van dat ze afkeurt dat mijnheer Randolph me op de terugweg heeft vergezeld, zoals ze ook zou afkeuren dat Sukie me bij mijn voornaam noemt. Toch is ze, terwijl ze een tot de rand gevulde theekop van het door een van de keukenmeiden gebrachte blad pakt en die aan mij aanreikt, de welwillendheid en de minzaamheid zelve, en is op haar gezicht geen spoor van kritiek te lezen. Pas wanneer we klaar zijn met theedrinken en onze conversatie tot banaliteiten beperkt is gebleven, begin ik onderhuids iets afkeurends bij haar te bespeuren.

'Nu, juffrouw Gorst,' zegt ze, nadat de keukenmeid het theeblad heeft weggehaald, 'ik hoop dat u van uw wandeling met mijnheer Randolph Duport hebt genoten. Het was een schitterende ochtend voor een wandeling, lijkt me, al heb ik er zelf niet veel van gemerkt omdat ik vanwege mijn taken binnenshuis moest blijven.'

'Ik heb er heel erg van genoten,' antwoord ik, met een air van grote naïviteit en zorgeloosheid. 'Mijnheer Duport was uitstekend gezelschap en het was, zoals u zegt, een prachtige ochtend.'

'U hebt gelijk,' zegt ze en ze pakt haar theekopje. 'Mijnheer Randolph Duport is erg goed gezelschap. Zo vlot, zo openhartig – en zo anders dan zijn broer. Mijnheer Perseus wordt algemeen voor trots en onbenaderbaar gehouden, en dat kun je van zijn broer niet zeggen.'

Een stilte. Een slokje thee. Een glimlach.

'Ik veronderstel dat u uit eigen beweging naar Easton ging?'

'Ja. Aangezien milady naar de stad moest, was ze zo vriendelijk mij een ochtend vrijaf te geven.'

'Ik feliciteer u, juffrouw Gorst. U bent nog maar net op Evenwood aangekomen en lady Tansor geeft u al een ochtend vrijaf! Ik moet zeggen dat zoiets hier nooit eerder is voorgevallen. Uw voorgangster werden zulke gunsten beslist nooit bewezen.'

'Juffrouw Plumptre?'

'Inderdaad. Mejuffrouw Dorothy Plumptre. Uiteraard was zij niet begunstigd met een innemend karakter, en dat werkte zeer in haar nadeel.'

'Maar ik heb gehoord dat ze milady niet goed bediende,' zeg ik achterbaks. 'Ik heb ook gehoord dat er iets onprettigs is voorgevallen, wat helaas in haar ontslag heeft geresulteerd. Ik praat toch hopelijk mijn mond niet voorbij?'

'Helemaal niet. Alles wat onder ons in dit vertrek wordt gezegd is vertrouwelijk, en wat u zegt is juist. Er heeft zich inderdaad een zeer betreurenswaardig incident voorgedaan, dat de vermeende diefstal van een van milady's broches betrof. Het moet mij persoonlijk van het hart dat ik juffrouw Plumptre nooit tot iets dergelijks in staat had geacht, en ze heeft de ontvreemding van de broche nooit bekend, ook al werd hij ten slotte in haar kamer aangetroffen. Maar dat is allemaal verleden tijd. U bent nu hier, juffrouw Gorst, haar opvolgster, en ik ben er zeker van dat voor u een heel andere toekomst in het verschiet ligt.'

Ik beantwoord haar glimlach alsof ik door het kennelijke compliment ben geraakt, maar ik houd mijn mond.

'Mijnheer Pocock had gelijk,' voegt ze eraan toe. '"Niet van gisteren", zei hij dat niet van u? U bent in elk geval al goed op de hoogte van wat hier is gebeurd – een echt spionnetje! Eerst professor Slake en nu juffrouw Plumptre – en dan laten we nog buiten beschouwing hoe u blijkbaar zo snel bij zowel lady Tansor als bij mijnheer Randolph Duport in de smaak hebt weten te vallen. Mijnheer Perseus Duport wordt ongetwijfeld de volgende – of hebt u hem al voor u gewonnen? Dat zou me een triomf zijn! De toekomstige lord in eigen persoon!'

Een stil lachje vult nu de immer aanwezige halve glimlach aan, alsmede een kwijnende blik van plagerige hartelijkheid. We zijn al vriendinnen, wil die verleidelijke blik me doen geloven, en vriendinnen kunnen zulke dingen openlijk tegen elkaar zeggen, zonder de angst elkaar te kwetsen. Maar ik geloof er niet in. Ze mag me niet en wil niet bevriend met me raken, al begrijp ik niet wat ik heb gedaan om me haar vijandigheid op de hals te halen. Komt het alleen door mijn ongewilde arrogantie omdat ik – niet meer dan een kamenier – me op de terugweg naar Evenwood door mijnheer Randolph Duport heb laten begeleiden? Misschien is jaloezie vanwege lady Tansors klaarblijkelijke zwak voor mij de oorzaak. Of misschien betekent dat wat zij als gelijkwaardigheid tussen ons beschouwt een bedreiging voor haar positie in de huishouding.

Ik had haar tegenover lady Tansor als capabel beschreven, en ze was duidelijk capabel, met bekwaamheden die haar van haar medepersoneelsleden onderscheidden. Ik twijfelde er niet aan dat dat haar in het kleine koninkrijkje van het personeel een bijzondere status verleende – bijna die van plaatsvervangster of afgevaardigde van lady Tansor zelf – die ze met alle geweld wilde behouden. Ik wilde graag achterhalen wat de reden van haar afkeer van mij was. Vooralsnog wist ik alleen dat ik onverwachts een vijand had gekregen.

Op dat ogenblik klopte de keukenmeid die ons onze thee had gebracht op de deur en verkondigde dat er ratten in de provisiekast waren gekomen en dat de aanwezigheid van het hoofd van de huishouding onmiddellijk vereist was.

'Nu, de plicht roept,' zei mevrouw Battersby met een berustende zucht, nadat de meid was vertrokken. 'Hij roept altijd. Dit zou mijn vrije uurtje moeten zijn, maar het is weer zo ver. Ik ben bang dat we dit hoogst interessante gesprek moeten beëindigen. Mijnheer Borrow zal moeten wachten totdat mijn taak erop zit, en ik ben bang dat dat pas tegen middernacht zal zijn. Zo gaat het altijd.'

Nog een zucht.

'Je hebt gewoonweg niet de luxe – de vríjheid – om te doen wat je eigenlijk wilt doen. Er wordt altijd wel beslag op je tijd gelegd – nu door de ratten!'

Al pratend staat ze op om Borrow in de boekenkast te zetten.

'Maar het maakt niet uit. Dit was heel prettig, juffrouw Gorst. Zoals u zult weten bent u op Evenwood alleen aan milady verantwoording verschuldigd, en aan niemand anders – net als ik. Maar als ik u in deze begintijd, nu u nog aan de gebruiken van dit huis moet wennen, hulp of advies kan geven, zal ik dat heel graag doen. Ik weet dat anderen hier me wat streng vinden. Misschien ben ik dat ook wel, maar tegen mensen over wie ik geen gezag heb ben ik zo niet, en tegen u zal ik dan ook nooit streng zijn, juffrouw Gorst.'

Ze heeft de deur voor me geopend. Onze blikken ontmoeten elkaar.

'U komt toch nog eens langs, mag ik hopen?' vraagt ze terwijl ik de gang in loop.

'Ik zal zeker nog eens langskomen, mevrouw Battersby, en met het grootst mogelijke genoegen,' zeg ik met mijn inschikkelijkste glimlach. 'Als de plicht het toelaat.'

III
Een daad van naastenliefde

Milady keerde pas even voor zevenen uit Londen terug, en ik werd onmiddellijk ontboden om haar te kleden voor het diner. Net als ik leek ze vermoeid en bezwaard te zijn na een inspannende dag.

'Heb je je kleine boetedoening gedaan?' waren de eerste kille woorden die ze tot me richtte.

'Ja, milady.'

'En ben je meteen uit Easton teruggekomen, zoals ik je had opgedragen?'

Ze zag mijn aarzeling, en haar mond verstrakte.

'Heb je me iets te zeggen?'

Ik besefte dat ik tegen elke prijs haar vertrouwen moest bewaren en had geen keus dan te erkennen dat ik B.K. had ontmoet. Toen lady Tansor hoorde dat ik de ontvanger van de brief niet alleen had gezien maar ook met haar had gesproken, raakte ze zichtbaar geïrriteerd. Ze liep meteen naar het raam, waar ze met haar rug naar me toegekeerd bleef staan terwijl haar vingers de zwarte fluwelen band om haar hals beroerden.

'Dus je hebt met haar gesproken?' vroeg ze terwijl ze nog altijd uit het raam keek.

'Heel kort, milady – maar ik heb haar alleen verteld dat ik onmiddellijk moest terugkeren.'

'Verder niets?'

'Nee, milady.'

'En heeft ze nog iets tegen jou gezegd?'

'Nee, milady. Niets van enig belang.'

Daarop slaakte milady een zucht en leek ze wat te ontspannen.

'Heb je je een mening over haar gevormd?' vroeg ze vervolgens.

Omdat ik mezelf onder geen beding in een lastige positie wilde brengen, merkte ik alleen op dat ze de indruk had gewekt een enigszins armoedig leven te leiden, en daarop waagde ik me aan de veronderstelling – feitelijk het enige wat ik over de identiteit van de vrouw had kunnen concluderen – dat ze een voormalige dienares was die in de problemen was geraakt.

'Ja!' riep lady Tansor uit, opeens een stuk opgewekter. 'Je hebt het geraden! Wat ben jij een mirakel, Alice! Ik besef dat ik in de toekomst voorzichtiger zal moeten zijn, anders kom je achter al mijn geheimpjes! Inderdaad, zoals je zegt is ze een oude dienares, een voormalig kindermeisje dat een tijdlang voor mijn zus en mij heeft gezorgd. Die lieve mevrouw Kennedy!'

'Ze heet dus Kennedy?' vraag ik.

'Ja,' antwoordt milady. Na een korte stilte voegt ze daaraan toe: 'Mevrouw Bertha Kennedy – als kind noemden we haar altijd B.K.'

'Heeft ze een man?'

'Helaas, ze is weduwe en maakt een erg moeilijke tijd door. Ik was uiteraard verplicht haar wat geldelijke steun te verlenen toen ze zich tot mij wendde – ze deed dat met grote tegenzin en onder voorwaarde dat de regeling strikt vertrouwelijk zou blijven. In de brief die jij hebt bezorgd zat wat geld, om haar door deze moeilijke periode heen te helpen. Daarom wilde ik dat je onmiddellijk terug zou komen, begrijp je – om haar niet in verlegenheid te brengen. De arme stakker! Om haar na al die jaren zo in de problemen te zien. Dat was een geweldige schok.'

'U hebt haar dus zelf gezien, milady?'

Ze lijkt een ogenblik verbluft, maar herstelt zich snel.

'Zei ik dat? Ik bedoelde natuurlijk: toen ik de brief las die ze me kortgeleden heeft gestuurd en waarin ze over haar huidige narigheid schrijft.'

Ze liet zich langzaam op het zitje in de vensternis zakken, met een ingetogen glimlach op haar gezicht die naar mijn idee was bedoeld om de emotie te tonen waarmee ze aan haar vroegere kindermeisje terugdacht, maar die mij, met het beeld voor ogen van de groezelige, onaangename vrouw die met haar vuile vingers mijn hand had vastgegrepen, veeleer een uitdrukking van opluchting toescheen. Waarom ik zo dacht was me echter een raadsel.

Nadat ik milady voor het diner had gekleed, keerde ik eindelijk naar mijn kamer terug, schreef in mijn Geheime Boek een lang verslag over de dag en las nog wat in het boek van Wilkie Collins, totdat het tijd was om zelf beneden het avondmaal te gaan gebruiken.

In de hofmeesterskamer zat een heel gezelschap naast elkaar aan tafel voor het avondmaal: mijnheer Pocock, mijnheer Maggs, Henry Creswick en John Brimley, de lijfknecht van mijnheer Randolph. Hij was een mollige, zelfingenomen jonge vent met zwaar gepommadeerd haar en een spottende uitdrukking op zijn gezicht, alsof hij de enige mens op aarde was die had ontraadseld hoe de wereld werkelijk in elkaar stak.

Mevrouw Battersby zat zwijgend op haar gebruikelijke plaats aan het hoofd van de tafel. Naast haar zat iemand aan wie ik nu, net als aan John Brimley, werd voorgesteld: mijnheer Arthur Applegate, de hofmeester in eigen persoon.

'U zei dat de begrafenis aanstaande woensdag zal plaatsvinden, mijnheer Pocock,' zei mijnheer Applegate, een man met een breed, gladgeschoren gezicht, kortgeknipt grijs haar en een hees, hijgerig stemgeluid.

'Inderdaad,' antwoordde de butler, en hij nam een teug gerstewater. 'Op de dertiende, om elf uur. Ik heb begrepen dat dominee Candy ernstig ziek is en misschien het einde van de week niet zal halen, en daarom leidt onze eigen dominee Thripp de dienst. Ach, was dr. Daunt nog maar hier! Dat was een man voor dit soort gelegenheden. Een betere was er niet.'

'Was u dan al hier toen dr. Daunt nog predikant was, mijnheer Pocock?' vroeg ik.

'Een tijdje,' antwoordde hij. 'Ik ben hier in '57 gekomen, als onderbutler voor de oude mijnheer Cranshaw. De predikant gaf een jaar later de geest, maar men herinnert zich hem hier nog als een zeer geleerd en vriendelijk man, juffrouw Gorst.'

'Daar heb je gelijk in,' zei mijnheer Maggs, die van tafel was gegaan om op een stoel voor de haard een pijpje te roken. 'En wat is er veel veranderd met de nieuwe man!'

'Nieuw is hij nauwelijks, Maggs,' wierp mijnheer Pocock tegen, 'al heb je gelijk dat dominee Thripp een heel andere figuur is dan zijn voorganger. Nee, dr. Daunt wist hoe hij een uitvaart moest verzorgen, dat is een ding dat zeker is. Ik was erbij toen hij de oude Bob Munday begroef – zo'n beetje de laatste begrafenis van de oude predikant, als ik het me goed herinner – en ik heb nooit meer iemand zo mooi horen spreken. Maar ach, het moet zelfs een man die aan zulke zaken gewend was zwaar zijn gevallen om zijn enige zoon te begraven – en slechts een jaar later zijn oude vriend, milady's vader, het graf in te zien gaan. Dat heeft hem de das omgedaan, dat staat vast.'

'Dat is maar al te waar,' viel mijnheer Applegate hem hoofdschuddend bij.

'Ik neem aan dat lady T. naar de begrafenis van de oude prof toe gaat?' vroeg Henry Creswick.

'Tuurlijk gaat ze,' viel de alwetende John Brimley in, en hij grijnsde zijn collega-lijfknecht hautain toe.

'Wat weet jij daarvan, John Brimley?' luidde het antwoord van de andere lijfknecht.

'Meer dan jij, in elk geval.'

'Ja, ze gaat,' kwam mijnheer Pocock tussenbeide. Hij keek de beide jongemannen waarschuwend aan en nam nog een slok gerstewater. Toen hij zijn glas had neergezet, vroeg ik hem hoe lang professor Slake bibliothecaris was geweest.

Na een ogenblik te hebben nagedacht richtte hij zich door de geopende hordeur tot een keurig uitgedoste man in een ouderwetse pandjesjas met een fluwelen kraag, die in de grote zaal bij de haard met een van de lakeien stond te praten.

'James Jarvis! Wanneer is professor Slake hier gekomen?'

'In '55. In februari,' luidde het antwoord.

'Op James Jarvis kun je altijd bouwen,' zei mijnheer Pocock, met zichtbaar genoegen omdat hij zo scherpzinnig was geweest de vraag aan iemand met zo'n wonderbaarlijk geheugen voor te leggen. 'Is hier al dertig jaar lang portier en heeft nog nooit een datum vergeten. Professor Slake was een oude vriend van dr. Daunt en van mijnheer Paul Carteret, milady's vader, juffrouw Gorst – misschien weet u, juffrouw Gorst, dat mijnheer Carteret een neef van wijlen lord Tansor was, en tevens diens secretaris?'

Voordat ik kon antwoorden weerklonk een van de bellen in de verste hoek van de zaal.

'De biljartzaal,' zei mijnheer Pocock, die met een lachje van tafel opstond. 'Dan heeft mijnheer Randolph zijn broer weer ingemaakt. Mijnheer Perseus moet zijn nederlaag altijd wegspoelen met een flink glas cognac. Jagen en biljarten zijn zowat de enige dingen waarin mijnheer Randolph zijn broer kan verslaan, die beste kerel. Maar er is op de wereld geen vriendelijker en oprechter mens te vinden, dat is een ding dat zeker is.'

'Wie wil dat weten?'

Deze vraag – die geen enkel verband hield met het lopende gesprek – werd mijnheer Pocock toegeschreeuwd door de eerder genoemde James Jarvis, die nu bij de hordeur stond.

'Wat is er, Jarvis?' vroeg mijnheer Pocock.

'Wie wil weten wanneer de oude Slake hier is gekomen?'

'Juffrouw Gorst hier.'

Mijnheer Jarvis maakte een diepe buiging en zei dat het hem een genoegen was met mij kennis te maken.

'Eenentwintig jaar en zeven maanden geleden, bijna op de dag af,' verkondigde hij vervolgens aan het gezelschap, met een blik die iedereen uitdaagde zijn geheugen en rekenvaardigheid in twijfel te trekken. 'En het grootste deel van die tijd was hij een allemachtig grote lastpak.'

'Waarom dat?' hoorde ik mezelf vragen, want ik was nieuwsgierig, ook al voelde ik de blik van mevrouw Battersby afkeurend op me rusten.

'Waarom,' zei een stekelige mijnheer Jarvis op geërgerde toon, 'omdat hij iedereen die het maar wilde horen – en een hele hoop mensen die het niet wilden horen – vertelde dat de ouwe Carteret niet is overvallen om zijn geld, maar om zijn dokkimenten! Om zijn dokkimenten! Met een dokkiment kun je nog geen biertje betalen.'

'Kom, kom, James Jarvis.'

De reprimande – die op rustige maar ferme toon werd uitgesproken – was van mevrouw Battersby afkomstig.

'Ik dacht dat u al eerder te horen hebt gekregen dat u niet voor uw beurt mag spreken,' vervolgde ze, 'en ik weet zeker dat mijnheer Applegate dergelijke praat niet in zijn kamer wenst te horen.'

Mijnheer Applegate, wiens gezag in zijn eigen kamer te verwaarlozen leek, zei op zenuwachtige toon 'absoluut, mevrouw Battersby' en krabde over zijn hoofd.

'Sinds wanneer, Jane Battersby, is oprecht de waarheid vertellen hetzelfde als voor je beurt spreken?' informeerde mijnheer Jarvis, en hij bracht zijn schouders naar achteren en keek haar recht in de ogen – een daad van openlijke ongehoorzaamheid die ik onwillekeurig met inwendig hoerageroep begroette.

'Wees zo goed naar me te luisteren, James Jarvis,' antwoordde mevrouw Battersby, en haar eeuwige glimlach was nu erg zuinig, 'voordat je iets zegt waar je spijt van zou kunnen krijgen. Milady zou het niet prettig vinden om te weten dat haar portier zo openlijk roddelt over zaken betreffende haar overleden vader die hem niet aangaan.'

Deze rustig verwoorde maar scherpe berisping en het erin vervatte dreigement zouden een minder veerkrachtige persoonlijkheid een ongemakkelijk gevoel hebben bezorgd. De portier leek echter gewend te zijn aan dergelijke confrontaties met het hoofd van de huishouding en schudde haar woorden met een onbezorgd schouderophalen van zich af. Hij voegde eraan toe dat hij enkel de waarheid had gesproken, ongeacht wat sommige mensen daarvan vonden.

'Dokkimenten!' fluisterde hij ongelovig terwijl hij humeurig de bediendenkamer weer in kloste. 'Wie wil er nu een dokkiment?'

De daaropvolgende dagen begon mijn leven het patroon te krijgen dat het zou houden totdat – nu, deze zin zal ik niet afmaken, want er is over die eerste weken op Evenwood nog meer te vertellen. Ik had voortdurend een gespannen en vaak een angstig gevoel over wat er in het verschiet lag, want ik wist nog steeds niet wat madame van me vroeg. Ik ervoer echter ook een vreemd genoegen bij het vooruitzicht dat er een avontuur ophanden was.

Ik stond vroeg op, en op een mooie ochtend ging ik de wenteltrap af naar het onder mijn kamer gelegen terras waar lady Tansor gewoonlijk haar ochtend- en avondwandelingetjes maakte, en liep vervolgens door de tuin en het omringende terrein, totdat het tijd was om in de hofmeesterskamer het ontbijt te gebruiken. Daarna ging ik naar boven om mijn meesteres te kleden, en terwijl zij beneden zelf ontbeet, gewoonlijk in gezelschap van mijnheer Perseus en mijnheer Randolph, luchtte ik haar slaapkamer, maakte haar bed op en zorgde dat alles piekfijn in orde was voor als zij terugkeerde, gewoonlijk rond elven. Ze had dan haar post gelezen en verschillende zaken geregeld met haar secretaris, mijnheer Baverstock, en de rentmeester, mijnheer Lancing. Vaak was ook mijnheer Perseus daarbij aanwezig.

Ik had een lijstje met taken gekregen (milady was dol op lijstjes) die ik regelmatig moest verrichten. Ik moest om de dag, te beginnen op maandag, gedroogde theebladeren over de tapijten in haar vertrekken strooien en ze vervolgens weer wegvegen. Ook moesten op maandag alle spiegels – er waren er verschillende – en diverse andere glazen objecten worden schoongemaakt. Op woensdag moesten de boeken van de planken worden gehaald om te worden afgestoft. En op vrijdag moesten de lambriseringen en de panelen worden gepoetst.

Eens in de twee weken moest ik op zaterdag alle japonnen van milady uit de kast halen – haar zomer- en winterjaponnen, ongeacht of ze waren gedragen. Ik moest ze zorgvuldig bekijken, ze stuk voor stuk afborstelen, vlekken en andere ongerechtigheden verwijderen, en indien nodig verstelwerk doen, waarna ik ze weer in de kasten moest hangen of onder hun persen leggen. Dit bleek een erg zware en doorgaans zinloze taak te zijn – urenlang wol en tweed afborstelen, zijden ochtendjassen met merinowol afwrijven en gekreukte mousseline uitkloppen en strijken. Ik zag er dan ook erg tegen op, want ik hield geen tijd voor mezelf over. Als ik na het avondmaal naar mijn kamer terugkeerde, verlangde ik er alleen nog naar uitgeput op bed te kunnen neervallen. Vaak werd ik enkele uren later in de stilte en het donker wakker, nog volledig in de kleren.

Een of twee middagen in de week ging milady op visite. Ik was verplicht haar naar verschillende huizen in de buurt te vergezellen, waar ik de uren in een donkere kamer bij het personeel doorbracht, vaak weggedoken in een eigen hoekje. Ik was echter best tevreden, want ik nam altijd een boek mee en liet me algauw heerlijk wegzinken in een mysterieuze geschiedenis of een avonturenverhaal. Ik veronderstel dat sommige personeelsleden in die huizen me hooghartig vonden, maar daar bekommerde ik me niet om. Het was een opluchting dat ik, al was het maar even, bevrijd was van de noodzaak om mijn doorgaans gedienstige rol te spelen en het mezelf eens gewoon naar de zin kon maken.

's Avonds kleedde ik milady uiteraard voor het diner en vervolgens maakte ik haar kamer in orde voor de nacht. Wanneer ze terugkwam droeg ze me meestal op haar voor te lezen uit een van de eindeloze verhalende gedichten van Phoebus Daunt of soms (wat een opluchting!) uit zijn wat beter verteerbare lyriek. Vervolgens maakte zij haar avondwandelingetje op het terras en bracht ik alles op orde voor haar terugkeer. Daarna kleedde ik haar uit en bracht haar naar bed.

O, de saaie taken die ik moest verrichten, waarvan je ook nog eens ruwe handen kreeg! Het verstelwerk, het wassen, het klaarmaken van haarspoelmiddelen, pommade en bandoline. Het reinigen van borstels en kammen, het afsponzen van kragen met in water opgeloste dragant!

De enige taak waarop ik me altijd verheugde was het bijvullen van milady's parfumflesjes. Ik overtuigde mezelf ervan dat het maar een zeer gering vergrijp was – en iets wat me toekwam – om zo nu en dan een beetje van mijn lievelingsparfums voor eigen gebruik over te gieten.

Op mijn eerste vrijdagmiddag, toen milady zonder mij de deur was uitgegaan, had ik een van haar kanten kraagjes mee naar mijn kamer genomen om het te verstellen. Ik wilde ook in mijn Geheime Boek schrijven, want daar was ik de vorige avond te moe voor geweest.

Ongeveer een uur later ging ik, in de gedachte dat milady nog niet was teruggekeerd, naar haar vertrekken met de bedoeling het kraagje weer terug te leggen. Ik ging zonder kloppen naar binnen en trof haar op de sofa, met een zeer opvallend uitziende man naast zich.

'O milady!' riep ik, verschrikt door mijn indiscretie. 'Vergeeft u me. Ik dacht...'

'Alice, mijn beste,' zei ze terwijl ze zich naar haar bezoeker toewendde. 'We hebben een gast. Dit is mijnheer Armitage Vyse.'

6

Waarin madames eerste brief wordt geopend

I
De kennismaking met mijnheer Vyse

Bij de aanblik van mijnheer Armitage Vyse pijnigde ik mijn hersenen om het woord – het juiste woord – te vinden waarmee zijn uitzonderlijke verschijning te typeren was.

Dit waren mijn eerste indrukken van hem, die ik later in mijn Geheime Boek opschreef:

Mijnheer Armitage Vyse
Uiterlijk: veertig of vijfenveertig jaar oud? Een slanke, magere, slungelige man: een lang lijf, lange armen, lange benen (uitzonderlijk lang). Wekt de indruk dat hij over een ongebruikelijke maar ingehouden energie en kracht beschikt, die hij echter steeds onmiddellijk kan aanspreken. Pezig. Rechte, zwarte wenkbrauwen. Hoekige, gladgeschoren kin met een blauw waas erop. Kortgeknipte bakkebaarden. Uitbundige snor, met rechte, met was opgestreken uiteinden – een beetje zoals die van Napoleon III, zij het bij lange na niet zo groot, die hem toch een tamelijk on-Engels voorkomen geeft. Dik zwart haar, enigszins golvend aan de zijkanten, gepommadeerd en op het voorhoofd en bij de slapen naar achteren geborsteld. Opmerkelijk lange, rechte neus, tamelijk spits. Kleine, donkere ogen – kil maar alert. In alle opzichten opvallend – zelfs knap, maar volstrekt niet mijn smaak. Duur gekleed. Zwart-wit geruit vest met zwarte zijden revers. Gouden horloge aan zware ketting. Grote zegelring aan de rechterhand. Kraakhelder overhemd. Perfect gepoetste schoenen.
Karakter: zelfingenomen, zelfverzekerd en roofdierachtig. Naar

mijn idee een egoïstische, volledig op zijn eigenbelang gerichte man, die de wereld als zijn privédomein beschouwt en de indruk wekt dat hij vindt dat alles en iedereen tot zijn voordeel of vermaak op die wereld is gezet.

Conclusie: schrander en met een charmant voorkomen, maar onbetrouwbaar en gevaarlijk.

Terwijl ik die indrukken opdoe en me – zeer tegen mijn wil – aangetrokken voel tot de roerloze, berekenende ogen van mijnheer Vyse, valt me opeens het woord in waarnaar ik heb gezocht.

Wolfachtig. Mijnheer Vyse is een wolf, en zijn hele wezen straalt dat uit.

'Hoe gaat het met je, Alice?' vraagt hij, terwijl hij langzaam opstaat en me een hoogst aangename en ongetwijfeld routineuze glimlach toewerpt. Met behulp van een ebbenhouten stok met een zilveren knop werkt hij zijn ruim één meter tachtig lange lijf overeind. Wanneer hij een stap in mijn richting zet, zie ik dat hij een gebrekkig rechterbeen heeft.

'Het gaat goed met mij, mijnheer, dank u,' antwoord ik, en ik maak een kleine reverence. Vervolgens vraag ik milady of ik haar verstelde kraagje naar de kleedkamer mag brengen. Als ik, na het kraagje weer in de la te hebben gelegd, terug wil gaan, hoor ik mijnheer Vyse tegen lady Tansor zeggen: 'Dus dat is het meisje?'

'Ja,' antwoordt ze *sotto voce.* 'Maar mevrouw K. heeft niets tegen haar gezegd.'

'Ben je daar zeker van?'

'Uiteraard.'

Ik kon niet langer met mijn oor tegen de halfopen deur blijven staan zonder argwaan te wekken. Dus rammelde ik aan de klink en liep de zitkamer weer in.

'Trouwens, Alice,' zei lady Tansor op zorgeloze toon, 'op advies van mijnheer Vyse heb ik mejuffrouw Gainsborough geschreven om bevestiging te vragen voor het getuigschrift dat zij je heeft gegeven. Als jurist is mijnheer Vyse in zakelijke aangelegenheden zeer nauwgezet, en volgens hem was het een nalatigheid van me dat ik dat niet meteen heb gedaan toen ik je de betrekking aanbood. Maar ik was onverwachts gecharmeerd van je en heb daarom niet gedaan wat ik gewoonlijk bij het aanstellen van een nieuw personeelslid zou doen. Uiteraard is het niet meer dan een formaliteit.'

'Niet meer dan een formaliteit,' herhaalde de glimlachende mijnheer Vyse.

'Ik heb trouwens zojuist antwoord van mejuffrouw Gainsborough gekregen.'

Ze pakte een brief van de secretaire. Nerveus keek ik naar het handschrift, maar ik zag onmiddellijk dat het van madame noch van mijnheer Thornhaugh was.

'Alles is in orde, zoals ik natuurlijk al verwachtte,' zei lady Tansor.

'Geheel volgens verwachting,' herhaalde mijnheer Vyse, opnieuw met een uiterst geruststellende glimlach.

'Dank u, milady,' antwoordde ik, opgelucht omdat madames zorgvuldig getroffen voorzorgsmaatregelen zo effectief waren gebleken. 'Hebt u me vanavond op de gebruikelijke tijd nodig?'

'Ja, Alice. Je kunt nu gaan.'

Ik keerde op de afgesproken tijd naar lady Tansors vertrekken terug om haar te kleden voor het diner.

'Wat vond je van mijnheer Vyse, Alice?' vroeg ze terwijl ze zichzelf in haar passpiegel bekeek.

'Ik weet het niet, milady,' antwoordde ik. 'Hij lijkt een heel beminnelijke man.'

'Beminnelijk? Ja, mijnheer Vyse kan als hij wil inderdaad heel beminnelijk zijn. En verder?'

'Dat kan ik echt niet zeggen, milady.'

'Kun je het niet, of wil je het niet?' vroeg ze vervolgens, kennelijk verstoord door mijn tegenzin om uitgebreider mijn mening over haar bezoeker ten beste te geven. 'Kom, kom, Alice. Ik weet dat je meer over mijnheer Vyse te zeggen moet hebben, ook al heb je hem maar zo kort ontmoet. Je moet weten dat wij niet goed met elkaar overweg zullen kunnen als je niet openhartig tegen me bent wanneer ik dat van je vraag.'

'Ik verzeker u, milady...'

'Je verzekert me! Hoe dúrf je!'

De blik die ik had gezien toen ze me had verteld dat ik haar altijd als 'milady' moest aanspreken had nu haar gelaatstrekken volkomen veranderd, als een donkere wolk die plotseling de zon verduistert. Zichtbaar in razernij ontstoken stond ze tegenover me, maar ik begreep niet waarom mijn gedrag haar tot zo'n reactie had gebracht.

'Het is niet aan jou om mij iets te verzekeren; jij moet doen wat ik van je vraag wanneer ik je dat vraag. Je hebt een mening over mijnheer Vyse. Dat weet ik, en je gaat me die vertellen.'

Een ogenblik overweeg ik wat ik moet antwoorden. Maar dan drukt ze haar handen tegen haar slapen en wendt zich af, alsof ze pijn heeft. Dan begrijp ik dat haar boze woorden een andere oorzaak hebben.

'Voelt u zich wel goed, milady?' vroeg ik.

'Ja, ja,' zei ze bits. 'Betuttel me niet, alsjeblieft. Ik wil alleen dat je me vertelt wat je van mijnheer Vyse vindt en vervolgens vertrekt. Mocht je hem?'

Eerbiedig wierp ik tegen dat het niet aan mij was een mening over mijnheer Vyse uit te spreken, en zeker niet of ik hem al dan niet mocht, aangezien ik helemaal niets van hem afwist. Maar ze nam daar geen genoegen mee. Ik reageerde bokkig op haar boze onverzettelijkheid, en toen ik weer onder druk werd gezet verzon ik een neutrale samenvatting van mijn indrukken, die ik besloot met de opmerking dat mijnheer Vyse me een man met grote natuurlijke capaciteiten leek, iets wat bij een bepaald type man altijd duidelijk was (ik weet niet waar ik deze zelfverzekerde uitspraak vandaan haalde). Ik voegde daaraan toe dat hij me dan ook iemand toescheen die je in een moeilijke situatie veilig om advies en hulp kon vragen, in de zekerheid dat hij je die allebei zou geven.

'Vergeef me, Alice.'

Zonder nog een woord te zeggen liep milady snel naar de slaapkamer en trok de deur achter zich dicht.

Ik wachtte ruim tien minuten of ze nog naar buiten zou komen, maar haar deur bleef gesloten. Ten slotte ging ik naar mijn kamer, in de verwachting dat er elk ogenblik kon worden gebeld.

Er verstreek een halfuur of meer. Toen de bel nog altijd niet klonk, ging ik naar beneden, naar de in karmijn en goud gedecoreerde eetzaal, en gluurde door de deur, die op een kier stond.

Daar zat ze, aan het hoofd van de tafel. Mijnheer Vyse en mijnheer Perseus Duport zaten tegenover elkaar, vlak voor haar. Mijnheer Randolph zat naast zijn broer, het verst van zijn moeder verwijderd.

Er had een transformatie plaatsgevonden. Ze zag er nu vrolijk en rustig uit en richtte zich met een opmerking of oordeel eerst tot haar oudste zoon en vervolgens tot mijnheer Vyse. Ze glimlachte en lachte, ze wisselde beleefdheden uit en maakte de indruk in geen enkel opzicht te worden gehinderd door wat haar zo onlangs nog van haar stuk had gebracht.

De aanwezigheid van haar jongste zoon leek nauwelijks tot haar door te dringen, en zij noch de beide andere heren deden een poging hem in de conversatie te betrekken. Als gevolg daarvan nuttigde mijnheer Randolph zijn diner en zijn wijn in afzondering en stilte, en liet het gesprek aan de anderen over.

Mijnheer Perseus Duport had een paar dagen in Londen doorgebracht en was pas die middag naar Evenwood teruggekeerd. Ik zag hem voor het eerst weer sinds onze toevallige ontmoeting op mijn eerste ochtend.

Nu hij naast zijn jongere broer zat, was het verschil tussen hen beiden nog uitgesprokener dan ik me herinnerde. Anders dan mijnheer Randolph vertoonde de oudste broer een treffende gelijkenis met lady Tansor – niet alleen in de vele fysieke overeenkomsten tussen hen, maar ook in verschillende kleine eigenaardigheden die ik bij mijn meesteres had opgemerkt. Bijvoorbeeld de manier waarop hij zijn hoofd iets naar achteren draaide en langs zijn neus omlaag keek als mijnheer Vyse iets tegen hem zei, net zoals ik dat bij zijn moeder had gezien wanneer ze werd aangesproken. Het lichte tuiten van zijn lippen als hij over een vraag nadacht. En boven alles zijn vermogen om van het ene moment op het andere een verstoorde, onverzettelijke blik op te zetten waardoor zijn knappe gezicht tot een masker versteende.

Wie van de twee broers beviel me het best? Of bevielen ze me allebei even goed, elk op zijn eigen manier? Met dat spelletje vermaakte ik me af en toe sinds mijn komst naar Evenwood. Aanvankelijk was ik er zeker van dat de jongste broer me beter beviel dan de oudste. Doordat mijnheer Randolph zijn glimlach altijd klaar had, verheugde ik me algauw erg op zijn gezelschap. En naarmate we elkaar beter leerden kennen, ontdekte ik dat hij net zo attent, ongekunsteld en roerend bescheiden was als bij mijn eerste ontmoeting met hem. Ook leek hij van zijn vader het vermogen te hebben meegekregen om gemakkelijk en natuurlijk om te gaan met iedereen, ongeacht diens positie. Hoe meer ik het spelletje echter deed – als ik alleen was of de broers samen gadesloeg –, des te meer kreeg mijnheer Perseus in mijn gedachten de overhand, en vaak ook in mijn dromen. Ik kon niet zeggen of hij me werkelijk beter beviel dan mijnheer Randolph. Ik wist heel weinig van hem en zag hem zelden, want hij had de gewoonte zich urenlang in zijn studeerkamer op te sluiten. Hij zette dan alles opzij om aan zijn Arthur-drama te schaven. Merkwaardig genoeg leek het er op dat ik juist door zijn fysieke afwezigheid des te meer aan hem dacht. Ik ontwikkelde de gewoonte elke dag als ik door de hal liep even bij het portret van de Turkse zeerover stil te blijven staan. Ik wist dat mijn gedachten dan direct naar mijnheer Perseus zouden uitgaan, aangezien er in mijn ogen zo'n opmerkelijke gelijkenis tussen de toekomstige lord en de geschilderde figuur bestond. Met het verstrijken van de weken raakte ik ook licht geërgerd wanneer sommige medepersoneelsleden hem in mijn aanwezigheid weleens hekelden vanwege een vermeende blijk van zijn arrogante, zelfingenomen natuur. Want in mijn hart was ik er zeker van – hoewel ik daar niet de minste reden toe had – dat hij hun afkeuring niet verdiende.

Terwijl ik zo stond te gluren naar de broers die met hun moeder en mijnheer Vyse het diner gebruikten, merkte ik opeens dat er iemand vlak achter me stond.

'Hallo? Waar bent u mee bezig? Spion in huis!'

De grijnzende spreker was een degelijk in livrei gestoken jongeman van een jaar of achttien, met appelrode wangen, weerbarstig haar dat weigerde zich naar de tucht van overvloedige hoeveelheden pommade te voegen, en een kraag die hem veel te strak zat. Hij had een blad met ijsjes in zijn handen, maar leek weinig haast te hebben om de lekkernijen naar de wachtende eters te brengen.

'En wie bent u dan wel?' vroeg ik.

'Skinner, Charlie,' zei hij. En met een knipoog voegde hij daaraan toe: 'Maar u hoeft me niet te zeggen wie ú bent. Dat weet ik al. Sukie Prout heeft het me verteld. U bent juffrouw Gorst, en het is me een genoegen – een gróót genoegen – om met u kennis te maken.'

Ik was me ervan bewust dat hij me van top tot teen opnam, maar op zo'n komisch onverhulde en doorzichtige manier dat ik er geen aanstoot aan kon nemen.

'Nou, Charlie Skinner,' antwoordde ik, 'ik ben ook blij jou te leren kennen. Ben je bevriend met Sukie?'

'Sterker nog,' zei hij. 'We zijn neef en nicht.'

'En weet je waar ik je nicht op dit uur kan vinden? Is ze thuis?'

'Zeker,' zei Charlie. 'En als ik hier klaar ben, kan ik u daarnaartoe brengen, als u dat leuk vindt.'

Ik zei hem dat dat niet nodig was, omdat ik al wist waar Sukie en haar moeder woonden. Daarop verscheen er een trek van diepe teleurstelling op zijn gezicht.

'Wacht even,' zei hij, en plotseling keek hij over mijn schouder naar een raam. 'U kunt nu niet gaan, juffrouw. Het wordt al donker en het is gaan regenen.'

Dat was waar. Het restje schemerlicht dat er nog was geweest toen ik beneden kwam was verdwenen, en de regen liep in straaltjes langs het raam.

'Goed dan, Charlie Skinner. Zou je, als je je niet weer ziet, haar alsjeblieft de hartelijke groeten van juffrouw Gorst willen doen en haar willen vertellen dat zij graag een praatje met haar wil maken, zodra het haar uitkomt? Wil je dat doen?'

'Ja, juffrouw, zeker wil ik dat,' antwoordde hij, en hij bracht zijn schouders naar achteren als een militair bij een parade – met zo'n enthousiasme dat ik bang was dat hij het blad zou laten vallen.

Op dat moment kwam mijnheer Pocock door de dienstingang binnen.

'Welaan, Skinner,' zei hij streng, 'wat heeft dit te betekenen? Schiet op met die ijsjes, jongen, anders smelten ze.'

'Ja, mijnheer Pocock,' antwoordde Charlie. Hij haastte zich naar de eetzaal en gaf mij in het voorbijgaan nog een knipoog.

'O, juffrouw,' zei mijnheer Pocock, 'in de postzak van vanmiddag zat een brief voor u. Manners had hem naar u toe moeten brengen, maar ik zag zojuist dat hij nog op de tafel bij de voordeur ligt. Wilt u dat ik hem voor u ga halen?'

Ik zei hem dat ik hem zelf zou halen, liep vlug naar de hal, pakte de brief en haastte me – terwijl ik nog een snelle blik op de Turkse zeerover wierp – naar boven, naar mijn kamer, waar ik de deur achter me op slot draaide.

Nadat ik mijn lamp had aangestoken, ging ik aan de tafel zitten met in mijn trillende handen de eerste van de drie brieven met instructies die madame me had beloofd te sturen. Daarin zou ze stap voor stap informatie geven die het karakter van de Grote Opgave zou verduidelijken en mij op de hoogte stellen van, in haar woorden, 'andere zaken' die ik beslist moest weten.

Uit de enveloppe rolden verschillende vellen papier, beschreven in het karakteristieke handschrift van madame, en nog een aantal bedrukte pagina's, die dichtgevouwen waren en met een zilveren clip in de bovenhoek bijeengehouden werden. Ik schoof deze pagina's opzij, vouwde de briefvellen onder het lamplicht open en begon te lezen.

II
Madame De l'Orme aan mejuffrouw Esperanza Gorst
BRIEF 1

Maison de l'Orme
Avenue d'Uhrich, Parijs

Mijn liefste kind,
 Als je dit leest, mijn eerste brief met instructies, zul je al aan je nieuwe bestaan op Evenwood zijn begonnen. Ik kan me goed voorstellen hoe je je voelt – alleen, ver weg van alles wat je vertrouwd & dierbaar is, te midden van vreemden in een vreemd huis en nog altijd niet wetend waarom je daarnaartoe bent gestuurd. Laat ik dus, zoals ik heb beloofd, beginnen je de weg naar begrip te doen inslaan, al moet het voorlopig bij een heel klein stukje blijven.
 Mettertijd moet je – en zul je – alles weten wat nodig is & wat ik je zeer spoedig zal onthullen zal je eigen levensgeschiedenis betreffen, alsmede die van anderen met wie jouw levensgeschiedenis onlosmakelijk verbonden is. Maar allereerst moet je meer van je meesteres begrijpen. Want zoals ik je vaak heb ingeprent is het ábsoluut noodzakelijk dat je haar vertrouwen – haar volledige vertrouwen – wint, alsmede haar genegenheid. Anders kun je niet slagen in de opgave die je moet volbrengen.
 Zoals ik je eerder heb verteld, is haar hart voor alle gewone aandoeningen gesloten. Toch is ze, zoals veel hooghartige en zelfingenomen personen, vatbaar voor de verlokkingen van één intieme kameraadschap waarin ze zich de superieure partij kan wanen en kan controleren en reguleren met welke confidenties ze de ander wil begunstigen. Jij moet zo'n kameraad worden.
 Maar ze is grillig & wordt door een ijzeren eigenbelang geregeerd. Je kunt er niet op rekenen dat je haar gunst en goedkeuring zult blijven wegdragen: je moet ze allebei voortdurend verdienen. Wees de gedienstige, inschikkelijke metgezellin naar wie ze hunkert. Maar

besef dit, lief kind: ze kan nooit je vriendin worden, hoezeer ze ook het tegendeel beweert, want haar belangen en de jouwe zijn volledig tegengesteld & zullen dat altijd blijven, zoals je te zijner tijd zal worden onthuld.

Hoewel dat nu voor jou misschien moeilijk te geloven is, is ze in één woord je vijand – en dat zal ze altijd blijven. Besef dat, wees alleen daarvan doordrongen en laat het je wachtwoord en je enige leidende beginsel zijn bij alles wat je op Evenwood doet. Want door te beseffen wat ze eigenlijk is, zul je altijd een voorsprong op haar hebben.

Laat je waakzaamheid nooit varen & bezwijk nóóit voor haar vleierij. Wees altijd op je hoede en wantrouw haar voortdurend, als een adder onder het gras.

Probeer voor alles haar zwakheden te doorgronden. De voornaamste daarvan – haar allesoverheersende passie – is haar blinde verering van de man met wie ze verloofd was, de heer Phoebus Daunt. Ik spreek van een zwakheid omdat die haar, zoals alle verterende en duurzame passies, van de rede berooft, en dat moet altijd in jouw voordeel werken.

Ik heb je iets over mijnheer Daunt verteld. Ter aanvulling daarop heb ik enkele stukken ingesloten. Ik verzoek je die te lezen, er zorgvuldig nota van te nemen & ze vervolgens te vernietigen.

Dit is alles wat ik je nu wilde zeggen, maar je kunt spoedig op nader bericht van me rekenen.

Ik bid elke avond voor je, mijn liefste kind & denk elk uur van de dag aan je. Wees sterk – houd moed. Je hebt er geen idee van wat voor beloning er voor je in het verschiet ligt als onze onderneming met succes wordt bekroond.

Schrijf me als je kunt.

Mijnheer Thornhaugh doet je zijn allerhartelijkste groeten.

Liefs,

M.

Een tijdlang staarde ik naar de duisternis achter mijn raam.

Ik had gehoopt dat madames brief me in mijn vastberadenheid zou sterken en me zou aansporen om mijn opgave te volbrengen, maar dat was niet het geval. Alles was nog vaag en onbepaald.

Lady Tansors belangen waren kennelijk niet met de mijne te verenigen, maar ik wist niet waarom en zelfs niet wat die belangen inhielden. Ik moest mijn meesteres ten val brengen, maar hoe of waarom wist ik niet. Ik was een blinde soldaat die ongewapend het slagveld op was gestuurd en streed voor een onbekende zaak tegen een vijand jegens wie ik, met mijn huidige kennis, geen vijandige gevoelens koesterde.

Kon ik het weinige dat madame me had willen vertellen geloven? Ik veronderstelde van wel, want ze zou me nooit bedriegen. Dat was mijn enige troost, en daar moest ik me aan vastklampen.

Ik scheurde een bladzijde of tien uit mijn opschrijfboek en schreef regel na regel en kolom na kolom, net zo lang tot mijn hand er pijn van ging doen:

Lady Tansor is mijn *vijand.*
Lady Tansor is mijn *vijand.*
Lady Tansor is mijn VIJAND.

7

In memoriam P.R.D.

I

Fragment uit The London Monthly Review
1 december 1864

Ik schoof madames brief terzijde en pakte de twee bijgesloten stukken. Allebei waren het pagina's die uit *The London Monthly Review* waren geknipt.

Het eerste was een artikel uit het decembernummer van 1864. Het ging over de moord op Phoebus Daunt, die tien jaar eerder had plaatsgevonden.

Madame had bepaalde alinea's voor mij gemarkeerd en tevens woorden en zinsneden onderstreept. Ik las het artikel twee keer door om de inhoud in mijn hoofd op te slaan. Vervolgens schreef ik de saillante alinea's over in mijn Geheime Boek en gooide de oorspronkelijke pagina's in de haard.

In memoriam P. Rainsford Daunt
1819-1854

De brute en ogenschijnlijk zinloze moord op de befaamde dichter Phoebus Rainsford Daunt op 11 december 1854 wekte nationale beroering en overschaduwde gedurende korte tijd zelfs het nieuws uit de Krim. Diegenen onder ons die destijds in Londen woonden zullen het afgrijselijke karakter van deze gebeurtenis nooit vergeten.

Uiteraard gaf de pers na deze tragedie uiting aan een stortvloed van woede, en uit de monden van terecht verontwaardigde en verontruste ontwikkelde leden van de samenleving waren tijdens die ijzige dagen aan de kersttafel soortgelijke geluiden te horen.

Dat de auteur van zulke onvergankelijke en algemeen erkende werken als *Het kind van de Pharao* en *De verovering van Peru* – zijn best ontvangen werk – ten huize van een lid van het Hogerhuis, en wel zo'n vooraanstaand lid als de vijfentwintigste baron Tansor, kon worden vermoord, vormde in de ogen van velen onder ons een bedreiging voor de grondslagen van de moderne Britse beschaving. Overal weerklonk de kreet: 'Er moet iets worden gedaan!' Als een heer zich niet meer veilig kon wanen wanneer hij in de tuin een sigaar rookte na te hebben gedineerd met vrienden en gasten uit de hoogste maatschappelijke kringen, onder wie de premier zelf, waar kon men zich dan nog voor de misdaad verschuilen?

Bij dat diner had men een toost uitgebracht op de heer Daunt, aan wie het bezit en de zakelijke belangen van lord Tansor zouden toevallen, aangezien de lord geen zoon of dochter had die hem kon opvolgen. Lord Tansor had altijd een uitzonderlijke genegenheid voor Daunt gekoesterd. Dankzij zijn invloed was Daunt naar Eton gestuurd, als intern beursstudent. Hij was populair, had een sociale natuur en deed het op Eton dan ook voortreffelijk. Hij sleepte de hoogste academische kwalificaties in de wacht die de school te bieden had en studeerde vervolgens in Cambridge, aan King's College, waar hij de ongeveinsde bewondering van vele vrienden oogstte.

Hij behaalde zijn graad en begon kort daarna aan zijn letterkundige loopbaan met de publicatie van zijn eerste dichtwerk, *Ithaca: Een lyrisch drama*, dat in 1841 bij Edward Moxon verscheen. *Ithaca* werd meteen een succes. Aangemoedigd door de ontvangst van zijn eerste poging tot een dramatisch werk in versvorm begon de dichter onmiddellijk aan een ambitieuzer werk, ditmaal in epische trant, onder de titel *De maagd van Minsk*. Opnieuw was de kritiek unaniem lovend en werd het boek in voor Moxon aangenaam grote aantallen verkocht. Er volgden verschillende andere opmerkelijke werken, die stuk voor stuk Daunts reputatie als een van onze beste verhalende dichters versterkten.

Richten we ons op de omstandigheden en motieven die tot de dood van de dichter hebben geleid, dan moeten we constateren dat ze mysterieus en onopgehelderd zijn gebleven. Over de identiteit van de moordenaar, een zekere Edward Glyver, bestaat geen twijfel. Daunt en hij hadden samen op Eton gezeten – gedurende een groot deel van hun schooltijd waren ze zelfs nauw bevriend. Vanwege een ruzie in hun laatste jaar had Glyver echter haat jegens zijn vroegere vriend opgevat, al blijft het een open vraag of de krenking die hij door toedoen van Daunt meende te hebben opgelopen reëel of denkbeeldig was.

Volgens diegenen die Daunt het beste kenden was het onmogelijk dat hij zelfs als scholier in staat was tot zulk verachtelijk en kwetsend gedrag dat het iemand er na achttien jaar nog toe kon brengen hem te vermoorden. Iemand bovendien die, volgens alle bronnen, oprecht aan zijn toekomstige slachtoffer gehecht was geweest.

Nadat Edward Glyver in 1836 vanwege de dood van zijn moeder Eton tamelijk overhaast had verlaten, vertrok hij uit Engeland om te gaan studeren aan de universiteit van Heidelberg. Daarna reisde hij enkele jaren door Europa. Pas in 1848 keerde hij naar Engeland terug en kreeg onder de valse naam Edward Glapthorn een betrekking bij het vooraanstaande, aan Paternoster Row in de City gevestigde advocatenkantoor Tredgold, Tredgold & Orr. Dit kantoor diende de familie Duport al jarenlang van juridisch advies, en Glyver werkte er onder rechtstreekse supervisie van de oudste vennoot, wijlen Christopher Tredgold, hoewel zou blijken dat hij geen enkele juridische opleiding had gevolgd.

Verder had Glyver dankzij zijn positie bij Tredgold kennelijk ontdekt dat lord Tansor had besloten zijn bezit aan Daunt na te laten, en dit moet zijn vijandschap jegens laatstgenoemde opnieuw hebben aangewakkerd, waar nog bittere afgunst bij kwam omdat zijn gehate schoolvriend zo'n grote erfenis zou toevallen terwijl hijzelf van een bescheiden salaris moest leven.

Niettemin ondernam hij nog geen actie, maar nam hij er genoegen mee zijn slachtoffer onopgemerkt gade te slaan. In het najaar van 1854 vond echter een crisis plaats die de aanleiding tot de uiteindelijke catastrofe vormde. De wrok die lange tijd in de krochten van Glyvers gestoorde persoonlijkheid had liggen smeulen, werd nu manifest, met fataal resultaat.

Waarschijnlijk was Daunts verloving met de voormalige mejuffrouw Emily Carteret, thans lady Tansor, de vonk die het vuur uiteindelijk deed oplaaien. Bekend is namelijk dat Glyver – nog altijd onder de naam Glapthorn – zogenaamd als plaatsvervanger van Tredgold, mejuffrouw Carteret in Northamptonshire had opgezocht om juridische kwesties te bespreken die samenhingen met de zaken van haar overleden vader. Mejuffrouw Carteret verklaarde voor de rechter dat Glyver haar algauw tegen haar zin het hof begon te maken, en ze merkte dat ze daaraan niet kon ontkomen, zelfs niet toen ze bij een familielid in Londen verbleef. Om hem te weerhouden van zijn bezoekjes, die haar steeds onaangenamer werden, zag mejuffrouw Carteret zich genoodzaakt haar huis op Evenwood gedurende langere tijd te verlaten. Glyver bleef haar echter lastigvallen, zodat ze uiteindelijk gedwongen was hem van haar ophanden zijnde huwelijk met Daunt op de hoogte te stellen. Vervolgens verzocht ze hem – in de krachtigst mogelijke bewoordingen – niet meer bij haar langs te komen.

In de gestoorde geest van Edward Glyver werden gekwetste trots en materiële afgunst nu door jaloezie versterkt. Wat als een ruzie tussen schooljongens was begonnen, lijkt te zijn uitgegroeid tot een onontkoombaar verlangen om zich voor eens en altijd te ontdoen van de man die hij in zijn waanzin beschouwde als degeen die zijn – geheel op fantasie berustende en niet-beantwoorde – amoureuze toenadering tot mejuffrouw Carteret onherstelbare schade had toegebracht.

En dus kwam, zoals iedereen weet, het einde op 11 december 1854, op het berucht geworden diner dat lord Tansor in zijn woning in Park Lane gaf ter gelegenheid van de verloving van Phoebus Daunt en mejuffrouw Carteret, en ter bezegeling van de juridische procedures waarmee Daunt het erfrecht op de materiële bezittingen van de lord werd toegekend.

Vermomd als lakei volgde Glyver Daunt naar de achtertuin, waar hij zijn zo lang gekoesterde wraakplan uitvoerde en Daunt doodstak. Hij liet een zeer bizarre offerande achter: in de verstijfde vingers van de rechterhand van het lijk vond men een door de moordenaar zelf gemaakt afschrift van een paar regels uit Daunts bekende gedicht 'Van de Pers', dat gaat over het verband tussen dag en nacht.

Grote, langdurige inspanningen van de politie ten spijt is de moordenaar nog steeds op vrije voeten. Niemand weet of hij nog leeft, noch of hij in Engeland of in het buitenland verblijft. Is hij niet meer in leven, dan mag men vurig hopen dat hij in het eeuwige leven de straf voor zijn verdorvenheid ondergaat waaraan hij op aarde is ontkomen.

Op grootmoedig aandringen van lord Tansor werd de dichter op 20 december 1854 ter ruste gelegd in het mausoleum van de Duports op Evenwood. Er zijn intussen tien jaar verstreken sinds de wereld het nieuws vernam dat Phoebus Rainsford Daunt in de bloei van zijn leven, en met een nog schitterender toekomst in het verschiet, werd geveld.

Het leek ons, nu die vreselijke nacht bijna tien jaar achter ons ligt, gepast het Britse publiek dit korte en onvermijdelijk incomplete verslag te doen, teneinde Daunts vele literaire prestaties te gedenken en aandacht te schenken aan de man zelf – een man met een ingeboren rechtschapenheid en grootmoedigheid, wiens jovialiteit, volmaakte manieren en natuurlijke gevatheid hem geliefd maakten bij een grote vrienden- en kennissenkring, waartoe schrijver dezes zich tot zijn trots mocht rekenen.

A.V.

Ik dacht na over de initialen onder het stuk, en al snel was ik ervan overtuigd dat de auteur van het in memoriam niemand anders kon zijn dan de wolfachtige Armitage Vyse, die diezelfde avond met milady in haar in karmijn en goud gedecoreerde eetzaal had gedineerd.

Ik had er geen idee van welke rol deze opvallende en, naar ik zeker wist, gevaarlijke man nu in het leven van milady speelde. Zo kwam er naast het raadsel van 'mevrouw Kennedy' nog een mysterie bij.

Vooralsnog zag ik af van gissingen en richtte me op het tweede bijgesloten stuk.

II
Fragment uit The London Monthly Review
1 januari 1865

Het tweede knipsel was evenals het eerste afkomstig uit *The London Monthly Review*, ditmaal uit de ingezondenbrievenrubriek. Het was door een abonnee geschreven, als reactie op het in memoriam van

Phoebus Daunt van de hand van A.V. in het vorige nummer. Madame had ook hierin met pen markeringen aangebracht, die passages benadrukten waarvan ze wilde dat ik er in het bijzonder nota van nam. Boven aan de eerste pagina had ze de volgende aantekening gemaakt: 'E. – Zoals je direct zult zien, stuur ik je dit stuk als noodzakelijke correctie op het andere stuk. Lees het goed. M.'

Net als bij het eerste knipsel bestudeerde ik de tekst, schreef de relevante fragmenten in mijn Geheime Boek over en wierp het origineel in het haardvuur.

Heath Hall, Co. Durham

26 december 1864

Geachte heer,
Zojuist is het artikel 'In memoriam P. Rainsford Daunt' door A.V., dat in het decembernummer van uw tijdschrift verscheen, onder mijn aandacht gebracht. Ik hoop dat u mij op uw pagina's ruimte voor een reactie wilt verlenen.

Uw anonieme auteur verdient een felicitatie omdat hij het Britse publiek herinnert aan de verschrikkelijke gebeurtenissen van 11 december 1854. Ik ben niet van zins kwaad over de doden te spreken, en zeker niet over een publieke figuur als wijlen de heer Phoebus Daunt, die zo'n vreselijk en geheel onverdiend levenseinde heeft gekend. Als iemand die kan zeggen enigszins met zowel het slachtoffer als de dader bekend te zijn geweest, voel ik me echter verplicht een andere kijk op de beide hoofdrolspelers in deze tragedie te bieden.

Omdat ik van 1832 tot 1839 op Eton ben schoolgegaan, had ik volop gelegenheid om de figuren van respectievelijk de heer Daunt (die ik ook later in Cambridge heb meegemaakt) en zijn vriend Edward Glyver te observeren. Dientengevolge meen ik zonder angst voor tegenspraak te kunnen zeggen dat de impressie die door 'A.V.' van eerstgenoemde wordt gegeven aanvechtbaar is.

Ik moet herhalen dat het niet mijn bedoeling is postuum de reputatie van de heer Phoebus Daunt te bezoedelen. Tegen de verzekering van A.V. dat de heer Daunt naar de mening van diegenen die hem het best kenden niet in staat was tot verachtelijke of krenkende daden, breng ik dan ook niets in. Alleen wil ik herinneren aan de woor-

den van Paulus dat we allen tekortschieten naast God, en wil ik opmerken dat sommigen van ons meer tekortschieten dan anderen.
Laat ik me evenwel tot de feiten beperken.

Uit sommige opmerkingen van A.V. zou men kunnen afleiden dat
de heer Daunt op Eton een omvangrijke vriendenkring had, waarvan ook de heer Glyver deel uitmaakte. Dat was niet het geval. De
toekomstige dichter leek juist weinig geneigd de goedkeuring van zijn
kameraden na te streven. Ik herinner me niet dat hij vóór de zesde
klas een andere kameraad had dan de heer Glyver, in wiens nabijheid hij voortdurend verkeerde. Dit veelbetekenende feit wordt door
A.V. echter niet vermeld en is des te opmerkelijker omdat de heer
Glyver zich in een overvloed van vrienden mocht verheugen, zowel
externe als interne leerlingen, en zich niet tot het gezelschap van de
heer Daunt hoefde te beperken, wat hij vaak wel deed, tot schade van
zijn eigen sociale belangen.

De heer Glyver werd in tegenstelling tot de heer Daunt algemeen
bewonderd en gewaardeerd, en met goede redenen. Hij was in elk opzicht een bijzondere figuur: voorkomend, een uiterst stimulerende
metgezel en begiftigd met een uitzonderlijke, ruimdenkende geest.
Deze eigenschappen maakten hem, tezamen met zijn grote fysieke
capaciteiten, die hij veelvuldig op de rivier, het cricketveld (door zijn
innings tegen Harrow in '36 groeide hij voor ons allemaal tot een
held uit) en bij het jaarlijkse wall game demonstreerde, tot een van
de populairste jongens van de school. Ook dit is een belangrijke
omissie in het verslag van A.V. – des te verwonderlijker omdat de
heer Daunt zelf zijn herinneringen aan zijn vriend breedvoerig beschreef in het artikel 'Herinneringen aan Eton', dat hij in 1848 in The
Saturday Review publiceerde. Uiteraard kan een persoon ten goede
of ten kwade veranderen, maar wat men van iemand op zijn vijftiende of zestiende heeft ervaren vormt doorgaans een redelijke aanwijzing voor zijn karakter als volwassene. Ik meen dat dit zeker opgaat in het geval van Edward Glyver.

Ik wil me niet als verdediger van de heer Glyver opwerpen: iemand in koelen bloede doden valt niet te verdedigen, ongeacht wat er
als verzachtende omstandigheid kan worden aangevoerd. Ik schrijf
louter als iemand die hem vroeger heeft gekend en het niet geheel beneden zich acht om nog aan hem te denken. Er bestaat geen verontschuldiging voor zijn afschuwelijke daad, en ieder weldenkend mens

zal betreuren dat hij aan zijn gerechte straf is ontkomen. Ik durf echter te stellen dat zijn gruwelijke daad geen gevolg was van een geestelijke stoornis, waarvan de heer Glyver, in weerwil van wat A.V. suggereert, bij mijn weten nooit het geringste spoor heeft vertoond.

Ik ben niet bevoegd om te beoordelen of afgunst vanwege de heer Daunts verwachtingen met betrekking tot lord Tansors testament of blinde jaloezie ten aanzien van de (nu tot de adelstand verheven) dame met wie de heer Daunt verloofd was tezamen met een restant van eerdere onmin voor de heer Glyver voldoende reden opleverden om een moord te plegen. Men kan zeker zo tegen de zaak aankijken, al vertoont deze visie tekortkomingen voor hen die zich erop kunnen beroepen Edward Glyver beter te hebben gekend dan A.V.

Ik schuw verdere speculaties en wil tot besluit alleen nog dit zeggen: door de heer Glyver anders af te schilderen dan hij was bewijst men geen dienst aan de nagedachtenis van het slachtoffer, die gedurende een aantal van de meest vormende jaren van zijn leven deze heer – want hij was een heer – als een van zijn waarachtigste vrienden beschouwde.

'A.V.' gebruikt de woorden 'mysterieus' en 'onopgehelderd' om de omstandigheden te beschrijven die tot de dood van P. Rainsford Daunt hebben geleid. Ik betreur de wijze waarop hij de dood heeft gevonden oprecht en ten zeerste en hoop met A.V. dat de moordenaar, indien hij nog leeft, nog voor de rechter zal worden gebracht en dat hij, indien hij dood is, is onderworpen aan het oordeel dat wij allen moeten ondergaan. Desalniettemin zijn in deze zaak de feiten schaars en de gissingen talrijk – A.V. heeft er nog een aantal van eigen makelij aan toegevoegd. Verder valt te hopen dat de tijd op een dag de onversneden waarheid zal onthullen over wat nog altijd door onbevestigde veronderstellingen en blinde vooringenomenheid aan het oog wordt onttrokken.

Ik verblijf,
met de meeste hoogachting,

J.T. Heatherington

Madame had duidelijk gewild dat ik het artikel van A.V. in het licht van Heatheringtons kritische reactie beoordeelde. Toch vroeg ik me op grond van mijn eerste indrukken onwillekeurig af aan welke van de twee tegengestelde visies ik geloof moest hechten. Ondanks al mijn instinctieve argwaan jegens mijnheer Vyse ontzenuwde het feit dat hij vrijwel zeker de lofrede op Phoebus Daunt had geschreven, niet noodzakelijkerwijs zijn oordeel over de karakters van de dichter en zijn moordenaar. Omgekeerd kon ik niet beoordelen of ik op mijnheer Heatheringtons tegengestelde visie op de beide mannen mocht vertrouwen.

De belangrijkste vraag was echter wat de moordenaar, Edward Glyver, met mij of de Grote Opgave te maken had en waarom madame wilde dat ik me een gunstiger mening over hem zou vormen dan in het in memoriam van mijnheer Vyse was verwoord. Op die vraag had ik geen antwoord gekregen.

Ik had genoeg van de raadsels en was geërgerd omdat madame er nu nog meer in mijn verwarde hoofd had geprent. En dus ging ik, na mijn Geheime Boek te hebben bijgewerkt, moe en verward naar bed, want de volgende dag werd ik al vroeg bij milady verwacht.

EINDE VAN HET EERSTE BEDRIJF

Geheime roerselen

Toen zag ik dat er een weg naar de hel leidde,
zelfs vanuit de hemelpoort.

John Bunyan, *The Pilgrim's Progress* (1678)

8

Professor Slake wordt begraven

I
De weg naar Barnack

De rijtuigen waarin we voor de begrafenis van professor Slake naar Barnack zouden gaan, waren voor tien uur besteld.

Enkele minuten over tien liep ik achter milady aan de trap af naar de toegangshof, waar mijnheer Perseus Duport, zijn broer en de overige leden van het gezelschap zich al hadden verzameld.

De dag was bewolkt en tamelijk kil begonnen, maar nu kondigde zich een flauw zonnetje aan en raakte de vochtige lucht vervuld van de verrukkelijke, houtachtige geur van de vroege herfst, wat bij mij meteen herinneringen opriep aan de nevelige septemberochtenden waarop ik met madame door het Bois de Boulogne had gewandeld.

Milady had toen ik haar kleedde weinig gezegd, en ik had geen poging gedaan om een gesprek met haar te beginnen. Terwijl Barrington haar in het rijtuig hielp zag ze er bleek en afgetobd uit, en toen ze op haar plaats was gaan zitten richtte ze haar blik vermoeid op de bossen in het westen. Hoewel ze me 's nachts niet had laten komen, zag ik dat ze opnieuw door angstdromen was overvallen.

Er was voorzien in een ander rijtuig voor mijnheer Lancing, de rentmeester van milady; voor mijnheer Baverstock, haar secretaris; voor de predikant (zonder echtgenote) die zou invallen voor dominee Candy, de predikant van Barnack; en voor mijzelf. Net toen ik ernaartoe wilde lopen, riep mijn meesteres: 'Nee, Alice. Jij moet met ons meerijden.'

'Ja, juffrouw Gorst, er is plaats genoeg.'

Aldus mijnheer Randolph Duport, die naast het rijtuig stond. Een uitnodigende glimlach deed zijn gezicht oplichten en hij had zijn hand al uitgestoken om me de treeplank op te helpen.

Het was zo'n opmerkelijk teken van genegenheid dat ik voelde dat ik een kleur kreeg en een ogenblik aarzelde. Maar hij bleef zijn hand uitgestoken houden, dus nam ik hem lichtjes in de mijne en ging vlug op mijn plaats zitten, tegenover lady Tansor. Daarna stapte mijnheer Randolph in, die naast me ging zitten. Hij werd gevolgd door zijn in een lange zwarte raglan gehulde broer, die naast zijn moeder plaatsnam.

Terwijl Barrington de deur van het rijtuig sloot, keek ik achterom naar het huis en zag dat mevrouw Battersby alleen op de trap bij de ingang stond en gadesloeg hoe wij vertrokken – ongetwijfeld bezag ze ook afkeurend dat mijnheer Randolph aardig voor mij was. Toen reden we weg. We gingen in westelijke richting door het uitgestrekte, met bomen begroeide terrein dat aan de muur van het landgoed grensde, en vervolgens naar de poort aan Odstock Road.

Milady bleef strak uit het raam kijken en haar gezicht verried geen emotie, afgezien van de veelzeggende strakke trek rond haar mond die ik al was gaan herkennen als een onmiskenbaar teken van ingehouden innerlijke verwarring. Toen we vervolgens onder de bomenhaag door reden en de poort naderden, trok ze plotseling bijna geërgerd het gordijn dicht. Ze schoof het pas weer omhoog nadat we de poort een eind achter ons hadden gelaten.

Vanuit het dorp Odstock reden we in noordelijke richting, door Ashby St John, waarna we de hoofdweg van Easton naar Stamford namen. Mijnheer Randolph had verschillende keren opgewekt maar tevergeefs geprobeerd een gesprek met zijn moeder en zijn broer aan te knopen, maar allebei hadden ze zijn pogingen met weinig meer dan een enkel woord beantwoord. Terwijl we Ashby St John uit reden, keek hij mij aan en vroeg of ik iets van wijlen professor Slake afwist.

'Alleen dat hij de beheerder van de bibliotheek was,' antwoordde ik, want ik voelde dat ik gezien de sfeer in het rijtuig zo min mogelijk moest zeggen.

'Hij was naar verluidt ook een groot geleerde,' antwoordde mijnheer Randolph, 'al heb ik natuurlijk geen verstand van dat soort dingen. U weet misschien nog niet, juffrouw Gorst, dat hij onlangs de geschiedenis van onze familie heeft voltooid, waarmee mijn grootvader een begin had gemaakt.'

'Ik neem aan dat u daarmee op mijnheer Paul Carteret doelt?'

Toen ik de naam van haar vader noemde, wierp milady me een afschrikwekkende blik toe, verontwaardigd en boos tegelijk. Ze zei echter niets en wendde haar blik spoedig af, waarna ze weer onbewogen uit het raam staarde.

'Slake was misschien behoorlijk geleerd, maar qua karakter en instelling was hij verre de mindere van grootvader.'

Dat kwam van mijnheer Perseus, die zijn broer met nauwverholen misnoegen opnam.

'Het merendeel van de mensheid,' vervolgde mijnheer Perseus op kille, vitterige toon, 'leeft als schapen, onbekommerd door de mysteries die hen dagelijks omringen. Dat komt de naties zeer ten goede. Professor Slake was een volkomen tegengestelde overtuiging toegedaan, hij behoorde tot die lastige zonderlingen die overal mysteries en raadsels in ontwaren, zelfs wanneer – zoals bijna altijd het geval is – er in de verste verte niets mysterieus of onverklaarbaars te bekennen is. Als gevolg daarvan worden ze voor iedereen een helse pest.'

'Genoeg, mijn beste,' zei zijn moeder zachtjes, terwijl ze nog altijd uit het raam blikte. 'Van de doden mogen we geen kwaad spreken.'

'Maar je hebt het toch over een soort hogere nieuwsgierigheid,' wierp mijnheer Randolph tegen. 'Dat moet beslist iets bewonderenswaardigs zijn.'

'Alleen als ze begrensd en gericht is,' repliceerde zijn broer. 'Voor een geleerde is nieuwsgierigheid uiteraard een vereiste. In het dagelijks leven kan diezelfde onderzoekende neiging bij bepaalde personen echter gemakkelijk uitgroeien tot de laagste vorm van ordinaire nieuwsgierigheid, zodat de betreffende persoon niets meer wordt dan iemand die zich platweg met andermans zaken bemoeit.'

'Perseus, schat, heb je al met dokter Pordage gesproken, zoals ik je gevraagd heb?'

Lady Tansors vraag maakte een einde aan de kleine tirade van mijnheer Perseus. Ik had tijdens de woordenwisseling van de broers geprobeerd een zo neutraal mogelijke indruk te maken. Ik liet met opzet mijn tasje vallen en nadat ik het had opgeraapt, haalde ik mijn zakdoek tevoorschijn om mijn oog te betten, alsof er een vuiltje in zat. Door deze handelingen hoopte ik de indruk te wekken dat ik te zeer door mijn eigen kleine besognes in beslag werd genomen om aandacht te kunnen schenken aan wat er werd gezegd.

'Pordage gaat rechtstreeks naar Barnack, samen met Glaister,' zei mijnheer Perseus, 'maar later komt hij met Lancing en de anderen naar Evenwood. Er is plaats genoeg.'

Met een kille blik op mij, die naar mijn overtuiging uiting gaf aan de opvatting dat er, ondanks de uitdrukkelijke uitnodiging van zijn moeder om haar en haar zonen te vergezellen, géén lege plaats in het andere rijtuig behoorde te zijn, trok hij zijn raglan strak om zich heen en sloot zijn ogen.

Toen mijnheer Randolph zag dat ik me niet op mijn gemak voelde, trok hij bij wijze van medelevend gebaar zijn wenkbrauwen op en glimlachte me vervolgens toe. Daarin las ik zowel een verontschuldiging voor de aanmatigende toespraak van zijn broer als de wens mij eraan te herinneren dat hij en ik al een mate van vriendschappelijkheid kenden die ons onderscheidde van de andere inzittenden van het rijtuig.

En zo reden we verder, langs de hoofdweg naar Stamford, waar we ruim op tijd aankwamen. Op het kruispunt bij het George Hotel sloeg het rijtuig een weg in die ons via de poorten van Burghley, het landhuis van de familie Cecil, naar het dorp Barnack bracht.

II
Tot stof zult gij wederkeren

Vanaf het moment dat we Stamford uit waren had mijnheer Perseus gezwegen. Zijn hoofd rustte tegen de gecapitonneerde bekleding van het rijtuig, zijn ogen had hij gesloten. Toen we Barnack in reden, sloeg hij ze plotseling op en keek mij recht aan.

'U leest toch veel poëzie, meen ik, juffrouw Gorst?' vroeg hij. 'Hebt u gekke Clare gelezen, een van onze plaatselijke boerendichters?'

Ik erkende dat dat niet het geval was.

'Hij kwam hier altijd,' zei mijnheer Perseus. 'Daar, waar ze leisteen hebben gewonnen – ze noemen het de Hills and Holes.'

Hij gaf een knikje in de richting van een merkwaardig omgewoeld terrein achter een groep kleine huizen.

'Je zou ook mijnheer Kingsley kunnen noemen, schat.'

Milady sprak nu en glimlachte gespannen, alsof het haar grote moeite kostte.

'Kingsley?' vroeg mijnheer Perseus. 'O ja, de man van de waterkinderen. Hij heeft hier als kind gewoond, meen ik, juffrouw Gorst, toen zijn vader predikant was.'

'Je opa heeft me verteld dat mijnheer Kingsley senior eens in het douairièrehuis heeft gedineerd,' zei milady tegen mijnheer Perseus. 'Ik weet zelfs nog in welk jaar: 1829, in de week voor de dood van mijn zus.'

Haar stem had een vreemde, dromerige klank gekregen en haar voorhoofd was nat van de transpiratie.

'Voelt u zich wel goed, moeder?' vroeg mijnheer Randolph. Hij boog zich naar haar toe en legde bezorgd een hand op de hare.

'Dank je, Randolph, ik voel me uitstekend. Zoals ik je bij het ontbijt heb verteld, ben ik al twee dagen met hoofdpijn wakker geworden. Daarom heb ik Perseus ook gevraagd om dokter Pordage te laten komen. Maar het heeft niets om het lijf. Ah, we zijn er.'

Het rijtuig had stilgehouden voor de oude kerk van St John the Baptist, waar zich al een omvangrijke menigte van rouwenden en toeschouwers uit het dorp had verzameld.

We stapten uit, en de menigte week gehoorzaam uiteen – als de Rode Zee voor Mozes – toen milady en haar twee knappe zonen, gevolgd door de overige leden van het gezelschap uit Evenwood, met mij als laatste, plechtig over het kerkhof schreden om plaats te nemen op de gereserveerde ereplaatsen.

Als blijk van zijn excentrieke natuur (waarom ik hem oprecht prees) had professor Slake lang geleden al strikt vastgelegd dat zijn teraardebestelling uiterst eenvoudig moest verlopen. Als gevolg daarvan ontbraken gelukkig de gebruikelijke opsmuk en zwaarwichtigheid – geen angstaanjagende zwijgende baardmannen en afzichtelijke kraaien, geen zwarte lijkkoets die eruitzag als een omnibus van de dood. In Londen, toen ik bij mevrouw Ridpath logeerde, was ik van zulke vulgaire gruwel getuige geweest, en die aanblik had me met afschuw vervuld.

De eenvoudige houten kist werd op een tweewielige handkar de kerk in gereden. Hij was versierd met nazomerbloemen en donkerblauwe linten (de professor had in Oxford gestudeerd) en de kar werd voortgetrokken door de tuinman van de overledene en diens zoon. Achter de kist liep de eenzame gedaante van de heer Montagu Wraxall, de neef en het naaste nog levende familielid van professor Slake (dit werd me later door dokter Pordage verteld). Als een offerande hield hij een exemplaar voor zich van het grote werk van zijn oom over de geschiedenis van de heidense volkeren (ook deze informatie dank ik aan dokter P.).*

De dienst begon stipt op tijd en werd geleid door dominee Thripp – die zich zeer gewichtig gedroeg, zich welbewust van de eervolle taak die hem onverwachts was toegewezen. Hij besteeg op het vastgestelde tijdstip de kansel en onthaalde ons maar liefst veertig minuten op zijn uitgesponnen denkbeelden over sterfelijkheid. Toen hij, tot zichtbare opluchting van de aanwezigen, eindelijk zijn preek afsloot, weergalmde het geluid van zware regenval door het gebouw.

'Net zo'n dag als toen uw voorganger, mijnheer Carteret, werd begraven,' hoorde ik dokter Pordage, die op de bank achter mij zat, tegen mijnheer Baverstock zeggen.

'Net zo'n dag,' beaamde de secretaris van milady.

III
Pythagoras Lodge

Toen we ons rond het graf verzamelden was de plotselinge maar kortstondige stortbui bijna opgehouden. Het was echter nog steeds nodig om snel een paraplu te bemachtigen, en wij dames moesten op onze rokken letten terwijl we ons een weg baanden langs de diepe plassen die zich naast het doorploegde pad hadden gevormd.

Nadat men de kist met alle voorgeschreven ceremonieel in het graf had laten zakken, waarin langs de zijwanden nog modderige straaltjes water sijpelden, kwam mijnheer Wraxall naar voren, met het boek van zijn oom in zijn handen. Hij wikkelde er vervolgens een van de lange, donkerblauwe linten omheen die de handkar hadden gesierd. Daarna knielde hij neer en liet het lint zich ontrollen, zodat het boek zachtjes op het deksel van de kist kon belanden.

---

* Lucian Rawson Slake (1805-1876), *An Analytical and Descriptive History of the Gentile Nations* (Smith, Elder, 1868), een alomvattend maar helaas onleesbaar geschiedwerk over de Assyriërs, de Babyloniërs, de Meden, de Perzen, de Grieken en de Romeinen. Een soortgelijk werk, van de hand van George Smith (1800-1868), werd in 1853 door Longman, Brown, Green & Longmans gepubliceerd. Dit moet een harde klap zijn geweest voor Slake, die al sinds 1833 aan zijn magnum opus bezig was. Desondanks werkte hij verder aan zijn boek. Te vrezen valt dat het door weinigen is gelezen.

Afgezien van mij leek niemand ook maar in het minst door dit ongewone ceremonieel verrast te zijn. Veel rouwenden leken het zelfs te hebben verwacht, want ik hoorde een heer tegen een andere heer opmerken dat er in het dorp al over was gesproken dat de professor wilde dat zijn levenswerk bij hem in het graf zou worden gelegd (zij het niet in de kist), zodat het als eerste het licht zou zien bij de herrijzenis; hij vertrouwde erop dat die op de eerste dag van het jaar 1900 zou plaatsvinden.

Voor de meest vooraanstaande bezoekers – met in de eerste plaats het gezelschap van Evenwood – was een koud buffet bereid in Pythagoras Lodge, de woning van de professor die een stukje buiten het dorp aan de weg naar Helpston lag.

Vanwege de naam had ik een grimmig gotisch bouwwerk verwacht en hoopvol had ik me een klein Otranto op het rustige platteland van East Anglia voorgesteld. Toen het rijtuig halt hield, stonden we tot mijn lichte teleurstelling echter voor een keurige kleine villa. Het nog geen vijftig jaar oude, met donkergroen latwerk betimmerde huis stond midden op een groot, vierkant en perfect onderhouden gazon, waarop verder alleen een oude ceder prijkte.

Mijnheer Wraxall heette ons welkom en begeleidde lady Tansor naar de huiskamer, waar het buffet op twee lange tafels was opgesteld.

De neef van wijlen professor Slake had me geïntrigeerd vanaf het moment dat hij achter de kist van zijn oom de kerk betrad. Hij was – en dat werd door dokter Pordage bevestigd – ongeveer vijfenzestig jaar oud, gladgeschoren en, op een paar plukjes donzig, zilverwit haar rond zijn beide oren na, volkomen kaal. Hij had echter een leeftijdloze glans over zich, waardoor hij de indruk wekte onbedorven en niet door de gebruikelijke menselijke smarten en ontgoochelingen gekweld te zijn. Tevens gaven zijn opgewekte grijze ogen blijk van zo'n krachtige en actieve intelligentie dat je hem bijna kon aanzien voor een jongeman die zijn leven nog voor zich had, en vol ambities en onbegrensd optimisme was.

Ik volgde milady en haar zonen naar de huiskamer, maar aarzelde toen ze bleven staan om door mijnheer Wraxall aan een groepje dames en heren te worden voorgesteld. Vervolgens liepen ze verder en namen plaats rond de haard aan de andere kant van het vertrek. Op dat ogenblik verscheen dokter Pordage, die me ongevraagd over mijnheer Montagu Wraxall begon te vertellen.

Hoewel onze gastheer nu gepensioneerd was, had hij in zijn goede tijd als een van de ontzagwekkendste openbare aanklagers van Londen gegolden. Hij genoot de reputatie dat hij zijn zaken zorgvuldig en uiterst nauwgezet voorbereidde en in het debat een zekere intellectuele genadeloosheid aan de dag legde die door weinigen werd geëvenaard. Hij had in veel bekende moordzaken gezegevierd, soms zeer tegen de verwachting in. Zijn beminnelijke eigenschappen ten spijt was het, naar het scheen, een angstaanjagend vooruitzicht om door mr. Montagu Wraxall, lid van de Queen's Counsel, te worden vervolgd. In criminele kringen in de hoofdstad was het vroeger een bijna algemeen geldende waarheid dat Wraxall je zeker aan de galg bracht als je vanwege een zwaar misdrijf voor hem moest verschijnen.

'Maar hij is bescheiden, mijn beste,' vertrouwde de dokter me toe, terwijl hij zich naar me toe boog en door zijn lange grijze baard streek om zijn woorden kracht bij te zetten. 'Op het onverbeterlijke af. En weet u, ik geloof dat zijn bescheidenheid oprecht is. Wat vindt u daarvan?'

Ik glimlachte zwijgend en vroeg vervolgens aan dokter Pordage of hij zo vriendelijk wilde zijn een glas ijswater voor me te halen, omdat mijn keel een beetje droog was.

Hij snelde weg, maar nauwelijks was hij verdwenen of mijnheer Wraxall zelf stond opeens naast me en stelde zich aan me voor.

Natuurlijk betuigde ik hem om te beginnen mijn deelneming met het overlijden van zijn oom. Ik zag onmiddellijk dat het een dwaasheid van me was geweest te menen dat hij ongevoelig voor alle zorgen was. Er trok een schaduw over zijn gezicht.

'U bent juffrouw Gorst, dat weet ik zeker,' zei hij. 'Uw reputatie is u vooruitgesneld.'

Hij glimlachte bij het zien van mijn verblufte gezicht.

'Ik bedoelde alleen maar dat u als bijzonder wordt beschouwd, juffrouw Gorst, en dat brengt op het platteland de tongen altijd in beweging – al zou u zich gevleid mogen voelen omdat u het onderwerp van zo veel gesprekken bent. U bent een fenomeen, weet u.'

'Ik weet werkelijk niet wat u bedoelt, mijnheer,' luidde mijn oprechte antwoord.

'Denkt u even na,' zei mijnheer Wraxall. 'U ziet er niet uit als een kamenier, en u praat ook niet zo. Ik heb daarbij het sterke vermoeden dat u evenmin zo denkt. Anderen zien het verschil ook en vragen zich vanzelfsprekend af waarom iemand zoals u een betrekking als huisbediende heeft moeten aannemen. Dat vraag ik me ook af, weet u. Wordt u nu niet boos op me?'

'Boos, mijnheer?'

'Omdat ik zo vrijpostig ben om simpelweg de waarheid te spreken. Ik ben bang dat dat een van mijn voornaamste gebreken is – al heb ik natuurlijk nog vele andere tekortkomingen.'

'Is het dan een tekortkoming om waarheidslievend te zijn?'

'De waarheid is soms onverteerbaar, moet u weten.'

Vervolgens zei hij te hopen dat we het genoegen mochten smaken om onze kennismaking op Evenwood voort te zetten.

'Misschien weet u dat mijn oom North Lodge, de portierswoning bij de oude noordpoort, mocht gebruiken. Hij verbleef daar wanneer zijn taken vereisten dat hij in de bibliotheek aanwezig was. Er moeten nog vele paperassen en andere eigendommen worden doorgenomen – ik ben bang dat mijn oom een tikje laks, om niet te zeggen chaotisch was in het regelen van zijn eigen zaken, al behandelde hij de aangelegenheden van zijn werkgeefster hoogst efficiënt. Lady Tansor is zo vriendelijk geweest mij toestemming te geven om tijdens het verrichten van die taak in North Lodge te verblijven, en dus zullen onze paden elkaar misschien nog weleens kruisen. Ik hoop van wel.'

En zo gingen we uiteen. Net toen ik naar milady en haar zonen toe liep, riep dokter Pordage me toe: 'Juffrouw Gorst! Uw water!'

Ik had geen keus: ik draaide me om en nam het glas van hem aan. Daarbij sloot zijn klamme hand zich om de mijne, zodat ik hem terugtrok en een groot deel van het water over de vloer morste.

'Wat onhandig van me!' riep hij uit en hij haalde zijn zakdoek tevoorschijn. 'Vergeeft u me alstublieft, juffrouw Gorst.'

'Het geeft niets, mijnheer. Neemt u me niet kwalijk.'

Ik gaf hem het bijna lege glas terug en ontsnapte snel aan hem.

'En waar heb jij gezeten, Alice?' vroeg milady op geërgerde toon. 'Je had hier bij ons moeten zijn.'

Ik zei dat ik met mijnheer Wraxall had gesproken.

'Je hebt met mijnheer Wraxall gesproken! Wel wel. Ik denk dat ik je dan moet vergeven.'

'Uw jurk is een beetje nat, juffrouw Gorst,' kwam mijnheer Randolph tussenbeide. 'Komt u bij de haard zitten om hem te laten opdrogen?'

Ik bedankte hem, en zei dat ik liever bleef staan.

'Kom, juffrouw Gorst, uw jurk moet echt opdrogen.'

Deze aansporing was afkomstig van mijnheer Perseus, die mij – tot mijn grote verbazing – zijn eigen stoel aanbood.

'Zie je hoe ze wedijveren om je gunst, Alice,' zei lady Tansor. 'Is er ooit zo veel eer aan een kamenier bewezen?'

Terwijl het lachje dat nu volgde was bedoeld om het venijn van haar woorden te verdoezelen, zag ik dat mijnheer Randolph er een beetje van ging blozen. Het gezicht van mijnheer Perseus bleef echter onaangedaan terwijl hij opstond en, de rugleuning van de stoel met beide handen vasthoudend, wachtte tot ik zou gaan zitten.

Ik bedankte mijnheer Perseus voor zijn voorkomende gebaar, dat een oprechte indruk maakte, maar hield beleefd vol dat ik het perfect naar mijn zin had.

'Uitstekend,' zei hij. 'Ik hoop dat u me dan wilt verontschuldigen. Ik heb behoefte aan een sigaar.'

'Zou je niet eerst eten, Perseus, schat?' vroeg zijn moeder. 'Dat is wel zo goed, moet je weten.'

'Ik heb geen trek in een lunch,' antwoordde hij een tikje fel, 'en op mijn nuchtere maag een sigaar roken werkt heel stimulerend op mijn werk. Zoals u weet moet ik de laatste zang van mijn gedicht voltooien, en een sigaar helpt me mijn gedachten te formuleren.'

Nadat hij was weggegaan, wendde lady Tansor zich tot mij.

'Aan een genie worden zeer zware eisen gesteld, moet je weten, Alice. Ze noodzaken hem er voortdurend toe de vervulling van de meest alledaagse levensbehoeften op te schorten. Maar wat zouden we moeten beginnen zonder zulke zeldzame mensen als mijn zoon, wier enige streven het is de wereld schoonheid en harmonie na te laten? Als bezitter van een buitengewoon dichterlijk talent is Perseus zich scherp bewust van zijn plicht jegens de huidige generatie en het nageslacht. We gaan spoedig naar Londen – heb ik je dat al verteld? Perseus gaat zijn dichtwerk aan een uitgever voorleggen. Ik ben ervan overtuigd dat het hem zal bevallen en dat het een groot succes wordt, maar uiteraard moet het eerst worden voltooid. En dus moet hij doen wat hij moet doen, ook al keur ik het sigaren roken niet echt goed.'

Vervolgens wendde ze zich tot haar jongste zoon met de woorden: 'Randolph, schat, ik merk dat ik toch een beetje honger heb. Wil je een stukje pastei voor me halen?'

9

Waarin madames tweede brief
wordt geopend

I
Een visioen van het laatste oordeel

Het is net licht geworden, twee dagen na de begrafenis van professor Slake.

Mijnheer Perseus heeft voldoende sigaren gerookt om zijn dichtwerk over Merlijn en Nimue te voltooien, en morgen gaan we naar Londen om de beoogde uitgever te bezoeken en enkele dagen in milady's huis in de stad door te brengen.

De Londense woning van wijlen lord Tansor aan Park Lane, waar de moord op Phoebus Daunt plaatsvond, werd verkocht zodra milady in 1863 de titel erfde. Ze bezit tegenwoordig een fraai huis op het nabijgelegen Grosvenor Square, al is ze er niet vaak.

Ze heeft me de afgelopen nacht drie keer naar beneden laten komen. De eerste keer moest ik haar haar borstelen, de tweede keer wilde ze dat ik haar voorlas uit Daunts *Penelope** en daarna, even na drieën, nam ze er genoegen mee dat ik tegenover haar bij de haard zat terwijl zij zwijgend naar het flakkeren van de vlammen keek.

'Ik veronderstel dat je een katholieke opvoeding hebt gehad?' vroeg ze opeens.

Ik vertelde haar de waarheid: dat ik als kind regelmatig naar de kerk ging, dat ik de catechismus had geleerd en geregeld in de Bijbel had gelezen, maar dat mijn voogdes, ofschoon zelf vroom, had beslist mij niet officieel tot de rooms-katholieke kerk te laten toetreden. Ze zei altijd dat dat tegen de wens van mijn protestantse vader in zou gaan. Ik mocht

---

* *Penelope: Een tragedie, in verzen* (Bell & Daldy, 1853).

dus, als ik de jaren des onderscheids bereikte, zelf een keuze maken.

'En wat heb je gekozen?' vroeg milady.

'Ik belijd niet één bepaald geloof of één bepaalde geloofsrichting, maar desondanks hou ik er wel een soort primitief geloof op na.'

'En wat houdt dat in?'

'Ik geloof,' antwoordde ik, want ik bespeurde een kans om milady's geweten op de proef te stellen, 'dat er een onvergankelijke scheppende kracht bestaat die we God noemen en dat we uiteindelijk allemaal onder zijn alziende oog zullen worden beoordeeld.'

Deze woorden waren van mijnheer Thornhaugh en weerspiegelden zijn religieuze overtuiging. Op milady hadden ze een onmiddellijke uitwerking.

'Beoordeeld?'

Het houtblok dat ik op het vuur had gegooid was plotseling ontbrand en verlichtte haar gezicht. Dat was doodsbleek geworden, en ik zag dat ze de armleuningen van haar stoel vastgreep alsof een onzichtbare kracht haar uit haar zitplaats probeerde te rukken.

'Genoeg van zulke praat,' zei ze na enkele ogenblikken. 'Ik ben moe en als het kan, wil ik slapen.'

Ik hielp haar weer in haar bed met het monsterlijke houtsnijwerk en trok de zware rode draperieën om haar dicht. Alleen vlak bij het vuur liet ik ze een stukje openstaan.

'Is dat het, milady?' vroeg ik nadat ik haar een glas water had ingeschonken.

'Ja, Alice. Goedenacht.'

Ze sloot even haar ogen en draaide zich vervolgens met een diepe zucht op haar zij, zich afwendend van het licht van de haard. Haar lange donkere haar stak pikzwart af tegen haar witte nachthemd.

Goedenacht milady, zei ik bij mezelf. *Droom maar lekker.*

Toen ik wakker werd van het rustgevende geluid van duiven die in de dakgoot boven me zaten te koeren, constateerde ik tot mijn verbazing dat ik me ondanks de gebroken nacht niet in het minst vermoeid voelde. En dus besloot ik in de vroegte nog een luchtje te scheppen voordat ik milady moest kleden.

Ik trok de gordijnen open en keek naar buiten. Voor mijn ogen ontvouwde zich een mistroostig uitzicht.

Een grijs, vuil daglicht kwam moeizaam tot leven, en een dikke, kleffe mist, bijna net zo'n mist als het ondoordringbare witte miasma uit mijn droom over de kleine Anthony Duport, onttrok het landgoed achter de lusthof aan het oog – een echte vroege najaarsmist, de voorbode van verval en verrotting. Hij riep beelden op van wormstekige appels op het natte gras van een verwaarloosde boomgaard en van stapels stinkende, schimmelige bladeren, die onder je voeten vlezig aanvoelen. Er hing dood in de lucht. Ik huiverde en wilde me afwenden, na mijn plan voor een wandeling over het terrein te hebben opgegeven, maar toen viel me iets op.

Aan de overkant van de droge sloot achter in de tuin was met moeite de vage gestalte van een goedgebouwde man zichtbaar.

Ik sloeg hem ruim een minuut gade, maar hij verroerde zich niet. Hij was lang, had een hoge hoed op en hield een stok in zijn hand, maar dat waren zijn enige zichtbare kenmerken. Wat deed hij daar op dit uur, op zo'n vreugdeloze ochtend? Wachtte hij op iemand? Vast niet, op zo'n vroeg tijdstip. Hoogstwaarschijnlijk dwaalde hij rond omdat hij niet kon slapen en was hij even blijven staan om de schoonheid van het huis te bewonderen, dat zelfs op zo'n troosteloze ochtend nog het vermogen bezat om het hart te beroeren.

Omdat het glas door mijn warme adem was beslagen, wreef ik het met mijn mouw schoon. Toen ik weer naar buiten keek, was de man verdwenen, opgeslokt door de alles omhullende damp.

Na het ontbijt hield Barrington me onder aan de kleine trap staande om me een brief te overhandigen. Ik zag meteen dat hij van madame was, maar omdat ik milady moest kleden en een hele ochtend met andere taken voor me had, vond ik pas na de lunch de tijd om naar mijn kamer terug te keren en de brief te openen.

Zoals ik al hoopte, was het de tweede brief met instructies.

II
Madame De l'Orme aan mejuffrouw Esperanza Gorst
BRIEF 2

Maison de l'Orme
Avenue d'Uhrich, Parijs

Mijn liefste kind,
Je brieven zijn een geweldige troost voor me. Ik heb ze voortdurend

bij me en herlees ze zo vaak ik kan. Want ook ik moet moed vatten &
met jouw voorbeeld voor ogen – zo dapper! zo sterk! – ben ik beter in
staat om van je te vragen wat ik van je vragen moet. Mijnheer
Thornhaugh wil ook laten weten dat hij buitengewone bewondering
heeft voor de wijze waarop je je gedraagt onder de veeleisende om-
standigheden waarin je bent beland. Ik maak me voortdurend zor-
gen over je, lief kind, maar mijnheer Thornhaugh is me zeer tot steun
geweest. Hij heeft een onwrikbaar vertrouwen in je, waaraan ook jij
troost en kracht kunt ontlenen.

In je laatste brief smeekte je me opnieuw om ons uiteindelijke doel
te onthullen. Het is verstandig om daarmee nog even te wachten, tot-
dat je betrekkingen met lady T. vaste vorm hebben gekregen. Ik be-
loof je echter, lief kind, dat ik je in mijn derde brief, nog voor het ein-
de van het jaar, zo volledig en duidelijk mogelijk over alle details zal
inlichten.

Ik heb gezegd dat je meesteres je vijand is. Je zult nu te weten ko-
men wat ze nog meer is.

Ze is een bedriegster, een leugenares en een verraadster; een trou-
weloze, valse usurpator en een medeplichtige aan de gruwelijkst
denkbare misdaad.

Als je accepteert dat ik de waarheid spreek, zul je wellicht vragen
wat dit voor de Grote Opgave betekent.

Twijfel er niet aan, mijn liefste kind, dat jou schade & onrecht zijn
berokkend door deze vrouw, die zich nu je meesteres noemt. Meer
kan ik nog niet vertellen, uit angst – zoals ik eerder heb gezegd – je
positie in gevaar te brengen voordat je je volledig van de achting van
je meesteres hebt verzekerd. En dus moet ik, net als jij, geduld be-
trachten.

Besef echter dit: de huidige omstandigheden van lady T. – de be-
voorrechte materiële en sociale positie die ze al zo lang geniet – zijn
gefundeerd op dubbelhartigheid, verraad & erger. Substantiële en
juridisch onweerlegbare bewijzen van haar misdrijven ontbreken
vooralsnog, maar ik hoop dat die uiteindelijk met jouw hulp zullen
worden gevonden. Door dergelijke documenten te bemachtigen zul
je je eigen belangen dienen op een wijze waarvan je je geen voorstel-
ling kunt maken.

En nu een zaak van directer belang: de heer Armitage Vyse.
Wat je over deze man bericht, interesseert me zeer. Zoals je al

dacht was hij ongetwijfeld de auteur van het uiterst vooringenomen in memoriam van de heer Phoebus Daunt, dat ik je heb toegestuurd. Uit inlichtingen die mijnheer Thornhaugh heeft kunnen inwinnen, weten we dat hij als advocaat was gevestigd aan Old Square, Lincoln's Inn, maar hij heeft enkele jaren geleden zijn praktijk opgegeven & leeft nu als ambteloos burger. We weten ook dat hij door een wederzijdse vriend aan de heer Phoebus Daunt is voorgesteld – daardoor kwam het contact met je meesteres (toen nog mejuffrouw Carteret) tot stand. Na de dood van zijn vriend Daunt verscheen hij regelmatig op Evenwood, en hij lijkt er sinds het overlijden van kolonel Zaluski nog vaker te komen. Verder weten we dat lady T. de afgelopen maanden verschillende keren op zijn kantoor aan Old Square is geweest. Het lijkt er niet op dat juridische kwesties aan de voortzetting van hun contact ten grondslag liggen, want lady T. heeft nu het kantoor van Orr & Son uit Gray's Inn in de arm genomen; de directeur van deze firma, de heer Donald Orr, was vroeger vennoot van Tredgold, Tredgold & Orr, de voormalige juridische adviseurs van de familie. Het lag in de lijn der verwachting dat lady T. de lange verbintenis met Tredgold zou voortzetten toen ze barones werd, maar ze koos voor het nieuwe kantoor van Orr & Son, dat werd opgericht na een conflict tussen de heer Donald Orr en de heer Christopher Tredgold.

We moeten ons natuurlijk afvragen welke zaken de heer Armitage Vyse momenteel met lady T. behandelt, aangezien ze de diensten van Orr & Son tot haar directe beschikking heeft. Mijnheer Thornhaugh is van mening dat er nog wat meer speurwerk nodig is via het bureau van vrienden & voormalige partners in Londen. Wat jou betreft, alle nadere inlichtingen over de huidige relatie van de heer V. en je meesteres moet je onmiddellijk aan mij sturen & uiteraard in je Geheime Boek noteren.

En daarmee moet ik besluiten. Schrijf gauw, mijn liefste, want we verlangen ernaar nieuws van je te horen & te weten of je nog even vastberaden bent als altijd. Wees zo voorzichtig mogelijk en weet dat ik er voor je ben,

Je toegenegen
M.

10

Dark House Lane

I
Het medaillon

Volgens de tafelklok op mijn schoorsteenmantel was het halfvijf, vroeg genoeg om in de hofmeesterskamer een klein ontbijt te nuttigen voordat ik milady moest kleden ter voorbereiding op ons vertrek naar Londen.

Mijn hoofd was nog vol van madames zogenoemde brief met instructies, die ik even ergerlijk had gevonden als de eerste, omdat hij mijn verlangen naar duidelijke en ondubbelzinnige richtlijnen bij het verrichten van de Grote Opgave onvervuld liet.

Mij was gevraagd milady in haar ware gedaante aan de wereld te tonen. En wat was ze? Volgens madame een leugenares, een verraadster, een trouweloze usurpator – en nog veel ergere dingen. Toch was mij niet duidelijk hoe het bewijs moest worden verkregen om deze beschuldigingen te staven. Wat hield het in? Waar was het te vinden? En zelfs als zulk bewijsmateriaal werd ontdekt, hoe kon de vernietiging van milady's persoon en reputatie dan mijn eigen belangen dienen?

Opnieuw had ik geen keus en moest ik madames woorden wel accepteren, waarbij ik tegenover mijn twijfel en verwarring een onvoorwaardelijk plichtsgevoel en blind vertrouwen moest stellen. Ik was vastbesloten. Ik had nu twee brieven met instructies ontvangen, op de derde wachtte ik nog. Als daarin niet alles definitief en ondubbelzinnig werd verduidelijkt, zou ik de hele onderneming opgeven, naar de Avenue d'Uhrich teruggaan en de consequenties onder ogen zien. In de tussentijd zou ik, nu ik al zo ver was gekomen en – ik erken het blozend – het vooruitzicht op avonturen en intriges nog steeds spannend vond (zonder aarzelen leg ik de schuld daarvoor bij Wilkie Collins), mijn uiterste best doen om de enige uitdrukkelijke instructie in madames tweede brief uit te voeren: op zoek te gaan naar documenten die, als ze bestonden, behulpzaam zouden zijn bij het bemachtigen van milady's geheimen.

De eerste die ik zag toen ik de bediendenkamer binnenging was Sukie, die in haar eentje aan een mok met thee nipte. Aan de andere kant van de ruimte zaten twee bedienden van wie ik de namen niet kende met elkaar te praten, maar ze namen geen notitie van mij toen ik binnenkwam. Ik keek naar de hofmeesterskamer in de verwachting dat mijnheer Pocock en mijnheer Applegate er aanwezig zouden zijn, maar hij was leeg.

Een week geleden had ik Charlie Skinner verteld dat ik zijn nicht wilde spreken, maar ik had niets van haar gehoord en haar ook nergens in huis gezien. Ze keek op toen ik de ruimte binnenkwam.

'O juffrouw Alice!' riep ze uit. 'Wat ben ik blij u te zien!' Daarop barstte ze in tranen uit.

'Sukie, schat, wat is er aan de hand?'

Ik ging meteen naast haar zitten en sloeg mijn arm om haar schouders.

'Het ging steeds niet goed met moeder,' snikte ze, 'maar gistermorgen werd ze opeens erg slecht. Dokter Pordage is 's middags gekomen, maar hij zegt dat ze het eind van de week misschien niet haalt. Ik kan u niet zeggen hoe bezorgd ik ben geweest, juffrouw Alice. En toen zei Charlie dat u me wilde spreken, maar toen moest ik van mevrouw Battersby Kate Warboys helpen bij het opruimen van de zolder in de oostvleugel. Daar zijn we de hele week mee bezig geweest, en dan was al dat andere er nog, en het is nog niet klaar en...'

'Stil maar, schat,' zei ik, en ik schoof een van haar weerspannige krullen onder haar mutsje en tastte in mijn zak naar een zakdoek om haar tranen te drogen. 'Het geeft niets. Wat ik je wilde vragen kan wel wachten.'

Uiteindelijk kreeg ze iets van haar gebruikelijke zonnige humeur terug. Maar toen de grote klok boven de haard kwart voor zeven sloeg, sprong ze plotseling overeind en zei dat ze aan het werk moest voordat mevrouw Battersby op slag van zevenen aan haar eerste inspectie- en instructieronde van de dag begon.

'We vertrekken vandaag naar Londen, Sukie,' zei ik, 'zoals je vast wel weet. Maar als we weer terug zijn kom ik je opzoeken – en ik hoop uit de grond van mijn hart dat dokter Pordage het bij het verkeerde eind heeft en dat je moeder tegen die tijd weer helemaal beter zal zijn.'

Nadat Sukie was weggegaan had ik nauwelijks nog tijd om voor mezelf een snee brood met boter te besmeren en een halve kop sterke thee in te schenken uit de pot die Sukie voor zichzelf had gezet. Want daarna moest ik zo snel ik kon naar boven teneinde om zeven uur voor de deur van milady te staan.

Toen ik haar had gekleed en alle andere noodzakelijke ochtendtaken had verricht, vroeg ze me haar het doosje met het traanvormige medaillon te brengen dat op de toilettafel stond.

'Ik heb je beloofd dat ik je nieuwsgierigheid ten aanzien van dit medaillon zou bevredigen, Alice,' zei ze, 'en ik ben van plan dat nu te doen.'

'Ja, milady. Zoals u wilt.'

Ze ging zitten, zette het doosje op schoot en haalde het medaillon met het zwarte fluwelen bandje eruit. Toen ze op een klein grendeltje drukte, ging het zilveren dekseltje open en onthulde een lok dik, donker haar die strak in het medaillon gerold lag.

'Deze lok,' fluisterde ze op eerbiedige en plechtige toon, 'is van het hoofd van mijnheer Phoebus Daunt geknipt nadat hij was vermoord. Vind je dat schokkend?'

'Waarom zou ik dat schokkend vinden, milady?' antwoordde ik. 'Ik meen dat u eens met hem verloofd bent geweest. Het lijkt me heel natuurlijk en prijzenswaardig om zo'n aandenken bij je te dragen.'

'Ik ben blij dat je er zo over denkt,' zei ze en ze sloot het medaillon. 'Maar je hebt het niet helemaal begrepen, Alice. Ik heb hem zelf van zijn hoofd geknipt toen zijn bloed nog over de sneeuw stroomde waarop hij lag. Ik zag met eigen ogen wat hem werd aangedaan, en dat beeld ben ik nooit kwijtgeraakt. Het berooft me nog altijd van een gezonde nachtrust, en toch heb ik dit medaillon sindsdien elke dag omgedaan om die vreselijke gebeurtenis te gedenken, zelfs tijdens mijn huwelijk met wijlen mijn echtgenoot, kolonel Zaluski. Vind je dat niet vreemd, Alice? Dat ik ernaar smacht om verlost te zijn van de onafgebroken herinnering aan die avond, en mezelf toch dwing hem voortdurend te gedenken?'

Met trillende handen staarde ze naar het medaillon. Toen keek ze op.

'En dus blijf ik hem dragen. En ik heb de strikte regel gesteld dat niemand anders – níémand – het medaillon of zijn inhoud ooit mag aanraken. Jij zult die regel respecteren, dat weet ik, Alice.'

'Natuurlijk, milady. Maar het is een prachtig ding en het staat u erg goed.'

Met een dankbare trek op haar gezicht vertelde ze me dat wijlen lord Tansor het medaillon speciaal voor haar had laten maken.

'De lord was na de tragedie als een vader voor me. Juist omdat mijn eigen vader me zo wreed werd ontnomen, zal ik zijn uitzonderlijk voorkomende gedrag tegenover mij nooit vergeten. En dus draag ik het medaillon ook ter nagedachtenis aan hem, aan wie ik zoveel verschuldigd ben. En nu, Alice, moeten we in beweging komen. Het rijtuig zal spoedig hier zijn.'

Met een plotselinge vlaag van energie stond ze uit haar stoel op en liep naar de passpiegel. Ze hing het medaillon om haar hals en wendde zich toen naar mij toe.

'Zo,' zei ze glimlachend. 'Mijn dagelijkse plicht zit erop, en ik ben klaar om de wereld het hoofd te bieden.'

II
Op Grosvenor Square

De confidenties die lady Tansor mij over het medaillon had gedaan waren een grote stimulans voor me, want ze lieten zien dat ik er, ondanks haar grilligheid en haar abrupte stemmingswisselingen, al in was geslaagd het vertrouwen van mijn meesteres te winnen.

Het rijtuig dat ons naar de exprestrein moest brengen die vanuit Peterborough vertrok, kwam om acht uur bij de hoofdingang voorrijden. Toen milady en ik de trap af kwamen, liep mijnheer Perseus Duport al zichtbaar ongeduldig met zijn vestzakhorloge in de hand door de toegangshof heen en weer.

'Ah, daar bent u dan eindelijk, moeder,' riep hij, en hij liep met grote passen naar het rijtuig toe. 'Nu, laten we vertrekken.'

We stapten in en lieten Evenwood – dat nog altijd in een zee van mist was ondergedompeld – algauw achter ons.

Gedurende de hele reis vanuit Peterborough was mijnheer Perseus verdiept in het lezen en corrigeren van het manuscript van zijn gedicht, dat hij meteen nadat we in de trein waren gestapt uit zijn tas had gehaald. Milady leek daarentegen, hoewel ze zichzelf van een boek had voorzien, erg graag een gesprek te willen voeren, en algauw vroeg ze me opnieuw naar mijn jeugd in Parijs, waar zij ook enkele jaren had gewoond.

Madame had me zeer grondig getraind en me op zulke gesprekken voorbereid, en milady luisterde aandachtig terwijl ik haar het uit mijn hoofd geleerde verzinseltje vertelde over madame Bertaud, de zogenaamd in Engeland geboren weduwe van een zijdehandelaar uit Lyon, volgens madames bedenksel een jeugdvriendin van mijn overleden moeder.

'En van allebei je ouders herinner je je niets?' vroeg milady.

'Niets, milady. Ik geloof dat ze kort voor mijn geboorte naar Parijs zijn gekomen, hoewel ze daar behalve madame Bertaud niemand kenden. Mijn moeder is overleden toen ik nog te jong was om herinneringen aan haar te kunnen vormen. En mijn vader is na haar dood weggegaan – er is me nooit verteld waarheen of waarom. Ik weet alleen dat hij in 1862 is overleden en dat hij naast mijn moeder is begraven op het kerkhof van St.Vincent.'

Mijnheer Thornhaugh had voorgesteld om voorzichtig een beetje waarheid aan ons verzinsel toe te voegen, met het oog op de kans dat een vertegenwoordiger van lady Tansor naspeuringen zou doen. In dit geval zouden de graven van mijn ouders precies op de door mij genoemde plaats worden aangetroffen.

'En oefende je vader een bepaald beroep uit?'

Ook hierop was ik voorbereid.

'Hij was financieel onafhankelijk. Dat is alles wat ik van hem weet.'

'En je moeder? Je zei dat je voogdes en zij oude vriendinnen waren.'

'Ja, milady. Ze zijn samen opgegroeid. Ik geloof dat zij mijn ouders aan elkaar heeft voorgesteld.'

De vragen bleven komen, en op allemaal reageerde ik met een trefzeker en plausibel antwoord. Kennelijk tevreden omdat ze zichzelf voldoende van mijn levensgeschiedenis op de hoogte had gesteld, pakte milady ten slotte haar boek weer op en begon te lezen. Na korte tijd wierp ze me echter een schuinse blik toe en vroeg of mijnheer Thornhaugh nog in het huis van mijn voogdes verbleef.

'Ja, milady. Mijn voogdes stond erop dat hij zijn kamers zou aanhouden, zodat hij met zijn onderzoek kon doorgaan.'

'Maar ik veronderstel dat hij al een tijd lang niet meer je huisleraar was?'

Ik antwoordde dat hij meer een oudere vriend voor me was geworden, met wie ik vrijuit kon praten en op wiens kennis en raad ik altijd kon vertrouwen.

'En denk je dat hij je op Evenwood zal komen opzoeken? Ik zou hem heel graag ontmoeten.'

Ik zei te geloven dat dat een onwaarschijnlijk vooruitzicht was, omdat mijnheer Thornhaugh van nature een teruggetrokken man was.

'Maar zou hij niet door een bepaalde prikkel kunnen worden overgehaald om zijn kluizenaarsbestaan voor heel korte tijd te laten varen? De bibliotheek: dat moet toch heel verleidelijk zijn voor een geletterd man? Maar wat onnadenkend van me! Hij is misschien bejaard?'

'Nee, hij is niet bejaard, milady.'

'Van welke leeftijd is hij dan?'

'Dat weet ik niet helemaal zeker, milady. Vijfenvijftig misschien.'

'Helemaal niet bejaard dus, zoals je al zei. Ongeveer van mijn leeftijd. Laten we dan eens kijken of die fascinerende mijnheer Thornhaugh zich uit zijn hol laat lokken door het vooruitzicht dat hij op zijn gemak onze beroemde bibliotheek mag verkennen. Wil jij hem namens mij schrijven? Als je voogdes, madame Bertaud, met hem mee wil komen, is ze zeer welkom.'

Onbeschroomd bedankte ik haar voor de aardige uitnodiging en zei dat ik die aan madame Bertaud en mijnheer Thornhaugh zou overbrengen. Natuurlijk was ik dat helemaal niet van plan, en ik begreep niet waarom milady er zo naar leek te verlangen kennis te maken met mijn huisleraar en mijn denkbeeldige voogdes.

Hoewel ik voelde dat mijnheer Perseus zo nu en dan behoedzame blikken op me wierp die ik zogenaamd niet opmerkte, had hij al die tijd in geconcentreerd stilzwijgen zijn manuscript doorgenomen. Pas toen we de buitenwijken van de wereldstad bereikten, legde hij eindelijk zijn paperassen opzij, haalde het potloodstompje waarmee hij correcties had aangebracht uit zijn mond en keek om zich heen.

'Nu,' zei hij en hij wendde zich tot zijn moeder. 'Ik denk dat het zo goed genoeg is.'

'Goed genoeg!' riep milady uit, met de verontwaardiging van een uiterst liefhebbende moeder. 'Natuurlijk is het goed genoeg. Je bent te bescheiden, lieve Perseus. Het is een uiterst verdienstelijk werk, en dat weet je. Mijnheer Freeth zal dat ook beseffen, zodra hij het leest.'

Vervolgens richtte ze zich tot mij: 'Mijnheer Freeth is directeur van Freeth & Hoare, een nieuwe uitgeverij met grote ambities. Hij is ons aanbevolen als een hoogst scherpzinnig man met een uitstekende smaak, die als uitgever een fonds met de allerbeste aankomende dichters van de grond wil krijgen. We zijn vol vertrouwen dat Perseus een van de eersten zal zijn die zijn werk bij deze uitgeverij zal publiceren.'

Op de eindbestemming in Londen werden we door een rijtuig opgewacht en naar Grosvenor Square gebracht. Nadat ik de japonnen van milady had uitgepakt en opgehangen, gaf ze me verlof om de accommodatie te bekijken die mij was toegewezen: een kleine, maar frisse kamer op de tweede verdieping, die op het zuiden lag en over het plein uitkeek. Daar pakte ik opgewekt mijn eigen koffertje uit, blij dat ik weer in het centrum van een grote stad was, al was het niet de stad die ik kende en waarvan ik hield.

Ongeveer een uur later werd ik door milady ontboden.

'Mijn zoon en ik zullen spoedig vertrekken, Alice, voor een ontmoeting met mijnheer Freeth in zijn pand in Leadenhall Street. Daarna moet ik zelf wat zaken regelen. Het is niet nodig dat jij ons vergezelt. En dus mag je, als je dat wilt, naar buiten gaan – maar kom uiterlijk om vijf uur terug. En, Alice, zorg ervoor dat je niet weer te laat bent. We dineren om zeven uur.'

Vrijheid! Bij dat vooruitzicht veerde ik op. Ik had tijdens mijn verblijf bij mevrouw Ridpath wat van Londen gezien, maar het was een bedwelmende gedachte om op eigen kracht de grootste stad ter wereld te kunnen verkennen.

Waar zou ik naartoe gaan? Welke bezienswaardigheden zou ik het eerst bekijken? De winkels in Regent Street? St Paul's, misschien, of Whitehall, om te zien waar die arme koning Karel was vermoord? Of zou ik de schilderijen in de National Gallery gaan bekijken? Toen bedacht ik dat ik in plaats daarvan naar het British Museum kon gaan, want daar kon ik veel bladzijden van mijn opschrijfboek met roemrijke feiten vullen.

Terwijl ik de vele verleidelijke mogelijkheden overwoog, fluisterde de strenge stem van de plicht me evenwel toe dat ik mijn tijd nuttig moest besteden en hem niet voor mijn plezier mocht verspillen.

En dus besloot ik mijn eigen voorkeuren terzijde te schuiven. Geen winkels, geen bezienswaardigheden. In plaats daarvan zou ik op goed geluk een bezoek brengen aan Old Square, Lincoln's Inn.

III
Mijnheer Vyse gaat naar het oosten

Na de lunch ging ik, gewapend met een exemplaar van *Murray's Guide to London* en een zakplattegrond van de wereldstad die ik van mijnheer Pocock had geleend, de deur uit en begaf me in oostelijke richting. Ik liep Brook Street door en Regent Street in. Vandaar ging ik naar Piccadilly en vervolgens naar Trafalgar Square, totdat ik uiteindelijk de Strand bereikte. Daar liep ik Morley's Hotel binnen om een kleine versnapering te gebruiken en mijn zakplattegrond te raadplegen, waarna ik mijn tocht hervatte.

Algauw vond ik de weg naar Chancery Lane en uiteindelijk stond ik voor het poortgebouw van Lincoln's Inn – een nobel bouwwerk van baksteen, waarop het jaartal 1518 prijkte (een feit dat ik prompt in mijn opschrijfboek vastlegde).

Toen ik de poort door liep, betrad ik een bekoorlijke, driekantige binnenplaats. Daar bleef ik zonder een bepaald plan te koesteren staan en keek om me heen.

Omdat de binnenplaats verlaten was, besloot ik de Inn een stukje verder binnen te gaan. Toen ik de kapel naderde, kwam een gezette man met een tas met trekkoord over zijn schouder en een grote stapel paperassen onder zijn andere arm een deuropening uit en liep op mij toe. Hij zag er vriendelijk uit, en dus hield ik hem staande en vroeg of hij me de weg kon wijzen naar het kantoor van mijnheer Armitage Vyse.

'De heer Vyse, zegt u?'

Hij dacht een ogenblik na.

'Hmm. Wacht even – ja. Vyse. Old Court. Nummer 24. Als u door de poort bent gegaan, moet u erlangs zijn gekomen. Nummer 24. Dat is het. Het oude kantoor van Thurloe. Goedendag, juffrouw.

Nummer 24!' riep hij me nog na. 'Op de hoek.'

Toen ik een stukje terugliep zag ik aan de overkant van de binnenplaats onmiddellijk de ingang waar de man me naartoe had gestuurd. Het nummer 24 was boven de deur in steen gehouwen. De deur zelf en de vier verdiepingen erboven bevonden zich in een schuine uitbouw die op de binnenplaats naar voren sprong. Terwijl ik me afvroeg welke ramen van mijnheer Vyse waren en wat ik nu moest doen, betrad een dame via de boog in het poortgebouw de binnenplaats, liep met gebogen hoofd maar resoluut naar nummer 24 toe en ging de trap op.

Nu kan een dame haar gezicht met een sluier voor het oog van de wereld verhullen, maar de japon waarin haar kamenier haar diezelfde ochtend heeft gekleed kan ze niet verbergen. *Nou, milady*, fluisterde ik bij mezelf. *Wat brengt u hier?*

Ik kon nu niets anders doen dan wachten en nadenken over deze vreemde, onvoorziene wending.

'Daarna moet ik zelf wat zaken regelen,' had milady gezegd. Nu bleek dat ze die zaken met mijnheer Armitage Vyse regelde. Het kon uiteraard om volmaakt onschuldige zaken gaan, maar de zwarte sluier wees op iets anders.

Ik liep een stukje terug en nam plaats op een houten bankje met uitzicht op nummer 24.

Er verstreek een kwartier, en met de minuut werd de lucht donkerder; er was regen op komst. Toen de eerste dikke druppels begonnen te vallen, kwam milady eindelijk alleen de ingang van nummer 24 uit en verliet via de poort haastig de binnenplaats. Enkele ogenblikken later weerklonk er lawaai op de houten trap en verscheen in de deuropening de onmiskenbare gestalte van mijnheer Armitage Vyse, die een canvas tas bij zich had.

Tot mijn lichte ontsteltenis liep hij rechtstreeks op het bankje af waar ik zat. Met gebogen hoofd begaf ik me zo snel mogelijk naar de ingang van de nabijgelegen kapel. Tot mijn opluchting leek hij me tijdens zijn wandeling over de binnenplaats niet op te merken.

Ik keek toe hoe hij met grote passen wegliep, terwijl zijn lange jas achter hem aan fladderde en hij bij elke stap met zijn stok op de natte stapstenen tikte. In een plotselinge impuls besloot ik hem te volgen.

Het ging gestaag harder regenen, maar ik was vastbesloten mijn plan verder uit te voeren.

Mijn prooi was nu New Square op gelopen. Terwijl hij uit het zicht verdween, kwam ik mijn schuilplaats uit en ging hem achterna.

Toen ik Fleet Street bereikte, dacht ik dat ik hem misschien in de dichte menigte zou kwijtraken, maar door zijn lange jas, hoge hoed en uitzonderlijke lengte was hij gemakkelijk te onderscheiden, en algauw wist ik hem in te halen.

Een stukje verderop op Fleet Street hield hij stil bij een standplaats voor huurrijtuigen en sprak kort met de koetsier van het eerste rijtuig. Meteen nadat hij was ingestapt, reed het weg.

Nu had ik nog nooit in mijn leven een huurrijtuig genomen en was ik alleen in een stad die ik nauwelijks kende. Mijnheer Vyse verder volgen naar een onbekende bestemming leek de grootst mogelijke dwaasheid, maar door mijn onverbeterlijke dadendrang zette ik mijn twijfels opzij. Ik had wat avontuur gewild, en hier deed zich er een aan me voor. Ik overtuigde mezelf ervan dat madame zou willen dat ik de kans greep die zich zo onverwachts had voorgedaan, en omdat bovendien het banale feit speelde dat ik door de toenemende regen doornat werd, haalde ik diep adem, trok mijn natte rokken op en rende zo snel ik kon naar de standplaats voor huurrijtuigen.

Nadat ik de eerstvolgende vrije koetsier had geïnstrueerd reed ik, met mijn plattegrond opengeslagen op schoot om de route te volgen, al-gauw ratelend Ludgate Hill op, achter het rijtuig aan dat mijnheer Vyse naar het oosten bracht. Van tijd tot tijd stak ik mijn hoofd naar buiten om me ervan te vergewissen dat hij nog te zien was. Maar in de toene-mende duisternis en de drukke wirwar van voertuigen – karren, grote en kleine rijtuigen, kolenwagens, slingerende brouwerswagens en volle omnibussen – liet zich onmogelijk vaststellen of we mijnheer Vyse nog op de hielen zaten. In Poultry draaide ik me om en riep de koetsier toe: 'Kunt u hem nog zien?'

'Ja, juffrouw,' schreeuwde hij. 'Een klein stukkie voor ons. Maakt u zich geen zorgen. We raken hem niet kwijt.'

Na Mansion House te zijn gepasseerd, sloegen we King William Street in en reden we af op London Bridge. De mogelijkheid dat we de rivier zouden oversteken verontrustte me, want de buurt werd erg groe-zelig. Maar toen ik de koetsier wilde opdragen de achtervolging op te geven en me naar Grosvenor Square terug te brengen, reden we Lower Thames Street in, minderde het rijtuig vaart en kwamen we ten slotte tot stilstand.

Het huurrijtuig van mijnheer Vyse had een stukje voor ons ook halt gehouden, bij een kruising met een smalle doorgang die kennelijk naar de rivier toe liep. Overal hing een overweldigende visstank. Ik keek om naar de koetsier – een forse kerel met een rond gezicht en een opmerke-lijk dikke, paars dooraderde neus – en vroeg waar we waren. Hij zag de trek van walging op mijn gezicht en begon te grinniken.

'Billingsgate, juffrouw,' antwoordde hij, en vervolgens wees hij met zijn zweep naar het punt waar het rijtuig van mijnheer Vyse was gestopt om hem te laten uitstappen en zei: 'Dark House Lane.'

IV
De Antigallican

Dark House Lane had een toepasselijke naam: het was er inderdaad donker, en smerig. De natte, vuile trottoirs en het wegdek waren glibberig door de modder, verspreid liggende glanzende visschubben en allerlei ander afval. Overal op straat wemelde het van de venters met vreemde leren petten of haarnetten op, van wie velen bladen op hun hoofd droegen waarop hoge stapels vis, paling, schelpdieren en sinaasappelen lagen.

Lieve God, wat een oorverdovend gewoel van op elkaar botsende karren en paarden, wat een geschreeuw, geroep en gebrul, en dan die scherpe, doordringende visstank! Ik had nog nooit in mijn leven zo'n luidruchtige, onaangename plek gezien, stond enigszins angstig aan het begin van de steeg en probeerde een route uit te stippelen voor het geval ik mijnheer Vyse zou blijven volgen. Evenwood en Grosvenor Square waren op dat ogenblik heel ver weg, terwijl mijn vroegere leven bij madame in de Avenue d'Uhrich wel een droom leek.

Terwijl ik overwoog of ik verder moest gaan, hoorde ik voetstappen achter me.

'Als u van plan is daar op uw eentje in te gaan, juffie, ken u dit het beste omslaan.'

De koetsier die me vanuit Fleet Street hiernaartoe had gebracht hield een bevlekte en gescheurde plaid vast. Hij stelde voor dat ik die over mijn hoofd en jurk zou doen om wat minder op te vallen. Ik besefte dat het een verstandig advies was, bedankte hem en nam de aangereikte omslagdoek aan.

''t Is wel goed, juffie,' zei hij. 'U doet me sterk aan mijn eigen schattebout denken, en ik zou niet willen dat zij door Dark House Lane zou dwalen en daar door Jan en alleman zou worden aangegaapt en wie weet wat nog meer. Ik mag doodvallen als ik weet wat u hier uitvoert. Die vent van u is één ding...'

'Neemt u me niet kwalijk,' viel ik hem in de rede. 'Ik heb geen verhouding met die man.'

'Is dat heus?' antwoordde de koetsier. 'Nou, het gaat mij geen bliksem aan, natuurlijk. Maar als ik u een goeie raad mag geven, blijft u dan in het rijtuig wachten tot die heer weer naar zijn rijtuig terugkomt.'

'Nee,' zei ik en ik trok de omslagdoek over mijn hoofd, waarbij ik enigszins terugschrok voor de muffe stank van bier en tabak die erin getrokken was. 'Maar ik dank u voor uw vriendelijkheid. Als u het niet erg vindt om op me te wachten, kom ik zo snel mogelijk weer terug.'

'Als ú dat dan niet erg vindt, juffie,' luidde het antwoord, 'loop ik met u mee, een stukkie achter u aan. De persoon die u heb gevolgd is net de Antigallican binnengegaan, en dat is geen plek voor een jongedame zonder begeleider. En dus staat S. Pilgrim – die letter staat voor de fraaie naam Solomon – tot uw dienst.'

Ter afronding van zijn introductie maakte hij een kleine buiging.

'Het is niet nodig, mijnheer Pilgrim,' zei ik resoluut. Maar hij stak een grote gehandschoende hand op om me ervan te weerhouden nog meer te zeggen.

'Nee, nee, juffie. Ik vertrouw erop dat als mijn Betsy in uw plaats was, iemand voor haar zou doen wat ik nu beslist voor ú wil doen. Maar natuurlijk,' voegde hij daar met een treurige ondertoon aan toe, 'is ze niet meer en zal ze er nooit meer zijn, want ze zit tussen de engelen.'

'Is ze dan dood, mijnheer Pilgrim?' vroeg ik.

'Een halfjaar geleden van me weggerukt, juffie,' antwoordde hij, en hij schudde op hoogst aangrijpende wijze zijn hoofd.

'Een klein meisje?'

'Nee, juffie. Niet klein. Ongeveer van uw leeftijd. De tyfus.'

Ik vertel hem hoe erg ik het vind om dat te horen, maar dat ik vastbesloten ben om alleen verder te gaan.

'In dat geval, juffie,' zegt hij, want hij ziet in dat ik me niet laat overhalen, 'doe ik dan maar het op een na beste. Ik stop mijn pijp en ik wacht hier, waar ik het eind van de steeg ken zien, totdat u weer op de proppen komt. Maar als u er binnen het kwartier niet is, dan kom ik u halen.'

Ontroerd door zijn bezorgdheid ga ik daarmee akkoord. Ik trek de omslagdoek om me heen, druk mijn zakdoek tegen mijn neus en loop Dark House Lane in, naar de Antigallican.

Terwijl ik me behoedzaam een weg door de steeg baan, zie ik aan weerskanten visstalletjes en vreselijke stomende kraampjes waar kreeften en krabben wreed in ketels met kokend water worden gegooid. Bijna opgelucht bereik ik uiteindelijk het lage, armoedig uitziende bouwwerk vlak bij de rivier waar mijnheer Vyse zojuist naar binnen is gegaan: het dranklokaal Antigallican.

Ik duw de deur open en sla vanaf de drempel een paar seconden gade wat zich binnen afspeelt.

Door een dichte nevel van tabaksrook kan ik ten slotte de gestalte van mijnheer Vyse onderscheiden, die alleen aan een tafel helemaal achter in de ruimte zit, met zijn rug naar me toegekeerd. Hij heeft zijn hoge hoed voor een oude soldatenmuts verruild, een zwarte sjaal voor zijn gezicht geslagen en een besmeurde en verstelde jas aangetrokken. Ik denk dat hij die in de canvas tas heeft meegenomen.

De vloer is met zaagsel bestrooid, en de ruimte – die net als de straat overvol is met venters en vishandelaren, nog aangevuld met groepjes oeverbewoners – is nauw en bedompt, laag en raamloos. Licht is alleen afkomstig van een paar talgkaarsen op de tapkast en van drie op een laag pitje brandende lampen die aan roestige kettingen aan het plafond hangen en een bleekgele gloed uitstralen. Als ik binnenkom blikken verschillende stamgasten me argwanend toe, en ik voel spijt opkomen vanwege mijn onbezonnen afkeuring dat mijnheer Pilgrim me zou ver-gezellen.

Als ik zenuwachtig een paar stappen in het rokerige halfduister zet, niet wetend wat ik daarna moet doen, komt een groezelige vrouw met een rood gezicht naar me toe waggelen. Ruw trekt ze mijn zakdoek weg en schreeuwt het aanwezige gezelschap toe: 'Nou, hier hebben we een kleine schoonheid!' Na op een rauw geschreeuw en gefluit te zijn ont-haald, maakt ze een kort, door dronkenschap ingegeven dansje, en na-dat ze van een naburige kwispedoor gebruik heeft gemaakt, strompelt ze terug naar de tapkast, daarbij verachtelijke praat uitkramend.

Mijnheer Vyse zit nog altijd alleen in zijn donkere hoek, zonder iets op te merken. Ik ben misselijk van de verstikkende atmosfeer in de ruimte, maar ik dwing mezelf hem te blijven gadeslaan, want hij is hier duidelijk met een doel en ik ben vastbesloten dat te achterhalen. De mi-nuten verstrijken, en nog altijd zit hij daar over zijn tafel gebogen, waar-op hij ongeduldig met zijn vingers trommelt.

Achter me gaat de deur knarsend open. Ik draai me een stukje om en kijk in de ogen van een lijkachtige jongeman met een leren pet met klep op, waaronder enkele lange strengen vet zwart haar langs zijn oren en in zijn nek vallen.

Een moment blijven we zo oog in oog staan. Dan werpt de jongeman me een uiterst hatelijke blik toe, duwt me opzij en loopt naar de tafel van mijnheer Vyse.

Ik sta te trillen van angst, want ik besef dat ik een gewetenloze moordenaar in de ogen heb gekeken. Vraag me niet waarom ik op dat moment instinctief al wist wat me later door anderen als feit werd bevestigd. Ik kan alleen maar zweren dat het zo was. Wat ik in die zwarte spleetogen zag, deed me als aan de grond genageld staan van pure angst.

De nieuwkomer gaat tegenover mijnheer Vyse zitten. Ze buigen hun hoofden naar elkaar toe en beginnen te praten.

Omdat het niet mogelijk is te horen wat er in die donkere, rokerige hoek wordt besproken en ik niet het risico wil lopen om door mijnheer Vyse te worden herkend, wil ik vertrekken. Maar dan zie ik dat de advocaat in zijn zak tast en zijn metgezel over de tafel een aantal munten toeschuift. Op hetzelfde ogenblik kijkt de jongeman naar mij, vinden onze blikken elkaar weer en stolt mijn bloed.

Zonder een woord te zeggen en met zijn blik nog op mij gefixeerd komt hij uit zijn stoel overeind. Ik voel dat ik in gevaar ben, en nog voordat mijnheer Vyse zich kan omdraaien om te zien waar de jongeman heen gaat ren ik naar de deur, het rumoer van Dark House Lane weer in, en in de uitgespreide armen van mijnheer Solomon Pilgrim.

'Nou zeg, juffie,' roept hij uit terwijl hij me loslaat. 'Wat is er op til?'

Ik heb geen tijd om hem te antwoorden, want de jongeman is nu de Antigallican uitgekomen en kijkt ons dreigend aan. Mijnheer Pilgrim pakt me meteen bij de hand en neemt me haastig mee het steegje in, naar zijn veilige rijtuig toe.

'Billy Yapp,' roept hij bars terwijl we ons een weg door het rumoerige gekrioel banen. 'Hier ook bekend als "Sweeney".'

'Sweeney?' roep ik terug.

'Werkzaam in het barbiersvak.'

Hij laat een vinger langs zijn keel glijden, en dan begrijp ik de toespeling op de legende van Sweeney Todd, de beruchte barbier uit Fleet Street. Ik herinner me dat mijnheer Thornhaugh me er als kind over heeft verteld.

'Die Billy zou zonder met zijn ogen te knipperen zijn grootje aan het mes rijgen en haar aan de vissies voeren,' weidt mijnheer Pilgrim uit. 'Slecht tot op het bot. Je zou weleens willen weten wat die mooie mijnheer van u met zo iemand als Billy Yapp te maken heb.'

Hij trekt zijn borstelige wenkbrauwen op en werpt me een blik toe waarmee hij me duidelijk wil aanmoedigen om hem te begunstigen met een kleine confidentie over mijnheer Vyse en de reden waarom ik hem ben gevolgd. Ik doe maar of ik de wenk niet begrijp. Evenals mijnheer Pilgrim kan ik echter geen plausibele reden bedenken waarom een achtenswaardig, bemiddeld en goed aangeschreven man als mijnheer Armitage Vyse vermomd naar die smerige en gevaarlijke kroeg is gegaan, om daar iemand als Billy Yapp geld toe te schuiven – en dat onmiddellijk nadat hij milady op zijn kantoor in Lincoln Inn heeft ontvangen. Terwijl ik me afvraag of zij wist waar hij naartoe zou gaan en wie hij zou ontmoeten, voel ik onwillekeurig een lichte voldoening opkomen. Want milady zal beslist niet willen dat dit bekend wordt – een geheim dat ontraadseld en geopenbaard moet worden.

Ik kijk achterom als we het einde van de steeg naderen, maar er is geen spoor meer van Yapp. Algauw bereiken we Lower Thames Street, waar ik mijnheer Pilgrim zijn omslagdoek overhandig en nog natrillend in zijn rijtuig klim. Een ogenblik later hebben we, met een felle knal van zijn zweep, Dark House Lane en de Antigallican achter ons gelaten en begeven we ons weer in westelijke richting.

Wanneer we St Bride's Church passeren, hoor ik de klokken vijf uur slaan. Door dat geluid begint mijn hart meteen te bonzen vanwege een nieuwe angst.

Ik heb niet op de tijd gelet, en nu ben ik te laat om milady te kleden.

11

Een bericht in The Times

Een niet aangenomen uitnodiging

Ik stapte in Brook Street uit mijnheer Pilgrims rijtuig en rende het laatste korte stuk naar Grosvenor Square, want ik wilde niet dat iemand zag dat ik per huurrijtuig was teruggekeerd.

'Het komt wel weer goed met u, juffie,' zei mijn nieuwe vriend terwijl ik uitstapte.

'Ik denk het ook, mijnheer Pilgrim,' antwoordde ik.

'Nou, voortmaken dan,' zei hij en hij veinsde een soort vaderlijke strengheid, wat hem erg slecht af ging. 'Ik moet mijn brood verdienen. Maar als u ooit weer de hort op gaat, juffie, naar een plek waar u beter niet naartoe ken gaan, dan hoop ik dat u gebruik zal willen maken van de diensten van S. Pilgrim – als hij geen vrachtje heb ken u hem vinden bij de standplaats in Fleet Street, waar u hem vandaag tot uw geluk ook heb gevonden. Hij woont daar vlakbij, als u hem nodig heb: Shoe Lane, nummer 4. Aankloppen en vragen naar Sol.'

En met die woorden liet hij zijn zweep knallen en reed weg.

Toen ik in het huis aankwam, rende ik langs de keldertrap de keuken in, waar mijnheer Pocock en Barrington met elkaar in gesprek waren.

'Goedenavond, juffrouw Gorst,' zei de butler. 'We maakten ons zorgen over u. Milady heeft naar u gevraagd.'

Hij gaf me een waarschuwende knipoog, om aan te geven dat milady misnoegd was omdat ik haar opnieuw niet op het door haar genoemde tijdstip had bediend. Ik bedankte mijnheer Pocock haastig voor het gebruik van zijn gids en zijn plattegrond, en onder de uitdrukkingsloze blik van Barrington haastte ik me naar mijn kamer.

Omdat mijn jurk ongerieflijk nat was en naar tabaksrook uit de Antigallican stonk, verkleedde ik me snel in mijn enige andere jurk en rende vervolgens – met nerveus bonzend hart, verhit en een beetje korzelig na mijn avonturen in Dark House Lane – naar milady's boudoir op de eerste verdieping.

Op mijn kloppen werd niet gereageerd. Dus klopte ik nogmaals en ging vervolgens zachtjes naar binnen.

De eerste kamer was leeg, maar de deur naar de aangrenzende kamer stond op een kier. Ik liep ernaartoe en klopte nog een keer.

'Wie is daar?'

Haar stem klonk geërgerd, en ik hoorde het onmiskenbare geluid van ritselend papier.

'Alice, milady.'

'Wacht. Ik kom dadelijk.'

Terwijl ik terugliep moest ik glimlachen bij het zien van een zwarte sluier die over de armleuning van de sofa was gegooid.

Toen milady de slaapkamer uit kwam, was er op haar gewoonlijk bleke gezicht een lichte blos bij de wangen zichtbaar. Ook viel me op dat ze haar bril droeg, alsof ze had zitten lezen.

'Waar ben jij geweest?' vroeg ze, en met haar rug naar het raam aan de straatkant toegekeerd ging ze zitten.

'Het spijt me, milady. Ik moest een tijd schuilen voor de regen, en toen...'

'Genoeg!' riep ze, me op boze toon interrumperend. 'Dit is eenvoudigweg onacceptabel, Alice. Het is halfzes geweest, en je moest hier om vijf uur zijn. Je weet dat ik gebrek aan punctualiteit niet duld, en dit is al de derde keer dat je me hebt teleurgesteld. Ik ben de vorige keer soepel geweest, maar voor vandaag ontvang je geen loon. Vertel me nu waar je geweest bent.'

Ik had wel verwacht dat ze me zou ondervragen, en daarom had ik me op de terugweg in het rijtuig van mijnheer Pilgrim voorbereid door in de gids van mijnheer Pocock een aantal van de bekendste bezienswaardigheden van de hoofdstad te bestuderen.

'Ik ben naar de kathedraal gegaan, milady.'

'Naar St Paul's? Dat is een heel eind. Ben je gelopen?'

'Ja, milady.'

'En vond je het de moeite waard?'

'O ja, milady. Zeer de moeite waard.'

'Het is jaren geleden dat ik er voor het laatst ben geweest,' zei ze terwijl ze met een peinzende zucht haar bril afzette. 'Ben je naar de Whispering Gallery geweest?'

'Ja, milady.'

'En nog verder?'

'Nee, milady.'

'Je kunt nog hoger, moet je weten. Veel hoger. Helemaal tot in de wolken, zo voelt het tenminste.'

Vervolgens viel ze stil en keek een poosje naar het haardvuur terwijl ze haar bril achteloos tussen haar vingers liet bungelen.

'Mejuffrouw Lucasta Bligh en haar zus mejuffrouw Serena Bligh, bejaarde familieleden van mij aan moederskant, komen vanavond bij ons dineren,' zei ze op vlakke, onverschillige toon, terwijl ze nog altijd in de vlammen staarde. 'En ook mijnheer Roderick Shillito, een oude schoolvriend van mijnheer Phoebus Daunt die ik al een paar jaar niet heb gezien. En mijnheer Vyse komt ook.'

Doordat de naam van mijnheer Vyse viel, werd ik even van mijn stuk gebracht, en ik voelde dat ik een kleur kreeg.

'Is er iets, Alice?' vroeg lady Tansor. 'Je ziet er een beetje opgevlogen uit.'

'Het is niets, milady. Alleen de inspanning van het terugrennen.'

Verdere lastige vragen werden in de kiem gesmoord doordat er op de deur werd geklopt. Mijnheer Perseus Duport kwam binnen, met een krant bij zich.

'Dank je, schat,' zei lady Tansor, en ze nam de krant van hem aan. Vervolgens wendde hij zich tot mij, bleef even staan en schraapte zijn keel.

'Hebt u een prettige middag gehad, juffrouw Gorst?'

Milady kwam plotseling tot leven en antwoordde namens mij.

'Alice is naar St Paul's geweest, en wie weet waar nog meer, en dat op zo'n vreselijke dag! Ik vergat het je te vragen, Alice, maar wat heb je verder nog gezien op je wandeling in de regen?'

Hoewel ze nu glimlachte, meende ik een vage insinuerende toon in haar stem te bespeuren. Ik dacht snel terug aan enkele bezienswaardigheden die ik in *Murray's Guide* had opgezocht.

'Ik heb Nelson's Column gezien, milady, en natuurlijk de National Gallery – al ben ik niet naar binnen gegaan – toen ik op weg naar de kathedraal over Trafalgar Square kwam. En op de terugweg ben ik vanaf de Strand naar de Temple Gardens gelopen.'

'O, ik ben dol op de Temple,' zei lady Tansor. 'Zo'n romantische plek!'

Weet je dat de Rozenoorlogen in de Gardens zijn begonnen? Maar ik zie aan je gezicht dat je dat uiteraard weet. Ik vergeet weleens hoe pienter je bent.'

'De Temple is inderdaad een romantische plek, milady,' beaamde ik. 'Maar ik denk dat de andere oude Inns of Court dat ook zijn. Ik zou Lincoln's Inn heel graag zien, want ik heb gelezen dat die erg mooi is.'

Tot mijn grote voldoening zag ik dat ze even een kleur kreeg en, zogenaamd om de krant op een tafeltje te leggen, genoodzaakt was om zich af te wenden en zo haar verwarring te verbergen. Ze kwam echter snel weer tot zichzelf, klapte vrolijk in haar handen en droeg mijnheer Perseus op ons te verlaten, zodat ze zich kon kleden voor het diner.

'Misschien, juffrouw Gorst,' zei hij bij de deur, op een manier die suggereerde dat hij met zorg over zijn woorden had nagedacht, 'wilt u mij, als mijn moeder u tijdens ons verblijf in de stad enkele uren extra verlof wil verlenen, toestaan u te begeleiden naar de schilderijen in de National Gallery die u vandaag niet hebt gezien? U moet ze zeker bekijken, weet u. Er hangen daar enkele schitterende werken. Houdt u veel van schilderijen?'

Omdat ik het idee had dat milady niet zou goedkeuren dat haar kamenier een dergelijke uitnodiging van haar zoon accepteerde, weigerde ik met gepaste eerbied, hoewel ik er heel graag op in was gegaan. Ik rechtvaardigde mijn weigering door te verklaren dat mijn taken geen extra verlof toelieten. Ik kon niet zeggen waarom het me verdriet deed om een uitgesproken, zij het vluchtige, uitdrukking van teleurstelling op mijnheer Perseus' gezicht te zien. Snel bleek echter dat ik terecht niet aan mijn eigen nogal warme gevoelens had toegegeven.

'Alice heeft volkomen gelijk,' zei lady Tansor goedkeurend, terwijl ze haar zoon een snijdende blik toewierp. 'Om precies te zijn wil ik zo snel mogelijk naar Evenwood terugkeren. Ik begin Londen te haten. Ik begrijp er niets van hoe iemand het kan verdragen om hier langer dan een paar dagen te verblijven. We zijn hier pas een paar uur, en ik begin me nu al ziek te voelen. We blijven uiteraard morgen nog om de zaken met mijnheer Freeth af te handelen, maar donderdag ga ik terug naar het platteland. Jij mag hier blijven als je wilt, Perseus. Kom, Alice.'

Met die woorden wenkte ze me om haar naar de slaapkamer te volgen. Mijnheer Perseus liet ze ijskoud bij de deur achter.

Toen haar toilet naar voldoening was voltooid, gaf milady me instructies voor de avond.

'Als het diner achter de rug is, mag je met Pocock en de anderen souperen,' zei ze. 'Tot die tijd is er verstelwerk te doen. Ik heb gezien dat er een scheurtje zit in de mouw van de japon die ik vorige week droeg, toen ik bij mejuffrouw Bristow op visite ging. Weet je nog welke? Goed. Het stelt me evenwel enigszins teleur dat ik dit onder je aandacht moet brengen. Je had het werkelijk zelf moeten opmerken toen je hem inpakte. Maar dat zij je vergeven.'

'Dank u, milady,' zei ik en ik boog schuldbewust mijn hoofd. Ik voelde me echter zeer gestoken door de reprimande.

'Ook zou je de rijglaarsjes kunnen poetsen die ik vandaag heb gedragen,' vervolgde ze. 'Ze zijn in de regen nogal vuil geworden.'

'Is dat het, milady?'

'Ja – nee, wacht. Ik heb gezien dat de kammen en haarborstels die ik hier heb in zeer slechte staat verkeren – ik kon juffrouw Plumptre nooit aan het verstand brengen hoe belangrijk reinheid bij dergelijke dingen is. Zou je ze willen uitwassen, Alice?'

Dergelijke taken behoren tot de vaste werkzaamheden van elke kamenier, maar het was duidelijk dat lady Tansor, door ze me die avond op te dragen, haar gezag over mij nog eens had willen bekrachtigen en mij mijn plaats had willen wijzen. Hoewel het tegen de instructies van madame inging, was ik een beetje op mijn meesteres gesteld geraakt. Maar bij gelegenheden als deze, als haar stemming plotseling omsloeg van hartelijkheid naar hautaine minachting, speelde de antipathie jegens haar die madame bij me aanmoedigde flink op.

Nu, gesteld tegenover een nieuw staaltje arrogantie, voelde ik mijn antipathie opnieuw opspelen, ook al wist ik dat ik mijn rol van inschikkelijke kamenier moest volhouden.

'En zorg alsjeblieft voor de haard in de slaapkamer voordat je gaat souperen,' zei ze nu. 'Mejuffrouw Lucasta en mejuffrouw Serena Bligh zullen het niet laat maken, dus ik ga vroeg naar bed en laat de heren van hun sigaren en hun cognac genieten. Ah, daar hoor ik de voordeur. Er is iemand gearriveerd.'

II
Een ontdekking

Toen ik mijn boetedoening bijna achter de rug had en de laarsjes van milady had gepoetst en haar kammen en haarborstels had schoongemaakt, zat ik moe en hongerig voor de haard in haar rijk gemeubileerde boudoir. Daar herstelde ik de scheur in haar japon en dacht na over de gebeurtenissen van die dag.

Ik legde naald en draad terzijde, leunde achterover, schopte mijn schoenen uit en zette mijn kousenvoeten op de haardrand om mijn tenen te warmen.

Buiten op het plein was het stil. Alleen het tikken van de staande klok in de hoek van de kamer en het incidentele, zwak hoorbare gelach van de gasten beneden verstoorden de stilte. Terwijl ik volop genoot van de warmte en de rust dacht ik weer aan madames tweede brief.

Misschien verlangen de geheimen van milady er naar om zich te openbaren – zoals alle geheimen, heb ik tenminste ergens gelezen – maar ze moeten ook worden ontraadseld. Ik moet spionne worden. Ik moet kasten en laden openen, zakken doorzoeken en tassen en koffers omkeren en de inhoud bekijken. Waarom zou ik niet meteen beginnen, hier in haar huis in de stad?

Met gespitste oren en steeds een oog op de deur gericht voor het geval mijn meesteres onverwachts zou terugkomen, deed ik de ronde door de kamer en onderzocht een voor een alle meubelstukken. Daarna deed ik hetzelfde op de slaapkamer: ik maakte alles open en zocht met grote ijver, maar ontdekte niets.

Overmand door vermoeidheid en ergernis liet ik mezelf op milady's bed neervallen. Hoe kon madame van me verwachten dat ik bewijzen van milady's misdaden aan het licht zou brengen als ze me niet vertelde om wat voor misdaden het ging? Hoe kon ik vinden wat ik moest vinden als ik niet wist waarnaar ik zocht?

Zo bleef ik enkele minuten verward en krachteloos liggen, totdat mijn oog viel op iets wat onder het kussen uitstak, nog geen vijftien centimeter van de plek waar ik lag.

Ik trok het onder het kussen vandaan.

Het was een opgevouwen vel papier, waarop enkele regels geschreven stonden:

Ik ben opgelucht dat u spoedig naar het platteland terugkeert. Londen is een gevaarlijk oord. Afgelopen zondag (nota bene op zondag) werd, zoals ik u naar ik meen vanmiddag nog heb verteld, in de Theems een vrouw met gruwelijke verwondingen gevonden. Verbijsterend. Als u het nog niet hebt gezien, kunt u op pagina zes van The Times *van gisteren een artikel over deze misdaad lezen. Wat een wereld is dit toch!*

Toen ik het briefje nog eens las, leek het me om een code te gaan. Onder de oppervlakte verschool zich nog een betekenis, die ik niet kon onderscheiden. Ik legde het briefje weer onder het kussen en ging terug naar de zitkamer.

De krant die mijnheer Perseus voor zijn moeder had meegebracht lag nog op het tafeltje bij het raam. Uiteraard was het *The Times* van de vorige dag, en hij lag opengeslagen op pagina zes. Onder aan de pagina viel me meteen het volgende bericht op:

GRUWELIJKE MOORD

Zoals kort in de editie van gisteren werd vermeld, is jongstleden zondag, op de 17de september, in de Theems bij Nicholson's Wharf het lichaam van een vrouw gevonden. Ze had afschuwelijke verwondingen bij de keel. De vrouw is intussen geïdentificeerd als de vierenzestigjarige Barbarina Kraus, woonachtig in Chalmers Street te Borough.

Afgelopen vrijdag is mevrouw Kraus gesignaleerd toen ze het dranklokaal Antigallican in de buurt van Billingsgate verliet. Ze had haar zoon die ochtend verteld dat ze de deur uitging om een oude vriend te ontmoeten.

Deze zoon, Conrad Kraus, raakte gealarmeerd toen ze die avond niet terugkeerde en verzocht de volgende ochtend Jessie Turripper, de pensionhoudster van het pension waar ze verbleven, de politie te waarschuwen.

De autoriteiten hebben tot dusver geen aanwijzingen gevonden voor de identiteit van de vriend die het slachtoffer zei te willen opzoeken, en men denkt niet dat roof het motief voor de moord is geweest. Het slachtoffer leefde al enkele jaren met haar zoon in behoeftige omstandigheden en had geen geld bij zich.

De politiearts is op grond van de toestand van het lichaam van mening dat het niet meer dan een dag voor de ontdekking in het water is gegooid.

Het onderzoek wordt voortgezet onder leiding van inspecteur Alfred Gully van de afdeling Recherche.

Twee dingen in het verslag trokken onmiddellijk mijn aandacht. Allereerst de vermelding van de Antigallican, waar ik kortgeleden mijnheer Armitage Vyse in nauw beraad had gezien met Billy Yapp, die als moordenaar bekendstond. En ten tweede de initialen van het slachtoffer: B.K.

Alles bij elkaar leken de toevalligheden me te groot. Mevrouw Barbarina Kraus, die het laatst in leven was gezien in het dranklokaal Antigallican, had dezelfde initialen als de oude vrouw die volgens lady Tansor Bertha Kennedy heette, haar vroegere kindermeisje. Als bleek dat de initialen aan dezelfde persoon toebehoorden, volgde daaruit dat mijnheer Vyse en mijn meesteres bij de moord betrokken waren.

Ik kreeg niet de tijd om verder over deze verschrikkelijke conclusie na te denken, want precies op dat moment weerklonk op de overloop een geluid, zodat ik naar mijn stoel bij de haard terugrende. Ik pakte mijn handwerk op en net nadat ik een houding van argeloze ijver had ingenomen kwam mijnheer Perseus Duport binnen.

III
Een voorbeeld van gekrenkte trots

Zachtjes sluit hij de deur achter zich en kijkt mij enkele ogenblikken aan met die verontrustende, ondoorgrondelijke blik die me zo sterk aan zijn moeder doet denken.

'Ah, juffrouw Gorst! Ik kom voor dat exemplaar van *The Times* dat ik eerder mee naar boven had genomen.'

Vervolgens ziet hij dat ik naald en draad in mijn hand heb en merkt op: 'Ik ben bang dat mijn moeder een strenge werkgeefster is.'

Wat moet ik er lief hebben uitgezien in mijn sobere zwarte jurk, met het verstelwerk in mijn handen, het toppunt van volgzaamheid! Hij kan nooit hebben vermoed wat de ware aard en het ware streven waren van de plichtsgetrouwe kamenier juffrouw Gorst, laat staan wat voor – gruwelijke – verdenking zij nu jegens zijn moeder koestert.

In de korte stilte die volgt dringt nog eens tot me door wat een ongewoon knappe man hij is: lang, slank, recht van lijf en leden. Met zijn verzorgde zwarte baard en lange haar ziet hij eruit als een Assyrische machthebber die een reis door de tijd heeft gemaakt naar de platvloerse negentiende eeuw.

Onloochenbaar knap, dus. En aangezien bij zijn mannelijke schoonheid nog zijn literaire interesse kwam, denk ik dat ik hem had moeten beschouwen als de gelijke van alle helden over wie ik in verhalen en romans had gelezen en van wie ik had gedroomd. Misschien koesterde ik heimelijk zo'n gedachte, al zorgde ik ervoor dat niet te laten blijken en was ik vastbesloten niet voor hem te bezwijmen, wat veel jongedames van mijn leeftijd wellicht was overkomen. Toch fascineerde hij me, en ik vleide mezelf met het idee dat hij voor mij in weerwil van zijn gereserveerde en vaak hautaine optreden een ongebruikelijke genegenheid opvatte.

'Herinnert u zich nog,' vraagt hij, 'dat we over het labyrint van Kreta spraken?'

'Ja, mijnheer,' antwoord ik, door zijn vraag in verwarring gebracht. 'Ik herinner het me nog heel goed, evenals uw vriendelijke aanbod om me door het labyrint van Evenwood te gidsen.'

'U hebt gelijk. Dat heb ik aangeboden.'

Hij valt weer stil en kijkt me dan fronsend aan met zijn doordringende zwarte ogen – de ogen van zijn moeder.

'Maar u bent niet naar me toe gekomen, zodat ik mijn aanbod kon uitvoeren.'

'Ik ben bang, mijnheer, dat ik vond dat het mij niet paste om inbreuk op uw tijd te maken.'

'U lijkt zich zeer bewust te zijn van uw positie, juffrouw Gorst.'

'Zo hoort het ook te zijn, mijnheer,' antwoord ik. 'Een kamenier moet altijd in gedachten houden dat ze maar één plicht heeft: doen wat haar meesteres haar opdraagt. Daarbuiten heeft ze, zolang ze in dienst van haar meesteres blijft, geen eigen persoonlijkheid.'

'Dat is een erg strenge levensopvatting, juffrouw Gorst, en ik vermoed dat u daar niet werkelijk in gelooft.'

'O, ik verzeker u van wel, mijnheer. Uw moeder dienen is mijn enige doel. Wat ik zelf wil is van geen belang.'

'En wat wilde u zelf ten aanzien van mijn aanbod om u Evenwood te laten zien?'

Hij heeft nu plaatsgenomen op de sofa en in afwachting van mijn antwoord laat hij zijn wijsvinger tegen zijn neus rusten en houdt hij zijn hoofd schuin.

'Het zou vast heel plezierig zijn geweest om het huis in uw gezelschap te verkennen, mijnheer. Maar het zou niet gepast zijn geweest. Ik ben er zeker van dat u dat, als u erover nadenkt, zult beamen.'

'Gepast!' roept hij uit, met een vreugdeloze lach. 'Nee, het zou voor mij absoluut niet gepast zijn geweest om de nieuwe kamenier in het huis van mijn moeder te begeleiden. Maar ik deed dat aanbod toch niet aan een gewoon lid van het huispersoneel? Ik deed het aan u, juffrouw Gorst, *in propria persona*. Weet u wat dat betekent?'

'Ja, mijnheer.'

'Natuurlijk weet u dat. Zegt u het aan mij.'

'Het betekent "in eigen persoon".'

'Precies. En door die vraag goed te beantwoorden, net zoals de vraag die ik u over het labyrint van de minotaurus stelde, onthult u wat meer over uw ware zelf. Kamenier, ja, ja.'

'Dat ben ik, mijnheer.'

'U doet alsof u dat bent.'

Zijn woorden verontrusten me even. Dan besef ik dat hij alleen uitspreekt wat zijn moeder, evenals zijn broer en mijnheer Wraxall voor de waarheid houden: dat ik slechts uit noodzaak kamenier ben.

'U zegt niets, juffrouw Gorst,' vervolgt hij. 'Kom, geeft u het maar toe. U laat ons niet uw ware zelf zien, al komt het van tijd tot tijd op een hoogst aanlokkelijke manier tevoorschijn. Wij krijgen niet te zien wat u werkelijk bent.'

'Het doet er volstrekt niet toe, mijnheer,' repliceer ik, vastbesloten om het masker van mijn personage niet te laten vallen. 'Het leven dat ik vroeger heb geleid is voorgoed voorbij, en ik ben met mijn nieuwe bestaan volmaakt tevreden. En als u me nu wilt verontschuldigen, mijnheer, want ik moet nog wat doen voordat milady terugkomt.'

Pas enkele ogenblikken later zegt hij weer wat. En dan snijdt hij een volkomen ander onderwerp aan.

'U hebt niet naar mijn gedicht gevraagd,' zegt hij. 'Wilt u soms niet weten hoe het bij mijnheer Freeth is gegaan? En zegt u niet dat het u niet past om dat te vragen. Dat ergert me alleen maar, want ik weet dat u nieuwsgierig bent.'

'Ik meen dat milady zei dat u morgen weer naar mijnheer Freeth toe gaat om de zaken af te handelen. Ik veronderstel dan ook dat uw bespreking van vandaag naar voldoening is verlopen.'

'Naar voldoening is goed uitgedrukt. Mijnheer Freeth denkt dat *Merlijn en Nimue* een groot succes zal worden, en dat ik er direct naam mee zal maken. Wat vindt u daarvan?'

'Is mijnheer Freeth in staat om dat te beoordelen?'

Ik zie ongeloof in zijn blik vanwege mijn vraag, die hij duidelijk als onbeschaamd beschouwt, hoewel ik niet aanmatigend of kwetsend wilde zijn.

'In staat om dat te beoordelen? Freeth? Natuurlijk is hij dat. Wat een vraag!'

'Maar naar ik meen vertelde milady dat Freeth & Hoare een nieuwe uitgeverij is. Ik veronderstel echter dat mijnheer Freeth en mijnheer Hoare al ervaring in de uitgeverswereld hebben opgedaan voordat ze hun eigen bedrijf zijn begonnen.'

Zijn gezicht betrekt.

'Misschien meent u dat u verstand van zaken hebt, juffrouw Gorst,' zegt hij, en hij staat op van de sofa en loopt naar de tafel om het exemplaar van *The Times* te pakken. 'Mijn moeder zegt me immers dat u een groot poëziekenner bent.'

'O nee, mijnheer,' antwoord ik, en het spijt me – ik ben zelfs een beetje van slag – dat ik hem kennelijk kwaad gemaakt heb. 'Ik lees alleen voor mijn plezier, en ik weet dat mijn smaak zowel conventioneel als onontwikkeld is. Ik weet in elk geval zeker dat de mening van een gewone kamenier voor niemand van belang is.'

Het is mijn oprechte bedoeling hem met mijn woorden gunstig te stemmen. Ik vind het echter erg naar dat hij daar kennelijk aanstoot aan heeft genomen, evenals aan het feit dat ik zijn gedicht blijkbaar heb gekleineerd.

'Goed dan, juffrouw Gorst,' zegt hij gepikeerd, en hij vouwt de krant op. 'Ik zal u niet langer ophouden.'

Als hij bij de deur komt, draait hij zich om.

'O, het is me zojuist te binnen geschoten dat ik morgen verschillende afspraken heb en dus toch niet in staat zou zijn geweest u de schilderijen in de National Gallery te laten zien. Het spijt me dat ik u van uw verstelwerk heb afgehouden.'

12

Mevrouw Prout haalt herinneringen op

I
Mijnheer Thornhaugh overweegt de mogelijkheden

Op de ochtend waarop we naar Evenwood zouden terugkeren, stapte milady al vroeg in het rijtuig. Ze deelde me mee dat ze, voordat we de stad uitgingen, nog even een oude vriendin moest opzoeken die onwel was. Ik wist zeker dat dat niet de ware reden was, maar omdat ik haar bagage moest inpakken en haar kamers moest opruimen, had ik niet de gelegenheid om haar te volgen, wat ik dolgraag wilde.

Toen ze terugkwam was ze zichtbaar kregelig, en tijdens de reis naar huis was ze afwisselend prikkelbaar en zwijgzaam. Nu eens klaagde ze dat het in de coupé te warm of te koud was, dan weer dat ze ziek werd van de bewegingen van de trein, en vervolgens verviel ze tot een nukkig, nerveus stilzwijgen. Ze probeerde dan in haar boek te lezen of keek lusteloos uit het raam, maar kon zich op geen van beide lang concentreren.

Toen we Peterborough naderden, klaarde haar gezicht echter plotseling op.

'Bijna thuis!' riep ze, en ze smeet haar boek en het kleedje dat op haar schoot had gelegen opzij.

'Tenzij het absoluut noodzakelijk is zal ik niet meer naar Londen gaan,' verklaarde ze vervolgens. 'Als er zaken moeten worden afgehandeld, zal Perseus in mijn plaats moeten gaan. Of men moet naar mij toe komen.'

'Maar vindt u Londen dan niet fascinerend, milady?' vroeg ik.

'Fascinerend?'

Ze zette haar bril af en keek uit het raam.

'Vroeger misschien, maar nu niet meer. Het is er vuil en gevaarlijk. En natuurlijk liggen er voor mij herinneringen die verre van aangenaam zijn. Er zijn zonder twijfel prachtige, wonderbaarlijke dingen te zien die altijd boeiend zullen blijven, maar ik héb ze gezien en hoef ze niet nog eens te zien. Evenwood is nu mijn wereld. Van Evenwood zal ik nooit genoeg krijgen.'

Toen wendde ze haar gezicht nogmaals naar mij toe.

'O, Alice, heb ik je dat al verteld? Mijnheer Freeth was gefascineerd – gewoonweg gefascineerd – door Perseus' gedicht. Hij heeft de eerste zes pagina's van het manuscript gelezen en zei dat hij daaraan genoeg had om onvoorwaardelijk te kunnen verklaren dat het een onbetwist geniaal werk was, dat de uitgeverij gewoonweg in haar eerste aanbieding moet opnemen. Vanochtend is er een contract toegestuurd. Hij heeft overlegd met mijnheer Hoare, zijn partner, en ze stellen voor het werk in december te laten verschijnen als luxe-editie met een oplage van tweehonderdvijftig exemplaren. Helaas zijn ze, omdat het een heel nieuwe onderneming betreft, niet in staat zelf de kosten te dragen. Want volgens mijnheer Freeth is de markt voor dergelijke omvangrijke en ambitieuze dichtwerken juist op dit moment tamelijk lastig. Hij heeft er echter alle vertrouwen in dat er meteen veel meer exemplaren zullen worden besteld als de critici het publiek van de buitengewone kwaliteiten op de hoogte hebben gebracht. Ah, eindelijk zijn we er! Nu zijn we gauw weer thuis.'

Ik had madame veel te vertellen over mijn avontuur in Dark House Lane en het briefje dat ik onder milady's kussen had gevonden, en ik was dan ook tot ver na middernacht bezig met een lange brief aan haar. Ik had verwacht direct antwoord te zullen krijgen, en toen dat uitbleef raakte ik geërgerd en nerveus. Er verstreek een week, en ook na tien dagen had ik nog niets ontvangen. Ten slotte kwam er een brief – maar hij was van mijnheer Thornhaugh, die me meedeelde dat madames zuster ernstig ziek was geworden zodat madame genoodzaakt was geweest om haar in Poitiers op te zoeken. Mijnheer Thornhaugh was kennelijk ook niet thuis in de Avenue d'Uhrich geweest, al zei hij niet waarom.

'Je informatie over de heer Armitage Vyse & zijn bezoek aan het dranklokaal in Billingsgate was voor madame van zeer groot belang,' schreef hij.

Wat een wonderbaarlijke speurster ben je geworden, koninginnetje!
En wat een moed & vindingrijkheid heb je aan de dag gelegd toen je

de heer V. volgde. Je moet echter geen onnodige risico's nemen. Daar moet je je strfkt aan houden. Je oude leraar bekrachtigt met een strenge aansporing de raad van je nieuwe kennis, mijnheer Pilgrim (die ik dolgraag een warme handdruk zou willen geven), dat je nóóit meer in je eentje een zaak als de Antigallican moet binnengaan.

Om op de heer V. terug te komen: madame denkt net als jij dat er een nieuw mysterie speelt ten aanzien van deze man & lady T. dat, als het kan worden opgelost, voor onze zaak van nut kan zijn.

Madame weet – nog – niets over mevrouw Kraus. Ze heeft net als jij alleen het bericht in The Times *gelezen & weet dus niet zeker of ze dezelfde is als B.K. Ze is het echter met je eens dat er met de initialen van te veel toeval sprake is om een andere conclusie te kunnen trekken.*

Als dit inderdaad zo is, lijkt het erop dat er op uiterst gewelddadige wijze een vrouw is vermoord die een bepaalde band met je meesteres had. Kan uit deze geringe maar veelzeggende aanwijzingen worden afgeleid dat lady T. en de heer V. rechtstreeks verantwoordelijk zijn voor het aanzetten tot de moord op mevrouw Kraus door de hand van Sweeney Yapp? Madame en ik denken van wel – maar waarom deze kennelijk onbetekenende vrouw een dergelijk lot moest ondergaan is ons beiden op dit moment niet duidelijk, moet ik bekennen.

Namens madame moet ik zeggen dat ze beseft dat je gespannen uitziet naar haar derde en laatste brief met instructies, waarin je eindelijk zal worden uitgelegd waarom je naar Evenwood bent gestuurd. Ik moet je namens haar nogmaals verzekeren dat je die brief, zoals door haar beloofd, tegen het einde van het jaar in je bezit zult hebben.

Ze verzoekt je dringend om Lady T. in de tussentijd uiterst nauwlettend in het oog te houden. Zijn onze gevolgtrekkingen juist, dan zal de dood van mevrouw Kraus vrijwel zeker consequenties krijgen waaraan zelfs zij niet kan ontsnappen – met of zonder hulp van de heer A.V.

Het is madame ook opgevallen dat je in je brieven nauwelijks iets over de gebroeders Duport hebt vermeld, en dat heeft haar verbaasd. Ze wil graag weten wat voor contact je met hen hebt gehad, en wat je indrukken van hen beiden zijn.

Met hartelijke groet,
B. Thornhaugh

II
De komst van de toekomstige lord

Niet lang nadat ik de brief van mijnheer Thornhaugh had ontvangen, werd ik op een donkere, schrale ochtend wakker uit een droom over sneeuw.

Sinds mijn komst naar Engeland had ik vaak over sneeuw gedroomd. In die dromen ben ik voor iets op de loop en ren ik door zachte, bijtende sneeuwvlagen. Ik vlucht niet voor de nachtmerrieachtige verschrikking die me in de gedaante van de kleine Anthony Duport achtervolgde, maar voor iets wat me op een onverklaarbare manier vertrouwd is. Maar hoewel ik er zeker van ben dat het me geen kwaad wil doen, wil ik er toch aan ontkomen. En dus voel ik naast een dringend verlangen om aan mijn achtervolger te ontsnappen, een even dringende nieuwsgierigheid om te weten waarom ik zo fervent probeer te ontkomen aan iets waarvan ik zeker weet dat het me geen kwaad zal doen.

Als ik ten slotte weet dat ik aan mijn achtervolger ben ontglipt, onderga ik een heerlijk gevoel van opluchting, alsof ik plotseling van een drukkende last ben bevrijd. Ik zak in de sneeuw neer en kijk – met een wonderlijk gevoel van vreugde in mijn hart, en terwijl witte vlokken zachtjes op mijn gezicht en mijn haar neerkomen – op naar de grijze, zware bewolking hoog boven me.

Ik ontwaakte uit deze droom doordat er zachtjes op mijn deur werd geklopt. Toen ik hem opende, begroette Sukies sproetige gezichtje mij.

'Heb ik u wakker gemaakt, juffrouw Alice?'

'Nou, misschien wel,' antwoordde ik, 'maar het werd tijd dat ik uit de veren kwam. Kom binnen, liefje.'

Ze pakt haar emmer en haar zwabber en kijkt nerveus om zich heen.

'Mevrouw Battersby?' vraag ik.

Ze knikt.

'Ik moet vlug zijn,' zegt ze. 'Milady wil dat al haar oude japonnen naar de noordvleugel worden overgebracht. Ze denkt dat ze worden bedorven als het dak weer lekt. Het is zo'n werk! Volgens mij hangen alle japonnen die ze sinds haar kindertijd heeft gedragen in die kasten, ook hele nieuwe die ze niet mooi meer vindt – en dan ook nog schoenen en weet ik veel wat, en alles moet daar weggehaald worden en dan moet er worden schoongemaakt. Megan Bates is al boven, maar ik moest het u even vertellen.'

'Wat moest je me vertellen, liefje?' vroeg ik.

'Nou, dat moeder weer veel beter is. Dokter Pordage zegt dat hij nog nooit zo'n opmerkelijk herstel heeft gezien – en natuurlijk gaat hij met de eer strijken. Maar ze is een Garland, en de Garlands kunnen tegen een stootje, zoals iedereen hier in de buurt je kan vertellen.'

Natuurlijk was ik opgetogen over Sukies nieuws, en we praatten nog een poosje totdat ze zei dat ze verder moest omdat mevrouw Battersby vast gauw zou komen om zich ervan te vergewissen dat de verhuizing van lady Tansors japonnen naar behoren verliep.

'Maar Charlie zei dat u mij wilde spreken, juffrouw Alice,' zei ze terwijl ze haar emmer en haar zwabber pakte.

Ik vertelde dat ik graag wat meer over lady Tansors huwelijk met kolonel Zaluski wilde weten, als zij me daar tenminste iets over kon vertellen.

'O, daar kan ik u wel wat over vertellen,' antwoordde ze, 'maar moeder kan u nog veel meer vertellen, en ik weet zeker dat ze dat ook graag zal doen.'

En dus spraken we af dat ik de eerstvolgende zondag na de kerkdienst bij Sukie en mevrouw Prout zou langsgaan.

De zondag brak aan. De preek van dominee Thripp (over de bijbeltekst 'Hij vangt de wijzen in hunne arglistigheid') duurde bijna een uur, tot grote en nauwelijks verhulde ergernis van milady, want zij had haar predikant dikwijls verzocht zijn verhandelingen tot een gematigde duur van twintig minuten te beperken. Na afloop zag ik hem bij het kerkhofportaal doodsbleek wegtrekken terwijl zijn werkgeefster met een gezicht als een donderwolk een woordje met hem sprak, alvorens door mijnheer Perseus in haar rijtuig te worden geholpen.

Zoals afgesproken wachtte Sukie me die middag aan het begin van School Lane op. Haar moeder moest op last van dokter Pordage het bed houden, maar toen we bij het huisje aankwamen zat ze met een grote cyperse kat op schoot in een schommelstoel naast het fornuis tevreden te neuriën, kennelijk blakend van gezondheid. Ik begreep meteen wat Sukie had bedoeld toen ze het over het herstellingsvermogen van de Garlands had. Mevrouw Prout – een gedrongen, kleine vrouw met een heldere, levendige oogopslag – was absoluut niet door haar recente aandoening verzwakt, maar leek de lichamelijke kwalen achteloos te trotseren.

'Maak je niet zo druk, Sukie,' zei ze, toen haar dochter haar voorzichtig op de vingers tikte omdat ze was opgestaan. 'Die dwaas van een Pordage heeft er helemaal geen verstand van. In bed blijven terwijl de piepers moeten worden gejast, kom nou.'

Sukie keek naar de keukenkast, waarop een schaal pasgeschilde aardappels stond, en schudde geërgerd haar hoofd.

'Nou dan, Sukie,' vervolgde mevrouw Prout, de overige berispingen van haar dochter negerend, 'stel me eens aan je gast voor, dan mag jij thee voor ons zetten, want je brengt me vast om zeep als ík dat doe.'

'Dit is juffrouw Gorst, moeder,' zei Sukie, en vervolgens zette ze de ketel op het fornuis. 'Milady's nieuwe kamenier.'

Mevrouw Prout liet blijken het fijn te vinden om kennis met mij te maken, en algauw zaten we, zo nu en dan aan onze thee nippend, allerprettigst en allergezelligst te kletsen.

Zodra ik kon bracht ik het gesprek op lady Tansor en haar overleden man.

'O ja, juffrouw,' zei mevrouw Prout. 'Ik heb de kolonel gekend. Ik werkte toen als onderhoofd van de huishouding in het grote huis, waar wijlen mijn man koetsier was. We waren allemaal op de kolonel gesteld. Hij was een heel aardige man, al was het natuurlijk voor ons allemaal een grote verrassing toen mejuffrouw Carteret met hem thuiskwam.'

Toen ze eenmaal in het onderwerp opging, hoefde ik mevrouw Prout nauwelijks meer aan te moedigen om uitvoerig en uiterst gedetailleerd uit te weiden over het huwelijk van milady en kolonel Zaluski. In eigen woorden samengevat uit de aantekeningen die ik in steno maakte, kwam ik het volgende aan de weet.

In januari 1855, amper meer dan een maand nadat Phoebus Daunt door Edward Glyver was vermoord, vertrok mejuffrouw Carteret (zoals we haar voorlopig moeten noemen), terwijl ze uiteraard nog in de rouw was, met onbekende bestemming naar het Europese vasteland. Dat gebeurde kennelijk met volledige instemming van lord Tansor, die familie van haar was en met wie ze na de dood van diens beoogde opvolger snel nieuwe en blijkbaar nauwe betrekkingen had aangeknoopt.

Het was opmerkelijk hoe plotseling hun betrekkingen veranderden – algemeen werd verondersteld dat hun wederzijdse verdriet daar de aanleiding toe vormde en hun saamhorigheid versterkte. Lord Tansor, die zijn achternicht vroeger zichtbaar ijzig had behandeld, gaf nu voortdurend uiting aan zijn bezorgdheid over haar welzijn. Mevrouw Prout herinnerde zich nog goed dat ze hem verschillende keren op angstige toon mejuffrouw Carteret had horen smeken niet bij een open raam te blijven staan opdat ze geen kou zou vatten, of om een stukje bij de haard vandaan te gaan zitten om haar bloed niet te zeer te verhitten. 'Matigheid, mijn beste,' had hij in haar herinnering gezegd, 'dat is het. Niets buitensporigs doen. Zo hoort het.'

Het verslag van mevrouw Prout wekt de indruk dat mejuffrouw Carteret op haar beurt een welhaast dochterlijke bezorgdheid voor haar adellijke familielid aan de dag legde en het voortdurend op zich nam om te bewerkstelligen dat de lord geen last had van huiselijke problemen, hoe onbeduidend ook.

Tot ieders verbazing verliet mejuffrouw Carteret toen opeens Evenwood, stak het Kanaal over en keerde pas in het voorjaar van 1856 – vijftien maanden later – naar Evenwood terug.

'En toen ze terugkwam,' zei mevrouw Prout, 'had ze een prachtige ring aan haar vinger, de kolonel aan haar zijde en een kleintje – mijnheer Perseus – ingebakerd in een grote omslagdoek.'

Op de dag van hun aankomst in Northamptonshire waren de bewoners van het kleine wereldje dat Evenwood is, massaal uitgelopen om hen te begroeten: de hoofden van de huishoudelijke staf, de huishoudsters, de keukenmeiden, de melkmeisjes, de tuinmannen, de jachtopzieners, de lakeien, de stalknechten en alle andere personeelsleden die nodig waren om lord Tansor een gerieflijk leven te laten leiden, stonden stuk voor stuk nieuwsgierig en op hun paasbest op de toegangshof in het gelid.

Mevrouw Prout herinnerde zich dat lord Tansor zelf – als de trotse ouder die hij bijna was – straalde toen de vrucht van de verbintenis tussen kolonel Zaluski en zijn achternicht werd rondgedragen langs de juichende en applaudisserende gelederen om de begroetingen van zijn dienaren in ontvangst te nemen.

Het was een warme middag, maar de toekomstige lord was stevig ingebakerd in een volumineuze witte omslagdoek, zodat alleen zijn ogen en zijn wipneusje zichtbaar waren – tot hoorbare teleurstelling van de vele vrouwen die, zoals bij dergelijke gelegenheden hun natuurlijke neiging is, dolgraag een glimpje van het kleine wonder wilden opvangen.

De kolonel en zijn vrouw kregen een aantal fraaie, opnieuw gedecoreerde en gemeubileerde vertrekken aan de zuidkant van het huis, met uitzicht op de visvijver, en er werd een kindermeisje aangesteld om voor het prinsje te zorgen.

'Allemaal verlangden we ernaar om het kleintje te zien,' herinnerde mevrouw Prout zich, 'maar mevrouw Zaluski had door toedoen van een buitenlandse dokter die haar had behandeld het rare idee opgevat dat de kleine uit de buurt van mensen moest blijven tot hij ten minste acht maanden oud was, en zelfs 's zomers zo warm mogelijk moest worden gehouden. Het ventje was voor haar zo kostbaar en ze vertrouwde zo op het systeem van die dokter dat ze zich door niets of niemand liet overhalen om andere raadgevingen op te volgen.

Maar op een dag, een week of twee nadat ze waren teruggekomen, liep ik langs de open deur van de kinderkamer en zag toevallig hoe het kindermeisje, mevrouw Barbraham, jongeheer Perseus in zijn nachthemdje naar zijn mammie toebracht. Het was de eerste keer dat ik hem goed kon zien, en hemeltje, wat een wolk van een baby! Het flinkste kind van drie maanden dat ik ooit heb gezien, met de grote ogen van zijn moeder en een dikke bos zwart haar. Ik snapte niet waarom ze zo overbezorgd met hem omsprong, maar natuurlijk durfde niemand er tegen haar iets van te zeggen.

Hoe het ook zij, een dag of twee later praatte ik met die lieve oude professor Slake, en hij had ook een glimp van het kind opgevangen. Tot op de dag van vandaag herinner ik me wat hij zei: "Ze hebben hem de verkeerde naam gegeven, mevrouw Prout," zei hij tegen me. "Hij had Nimrod moeten heten, want hij zal binnenkort op het landgoed beslist tientallen leeuwen en luipaarden doden, die hij daarna aan de voeten van lord Tansor legt." Daarna legde hij me uit wie Nimrod was en dat een luipaard hetzelfde was als een panter, en toen begreep ik wat hij bedoelde. Ik heb nooit vergeten wat hij zei, want het was zo waar en zo toepasselijk.'

Kolonel Zaluski en zijn vrouw wekten bij de buitenwereld de indruk het samen heel genoeglijk te hebben. Mevrouw Prout bevestigde dat de kolonel een bijzonder prettige man was geweest, ook al verkeerde hij in slechte gezondheid en zag hij er voortdurend afgetobd uit. Hij sprak voortreffelijk Engels, met nauwelijks een spoor van een accent, en gedroeg zich tegenover iedereen hoffelijk op een ongekunstelde manier. Alles bij elkaar bezat hij onbetwistbaar vele eigenschappen die voor een vrouw aantrekkelijk waren – ook voor een vrouw als de voormalige mejuffrouw Emily Carteret, zo kort na de dood van haar beminde verloofde? Over die vraag werd onder het personeel van Evenwood en daarbuiten veel geredetwist.

Toch leek de vrouw van de kolonel heel gelukkig te zijn met de man die ze had gekozen, al verschilde hij in alle opzichten sterk van de man met wie ze had zullen trouwen. Mevrouw Prout herinnerde zich dat ze hem blij toelachte en zachtjes haar hand op de zijne legde als ze 's avonds zaten te lezen en te praten, of wanneer mevrouw Barbraham jongeheer Perseus naar beneden bracht en even bij papa en mama op schoot zette, waarna hij naar zijn kinderkamer werd teruggebracht.

Gedurende de zomer van 1856 bleef mevrouw Zaluski – daarin gesteund door lord Tansor – de strenge medische adviezen van haar buitenlandse arts naar de letter volgen. Ze liet haar aanbeden en gekoesterde zoontje nog steeds in grote omslagdoeken inbakeren, en behalve mevrouw Barbraham mocht niemand hem optillen, uit angst dat hij ergens mee zou worden besmet. Naarmate de herfst naderbij kwam, werd het kind echter steeds vaker mee naar buiten genomen, en wat vond iedereen het een prachtig kereltje!

'O, juffrouw Gorst,' zei mevrouw Prout. 'U hebt nog nooit zo'n knap jongetje gezien als jongeheer Perseus – zo groot voor zijn leeftijd, en zo sterk en levendig. Het viel iedereen op. En hij leek ook zo op zijn moeder, van de kolonel zag je bijna geen spoor in hem. Natuurlijk raakte lord Tansor daardoor nog meer verzot op het kind. Want hoewel de lord op de kolonel gesteld was geweest – hoe kon het ook anders? – behandelde hij hem altijd als een gast, en volstrekt niet als een familielid. De lord was mevrouw Zaluski echter als een dochter gaan beschouwen, en daardoor werd de kolonel nog verder naar de achtergrond gedrukt.

Wat de lord betreft, een trotser of gelukkiger man bestond er niet. Ik wil niet zeggen dat hij erdoor veranderd was, want hij was een ouwe droogstoppel – dat was hij altijd geweest, en dat is hij altijd gebleven. Maar ik zou zeggen dat de scherpe kantjes er wat vanaf gingen, want hij was door het overlijden van zijn eigen zoon, jongeheer Henry, en vervolgens door de dood van mijnheer Daunt vreselijk verbitterd geraakt. En nu kwam jongeheer Perseus in de plaats van hen allebei!'

Te zijner tijd werd lord Tansors gevoel van voldoening nog sterker, doordat een jaar later mijnheer Randolph werd geboren. Vanaf het allereerste begin werd hij echter overschaduwd door zijn oudere broer, die niet alleen door zijn moeder met aandacht werd overstelpt, maar ook door de man die afgezien van zijn naam in alle opzichten als zijn grootvader ging gelden. Lord Tansors vroegere afkeer van de zijtak van zijn familie, die door de Carterets werd vertegenwoordigd, was voorbij. De opvolgingslijn van de Duports leek te zijn veiliggesteld door de geboorte van Perseus Zaluski-Duport, zoals hij bekendstond voordat zijn moeder de naam van haar echtgenoot liet vallen. De grote ambitie van zijn leven – die voortdurende maar voordien onverzadigde honger om wat hij had ontvangen door te geven, een verlangen dat hem zo lang had beheerst – was vervuld. De lord was eindelijk tevreden.

III
De herinnering aan een sterfgeval

Nadat ik bij mevrouw Prout en Sukie was vertrokken, nam ik de weg door het dorp en ging via de zuidpoort het landgoed op.

Onwillekeurig sloeg ik weer een blik op het douairièrehuis dat ik zo bekoorlijk had gevonden toen ik het voor het eerst had gezien. En dus keek ik vlak voor de bomenrij tussen het gazon en de oprijlaan opnieuw minutenlang naar het huis waar milady haar jeugd had doorgebracht.

Toen ik daar nog niet zo lang stond, ging er in een muur aan de zijkant van het huis een poort open waar mijnheer Montagu Wraxall uit kwam, met een koffer in zijn hand. Toen hij mij zag zwaaide hij en liep over het gazon naar me toe.

'Juffrouw Gorst, wat plezierig!' zei hij en hij maakte een diepe buiging voor me. 'Onlangs is een groot aantal brieven boven water gekomen van wijlen mijn oom aan de heer Paul Carteret – die, zoals u ongetwijfeld weet, vroeger hier heeft gewoond. Ik heb ze net opgehaald, hoewel ik op het moment niet bepaald een gebrek aan leesstof heb. Mijn lieve oom heeft een ware zee aan paperassen nagelaten. Maar wat brengt u hier?'

Ik vertelde hem dat het douairièrehuis me deed denken aan het poppenhuis dat ik als kind van mijnheer Thornhaugh had gekregen en dat ik op een dag dolgraag in zo'n huisje zou willen wonen.

'O ja?' zei hij en hij draaide zich om om het gebouwtje te bekijken. Over de rode baksteen hing in de middagzon een warme gloed.

'Ja, het is zeker een bekoorlijk huisje, ook al heeft zich er een tragedie afgespeeld.

Mijnheer Carteret was een oude en dierbare vriend van wijlen mijn oom,' vervolgde hij. 'Er heeft nooit een zachtaardiger, liever mens op de wereld rondgelopen dan hij. En hij is vermoord om niets. Om niets.'

'Neemt u me niet kwalijk, mijnheer Wraxall,' zei ik, 'maar ik heb begrepen dat mijnheer Carteret is beroofd nadat hij bij de bank was geweest.'

'Nee, nee,' antwoordde mijnheer Wraxall hoofdschuddend, 'ik zeg niet dat hij zonder reden is overvallen, maar hij werd niet beroofd voor het geld, als u dat bedoelt. Hij had maar heel weinig op zak.'

Ik gaf de opvatting van mijnheer Maggs weer dat zijn overvallers daar wellicht anders over dachten.

'Misschien wel,' zei mijnheer Wraxall aarzelend, 'maar ik denk van niet. Naar mijn overtuiging wisten ze – als er tenminste meer dan één dader was, wat ik ook betwijfel – precies wat mijnheer Carteret bij zich had, en dat was geen geld. Zullen we verder gaan?'

We liepen door de bomenrij en kwamen bij de zuidpoort weer op de oprijlaan uit. Kort daarna liepen we de lange helling op die bekendstond als de Rise. Vanaf de top had je een prachtig uitzicht op het grote huis dat in volle glorie aan de overkant van de Evenbrook stond.

Mijnheer Wraxall leek enigszins in gedachten verzonken, want toen we naar de brug toe liepen zei hij niet veel.

'Mag ik u vragen, mijnheer,' zei ik na enige tijd, omdat ik me bij de stiltes wat ongemakkelijk voelde, 'wat mijnheer Carteret volgens u wel bij zich had, als hij geen geld op zak had?'

'Tja, dat is de grote onbeantwoorde vraag,' antwoordde hij met een veelbetekenende glimlach.

'Zeker iets van waarde?'

'Iets van waarde? Ja, vast en zeker. Maar ik denk dat u zich onnozel voordoet, juffrouw Gorst. Ik ben er zeker van dat u al iets van deze kwestie afweet, en als u wilt dat ik u in vertrouwen neem, hoeft u dat alleen maar te zeggen.'

Hij liet tijdens het spreken zijn heldere, grijze ogen op me rusten, maar zijn blik was niet berispend en fonkelde alleen van oprechtheid.

'Dat zou ik prettig vinden, mijnheer,' antwoordde ik.

'En ik ook, juffrouw Gorst, ik ook. Maar misschien is dit niet het juiste moment en is dit niet de geschikte plek voor zulke vertrouwelijkheden. Ik moet morgenavond terug naar Londen, en daarna moet ik voor familiezaken naar Schotland. Hebt u op zondagmiddag altijd vrij? Ja?

Misschien wilt u na mijn terugkeer dan een keer thee bij me komen drinken in North Lodge? Dat vindt u toch niet ongepast?'

'Niet in het minst,' zei ik.

'Ik ook niet. Dat is dan geregeld. Als ik weer in Northamptonshire ben bericht ik u dat.'

Bij de brug van de oprijlaan over de Evenbrook gingen we uiteen: mijnheer Wraxall moest over het landgoed naar North Lodge, waar hij volgens zijn zeggen nog enkele uren werk had aan de papieren van zijn oom, en ik begaf me naar Wilkie Collins.

Toen ik die nacht op het punt stond om mijn kaars uit te blazen en naar bed te gaan, keek ik uit het raam en zag een zwak lichtschijnsel aan de andere kant van het landgoed, ter hoogte van North Lodge. Het was al na twaalven, maar mijnheer Wraxall was klaarblijkelijk nog aan het werk.

Zoals soms voorkwam, stond ik de volgende ochtend ruim voor zonsopgang op, want ik wilde mijn roman uitlezen voordat ik aan mijn dagtaken moest beginnen.

Het landgoed was nog in duisternis gehuld, al werd het donker hier en daar doorbroken door een smalle boog van zilvergrijs licht die langzaam oprees aan de oostelijke horizon, en de haan van Evenwood moest zich nog roeren. Ik zette het raam open om een vleug van die heerlijke lucht binnen te laten die je op dat moment hebt, als de nacht nog niet helemaal is verdwenen en de dag nog in al zijn volheid moet aanbreken.

In North Lodge brandde nog steeds het licht dat ik had gezien toen ik naar bed was gegaan. Kennelijk had mijnheer Montagu Wraxall zich geen nachtrust gegund.

13

In het huis van de dood

I
Belaagd

Mevrouw Battersby mocht dan de indruk hebben willen wekken dat ze vriendinnen met me wilde worden, ze had me niet opnieuw op de thee gevraagd. Ik had haar eigenlijk nog zelden gezien, hoogstens een enkele keer aan de maaltijd in de hofmeesterskamer – die ik vaak liet schieten, óf omdat ik liever iets op mijn kamer nuttigde, óf omdat ik druk bezig was milady te bedienen – waar ze aan het hoofd van de tafel zat, weinig zei en nooit langer bleef dan nodig was. Het kwam me goed uit, want mijn aandacht werd door heel wat andere zaken opgeëist. Desondanks wilde ik nog steeds graag mijn nieuwsgierigheid naar het hoofd van de huishouding bevredigen, aangezien ik er nu van overtuigd was dat er voor haar – weliswaar vaardig verhulde – antipathie jegens mij een diepere oorzaak bestond dan alleen een instinctieve afkeer of het idee dat ik haar status bij de overige personeelsleden bedreigde.

Pas toen er twee maanden waren verstreken, nodigde ze me weer uit op haar kamer. Ze maakte een bijzonder beminnelijke en voorkomende indruk en liet, hoogst overtuigend veinzend hoezeer het haar speet, weten dat haar plicht haar had verhinderd 'te genieten van het langverwachte genoegen' van mijn gezelschap.

Er verstrijkt een halfuur met geklets over van alles en nog wat. Dan vraagt ze me of mijn huidige positie is zoals ik me heb voorgesteld, of dat ik – omdat ik jong en ontwikkeld ben en nog een heel leven voor me heb – misschien heb overwogen het werk als huisbediende op te geven ten gunste van iets 'wat beter bij mijn talenten past', zoals ze het glimlachend formuleert. Ik vind het erg vreemd om dat te vragen aan iemand die zo kortgeleden met haar betrekking is begonnen. Ik negeer het echter en zeg alleen dat ik het heel prettig vind om milady te dienen, en voorlopig geen omstandigheden voorzie die me ertoe zouden kunnen overhalen een andere betrekking te zoeken of op een andere manier de kost te verdienen – want daar moet ik nu eenmaal mee doorgaan.

'Ik ben zo blij om dat te horen,' zegt ze, op zo'n nadrukkelijk warme toon dat ik het bijna zou geloven, 'want ik weet zeker dat milady u niet kwijt wil raken. En natuurlijk zou al het personeel het als een groot verlies beschouwen als u ons zou verlaten. U hebt hier veel indruk gemaakt, juffrouw Gorst, heel veel indruk, zoals u vast zult beseffen – ook al bent u nog zo bescheiden. Maar we weten nooit wat het noodlot voor ons in petto heeft, nietwaar? Onze situatie kan in een oogwenk veranderen, ten goede of ten kwade.'

Op deze briljant geformuleerde platitude reageer ik niet, want ik heb er geen antwoord op. En dus nippen we enkele ogenblikken zwijgend aan de thee, allebei in het besef dat wat we hebben gezegd niet gemeend was.

Tot mijn opluchting wordt er geklopt en verschijnt het roze gezicht van Charlie Skinner om de deur.

'Verexcuseer, mevrouw Battersby,' zegt hij, 'de kok wil het even over het vlees voor morgen hebben. Het is weer van Barker. De ander heeft niet genoeg.'

'Dank je, Skinner,' antwoordt mevrouw Battersby. 'Zeg mevrouw Mason dat ik meteen kom.'

Nu Charlie zijn boodschap heeft overgebracht, trekt hij zijn grote hoofd met de stekelige haardos terug en sluit de deur, waarbij hij mij een steels knipoogje geeft.

'U ziet weer hoe het gaat, juffrouw Gorst,' verzucht mevrouw Battersby gelaten. 'De vorige keer werd ons toch al zo korte uurtje kostbare vrije tijd afgebroken door de ratten in de provisiekast, als ik het me goed herinner. Dit keer is het het vlees voor het diner van morgen! Het is hoogst betreurenswaardig, want ik vind stellig dat we allebei wel een beetje verlichting van onze taken verdienen. Maar ja! Wie zal ons helpen? Het mag niet gebeuren dat de elite van het graafschap honger lijdt – zeker niet bij zo'n speciale gelegenheid.'

Haar blik lijkt iets uit te drukken wat ongezegd is gebleven, een betekenis áchter deze alledaagse woorden. Het was opnieuw een voorbeeld van de merkwaardige dubbelheid die kenmerkend was voor alles aan haar, en die ik tot mijn grote ergernis niet kon peilen – net zoals wanneer ik een fijn filosofisch of wiskundig kneepje niet begreep dat mijnheer Thornhaugh me probeerde bij te brengen.

De gelegenheid waarop mevrouw Battersby doelde was het grootse diner dat de volgende avond zou worden gegeven ter ere van de twintigste verjaardag van mijnheer Randolph Duport. Ik had er de vorige week voor het eerst wat over vernomen, toen milady zich op een middag liet ontvallen dat ze de eerstkomende uren met haar secretaris bezig zou zijn en dat ze mij daarom niet nodig had.

'De gastenlijst voor Randolphs diner moet worden doorgenomen,' zei ze met een levensmoede zucht, 'en daarna moet ik de menukaart bekijken, de wijnen goedkeuren en weet ik veel wat nog meer. Al dat soort zaken verveelt me danig, maar hij is mijn zoon – je kunt deze zaken verwachten, dus veronderstel ik dat ze ook moeten worden afgehandeld. Uiteraard is het iets heel anders wanneer Perseus in december meerderjarig wordt, en ook nog eens op Eerste Kerstdag. Dát is nu werkelijk iets wat gevierd moet worden, en waarvoor ik me met hart en ziel zal inzetten. O, trouwens, Alice, ik wil dat je me morgen bij het diner terzijde staat. Het zal me zeer tot steun zijn om jou daar te hebben, en het zal ook goed voor jou zijn en je te stade komen, want je moet weten dat ik plannen heb om je een beetje in de grote wereld te introduceren. Ik zeg daar voorlopig verder niets meer over, maar als je het goed blijft doen, is het mogelijk dat je positie hier zal verbeteren.

En dus, Alice, moet je bij Randolphs diner aanwezig zijn – zij het uiteraard niet als gaste, dat dien je goed te begrijpen. Normaal gesproken zou ik niet overwegen mijn kamenier bij zo'n gelegenheid in het gezelschap op te nemen, maar ik ben bereid in jouw geval een uitzondering te maken. Ik wil je immers, zoals ik zei, laten wennen aan het verblijf in de hoogste kringen en vertrouw erop dat je weet hoe je je gepast moet gedragen.'

Mevrouw Battersby was intussen, terwijl ze verder sprak over de organisatie van het diner en de vele voorname gasten uit stad en land, uit haar stoel opgestaan.

'Wat is het toch spijtig, juffrouw Gorst,' zei ze, 'dat mensen als u en ik morgenavond geen toegang tot het gezelschap hebben, zeker na alle werk dat wij er op ons beider terrein voor hebben verzet. Misschien denkt milady dat we ons te schande zouden maken.'

Ondanks haar schertsende toon spreekt er ressentiment uit haar blik. En dat terwijl ze toch moet weten dat het onmogelijk is dat een hoofd van de huishouding – zelfs iemand met haar uitstekende opvoeding – ooit te midden van lady Tansors gasten kan aanzitten. Ongetwijfeld is ze ook van mening dat de kamenier in dezelfde situatie verkeert. Maar ik heb een verrassing voor haar.

'O,' zeg ik op argeloos perplexe toon, 'heeft milady u er dan niet van op de hoogte gesteld?'

'Me waarvan op de hoogte gesteld?'

'Dat ik haar tijdens het diner terzijde zal staan. Ik zou er niet over zijn begonnen, alleen dacht ik dat u het al wist.'

Meteen zag ik – in een opwelling van schuldbewuste voldoening – dat mijn woorden doel troffen. De kentekenen waren hoogst subtiel – ze vertrok alleen miniem haar wenkbrauwen, kneep haar ogen iets samen en kreeg een heel licht blosje van verwarring – maar zeiden veel over haar ongeloof en ongenoegen omdat mij opnieuw zo'n opvallende gunst was bewezen.

'Zo, zo,' zei ze, wendde haar blik af en deed met hol vertoon van onverstoorbaarheid alsof ze het theeblad opruimde, 'dat is inderdaad een zeldzame eer voor een kamenier! Ik feliciteer u nogmaals, juffrouw Gorst, en vraag me af waar het allemaal op uit zal lopen.'

Ze maakte verder geen opmerking meer, al was duidelijk dat haar geest nog verwerkte wat ik haar had verteld. Ze verontschuldigde zich, zei tamelijk kortaf 'goedemiddag, juffrouw Gorst', begeleidde me naar de deur en haastte zich – met nauwverholen tegenzin – om zich aan het nijpende probleem van de bestelling van het vlees te gaan wijden.

Het vooruitzicht van mijnheer Randolphs verjaardagsdiner was hoogst aangenaam, en werd onderwerp van heel wat ijdele dagdromerijen – niet over mijnheer Randolph, maar merkwaardig genoeg over zijn broer. Ik begon me onmiddellijk af te vragen wat mijnheer Perseus van mij zou vinden in het afdankertje waarvan zijn moeder had gezegd dat ik het voor die avond mocht lenen, welke plaats ik aan tafel zou krijgen, of ik in de buurt van mijnheer Perseus zou zitten, wat ik tegen hem zou zeggen, enzovoort, en mijn denkbeeldige uitweidingen werden steeds fantastischer en onwaarschijnlijker.

Misschien was het niet zo merkwaardig dat ik me in gedachten verrukkelijk vaak met dergelijke dingen bezighield. Laat ik opbiechten wat ik voor mijn lezers heb verzwegen – wat ik zelfs tegenover mezelf pas amper heb toegegeven.

Toen madame bij monde van mijnheer Thornhaugh had gevraagd waarom ik in mijn brieven niets over de twee broers had vermeld, had ze zonder het te beseffen een gevoelige snaar geraakt. In werkelijkheid was ik me, hoewel ik zijn afstandelijkheid en zijn uitingen van stekelige trots soms onaangenaam vond, steeds sterker aangetrokken gaan voelen tot de oudste broer. Diepere gevoelens waren uiteraard onmogelijk, zelfs als ik ervan uitging dat de achting die hij naar mijn idee voor me had tot iets meer dan eenvoudige sympathie kon uitgroeien. Toch liet ik mijn fantasie de vrije loop, want ik zag er geen kwaad in om te dromen over iets waarvan ik in alle nuchterheid wist dat het nooit kon gebeuren. Omdat ik een beetje bang was dat madame zo'n afleiding van de Grote Opgave sterk zou afkeuren, had het me verstandig geleken over de kwestie te zwijgen.

Ik was niet in staat om de gevoelens te benoemen die ik voor mijnheer Perseus had ontwikkeld. Ze waren volkomen nieuw voor me, want de enige ervaring die ik met zulke dingen had was een kortstondige bevlieging voor een zekere Félix, een neef van madame. Ik vroeg me af wat het betekende dat mijnheer Perseus mijn gedachten binnensloop wanneer ik dat het minst verwachtte, op elk uur van de dag, en dat ik steeds zocht naar kansen om hem te ontmoeten, al was het maar een ogenblik: 's ochtends op de trap in de hal, in de bibliotheek, of waar hij zich naar mijn idee ook kon bevinden. Ik verzon tal van listen om deze ogenschijnlijk toevallige ontmoetingen tot stand te brengen, ook al werd mijn moeite alleen beloond met een karig 'goedemorgen, juffrouw Gorst' of 'hoe maakt u het, juffrouw Gorst'. Toch waren deze moeizaam verkregen kleinigheidjes voldoende beloning, en algauw begon ik er mijn honger mee te stillen en hunkerde naar meer.

Een onmiskenbare verandering in mijn gevoelens voor mijnheer Perseus vond niet lang na onze terugkeer uit Londen plaats en volgde op een klein avontuur dat ik nu zal beschrijven.

Milady – die slecht had geslapen en in bed wilde blijven – had me met de vigilante naar Easton gestuurd om bij de hoedenmaker een paar frivoliteiten op te halen die ze daar had besteld, want ze had de gewoonte om de plaatselijke winkels zo veel mogelijk te frequenteren.

Het was zo'n frisse, verkwikkende ochtend waarop je de naderende herfst kunt ruiken en de nazomerzon de kleuren van de natuur nog verfraait en verhevigt, ook al geeft hij niet zo veel warmte meer. Ik besloot te voet naar Evenwood terug te keren, en ging op weg nadat ik de vigilante met de verschillende pakjes en pakketten die ik had opgehaald had teruggestuurd.

Toen ik op het punt was gekomen waar de weg zich splitste – één aftakking ging naar Thorpe Laxton, de andere naar het gehucht Duck End en het dorp Evenwood Village – stapte er plotseling een man met een onbeschaafd voorkomen uit het bos naast de berm en versperde me de weg.

Hij is klein en tenger van bouw, maar heeft een desperate, dreigende schittering in zijn blik. Hij is blootshoofds, heeft een stoppelige kin, draagt besmeurde werkkleding en bemodderde laarzen en wekt sterk de indruk dat hij de nacht – en misschien al enkele nachten – onder de blote hemel heeft doorgebracht.

'Zo, zo,' gromt hij op uiterst dreigende toon. 'Wie hebben we daar?'

Ik kan me niet omdraaien en de heuvel achter me op rennen, want hij zal me snel inhalen. Ik kan hem ook niet zomaar passeren, want de weg is smal, met aan weerskanten diepe sloten. Ik besluit dat er niets anders op zit dan een directe confrontatie met hem aan te gaan en merk – zeer tot mijn verbazing – dat ik daarin vastberaden te werk ga, doordat ik nogal gekrenkt ben omdat ik op deze wijze word lastiggevallen. Hoewel ik besef dat ik in gevaar ben, raap ik al mijn moed bij elkaar en kijk de man recht in de ogen.

'Neemt u me niet kwalijk,' zeg ik en ik maak me klaar om hem een stevige trap tegen zijn schenen te geven als hij niet opzij gaat. Maar als ik om hem heen wil lopen, pakt hij me ruw bij de pols.

'Je bent een mooie meid, niks mis mee,' zegt hij, en op hoogst weerzinwekkende wijze likt hij zijn lippen af. Dan valt zijn blik op het met lovertjes versierde handtasje – een cadeau van madame – dat aan mijn andere pols bungelt.

'Oho!' roept hij uit, met een gemene grijns op zijn gezicht. 'Dat is nog effe beter dan een leuk koppie.'

Hij laat mijn hand los en wil het tasje van zijn riempje trekken, maar dan opeens vloekt hij, draait zich om en rent het bos weer in.

Op hetzelfde moment hoor ik op de weg achter me het geluid van hoeven. Ik kijk om me heen en zie dat er iemand te paard de heuvel af komt. Wanneer de ruiter dichterbij komt besef ik – verbaasd en opgelucht – dat het mijnheer Perseus is.

Ik weet zeker dat de hooggespannen verwachtingen van alle romanlezeressen en liefhebbers van legenden zouden zijn ingelost als mijnheer Perseus – een dolende ridder gelijk – op zijn grijze merrie (het alledaagse surrogaat voor een wit ros) in galop en met een zweep (bij wijze van zwaard) in de hand de heuvel af was gestormd, en de schobbejak tegen de grond had geslagen. Evengoed was zijn tweedeklas redding hoogst welkom en was ik hem onuitsprekelijk dankbaar.

'Juffrouw Gorst!' roept hij, beteugelt zijn paard en stijgt af. 'Ik dacht al dat u het was. Ik heb u eerder gezien, voor Kipping's. Ik moest wat zaken afhandelen bij de veilingmeester, en toen ik naar buiten kwam was de vigilante weg. Ik neem aan dat u een boodschap voor moeder moest doen?'

'Lintjes, mijnheer,' antwoord ik.

'Ah, ja, lintjes. Juist.'

Hij kijkt naar het bos, waarin mijn belager zojuist was verdwenen.

'Zag ik goed dat er zo-even iemand bij u was?'

'Nee, mijnheer,' antwoord ik, want ik zie geen reden om hem er verder bij te betrekken en wil op hem niet de indruk maken dat ik een zwak en weerloos meisje ben. 'Alleen een man uit de streek die op weg was naar Odstock en hier de straat overstak.'

Hij kijkt me welwillend maar sceptisch aan.

'Is er iets gebeurd, juffrouw Gorst?' vraagt hij. 'U ziet erg bleek.'

Ik ben blij dat hij zo bezorgd is, en nadat ik hem heb verzekerd dat er niets mis is, vervolgen we onze weg. Mijnheer Perseus leidt zijn grijze merrie bij de teugel.

Ik herinner me weinig van wat we zeiden terwijl we naast elkaar door het dorp Evenwood en naar het landgoed liepen. Mijnheer Perseus bond zijn paard vast bij de poort, waar het door een van de stalknechten kon worden opgehaald, en op ons gemak liepen we langs het douairièrehuis, gingen de Rise op en daalden af naar de brug over de Evenbrook. Onze conversatie was vast nogal onbeduidend, zeker van mijn kant, en op zichzelf van geen belang. Maar toen ik weer in het grote huis aankwam, voelde ik dat er in het afgelopen halfuur iets in mijn leven was veranderd.

Een halfuur! Zo'n korte tijdspanne, en toch leek de wereld heel anders. Het verwarde me volkomen dat ik me zo voelde. Mijn kamertje onder het schuine dak was nog net zo als ik het had achtergelaten, en alles lag nog op zijn gewone plaats. Het uitzicht uit de ramen – het terras, de tuinen en het terrein van het landgoed daarachter, het donkere silhouet van de bossen in de verte – was nog precies zoals ik het me herinnerde. Mijn zintuigen vertelden me dat er niets was veranderd sinds ik die ochtend de deur uit was gegaan, maar mijn hart wist wel beter.

Ruim een uur, totdat het tijd was om milady te bedienen, lag ik op bed aan mijnheer Perseus Duport te denken en dwaalde opgewekt door het rijk van de verbeelding, waar alles mogelijk is.

Toen we op de zondag na mijn avontuur op de weg van Easton naar Evenwood de kerk uit kwamen, verklaarde mijnheer Randolph dat hij in plaats van het rijtuig te nemen liever naar huis wilde lopen. Vervolgens vroeg hij of ik hem wilde vergezellen. Dat leek me een hoogst onberaden voorstel, en in de zekerheid dat mijn meesteres zoiets niet zou goedkeuren wierp ik een vragende blik op haar. Mijnheer Perseus, die binnen gehoorsafstand van zijn broer stond, leek er zeker afkeurend over te oordelen, want hij trok zijn jas om zich heen en beende geërgerd naar het kerkhofportaal en het klaarstaande rijtuig. Zijn gezicht gaf duidelijk zijn sombere gemoedstoestand weer.

'Ik denk, mijnheer,' zei ik tegen mijnheer Randolph, 'dat milady graag heeft dat ik samen met haar terugrijd.'

'Nee, nee,' zei lady Tansor, die tot mijn grote verbazing geen enkel teken van afkeuring vertoonde. 'Ga maar met Randolph mee, als je dat wilt. Ik moet als ik weer thuis ben een paar brieven schrijven, en dominee Thripp komt langs om enkele kerkelijke kwesties te bespreken, dus ik heb je nog ongeveer een uur niet nodig. Bovendien zal een beetje frisse lucht je goed doen. Je ziet er de laatste tijd niet zo best uit.'

Het rijtuig dat milady en mijnheer Perseus naar huis terugbracht reed algauw weg, zodat mijnheer Randolph en ik het laantje af konden lopen dat we ook op onze eerste wandeling vanuit Easton hadden genomen, om vervolgens het landgoed op te gaan.

We hebben het over de preek van dominee Thripp en vragen ons af of die breedsprakige man ooit de kunst van de beknoptheid zal aanleren. Ook spreken we over mevrouw Thripps eeuwige vijandigheid tegenover haar man en over allerlei andere dingen waarmee ik mijn lezers alleen maar zou vervelen.

Al die tijd is mijnheer Randolph zijn gewone, opgewekte zelf, maar als we de brug naderen komt er een verandering over hem. Zijn glimlach verdwijnt, en het is gedaan met de vlotte praat, alsof hij me iets wil zeggen wat hem moeilijk afgaat. Terwijl we uitkijken over het grote huis en over de Evenbrook, die ligt te schitteren in het zwakke najaarslicht, valt hij een poosje stil. Dan, alsof hij plotseling moed heeft gevat, vraagt hij of ik in Parijs veel vrienden en vriendinnen heb achtergelaten.

'Een paar,' antwoord ik, verbluft door zijn vraag.

'En mist u hen?'

'Sommigen zeker, ja. Maar ik ben grotendeels alleen opgegroeid en dus aan mijn eigen gezelschap gewend geraakt. Onafhankelijkheid is een onontbeerlijke eigenschap voor iemand in mijn positie, die zelf haar weg op de wereld moet vinden.'

'Maar er was geen bijzondere vriend of vriendin, die u erg mist?'

'Nee, zo iemand was er niet, alleen toen ik nog heel jong was,' antwoord ik, en ik denk aan Amélie en sta nog steeds perplex van zijn vragen.

Hij denkt een ogenblik na.

'Dus u hebt niemand – ik bedoel, geen vriend of vriendin – bij wie u uw hart kunt uitstorten?'

Ik antwoord dat ik weinig uit te storten heb en daarom een intieme vriendin niet mis. 'En hebt ú een vriend of vriendin met wie u uw geheimen deelt?' vraag ik.

'Ik denk van wel, ja,' antwoordt hij. 'Rhys Paget, mijn beste kameraad op de academie van dr. Savage, een heel aardige kerel. Natuurlijk heb ik hier ook een behoorlijk grote kennissenkring, maar Paget is meer, tja, meer een tweede broer voor me – niet dat ik Perseus ooit in vertrouwen zou kunnen nemen, natuurlijk, of dat ooit zou willen doen.'

'Weet u, juffrouw Gorst,' zegt hij vervolgens, na nog even in ongemakkelijk stilzwijgen te hebben nagedacht, 'ik vind dat u een vertrouweling móét hebben, die u ook in vertrouwen kan nemen. Ik weet zeker dat het voor u – en voor hem of haar – een hele steun zou zijn om vrijuit te kunnen praten over – tja, over de dingen waar je met anderen niet over kunt praten. We hebben allemaal van dat soort dingen, en het is niet goed om ze op te potten, weet u. Absoluut niet. Een gedeeld geheim is – tja, dat weet ik niet precies meer, als het al iets is. Ik bedoel dat het in elk geval heel goed is.'

'Misschien hebt u gelijk, mijnheer,' zeg ik en ik denk aan mijn geheime gevoelens voor zijn broer. 'Het zou alleen moeilijk zijn om zo iemand te vinden. Mijn kringetje is nogal beperkt.'

'Helemaal waar, helemaal waar,' zegt hij en hij beantwoordt mijn glimlach. 'Maar in principe bent u het met me eens?'

'Ja,' antwoord ik met een lach. 'In principe ben ik het met u eens.'

Op dat ogenblik komt dominee Thripp op een drafje de Rise af lopen, terwijl zijn terriër met hem meerent. Hij is op weg naar zijn afspraak met lady Tansor. Als hij de brug over gaat wisselen we een paar woorden, en vervolgens lopen mijnheer Randolph en ik verder terwijl we opnieuw een onbenullig gesprekje voeren. Bij de poort van de toegangshof gaan we uiteen.

II
De dag der dagen

Eindelijk was de avond van het diner ter ere van mijnheer Randolph Duports twintigste verjaardag aangebroken. Milady had er veel genoegen aan beleefd mij zo ver te krijgen dat ik een van haar afdankertjes van vorig jaar aantrok. Ze vertelde me dat ik er werkelijk prachtig en echt heel knap uitzag en voegde daar – op een speels toontje, van vrouw tot vrouw – aan toe dat het haar helemaal niet zou verbazen als ik die avond een paar harten zou breken.

Bij het diner bleek ik een plaats aan het uiteinde van de lange tafel in de in karmijn en goud gedecoreerde eetzaal te hebben gekregen, naast mejuffrouw Arabella Pentelow, een bleek meisje van mijn leeftijd met een verongelijkt gezicht, dat erg weinig te vertellen had. Omdat mejuffrouw Pentelow een ontzagwekkend fortuin zou erven, behoorde ze tot het groepje jongedames dat samen met hun strijdlustige moeders aan tafel aanzat en die milady tot mogelijke partij voor mijnheer Randolph had bestemd. Ze koesterde namelijk het sterke verlangen om hem, zo gauw hij meerderjarig werd, te laten trouwen en 'uit handen te geven' (zoals ik haar ooit hoorde zeggen).

Aan mijn andere zijde zat – uitgerekend – de belachelijke heer Maurice FitzMaurice, die gedurende het hele diner met eenlettergrepige antwoorden reageerde op mijn pogingen een gesprek met hem aan te knopen. Tijdens de vele pauzes in onze conversatie wierp hij smachtende blikken op milady, die in volle glorie tussen haar twee zonen in zat.

Aangezien ik deze twee mensen als buren had, was ik milady dankbaar dat ze me flink wat te doen gaf, zowel tijdens het diner als toen de dames zich terugtrokken. Ze bracht me via Barrington een hele reeks verzoeken over: hij verscheen met regelmatige tussenpozen stilletjes achter me en fluisterde me die verzoeken in het oor. Milady had last van tocht – en daar ging ik, om een omslagdoek te halen. Milady had het een beetje warm – en daar ging ik, om de omslagdoek naar een aangrenzend vertrek te brengen en haar favoriete Japanse waaier te halen. Milady was bezorgd dat de bisschop te dicht bij de haard zat – en daar ging ik om monseigneur namens haar te vragen of hij wel gerieflijk zat (wat het geval was). Evengoed bleven ze komen, die vernuftig verzonnen bevelen, die – dat leed voor mij geen twijfel – allemaal tot doel hadden mij eraan te herinneren dat ik als haar kamenier en algemeen vertegenwoordigster aanwezig was, en niet als haar gaste.

Er werd verschillende keren op de gezondheid van mijnheer Randolph getoost, waarna een buurman, de magnaat lord Tingdene, een plompe man met een vissenkop, een speech afstak die in saaie wijdlopigheid dominee Thripps preken bijna naar de kroon stak. Kruiperig loofde hij de ongeëvenaarde deugden en wapenfeiten van de familie Duport sinds de dagen van de eerste baron, terwijl hij de eeuwige verdoemenis afkondigde voor al die tijdgenoten die de bewezen volmaaktheid van de adellijke erfopvolging aanvochten.

Mijnheer Randolph nam klaarblijkelijk met veel voldoening alle goede wensen en felicitaties in ontvangst. Zijn broer, die als eerste een toost had uitgebracht, had zijn gebruikelijke onverstoorbare uitdrukking, zo nu en dan afgewisseld door een vermoeid glimlachje, terwijl milady straalde, glimlachte en de hoffelijkheid en gastvrijheid zelve was. Ik was misschien de enige die de kleine tekenen van spanning en vermoeidheid rond haar ogen waarnam.

Ten slotte liep de avond ten einde. Mijn verwachtingsvolle dromen waren op niets uitgelopen. Mijnheer Perseus had een verstrooide indruk gemaakt, en we hadden amper een woord gewisseld. Kort nadat de dames en heren in de Chinese salon opnieuw bijeen waren gekomen, werd hij meegetroond naar de biljartzaal door een groep jongeheren die zichtbaar wankel op hun benen stonden, en ik zag hem niet meer terug. Ik bleef mijn meesteres terzijde staan tot één uur, toen de rijtuigen werden besteld, en na het vertrek van de laatste gasten moest ik haar nog uitkleden en naar bed brengen, al kon ik op dat moment mijn ogen nog nauwelijks openhouden.

'Je hebt het vanavond goed gedaan, Alice,' zei milady toen ik op het punt stond te vertrekken. 'Iedereen bewonderde je, zoals ik wel had verwacht. Maar ga nu maar weg. Ik heb je morgen op de gebruikelijke tijd nodig, weet je, dus geen excuses.'

Even voor tweeën sloot ik de deur van milady's zitkamer en liep de overloop op. Op dat moment kwam uit de schaduwen boven aan de trap een gestalte tevoorschijn.

'Mijnheer Pocock heeft me laten weten dat het diner een groot succes was,' zegt mevrouw Battersby.

'Ik geloof van wel,' antwoord ik.

'Ik ben er blij om, voor mijnheer Randolph.'

Even staan we daar, onze blikken op elkaar gefixeerd.

'Nu dan, goedenacht, juffrouw Gorst,' zegt ze ten slotte. 'Ik heb nog veel te doen voordat ik naar bed kan, maar ik denk dat uw taken erop zitten. En dus wens ik u mooie dromen toe.'

Met die woorden draait ze zich om en verdwijnt even plotseling als ze is verschenen.

Mijnheer Randolph had Evenwood kort na zijn verjaardag verlaten, want hij wilde enkele weken bij zijn vriend, mijnheer Rhys Paget, in Wales doorbrengen. Mijnheer Paget had vanwege een familiekwestie het diner niet kunnen bijwonen. Tot mijn teleurstelling was mijnheer Perseus ook afwezig, hij verbleef in Londen. En zo verstreek de ene vervelende dag na de andere, terwijl ik wachtte tot zijn terugkeer mijn saaie dienaressenbestaan met nieuwe dromen zou verlevendigen.

Tot overmaat van ramp had ik madame niets te melden. Mijnheer Armitage Vyse had Evenwood niet meer bezocht, en vastberaden pogingen ten spijt had ik in milady's kamers geen bezwarende of verdachte documenten van welke aard dan ook gevonden. Afgezien van mijn afschrift van het briefje dat ik op Grosvenor Square onder haar kussen had aangetroffen, had ik ook niets ontdekt wat haar rechtstreeks met de moord op mevrouw Kraus in verband bracht. Ook wachtte ik nog steeds op madames derde brief. Het leek erop dat ik geen keus had: ik moest blijven verstellen, wassen, schoonmaken en milady in haar mooie kleren helpen totdat de langverwachte dag aanbrak waarop ik eindelijk het doel van de Grote Opgave te weten zou komen.

December brak aan, en daarmee de sterfdag van Phoebus Daunt, die milady, naar mijnheer Randolph me had verteld, jaarlijks herdacht met een bezoek aan Daunts tombe in het mausoleum van de Duports.

Op de ochtend van de elfde december deelde mijn meesteres me, nadat ik haar had gekleed, op gedempte en gespannen toon mee dat ze me pas die middag om twee uur weer nodig had. Ze wilde dat ik haar dan een uurtje zou voorlezen.

'Weet je wat voor dag het vandaag is, Alice?' vroeg ze.

'Ja, milady,' antwoordde ik zonder aarzelen.

'Natuurlijk weet je dat,' zei ze terwijl ze het medaillon met de haarlok van haar overleden minnaar tussen haar vingers nam.

Ik verliet haar maar ging niet naar mijn kamer terug, want ik had besloten een stoutmoedig plan uit te voeren.

Het mausoleum van de Duports – een vreemd bouwwerk met een koepel, in de stijl van een Egyptische tempel – staat eenzaam en troosteloos aan de zuidoostelijke rand van het landgoed, midden op een open plek die wordt omgeven door hoge, dicht op elkaar geplante bomen en kleinere groepjes vlier- en taxusbomen. Het pad dat naar de grote metalen deuren leidt, waarop een merkwaardige decoratie van twee omgekeerde toortsen prijkt, was modderig en overdekt met een dikke laag dennennaalden en glibberige rottende bladeren die vanaf de met bomen omzoomde weg door de wind op de open plek waren beland. De deuren – aan weerskanten bewaakt door twee grimmig uitziende, met zwaarden uitgeruste, verweerde en bemoste engelen – bleken op slot te zitten. Dus liep ik een stukje terug, verstopte me onder een druppelende boom en wachtte daar de komst van milady af.

Ik zat daar een poosje hoogst ongerieflijk in mijn opschrijfboek te lezen om de verveling te verdrijven, maar ten slotte hoorde ik dat er een rijtuig naderde.

Even later stapte milady uit met een grote sleutel in haar hand en liep langzaam het met bladeren bezaaide pad op. Vervolgens vertrok het rijtuig, ons op deze zwaarmoedige plek achterlatend.

Toen milady het mausoleum binnenging, verliet ik mijn schuilplaats en rende naar de dubbele deuren toe. Ze had er een op een kier laten staan, zodat er genoeg licht het gebouw binnenviel om mij een globale indruk van het interieur te geven: achter een rechthoekige toegangshal bevonden zich drie vleugels naast een grote centrale ruimte met verschillende imposante tombes.

Ik keek toe hoe milady plechtig en bedachtzaam naar de vleugel recht tegenover de ingang toe liep. Toen ze uit het zicht verdween, ging ik het donker in.

Het hoofdvertrek werd zwak verlicht door een vuile lichtkap boven in de koepel. In dit flauwe schijnsel sloop ik zo geruisloos mogelijk naar de overwelfde ingang waar lady Tansor zojuist doorheen was gelopen. Daar bleef ik staan.

In de muren van de gewelfde, halfronde ruimte die ik nu voor me zag was een aantal muurgraven met hekken te onderscheiden. Voor een ervan stond milady, roerloos als een standbeeld. De diepe stilte werd alleen doorbroken door het geritsel van een paar dorre bladeren die door toedoen van een plotselinge windvlaag over de vloer vlogen.

Voor het eerst nadat ik het mausoleum was binnengegaan werd ik me bewust van het gevaar waarin ik verkeerde. Als ik werd ontdekt, zou dat zeker catastrofale gevolgen hebben. En zelfs als mijn aanwezigheid onopgemerkt bleef, moest ik ervoor zorgen dat ik voor milady weer buiten stond, wilde ik niet in dit afschuwelijke gebouw worden opgesloten. Mijn nieuwsgierigheid was intussen echter zo groot dat ik zo dwaas was mijn angsten te negeren en op mijn tenen verder sloop.

Terwijl ik in de diepe schaduw van het gewelf stond en nauwelijks durfde te ademen, bevond ik me op slechts iets meer dan anderhalve meter afstand van milady. Vervolgens liet zij zich voor een van de muurgraven langzaam op haar knieën zakken en drukte haar wang tegen het met een hangslot afgesloten hekwerk.

Met een smartelijk gekerm stak ze haar armen omhoog en greep met plotselinge heftigheid het hekwerk met beide handen vast. Even bleef ze zo zitten en toen begon ze uit alle macht aan de ijzeren tralies te trekken – alsmaar harder, in een kennelijk wanhopige, maar jammerlijk vergeefse poging om ze met brute kracht los te wrikken om zich daarna bij haar minnaar op zijn eeuwige rustplaats te voegen.

Ze schudde haar hoofd heen en weer en begon nu te snikken – ik had nog nooit zo'n onheilspellend en ontroostbaar gehuil gehoord. Bestond er, op aarde of in de hemel, iets wat vertroosting bood tegen zo'n hevige smart? Het was geen gering schouwspel, mijn trotse meesteres zo deemoedig te zien, geveld door iets wat zelfs zij, de zesentwintigste barones Tansor, niet kon verhelpen. De dood had haar Phoebus Daunt ontnomen en zou hem nooit meer teruggeven.

Hoezeer proberen we toch te verbergen wie we eigenlijk zijn! Ondanks al haar inspanningen tastte de tand des tijds de vroeger zo stralende mejuffrouw Emily Carteret steeds verder aan, zoals hij bij ons allemaal zijn onuitwisbare merktekenen achterlaat. Milady zou niet willen dat enig levend mens haar in deze staat van totale onderworpenheid zou gadeslaan, net zomin als ze wilde dat iemand haar zag zonder haar ochtendmasker van subtiel aangebrachte lotions en poeders – de nietige wapens waarmee ze dagelijks de jaren probeerde te trotseren. Maar ík had gezien wat ze trachtte te verbergen, zoals ik nu getuige was van haar machteloosheid om zich los te maken van het verleden dat haar had geknecht.

In de verdorven wereld buiten dit huis van dood en verval was ze uiterst belangrijk: benijd, nog altijd begeerd en ongenaakbaar – maar hier niet. Wie herkende de trotse lady Tansor nog in deze hulpeloze figuur met roodbehuilde ogen? Ze was sterk door haar rijkdom en machtig door haar erfelijke titel en haar gezaghebbende positie, maar deze eeuwige onderworpenheid aan de nagedachtenis van Phoebus Daunt maakte haar zwak en weerloos.

De aanblik van dit arme, verdoolde schepsel dat in geknielde houding ontroostbaar zit te huilen voor de tombe van haar lang geleden gestorven geliefde is inderdaad beklagenswaardig en ontroert me hevig. Ik kan haar echter geen steun en troost van mens tot mens bieden, zoals ik die aan ieder ander zou hebben geboden. Met tranen in mijn ogen wend ik me af.

De minuten verstrijken, en nog altijd zit milady geknield voor de tombe en trekt op meelijwekkende wijze als een bezetene aan het ijzeren hekwerk. Dan staat ze opeens op, draait zich om en loopt naar de doorgang waar ik me in de schaduw verborgen houd.

III
Ik zie de sterfelijkheid onder ogen

Ik heb noodlottig lang geaarzeld, en nu is het onmogelijk om ongezien te vertrekken. Met wild bonzend hart loop ik zo geruisloos mogelijk een stukje terug naar de centrale ruimte en duik ineen achter de dichtstbijzijnde tombe. Nauwelijks heb ik me verstopt, of milady komt de kamer weer binnen en loopt aan de andere kant langs de tombe, waarbij de sleep van haar japon met een fijn, knisperend geluid door de verspreid liggende droge bladeren gaat. Met haar trage, spookachtige pas loopt ze verder en bereikt dan de toegangshal.

Paniek maakt zich van me meester. Ik moet weg – maar hoe slaag ik daarin zonder mijn aanwezigheid te onthullen?

194

Als in een droom zie ik milady's lange, stramme gestalte door de toegangshal lopen, het nevelige buitenlicht in. Dan draait ze zich om en trekt met een galmende klap de metalen deur dicht. Een ogenblik later hoor ik het geluid van de sleutel die in het slot wordt omgedraaid.

Met bonzend hart ren ik naar de deuren en hou mijn oog bij het sleutelgat.

Milady staat met haar rug naar me toe voor aan het pad, vlak achter de zuilengang. In de verte slaan de door de mist gedempte klokken van de St Michael and All Angels zwakjes elf uur. Vrijwel tegelijk met de laatste klokslag hoor ik het rijtuig terugkeren.

Door het sleutelgat zie ik hoe de koetsier lady Tansor bij het instappen helpt. Ik kan nog maar één ding doen.

Ik begin op de deur te bonzen en roep om hulp. Maar als ik daarmee stop, is er alleen maar stilte. Ik hou mijn oog nogmaals bij het sleutelgat.

Het rijtuig is weg.

Ik zijg met mijn rug tegen de deuren op de koude vloer neer, als verlamd bij de gedachte aan mijn lot. Steeds weer vraag ik me af hoe het zal zijn om langzaam te sterven, minuut na minuut, uur na uur en dag na dag, want het lijkt erop dat ik daartoe veroordeeld ben. Aanvankelijk ben ik er nog zeker van dat men me zal missen en twijfel ik er niet aan dat er spoedig mensen op uit zullen worden gestuurd om me te zoeken. Maar met het verstrijken van de minuten verflauwen mijn hoop en vertrouwen. Ook al wordt er naar me gezocht, zal iemand op de gedachte komen hier te gaan kijken? En als er pas iemand komt wanneer het te laat is, wat zal hij dan aantreffen? Niet meer dan een grijnzend, ineengeschrompeld karkas, gehuld in een kamgaren mantel, waar de dorstige dood het leven uit heeft weggezogen.

In een vergeefse poging zulke vreselijke gedachten in te tomen besluit ik om – zo goed en zo kwaad als het in het zwakke licht gaat – te proberen wat aantekeningen over mijn omgeving te maken.

Om te beginnen noteer ik wie er zijn bijgezet in de verschillende vrijstaande tombes in het centrale vertrek. Ten slotte kom ik uit bij de tombe van Julius Verney Duport, de vijfentwintigste baron en een neef van milady, van wie ze haar titel en bezittingen heeft geërfd. Hij was een man met een bijna ongeëvenaarde rijkdom en enorme politieke macht, en nu rest er niets meer van hem dan botten en vergaan vlees – iets wat mij ook spoedig wacht als niemand me komt ontzetten.

Vervolgens ga ik naar het aangrenzende vertrek, waar ik allereerst blijf staan voor de tombe van Phoebus Daunt, om de inscriptie die erop staat over te schrijven:

GEWIJD AAN DE NAGEDACHTENIS VAN
PHOEBUS RAINSFORD DAUNT
DICHTER EN SCHRIJVER
GELIEFDE ENIGE ZOON VAN DOMINEE
ACHILLES B. DAUNT
GEBOREN IN 1820
OP WREDE WIJZE WEGGERUKT
OP 11 DECEMBER 1854
IN ZIJN 35STE LEVENSJAAR

Want de dood is de zin van het duister;
De eeuwige schaduw
Waarin al wat leeft moet verzinken
Alle hoop moet vervliegen.

P.R.D.

Vergeleken daarmee stond op de tombe ernaast een erg korte inscriptie, die echter meteen mijn aandacht trok:

LAURA ROSE DUPORT
1796-1824

SURSUM CORDA

Hier lagen dus de stoffelijke resten van lord Tansors beeldschone eerste vrouw, wier portret me had betoverd toen ik het voor het eerst in de hal zag hangen en dat me sterk was blijven fascineren. Als ik ervoor stond had ik soms het gevoel dat ik naar mezelf in een vorig leven keek. Op andere ogenblikken groeide de vreemde zekerheid in mij dat ik haar had gekend – dat ik haar werkelijk in levenden lijve had gekend, al was het herinneringsbeeld vaag, als iets wat je van grote afstand ziet. Natuurlijk was dat onmogelijk, want ze was hier ruim dertig jaar voor mijn geboorte bijgezet. Telkens wanneer ik haar lieftallige gezicht bekeek, ervoer ik echter een sterk gevoel van genegenheid dat ik gewoonweg niet kon verklaren en dat me alsmaar weer naar het portret deed terugkeren. Net als van haar man restten ook van haar slechts stof en botten.

Het had geen zin. Ik kon de morbide gedachten niet tegenhouden die als vanzelfsprekend opkomen wanneer je stilstaat bij zulke gedenktekenen van de sterfelijkheid. Ik sloeg mijn opschrijfboek dicht, liep terug naar de toegangshal en zakte op de vloer in elkaar, opnieuw in de ban van de gruwelijke situatie waarin ik verkeerde. Daar bleef ik zitten, niet bij machte mijn tranen te stuiten, tot ik uiteindelijk niet meer kon huilen.

Hoe lang was het geleden dat milady naar het grote huis was teruggegaan? Een uur? Misschien nog langer. Algauw zou het tijdstip waarop ik haar moest bedienen zijn verstreken. Dan zou er nog een uur voorbijgaan, en nog een. De duisternis zou invallen, en het beetje licht dat in het mausoleum voorhanden was zou doven. Dan zou de grote angst zeker komen.

Ik moet in slaap gevallen zijn, al kan ik niet zeggen voor hoe lang. Maar ik ben wakker geschrokken van een geluid, slechts enkele centimeters boven mijn hoofd.

Eerst denk ik dat ik heb gedroomd, maar dan weerklinkt het geluid opnieuw. Het komt van de sleutel die in het slot wordt omgedraaid.

Ik spring overeind en keer me naar de deur toe, maar hij gaat niet open. Ik aarzel een ogenblik en denk dat milady misschien is teruggekomen. Snel overweeg ik of ik me moet verstoppen in de schaduwplek achter in de toegangshal en vervolgens moet proberen ongezien te ontsnappen. Maar nog altijd komt er niemand binnen.

Ik steek mijn hand uit en open de deur.

Er is niemand. De open plek is verlaten, en op de weg is niemand te zien.

Opgeschrikt door mijn plotselinge verschijning fladdert een houtduif die op het hoofd van een van de stenen engelen zat luidruchtig het donker in, maar verder is het stil. Ik loop naar buiten, draai me om en kijk naar de deuren.

De sleutel is weg, evenals mijn onbekende bevrijder.

14

Een geschenk van mijnheer Thornhaugh

I
Ik krijg excuses

Met een hart dat als een razende klopte en overlopend van een heerlijk gevoel van opluchting omdat ik voor een allervreselijkst lot was behoed, rende ik over het modderige pad langs de muur van het landgoed. Ik was echter bang dat het uur waarop ik milady volgens haar instructie moest bedienen allang was verstreken.

Ik had min of meer verwacht mijn bevrijder te zullen inhalen, maar zonder iemand tegen te komen bereikte ik de zuidpoort, vlak bij het douairièrehuis, en ook de rijweg die de Rise op kronkelde was verlaten.

Toen ik verhit en buiten adem bij de toegangshof aankwam, keek ik omhoog naar de kapelklok. Tien minuten voor twee. Ik was niet te laat om milady voor te lezen.

'Wat heb je vanmorgen gedaan, Alice?' vroeg ze toen ik binnenkwam, en ze pakte Phoebus Daunts *Epimetheus**, dat sinds kort haar speciale voorkeur genoot.

'Ik heb vanmorgen zitten lezen, milady.'

'En wat heb je gelezen?'

'*No name* van Wilkie Collins, milady.'

Ze wierp me een zure blik toe.

'Ik ben niet met het werk van Collins bekend,' zei ze, op haar volstrekt belachelijke opgeblazen toon.

'Ik vraag me eigenlijk af, Alice,' vervolgde ze, 'of je je vrije tijd niet zinniger kunt besteden. Er moeten veel boeken zijn die je niet hebt gele-

---

* *Epimetheus en andere postume gedichten* (2 dln, Edward Moxon, 1854-1855).

zen en die verheffender zijn dan zulk onbeduidend werk. Ik weet zeker dat mijnheer Thornhaugh het met me eens zou zijn.'

Ik kwam bijna in de verleiding om te antwoorden dat fictie even verheffend kon zijn als poëzie, en dat mijn leraar Wilkie Collins en soortgelijke fictie in het algemeen zeer bewonderde, maar was zo voorzichtig om daarvan af te zien.

'Heb je hem trouwens geschreven,' vroeg ze vervolgens, 'om te informeren of hij je hier zou willen opzoeken?'

Uiteraard zei ik dat ik hem had geschreven, maar dat hij een poos niet in Parijs was geweest omdat hij druk bezig was met zijn onderzoek.

'O ja. Zijn onderzoek,' zei ze. 'Maar dat is spijtig. Ik vind mijnheer Thornhaugh nu al heel fascinerend en op zijn manier enigszins mysterieus, ook al moet ik hem nog ontmoeten. Is dat niet merkwaardig? Nu dan, zullen we beginnen?'

Ze overhandigde me het boek.

'Wacht...'

Ze keek naar de zoom van mijn rok.

'Wat zijn dat? Spinnenwebben?'

Ik volgde haar blik, en zag tot mijn ontsteltenis dat de zoom inderdaad was afgezet met een grijze sliert stoffig spinrag, opgedaan tijdens mijn kortstondige opsluiting in het mausoleum.

'Ik geloof van wel, milady,' antwoordde ik.

'Maar waar komen die vandaan?'

Ik dacht zo snel als ik kon.

'Ik heb de gewoonte ontwikkeld om 's ochtends voordat ik naar u toe kom het huis te verkennen, milady,' vertelde ik haar. 'Ik hoop dat u dat niet afkeurt. Ik heb ook een passie voor geschiedenis, en er is hier zoveel dat me interesseert. Vanochtend heb ik de crypte van de kapel bekeken, waar het heel vies en donker is, en ik had geen lantaarn meegenomen. Ik denk dat mijn jurk daar vuil is geworden. Mijn verontschuldigingen, milady, dat ik het niet eerder heb opgemerkt.'

'En zit er ook modder op de zoom, en op je schoenen?'

'Het spijt me, milady. Ik heb net een wandeling door de rozentuin gemaakt. Ik had het moeten zien.'

'Ach ja, het geeft niet. Je was ongetwijfeld zo in Wilkie Collins verdiept dat je geen aandacht aan de toestand van je jurk hebt geschonken. Heb je daar wel genoeg licht? Goed. Ik zou graag "De zang van de geketende Israëlieten" willen horen, en dan de daaropvolgende sonnetten-reeks.'

Ze leunde achterover in haar stoel en sloot haar ogen.

'Pagina 96,' zei ze, dezelfde vrouw die nog maar kort tevoren vervuld van ondraaglijk geestelijk leed op haar knieën voor de tombe van haar overleden minnaar had gelegen. Van die deerniswekkende, ongelukkige vrouw was niets meer te zien, verdwenen was het door onversneden pijn getourmenteerde gezicht waarop haar geheime verhaal zo zicht-baar gegrift stond. In de plaats daarvan was haar gebruikelijke masker van hautaine, onpeilbare kalmte weer opgezet. Maar ik had gezien wat ik had gezien, en dus begon ik met een merkwaardig gevoel van triomf te lezen:

> *O wie kan de engelen*
> *Hun gramschap betwisten,*
> *Of de gewettigde woede*
> *Der rechtvaardigen weerstaan?*

Hoewel de strenge vorst van de afgelopen dagen was getemperd, was daarna nog een aantal dagen met hevige, ijzige regen gevolgd, zodat mi-lady haar vaste ochtend- en avondwandelingetjes over het terras van de bibliotheek niet kon maken. Doordat ze, afgezien van de maaltijden en de uren die ze 's ochtends met haar secretaris doorbracht, in haar ver-trekken opgesloten zat, werd ze knorrig en ongeduldig. Vaak stuurde ze me boos weg omdat ik een bepaalde taak niet naar voldoening verricht-te. Vervolgens werd ik weer naar beneden geroepen en probeerde ze haar humeurige gedrag weer goed te maken – bijvoorbeeld door een nieuw boek met modeplaten uit Parijs open te slaan en me te vragen wat ik van een bepaalde japon vond, of door me een sieraad van Giulia-no's of de een of andere kostbare snuisterij te laten zien die haar uit de stad was toegestuurd.

Toen we op een dag voordat het weer eindelijk verbeterde voor de haard zaten, vroeg ze me haar voor te lezen. Amper was ik begonnen, of ze zei dat ik moest ophouden en klaagde dat ze last van hoofdpijn had. Vervolgens sprak ze de wens uit over een onderwerp te praten dat in de belangstelling stond, maar ze raakte snel door het gesprek verveeld en stortte zich met een geërgerde zucht in het zitje in de vensternis. Mij liet ze zonder nadere instructie bijna een halfuur wachten terwijl ze stuurs over het door de stromende regen geteisterde landgoed naar de vage, grijze contouren van de bossen in het westen staarde.

Ik had naald en draad ter hand genomen en een werkje opgevat dat ik eerder terzijde had gelegd, terwijl ik angstvallig een oogje op de in gepeins verzonken milady gevestigd hield. Ik vroeg me af waaraan ze dacht. Welke stormen van schuld en angst woedden er achter die onbewogen façade? Ik was aan haar abrupte stemmingswisselingen gewend geraakt, maar het was overduidelijk dat ze ernstiger verstoord was dan gebruikelijk.

Tegen vieren stond ze plotseling op en verkondigde dat ze wilde rusten.

'Zou je alsjeblieft mijn haarspelden willen komen verwijderen, Alice,' zei ze en ze liep naar de slaapkamer.

Ik legde mijn handwerk neer en volgde haar naar de toilettafel, waar ik haar lange zwarte haar begon los te maken.

'O, Alice,' zuchtte ze. 'Wat is er toch een ellende op de wereld!'

Ik zag aan haar uitdrukking dat ze geen antwoord verwachtte, en dus ging ik door met het losmaken en borstelen van haar haar.

'Hoe lang ben je nu hier, Alice?' vroeg ze.

'Drie maanden en zes dagen, milady.'

'Drie maanden en zes dagen! Echt iets voor jou om dat zo precies te weten! Je kunt vast de uren en minuten ook nog noemen.'

'Nee, milady. Maar in die dingen ben ik nauwkeurig.'

Onze blikken ontmoeten elkaar in de spiegel, en heel even denk ik dat ze me heeft doorzien. Maar dan wendt ze haar ogen af, pakt een zilveren handspiegel en begint ogenschijnlijk nonchalant haar wenkbrauwen te bestuderen.

'Nu, je bent een juweeltje geweest – ondanks de enkele keren dat je punctualiteit tekortschoot.'

Ze werpt me een glimlachje toe, dat ik met een zedige lach beantwoord.

'Het wordt steeds moeilijker om goede bedienden te vinden. Ze zijn niet meer zoals vroeger, vooral de vrouwen. Ik heb ooit, toen ik nog in het douairièrehuis woonde, een kamenier gehad, Elizabeth Brine heette ze, die me jarenlang zeer naar voldoening heeft gediend. Maar ze werd er niet beter op, en ik zag me genoodzaakt haar weg te sturen. Sindsdien ben ik teleurgesteld in iedereen die de betrekking van kamenier heeft vervuld – behalve in jou, mijn beste. Ik hoop dat je het naar je zin hebt. Ik zou je niet graag kwijtraken.'

'O nee, milady,' verzekerde ik haar opgewekt. 'Ik heb het hier erg naar mijn zin en voel me gevleid omdat u zo'n hoge dunk van me hebt. Het is me elke dag een genoegen om u te dienen – en dan ook nog eens op zo'n prachtige plek als Evenwood. Ik zou me geen betere betrekking en geen beter thuis kunnen wensen.'

'Erg aardig van je om dat te zeggen, Alice. Dachten alle personeelsleden er maar net zo over als jij. Want ik weet zeker dat niet veel huizen zo betoverend mooi gelegen zijn als Evenwood, en dat moet toch voortdurend een compensatie vormen voor de inspanningen van het werk. Ik hoop dat je heel lang zult blijven, Alice – misschien word je hier zelfs oud. Beste, trouwe dienares van me!'

'Dat zou ik prettig vinden, milady, en ik zou u net zo dierbaar willen worden als mevrouw Kennedy, uw oude kindermeisje.'

Al pratend legde ik een van de haarspelden op de toilettafel. Op hetzelfde ogenblik slaakte milady een kreetje en liet de spiegel die ze vasthield op de grond vallen, zodat het glas werd verbrijzeld. Ze schoof de stoel naar achteren en wendde haar gezicht naar mij toe.

Haar zwarte ogen waren wagenwijd opengesperd, alsof ze iets afgrijselijks had gezien. Maar vervolgens kreeg ze een kleur en begon buitengewoon heftig tegen mij uit te varen.

'Domme, onhandige meid! Moet je zien wat je hebt aangericht! Die spiegel is nog van mijn lieve mama geweest, en dankzij jou is hij nu kapot. En net nu ik dacht dat je anders was dan die andere domme schepsels! Maar ik zie al dat jij net zo dom bent als zij. Weg hier! Weg hier!'

Snel liep ze naar het grote, met houtsnijwerk gedecoreerde bed met de bloedrode draperieën, terwijl haar losgemaakte haar alle kanten op viel. Ze wierp zichzelf op de sprei, trok een van de kussens naar zich toe en wiegde het als een kind in haar armen.

Ruim tien minuten nadat ik naar mijn kamer was gegaan, weerklonk de bel boven de haard.

Toen ik milady's slaapkamer weer binnenging, stond ze daar en strekte haar armen naar mij uit. Ze was gekleed in een zwarte zijden peignoir en had een donkerrode sjaal van dezelfde stof als een tulband om haar hoofd gewikkeld. Daaronder viel haar nog altijd loshangende haar over haar schouders. Ze glimlachte – maar het was zo'n starre, ondoorgrondelijke lach dat ik meteen op mijn hoede was.

'Mijn allerbeste Alice!'

Haar stem klonk zacht en gedempt, haar glimlach werd breder – uitnodigend en verzoenend, maar gevaarlijk, als de lach van een sluwe toverheks.

'Kom!'

Met haar nog steeds uitgestrekte handen maakte ze nu een wenkend gebaar, waarbij haar lange vingers traag aangaven dat ze wilde dat ik haar handen in de mijne zou nemen.

Enkele ogenblikken was ik in haar ban en stond door haar aanblik als aan de grond genageld. Terwijl ik mijn eigen wil voelde terugkeren trok ik vervolgens de deur achter me dicht en liep langzaam op haar af. Daar stond geen Circe of Medusa, maar een sterfelijke vrouw, overvallen door niet geringe zorgen, ijdel en grillig, voortdurend door hevige, onbekende angsten belaagd en verwikkeld in een wanhopige strijd tegen de tand des tijds. Door zo voor me te verschijnen wilde ze kracht tentoonspreiden, maar ik zag alleen onmacht en zwakte.

Onze vingers vinden elkaar en schuiven zachtjes ineen.

'Beste Alice,' fluistert ze. 'Wat moet je niet van me denken? Zullen we gaan zitten?'

Nog altijd glimlachend trekt ze me mee naar het zitje in de vensternis.

'Kun je me vergeven?'

'U vergeven, milady?'

'Omdat ik me zo afschuwelijk heb gedragen. Het was niet jouw schuld dat de spiegel is gebroken. Het was onvergeeflijk van me om dat jou in de schoenen te schuiven. Wil je mijn verontschuldigingen accepteren?'

Natuurlijk vertel ik haar dat ze zich niet hoeft te verontschuldigen en dat ik dat ook niet verwacht. Daarop buigt ze zich naar voren en tot mijn verbazing kust ze me teder op de wang.

'Wat ben je toch wonderbaarlijk!' zegt ze. 'Zo verdraagzaam en teerhartig! Wat moet je niet van mij hebben gedacht? Ik meende die afschuwelijke dingen die ik zei niet. Maar ze hadden een reden, mijn beste, en die moet je nu leren kennen.'

'Zoals u wilt, milady.'

Ze raakt voorzichtig mijn andere wang aan. Als ik haar lange nagels tegen mijn huid voel loopt er een kleine rilling over mijn rug, en onwillekeurig trek ik me terug.

'O, Alice!' roept ze en ze trekt haar hand weg. 'Ben je bang van me?'

'Nee, milady, helemaal niet.'

'Maar ik zie dat je nog steeds ontdaan bent – en wie kan het je kwalijk nemen? Heel dom van me! Hoe heb ik zo wreed kunnen zijn? Maar toen je de naam van mevrouw Kennedy noemde, mijn beste, was het of ik een dolkstoot in mijn hart kreeg!'

Ze valt even stil, alsof ze verwacht dat ik iets zal zeggen. Als ik blijf zwijgen staat ze op uit het zitje in de vensternis en loopt naar de haard toe.

'Ik heb onlangs verschrikkelijk nieuws gekregen,' zegt ze zacht, met gebogen hoofd en nog steeds met haar rug naar me toe. 'Die arme mevrouw Kennedy... is dood!'

'Dood, milady?'

Ze knikt zwijgend.

'Zoals je je wel kunt indenken, was dat nieuws voor mij de grootste schok die er mogelijk was. Ik ben bang dat ik me daarom, toen jij haar naam liet vallen, zo bijzonder onaardig en kwetsend gedroeg, en ik hoop dat dat me nu vergeven is.'

Uiteraard geef ik uiting aan mijn eigen verbijstering over de dood van 'die lieve mevrouw Kennedy', en milady bedankt me uitbundig.

'Hebt u het nieuws over de aanslag in de krant gelezen, milady?' vraag ik.

Ze verstijft enigszins en wendt opnieuw haar hoofd af.

'Nee, nee. Mijnheer Vyse heeft me op de hoogte gebracht.'

'Ik veronderstel, milady, dat er een uitvaart komt die u wilt bijwonen?'

'Helaas,' zucht ze. 'Het nieuws heeft mij pas geruime tijd later bereikt. Mijn arme oude kindermeisje is al weken geleden begraven.'

'En dus, beste Alice,' zegt ze na enige tijd zwijgend te hebben nagedacht, 'moet ik je, nu we weer vriendinnen zijn, iets vertellen.'

'Ja, milady?'

De toegeeflijke, melancholieke glimlach is verdwenen. Er is een blik voor in de plaats gekomen die me verwart en alarmeert.

'Ik wil niet dat je nog langer mijn kamenier bent.'

Opeens lijken de rollen te zijn omgekeerd. Ik ben ontdekt.

'Heb je niets te zeggen?'

Haar resolute blik houdt de mijne enkele seconden vast. Vervolgens keert de glimlach terug, even plotseling als hij verdween. Milady doet een stap naar voren, kust me nogmaals op de wang en neemt mijn hand in de hare.

'Beste Alice! Dacht je dat ik bedoelde dat je ontslagen was? Dom gansje! Hoe kun je dat nu denken?'

'Ik weet niet, milady. U leek zo...'

'Nee, nee, dat bedoelde ik helemaal niet. Natuurlijk ben ik niet van plan je te ontslaan. Ik heb echter een besluit genomen dat van invloed is op jouw toekomst hier. Ik heb er geruime tijd over nagedacht – bijna vanaf de dag van jouw komst. Dus, Alice, hier komt het: ik wil niet dat je nog langer mijn kamenier bent. Ik wil dat je mijn gezelschapsdame wordt. Zo! Wat zeg je daarvan?'

Haar gezelschapsdame! Ik wenste me niets liever dan een intiemere band met haar, die nieuwe mogelijkheden zou bieden om haar te observeren en die me toegang zou verschaffen tot delen van haar leven die op dit moment nog voor me gesloten waren. Met ongeveinsde voldoening bracht ik haar dan ook mijn dankbaarheid over, en daarop kreeg ik nog een kus en gaf ze uitvoerig uiting aan haar genoegen en haar achting voor mij.

'Uiteraard krijg je een royale vergoeding – ik kan niet gedogen dat mijn gezelschapsdame somber in het zwart gekleed gaat. Ook moet er een nieuwe accommodatie voor je worden gezocht – één verdieping hoger liggen een paar alleraardigste vertrekken met een gezellig zitkamertje, die heb ik op het oog. Uiteraard zul je in huis een zeer hooggeplaatste positie bekleden, maar totdat er een nieuwe kamenier is gevonden moet alles voorlopig bij het oude blijven...'

Ze praatte verder, maar het drong nauwelijks tot me door. Ik zag al voor me hoe verrast en opgetogen madame over dit nieuws zou zijn en hoopte dat de Grote Opgave echt kon beginnen als ik de derde brief van mijn voogdes zou hebben ontvangen.

Toen ik ten slotte bij milady weg mocht, rende ik naar boven om madame een briefje te schrijven en ging vervolgens in een opgewekte, triomfantelijke stemming naar beneden om – misschien voor de laatste keer – het avondmaal in de bediendenkamer te gebruiken.

II
Op de drempel

Het is 23 december. Milady heeft een van haar nurkse buien en stuurt me bruusk weg nadat ik haar gekleed heb. Ik heb een wandeling door de tuin gemaakt, en wanneer ik naar de toegangshof terugloop houdt er een rijtuig halt waaruit de slungelige gestalte van mijnheer Armitage Vyse tevoorschijn komt – de eerste, en wat mij betreft minst welkome kerstgast die arriveert.

Het volgende uur breng ik op mijn kamer door, in de verwachting dat milady me zal roepen. Wanneer er echter nog steeds niet gebeld is, ga ik naar beneden om mijnheer Pocock te vragen of lady Tansor nog met haar ochtendcorrespondentie bezig is.

'Nee, juffrouw,' antwoordt hij. 'Milady is samen met mijnheer Vyse in de barouchet vertrokken. Ik vrees dat ik niet weet waar ze naartoe zijn gegaan en wanneer ze weer terug zullen zijn.'

Door dit heimelijke uitstapje voor een raadsel gesteld, maar blij omdat ik nu meer tijd voor mezelf heb, ga ik met een boek naar een van mijn lievelingsplekjes – een eenzame stoel bij een raam boven in een van de torens die over de toegangshof uitkijkt en een betoverend uitzicht op het landgoed en de meanderende rivier biedt – en wacht daar milady's terugkeer af.

Het middaguur nadert. Waar waren ze naartoe gegaan? Wat was er op til? Toen, terwijl ik net uit het raam in de richting van de Evenbrook keek, zag ik dat op de brug een man naar het huis stond te turen. De afstand was zo groot dat ik zijn gelaatstrekken niet kon onderscheiden, maar de houding van zijn lange, breedgeschouderde gestalte riep me onmiskenbaar de man voor de geest die ik in de mist naar mijn kamer had zien kijken. Met behulp van het heldere ochtendlicht kon ik nu een nieuw en zeer opvallend kenmerk van de man onderscheiden. De rechtermouw van zijn jas hing slap naast zijn lichaam. Ik tuurde uit alle macht, om me ervan te vergewissen dat ik het niet verkeerd zag. Nee, ik was er zeker van. Hij had maar één arm.

Net op dat moment verscheen op de top van de Rise een rijtuig waarin ik algauw milady's barouchet herkende.

De man op de brug draaide zich bij het geluid van de naderende paarden meteen om en deed een stap opzij om het rijtuig voorbij te laten. Terwijl het passeerde keek milady achterom naar hem. De man sloeg gade hoe de barouchet de grote ijzeren poort door reed en voor de voordeur tot stilstand kwam. Terwijl mijnheer Vyse milady uit het rijtuig hielp en haar op de trap naar boven begeleidde, bleef de houding van de man uiterst geïnteresseerd en schermde hij met zijn hand zijn ogen af. Toen milady de deur bereikte, draaide ze zich om en keek naar de brug. De man had zich echter in beweging gezet en liep met grote, vastberaden passen de Rise op in de richting van de zuidpoort.

In de gedachte dat milady wilde dat ik haar spoedig zou komen bedienen ging ik snel terug naar mijn kamer om haar oproep af te wachten, maar de bel bleef zwijgen. Er verstreek weer een uur, en nog altijd was ik niet geroepen. Toen werd er aan de deur geklopt. Het was Barrington.

'Dit is voor u gekomen, juffrouw,' zei hij en hij overhandigde me een pakje in bruin pakpapier.

Mijn eerste gedachte was dat madames derde brief eindelijk was aangekomen, en natuurlijk bonsde mijn hart vol verwachting. Toen zag ik dat het pakket een Londens poststempel droeg en dat mijn naam en adres waren geschreven in een handschrift dat ik niet herkende.

Nadat Barrington vertrokken was, ging ik aan mijn tafel zitten en scheurde haastig het pakpapier open.

In het pakket zaten een kort briefje, een langere brief in het handschrift van mijnheer Thornhaugh, gericht aan 'Mejuffrouw E.A. Gorst, vertrouwelijk en persoonlijk', en een in donkerblauw linnen gebonden boekje van octavoformaat.

Het briefje was van mevrouw Ridpath.

12, Devonshire Street

22 december 1876

Beste Esperanza,
Op verzoek van mijnheer Thornhaugh heb ik het bijgesloten boek gekocht dat hij in Parijs moeilijk kon vinden. Madame & hij willen dat je het zeer nauwgezet bestudeert, nadat je zijn eveneens bijgesloten brief hebt gelezen.
Ik hoef je eigenlijk niet te zeggen dat het boek vergezeld gaat van

zijn allerbeste wensen voor de kerst en de jaarwisseling & van die
van madame – & natuurlijk ook van de mijne.

Verder heeft madame me verzocht je door te geven dat zij, om arg-
waan te voorkomen, voorstelt in de toekomst al haar brieven uit Pa-
rijs van hieruit naar Evenwood door te sturen & dat jij vice versa
hetzelfde moet doen. Een geschikt & veilig correspondentieadres in
de buurt, waar ik brieven naartoe kan sturen, zou daarnaast zeer te
stade komen.

Ik vertrouw erop dat het je goed gaat op Evenwood; ik heb gehoord
dat het een schitterend landgoed is. Ongeacht of dat waar is, hoop ik
dat je je altijd zult herinneren dat Devonshire Street niet ver weg is
als je een toevluchtsoord nodig hebt.

Met hartelijke groet,
E. Ridpath

Terwijl mijn verwachting opliep, scheurde ik de enveloppe met mijnheer Thornhaughs brief open, in de hoop dat er ook een bericht van
madame in zat. Ik zag meteen dat dat niet het geval was. Ik las het volgende:

Avenue d'Uhrich
Parijs

20 december 1876

Koninginnetje,
Madame heeft me verzocht je mede te delen dat ze zich na ampel,
zorgvuldig & angstvallig beraad genoodzaakt ziet de verzending van
haar derde brief met instructies aan jou uit te stellen, die ze je beslist
deze week had willen toesturen. Ze is de afgelopen twee dagen bezig
geweest hem te schrijven, en heeft zich uitsluitend daaraan gewijd.
Het bleek echter een moeilijker opgave dan ze had verwacht.

Er is zoveel dat je beslist moet weten en begrijpen – in het bijzon-
der ten aanzien van je eigen levensgeschiedenis – dat madame meent
dat het niet in één boodschap aan je kan worden overgebracht. Ui-
teraard is het haar momenteel evenmin mogelijk zich persoonlijk tot
je te richten & je nieuwsgierigheid te bevredigen inzake de vele pun-
ten waarover je ongetwijfeld meer uitleg en kennis verlangt.

Onlangs stuitten we – door een merkwaardig toeval – echter op een onvoorziene bron van informatie. Madame wilde dat ik je daarvan via mevrouw Ridpath een exemplaar doe toekomen. De omstandigheden waaronder deze ontdekking plaatsvond waren de volgende:

Enkele weken geleden stuurde een oude vriend van madame die tegenwoordig in Londen woont, haar een advertentie toe die in de Illustrated London News *was opgenomen. Zij was geplaatst door een zekere mijnheer John Lazarus, die verzocht of de heer Edwin Gorst, als hij nog in leven was – of anders een familielid of kennis van hem – zo snel mogelijk contact met hem wilde opnemen.*

Je kunt je wel voorstellen welk een interesse deze advertentie bij madame en mij opriep. Ik heb onmiddellijk mevrouw Ridpath geschreven, die contact met deze man heeft opgenomen om hem te laten weten dat Edwin Gorst dood is, maar dat zij, mevrouw Ridpath, van een oude en vertrouwde vriend van mijnheer Gorst volmacht heeft gekregen om op de advertentie te reageren. Kennelijk wilde mijnheer Lazarus je vader niet alleen een exemplaar van zijn memoires geven, waarin hij een prominente rol speelt, maar wilde hij ook de kortstondige vriendschap hernieuwen die ze jaren geleden hebben gehad.

Madame denkt dat de herinneringen van deze man je op de hoogte zullen brengen van veel zaken over je vader & moeder, die je graag zult willen weten, in het bijzonder over eerstgenoemde. Ik ben zo vrij geweest de twee relevante hoofdstukken te markeren, die de grondslag zullen leggen voor de brief van madame die, zoals beloofd, voor het einde van het jaar zál komen.

Ter aanvulling op het boek van mijnheer Lazarus kun je binnen enkele dagen ook afschriften verwachten van een dagboek dat je moeder bijhield in de periode van haar leven waarin ze je vader ontmoette & dat sinds zijn dood bij madame in bewaring is geweest.

Madame smeekt je haar te vergeven dat ze het dagboek niet aan jou heeft gegeven, maar ze had zich tegenover je vader verplicht dat pas te doen nadat jij de leeftijd van eenentwintig jaar had bereikt. Ze vindt nu dat ze in het belang van de Grote Opgave niet meer aan die verplichting gehouden is, temeer omdat het onjuist is jou nog langer in onwetendheid te laten verkeren omtrent de inhoud van het dagboek.

Madame heeft mij gevraagd de afschriften met het oog op de vei-
ligheid in steno te maken. We moeten steeds op nieuwsgierige blikken
bedacht zijn.
  Je immer toegenegen vriend,
  B. Thornhaugh

Mijn teleurstelling omdat ik madames definitieve brief met instructies
niet had ontvangen was uiteraard groot. Maar de nieuwsgierigheid die
door mijnheer Thornhaughs brief werd opgewekt was – vooralsnog –
zelfs nog groter en bracht een intens gevoel van verwachting bij me teweeg, want het leek erop dat eindelijk de allerdringendste en allerkwel-
lendste vraag zou worden beantwoord.
  Wie was ik?

EINDE VAN HET TWEEDE BEDRIJF

Het verleden ontwaakt

Verschil van mening maakt slechts klaar
Dat ergens waarheid is, doch waar?

William Cowper, 'Hoop' (1782)

15

De wederopstanding van Edwin Gorst

I
Mijnheer Lazarus

Het boek dat mijnheer Thornhaugh had gestuurd bevatte de in eigen beheer uitgegeven herinneringen van een Londense cargadoor, de voornoemde heer John Lazarus uit Billiter Street, die enkele jaren in de Atlantische wijnhandel had gezeten.

Deze man was mij onbekend, en het was me onduidelijk welk verband zijn beroep hield met het weinige dat madame me over mijn vader had verteld. In mijn hoofd drongen de vragen en onzekerheden zich op, maar toen ik het eerste hoofdstuk opsloeg dat mijnheer Thornhaugh voor me had gemarkeerd, was ik meteen geboeid.

Daar, op de allereerste pagina, stond de naam van mijn vader: *Edwin Gorst.*

Dat zijn naam daar gedrukt stond, voor iedereen zichtbaar, deed me wat. Ik had hem nooit ergens geschreven zien staan, alleen op die beschaduwde zerk op het kerkhof van St-Vincent. Ik herinnerde me dat ik als kind soms het merkwaardige idee had dat slechts drie levende mensen – madame, mijnheer Thornhaugh en ik – nog wisten dat mijn vader zelfs maar had bestaan. Maar natuurlijk was hij een mens geweest, die in de mensenwereld had geleefd en zijn – grote of kleine – rol had gespeeld in de levensdrama's van anderen. Hij had vrienden en kennissen en misschien zelfs vijanden gemaakt, en ten bewijze daarvan was hier mijnheer John Lazarus.

Om, zoals het me op dat moment toescheen, op de drempel te staan van de verwerving van de kennis over mezelf en de mensen die me het leven hadden geschonken, waarnaar ik heimelijk zo lang had gesmacht, was een zeer plechtige ervaring, en ik voelde dat het me tot diep in mijn ziel raakte. Enkele minuten lang durfde ik nauwelijks met lezen te beginnen. Mijn hart bonsde van nervositeit over wat ik zo meteen zou ontdekken.

Al minstens een uur uur joeg de wind vlagerig en luidruchtig rond het dak, maar nu was hij helemaal weggevallen en was het overal doodstil, alsof het onoverzienbare landhuis en de wijde wereld daarbuiten, waarvan ik zo weinig wist, net als ik de adem inhielden.

Het is een heel aparte sensatie om luistervink te spelen met betrekking tot je eigen leven. Omdat ik zelf geen herinneringen aan mijn vader had, was ik nu genoodzaakt me die van een volslagen vreemde toe te eigenen. Was het niet beter om onwetend te blijven? De onontkoombaar onvolmaakte en fragmentarische herinneringen van mijnheer Lazarus konden niet pretenderen meer te zijn dan een zeer zwakke afspiegeling van de levende mens die eens als Edwin Gorst op de wereld had rondgelopen. Waren ze wel te vertrouwen?

En zo wachtte ik af totdat ik, na eerst nog te zijn opgestaan om mijn deur tegen indringers af te sluiten en nuchter mijn keel te hebben geschraapt alsof ik een opdracht van mijn huisleraar moest doornemen, eindelijk begon te lezen.

Te lezen? Nee. Algauw verslond ik de woorden die voor me lagen als een uitgehongerd dier dat bij wijze van schamele hap een paar kliekjes krijgt toegeworpen. Leest u dus een poosje met mij mee terwijl ik mijnheer John Lazarus uit Billiter Street in de City in zijn eigen woorden laat vertellen wat ik voor die decembermiddag nooit heb geweten: de omstandigheden waaronder mijn vader – door tussenkomst van mijnheer Lazarus – aan een zekere ondergang en de dood ontkwam, hoe hij in 1856 op het eiland Madeira mijn moeder ontmoette en wat de gevolgen van hun verbintenis waren.

II
Uit J.S. Lazarus, Mijn Atlantische leven: herinneringen aan Portugal, de Canarische Eilanden, de Azoren en het eiland Madeira in de jaren 1846 tot 1859*

Nadat ik de uitvaart van mijn moeder had bijgewoond, zoals in het vorige hoofdstuk van deze herinneringen is beschreven, vertrok ik in 1856 in de laatste week van juli opnieuw uit Engeland. Allereerst moest ik op Madeira enkele kleine aangelegenheden afhandelen, en vervolgens reisde ik door naar de Canarische Eilanden, waar ik in Teguise, op het eiland Lanzarote, zaken moest doen met mijn oude vriend, señor J.

Na slechts drie dagen was ik evenwel genoodzaakt weer scheep te gaan naar Madeira, maar ik wilde de Canarische Eilanden niet verlaten zonder weer een bezoek te hebben gebracht aan de heer Edwin Gorst, de Engelsman aan wie ik een jaar eerder was voorgesteld. Zoals reeds verteld had ik hem een kleine dienst kunnen bewijzen door een kistje met documenten die hij aan zijn advocaat in bewaring wilde geven, mee naar Engeland te nemen.

Het komt de kleine kring van familieleden, vrienden en oud-collega's voor wie dit boek is bedoeld misschien vreemd voor dat ik zo veel woorden aan deze man besteed, maar mijn weliswaar kortstondige omgang met hem behoorde tot de gedenkwaardigste contacten van mijn leven. Ik ben deze opmerkelijke figuur nooit vergeten en zal hem nooit vergeten. Ik verontschuldig me dan ook niet voor het feit dat ik een volledig verslag van dat contact geef (waarover ik nooit heb gesproken, alleen met wijlen mijn lieve vrouw), want ik geloof dat het voor mijn lezers in veel opzichten belangwekkend kan zijn.

Aangezien ik altijd nauwgezet mijn dagboek heb bijgehouden, heb ik alle vertrouwen in de nauwkeurigheid van mijn verslag, al erken ik dat het noodzakelijk was om op veel plaatsen gesprekken in mijn eigen woorden weer te geven, die ik echter steeds aan de hand van mijn dagboek heb gestaafd.

Sinds ik de opdracht van mijnheer Gorst had uitgevoerd, was ik nog een keer op de Canarische Eilanden terug geweest en ik had toen een poging gedaan hem in zijn woning in het dorp Y. op te zoeken – hij was echter niet thuis. Uiteraard wilde ik hem verzekeren dat de documenten veilig waren afgeleverd, zoals hij had gevraagd, en ook wilde ik hem meedelen dat ik in ruil een brief van zijn advocaat had gekregen. Deze had me zeer stellig verzocht de brief persoonlijk aan mijnheer Gorst te overhandigen. Ik had echter weinig tijd, en omdat ik niet langer dan vijf minuten kon wachten had ik de deur van het nietige huisje in de Calle

* Norwich: Jarrold & Sons, gedrukt ter circulatie in kleine kring, 1874.

E— S— geopend, de brief met een begeleidend schrijven van mezelf op een tafel gelegd en was vertrokken.

De volgende dag echter, aan boord van het schip dat me naar Madeira zou terugbrengen, begon ik te betreuren dat ik niet iets langer op mijnheer Gorsts thuiskomst had gewacht, zodat hij de brief direct uit mijn handen had kunnen ontvangen, zoals zijn advocaat had verlangd. Ik besloot dan ook dat ik drie maanden later, op mijn eerstvolgende reis naar de Canarische Eilanden, mijn uiterste best zou doen weer in de Calle E— S— langs te gaan om mezelf gerust te stellen en me ervan te vergewissen dat hij de brief inderdaad had gevonden op de plek waar ik hem had achtergelaten.

Mijnheer Gorst fascineerde me sterk sinds onze eerste ontmoeting, toen ik op een kleine bijeenkomst van Engelse bewoners van het eiland aan hem was voorgesteld. Ik wist niets van zijn levensgeschiedenis en evenmin waarom hij naar zo'n afgelegen plek was gegaan, kennelijk met de bedoeling daar voorgoed te blijven. Ik vergaarde echter voldoende kennis om tot de overtuiging te komen dat hem een grote catastrofe was overkomen, die vereiste dat hij voorgoed uit zijn geboorteland vertrok.

Toen ik het kistje met documenten die hij me tijdelijk wilde toevertrouwen in ontvangst nam, woonde hij nog maar enkele maanden in Y. Hij was een uitzonderlijk lange en goedgebouwde verschijning, met een weelderige snor en twee opmerkelijk heldere bruine ogen. Al met al maakte mijn nieuwe kennis een zeer opvallende en imposante indruk. (Later hoorde ik dat hij bij de plaatselijke bevolking bekendstond als *Il emperador inglés*.) Daarnaast was hij een zeer onderhoudend causeur, die een ongewoon brede kennis van veel diepzinnige onderwerpen tentoonspreidde.

Maar hoewel hij een air van nonchalante levendigheid over zich had, was mij vanaf het eerste begin duidelijk dat dit slechts een pantser of masker was, dat een diepgekwetste ziel moest verhullen. Van tijd tot tijd vertoonde hij tekenen van hevige nervositeit, wat slecht paste bij zijn krachtige fysieke aanwezigheid. Zijn grote handen beefden wanneer hij een glas wijn inschonk en wanneer hij, wat hij vaak deed, een van die handen door zijn lange haar haalde dat, hoewel ik hem slechts vijf- of zesendertig jaar oud schatte, aan zijn slapen in hoog tempo terugweek.

Mijn aanvankelijke nieuwsgierigheid naar meneer Gorst – en mijn compassie met de toestand waarin hij verkeerde, al kon ik die niet verklaren – werd met het verstrijken van de middag steeds groter en werd in het bijzonder geprikkeld door iets wat hij zei terwijl hij me het kistje met documenten dat ik naar Engeland moest terugbrengen overhandigde.

Hij had liefdevol en met veel vuur over de oude tijd in Londen gesproken, een stad waarvoor hij kennelijk een grenzeloze genegenheid koesterde.

'Het is de meest fantastische stad van de wereld,' beweerde hij. 'U kunt zich niet voorstellen hoe ik het mis om 's ochtends de deur uit te gaan – op een heldere, prikkelende Engelse ochtend, als de ochtendmist net optrekt boven die goeie ouwe rivier – en naar de Strand toe te lopen, met geen ander doel dan waar de ingeving van het moment me heenbrengt, en de adem van die grote, zinderende stad op mijn gezicht te voelen.'

'U hebt een romantische voorstelling van de wereldstad,' merkte ik glimlachend op. 'U praat erover alsof de stad een levend wezen is, in plaats van een menselijk bouwsel.'

'Maar Londen ís een levend wezen!' riep hij uit in een plotselinge vlaag van hartstocht. 'Juist daardoor lijkt ze op geen enkele andere stad. Het heeft een kloppend hart, en ook een ziel. Maar ik moet zeggen dat u gelijk hebt.'

Hij viel stil, haalde nog eens een trillende hand door zijn haar en wendde zich af om uit het raam naar het lapje stoffige grond te kijken dat de achterkant van het huis scheidde van een sombere, uit zwarte vulkanische as bestaande woestenij die zich over grote afstand uitstrekte.

'Ik heb een tamelijk oorspronkelijke kijk op Londen,' gaf hij toe, 'en dat is er door mijn afwezigheid misschien nog sterker op geworden.'

Toen opende hij een kast en haalde een houten kistje tevoorschijn waarop een etiket met de naam en het adres van zijn advocaat was aangebracht.

'Ik leg mijn leven in uw handen, mijnheer Lazarus,' zei hij en hij zette het kistje op een tafel. 'Ik weet dat u er goed op zult passen en het veilig op zijn bestemming zult afleveren. Wat me hier rest is geen leven, alleen een armetierig bestaan, en ik bid dat het niet lang meer zal duren. Want ik ben de wereld moe en verlang ernaar hem te verlaten.'

Hij sprak deze woorden uit op zo'n door en door verdrietige en spijtige toon dat het me pijn aan het hart deed.

'Maar dat kunt u toch zeker niet zo zeggen,' wierp ik tegen. 'U bent nog een jonge man – jonger dan ik, in elk geval – en ik heb nog bepaald niet het idee dat míjn leven voorbij is, in de verste verte niet. Natuurlijk weet ik niet wat u hierheen heeft gebracht en waarom u in zo'n onherbergzaam oord wilt blijven, en ik zal niet zo vrij zijn om daarnaar te informeren. Maar u praat alsof de een of andere kracht u belet uit dit oord te vertrekken. Waarom kunt u geen aangenamer toevluchtsoord uitzoeken, als u zich beslist van de wereld wilt afzonderen?'

'Omdat,' antwoordde hij met een vreemde gloed in zijn ogen, 'ik hier ondanks mijn schijnbare vrijheid een gevangene bén. En de waarheid is dat ik er ziek en moedeloos van word, zoals iedere gevangene die elke dag weer bedenkt dat hem die simpele maar oneindig kostbare vrijheden zijn afgenomen die hij vroeger als vanzelfsprekend beschouwde, maar die hij nooit meer kan genieten. Toch mag en zal ik niet klagen. Ik ben mijn eigen cipier, weet u, en ik blijf hier opgesloten door een voortdurende inspanning van mijn eigen wil.'

Met deze vreemde en – voor mij – onbegrijpelijke woorden overhandigde hij me het kistje met de documenten. Daarna schudden we elkaar de hand en vertrok ik.

Ik zag mijnheer Gorst pas weer toen ik, zoals reeds gezegd, vanwege mijn zaken met señor J., opnieuw naar de Canarische Eilanden moest reizen. Hij was sterk veranderd. Hij was in verontrustende mate afgevallen, zodat hij mager en krom was geworden. Hij had een verwilderde blik in zijn ogen, broos, dun haar en een vale gelaatskleur, en ook andere tekenen wezen er onmiskenbaar op dat zijn gezondheid verslechterde.

Terwijl we samen in zijn stoffige achtertuintje zaten vertelde ik hem dat het kistje met documenten veilig bij zijn advocaat was afgeleverd. Tot mijn opluchting bevestigde hij dat hij diens door mij achtergelaten brief had gevonden.

In de loop van het daaropvolgende gesprek bekende mijnheer Gorst dat zijn kleine geldvoorraad bijna volledig was opgebruikt. Als gevolg daarvan was hij genoodzaakt geweest zo goed en zo kwaad als het ging in zijn levensonderhoud te voorzien met het geven van Engelse les en – omdat leerlingen in dit vulkanische bastion schaars waren – door manusje-van-alles te worden. Met een flauw glimlachje vertelde hij dat hij zichzelf had verrast met de ontdekking dat hij een tot dan toe onbenut talent had voor het repareren van hekken en het schilderen van raamkozijnen. Hij beweerde dat hij met zulke bescheiden klusjes genoeg verdiende om de huur te betalen en elke dag wat te eten in huis te halen. Ik zag echter maar al te duidelijk dat zijn toestand steeds hopelozer, om niet te zeggen hachelijker werd.

Hoewel we elkaar pas kort kenden en ik er geen idee van had door welke omstandigheid – door een gekweld geweten of een heftig, slopend verdriet – hij volhardde in zijn zelfopgelegde ballingschap uit zijn geboorteland, vond ik het onmogelijk hem in deze ellendige toestand achter te laten. Het was maar al te duidelijk dat zijn dagen geteld waren als hij zichzelf op deze manier bleef verwaarlozen. En dus deed ik hem bij mijn vertrek een voorstel, al had ik weinig hoop dat hij het zou accepteren.

Vanwege zaken moest ik opnieuw een lange periode op Madeira doorbrengen, een eiland dat met zijn gezonde en gelijkmatige klimaat zeker een onmiddellijke heilzame uitwerking op mijnheer Gorst zou hebben. Het leek me mogelijk dat hij, als hij zich liet overreden mij voor de duur van mijn verblijf te vergezellen, zou overwegen zich er permanent te vestigen. Zo niet, dan had ik de middelen om te regelen dat hij kosteloos naar Lanzarote kon terugkeren.

Dat was mijn voorstel, dat ik mijnheer Gorst voorlegde toen we elkaar in de deuropening van zijn huis de hand schudden.

'Wilt u het serieus in overweging nemen?' vroeg ik. 'Ik zie dat u hier niet in al te beste omstandigheden verkeert en dat uw financiën – neemt u me niet kwalijk dat ik het zeg – wat krap zijn geworden. Het zou uiteraard ongepast zijn wanneer ik zou trachten u om te praten als u vastbesloten bent om hier te blijven. Ik vraag u alleen mijn voorstel niet direct van de hand te wijzen. Zou u dat willen doen, als gunst van de ene Engelsman aan de andere?'

Hij glimlachte, maar zei niets. En dus overhandigde ik hem een kaartje met het adres van señor J. in Teguise en verzocht hem met klem uiterlijk de volgende avond te berichten of hij op mijn aanbod wilde ingaan.

'Ik heb een alleraardigste kleine villa op Madeira, met uitzicht op de haven van Funchal,' zei ik. 'U zou het daar zeer gerieflijk hebben, en overal kunnen gaan en staan en kunnen doen en laten wat u wilt.'

Hij gaf nog altijd geen antwoord, maar bekeek het kaartje met een merkwaardig intense uitdrukking. Toen keek hij op.

'U bent erg aardig, mijnheer,' zei hij zacht en met zichtbaar bevende handen. 'Aardiger dan ik verdien.'

'Nonsens,' antwoordde ik. 'In mijn ogen is deze regeling zeer in mijn voordeel. Ik ben het moe alleen over de Atlantische wateren te reizen. En hoewel ik op Madeira veel oude vrienden heb, heb ik er geen Engelse kameraad met wie ik de lange avonden kan doorbrengen. Ik zou u in één woord hoogst dankbaar zijn wanneer u – als u daartoe genegen bent – mij gezelschap zou willen houden tot ik weer naar Engeland moet. Stuurt u me dus uiterlijk morgenavond een berichtje als u met me mee wilt gaan?'

Hij knikte, en we gingen uiteen.

Ik moet bekennen dat ik volstrekt niet verwachtte ooit nog iets van mijnheer Gorst te horen. De volgende avond werd er echter om zes uur een briefje bij señor T.'s huis in Teguise bezorgd. Ik heb het bewaard en geef het hier weer:

Mijn waarde mijnheer Lazarus,
Ik schrijf u om, zoals u mij vriendelijk verzocht, uw hoogst edelmoe-
dige aanbod te aanvaarden om u naar Madeira te vergezellen.

Het is maar al te waar dat mijn huidige levenswandel hier een
schadelijke uitwerking op mijn gezondheid heeft gehad & nog steeds
heeft. En hoewel ik weinig levenslust voel, bemerk ik wanneer ik de
zaak in het licht van uw voorstel overdenk, & enigszins tot mijn ver-
rassing, dat ik nog steeds de natuurlijke menselijke afkeer van het al-
ternatief voel.

Ik zie er dan ook met genoegen & dankbaarheid naar uit om en-
kele weken in uw gezelschap op Madeira door te brengen – een perio-
de die me, naar ik hoop, zal doen aansterken zodat ik nadat u naar
het goede oude Engeland bent teruggekeerd mijn leven hier met iets
van mijn oude vitaliteit kan hervatten. Want ik moet bekennen dat
ik me momenteel zo zwak als een zuigeling voel & dat het onbestem-
de vooruitzicht op zware lichamelijke arbeid, die weliswaar onloo-
chenbaar eerlijk is & de enige wijze waarop ik nog in mijn levenson-
derhoud kan voorzien, bijna meer is dan ik momenteel aankan.

Op naar Madeira dus (dat, herinner ik me nu – met grote voldoe-
ning omdat mijn geheugen voor zulke zaken niet geheel is afgestor-
ven – het Purpuraria van de Romeinen was). Ook al zal het respijt
kort zijn, het is toch hoogst welkom.

Ik moet u evenwel om vergiffenis vragen dat ik zo vrij ben een
voorwaarde te verbinden aan het feit dat ik met u meega. Ik kan &
zal niet over mijn vroegere leven in Engeland spreken, en evenmin
toelichten waarom ik het offer van mijn ballingschap heb gebracht.
Dat boek is gesloten en zal nooit meer worden geopend. We zullen in
onze gesprekken dan ook genoegen moeten nemen met zaken van
louter algemeen & objectief belang. Als dit voor u aanvaardbaar is,
zie ik uit naar de beloofde mededeling aangaande de praktische rege-
lingen voor onze reis.
Ik verblijf, mijnheer, met de meeste hoogachting,
E. Gorst

Hoewel ik natuurlijk uiterst nieuwsgierig was en graag meer over mijn nieuwe reisgenoot en logé te weten wilde komen, was het onmogelijk om niet met zijn voorwaarde in te stemmen. Wat mijnheer Gorst ervan weerhield om terug te keren naar zijn geboorteland en degenen die hij daar had achtergelaten was een mysterie, en ik moest aanvaarden dat het nooit zou worden opgelost.

III
Vervolg van de herinneringen van de heer John Lazarus

Prompt werd alles voor ons vertrek van Lanzarote geregeld, waarna mijnheer Edwin Gorst en ik op de Bellstar, een brigantijn, aan onze reis naar Madeira begonnen.

Gedurende het eerste deel van de reis maakte mijn nieuwe metgezel een afwezige indruk en was weinig spraakzaam. Hij zat urenlang in een-zaamheid naar de horizon te turen, echter op een vreemde, wezenloze manier, alsof hij gebiologeerd was door een ander, ver en onaards pano-rama van zee, lucht en wolken waarmee alleen hij bekend was.

Toen we onze bestemming naderden werd hij echter opeens spraak-zaam en begon opnieuw geanimeerd te vertellen over de heerlijke le-vendigheid van Londen, en hoe hij die smerige oude Theems en de ru-moerige, natgeregende straten miste. Hij vroeg of ik ooit de Golden Gallery van St Paul's Cathedral had gezien, en ik bekende dat ik er nooit was geweest, ofschoon ik jarenlang vlak bij de kathedraal had gewoond.

'Het is een uiterst opwekkend schouwspel,' zei hij, 'zelfs op een sombere dag, maar u moet er niet alleen naartoe gaan. Neem iemand mee om er samen van te genieten.'

Hij sprak ook vol genegenheid over de boekenstalletjes op Leicester Square, waar hij eens een exemplaar van Thomas North' beroemde Plutarchus-vertaling had gevonden, en daarna haalde hij de ene gelukkige herinnering na de andere op.

Vanwege deze hartstochtelijke gehechtheid aan zijn vroegere grootsteedse leven kon je je onmogelijk aan de indruk onttrekken dat het voor hem bijna ondraaglijk was om van Londen gescheiden te zijn. En opnieuw kwam als vanzelfsprekend de vraag op welke onwrikbare omstandigheden hem in zelfgeschapen ketenen zo stevig hadden gebonden aan een bestaan dat in elk opzicht zo tegengesteld was aan zijn vorige leven. Maar aangezien ik ermee had ingestemd hem niet naar zijn verleden te vragen, was ik genoodzaakt mijn nieuwsgierigheid – meer dan nieuwsgierigheid; veeleer intense belangstelling die voortkwam uit oprechte bezorgdheid – onbevredigd te laten.

Eindelijk laveerden we op een fraaie ochtend in augustus, even voor het middaguur, op een milde zuidwestelijke wind de haven van Funchal binnen en gingen niet ver van de kade voor anker.

Hoog boven de stad vormden zich dreigende donkere wolken naast de kale bergtoppen, en in lange vegen viel een grijszwarte nevel over de dichtbeboste kloven rond het spitse gebergte. Maar in de haven scheen een warme zon op onze rug, glinsterden en dansten de golven en weerspiegelden de witte huizen een verblindend licht. Verblindend waren ook de kleuren die onze door de zee verveelde ogen tegemoet kwamen: de levendige schakeringen van oleanders, blauwe hydrangea's en heliotropen, de witte bloesems van koffiebomen en, meer naar het oosten, achter de oude stadsmuren en tegen de Berg en de Palheiro* op, glanzende banen gouden brem.

Toen ik me naar mijn metgezel toekeerde, die naast me op het voordek stond, zag ik dat hij stilletjes glimlachte. Natuurlijk vroeg ik waarom hij zo vrolijk was.

---

* De Berg is tegenwoordig beter bekend als de heuvelparochie van Monte en is beroemd vanwege de sleetjes die sinds jaar en dag voor de afdaling naar Funchal aanwezig waren. De Palheiro de Ferreiro, het 'smidshuis', werd gebouwd in opdracht van João, de eerste graaf van Carvalhal, die ook de omvangrijke tuin rond dit bouwwerk liet aanleggen.

'O, nergens om,' antwoordde hij. 'Ik bedacht alleen dat u Lazarus heet, maar dat ú míj uit de dood hebt opgewekt door me hiernaartoe te brengen, waar ik misschien weer een gelukkig leven kan leiden, al is het maar voor even.'

'Nu,' zei ik, 'ik ben heel blij dat ik aan uw herstel kan bijdragen. Want u bent zeker ziek, en weet u, dit is de beste plek om u weer te laten opknappen. U zult merken dat het klimaat uiterst heilzaam is, en ik hoop u binnen heel korte tijd weer helemaal fit te zien.'

Ik zei dat met het nodige vertrouwen, want ik had onder de vele buitenlandse zieken die zich op het eiland hadden gevestigd heel wat opmerkelijke gevallen gezien van mensen die blijvend van ernstige kwalen en aandoeningen waren hersteld. Mijnheer Archibald Fraser, de broer van mijn dierbare echtgenote, had twee jaar op Madeira verbleven. Hij was er in deplorabele toestand aangekomen na een diplomatieke functie in India te hebben bekleed en was volledig gereactiveerd naar huis teruggekeerd.

Terwijl ik vertelde hoe mijn zwager dankzij het klimaat van Madeira weer helemaal gezond was geworden, kwam de inspectieboot ons tegemoet. Op de boeg wapperde vrolijk de Portugese tweekleur, en aan boord waren de havenmeester, de ambtenaar van de gezondheidsdienst en een arts. De beide laatstgenoemde heren hadden tot taak te bepalen of een binnengelopen schip contact met de wal mocht hebben of onder quarantaine moest worden geplaatst. Vlak na dit gezelschap arriveerde de boot van de douane, en nadat de formaliteiten naar tevredenheid van alle betrokkenen waren vervuld, namen mijnheer Gorst en ik plaats in de roeiboot die ons van boord zou halen.

We gingen aan land op het strand, dat hier bestond uit kiezels vermengd met fijn zwart zand, en een ogenblik staarde mijn metgezel naar de beboste hellingen van de bergen die oprezen achter het stadje – of, beter gezegd, de stad, want Funchal is in het trotse bezit van een bisschopskerk, de Sé Kathedraal. Vervolgens knielde hij neer en pakte een handvol zand op, dat hij door zijn vingers liet sijpelen.

'Zo,' hoorde ik hem zachtjes zeggen, 'stroomt mijn leven weg en verdwijnt het naar de vier windstreken.'

Ik weet niet of het de bedoeling was dat ik zijn woorden zou opvangen, maar ik deed alsof ik niets hoorde, sloeg hem juist opgewekt op zijn rug en heette hem welkom op het eiland Madeira.

Er stond een *carro de bois** klaar om ons door de steile straten en stegen naar de onderste hellingen van de Serra te brengen. Daar lag, aan alle kanten omgeven door dichte dennen- en kastanjebossen, het bescheiden herenhuis, het Quinta da Pinheiro, dat ik – zoals ik in een eerder hoofdstuk heb verteld – in 1849 had gekocht.

Na onze aankomst vroeg ik om thee, en mijn gast en ik converseerden op het balkon, tegen de middaghitte beschut door de reusachtige bladeren van een oude varenpalm en in afwachting van onze bagage die vanuit het douanekantoor naar mijn huis zou worden gebracht.

'Denkt u dat u het hier prettig zult hebben?' vroeg ik.

Hij antwoordde niet meteen, maar bleef naar de Deserta's staren, de drie onbewoonde, waterloze eilandjes die je ten zuidoosten van Funchal uit de turquoise- en saffierblauwe zee kon zien oprijzen. Vervolgens wendde hij zijn lange, door de zon verbrande gezicht naar mij toe.

'Prettiger dan ik verdien,' zei hij met een treurig lachje.

'Kom,' wierp ik tegen, 'dat is hardvochtig. We verdienen het allemaal om het een beetje prettig te hebben.'

'Met permissie, ik denk daar anders over,' antwoordde hij alleen.

Hier lag een kans die ik had kunnen aangrijpen om een paar eerste voorzichtige vragen over zijn levensgeschiedenis te stellen en na te gaan wat de oorzaak was van zijn vrijwillige gevangenschap in een oord dat zo ver van zijn vorige bestaan verwijderd lag. Maar die weg was geblokkeerd, en dus beperkte ik me tot de algemene constatering dat we over onze eigen daden vaak harder oordelen dan nodig is, en dat hoe dan ook geen mens reddeloos verloren is.

'Als ik dat nu eens kon geloven,' zei hij, en voordat ik kon reageren sneed hij abrupt een ander onderwerp aan en vroeg of ik Engelse kranten in huis had.

'Het is een hele tijd geleden dat ik er een heb ingekeken,' vervolgde hij. 'Het was mijn enige verzetje, waarmee ik zo nu en dan, en als het kon, mijn ballingschap met wat oud nieuws van thuis verlichtte.'

Ik pakte vlug een oud nummer van de *Illustrated London News* dat ik toevallig bij mijn vertrek uit Londen had meegenomen. Hij nam het vol verwachting en met de woorden dat dit altijd een van zijn favoriete pe-

---

* Een typisch Madeirees vervoermiddel: een soort overdekte slee, die met twee ossen is bespannen.

riodieken was geweest in ontvangst, nestelde zich in een stoel en begon met grote aandacht te lezen.

Op dat moment kondigden een klop op de voordeur en stemmen in de hal de komst van onze bagage aan. En dus liet ik mijnheer Gorst met zijn lectuur alleen. Toen ik een minuut of tien later terugkwam, was hij verdwenen.

De krant lag op de grond. De eerste twee pagina's waren eruit getrokken, in tweeën gescheurd en daarna blijkbaar vertrapt, al kon ik niet zeggen of dat met opzet of per ongeluk was gebeurd. Verbaasd raapte ik de verscheurde pagina's op om te zien of ze misschien een aanwijzing bevatten waarom mijnheer Gorst kennelijk zijn woede erop had gekoeld.

Bij vluchtig onderzoek leek er niets opmerkelijks op te staan: een hoofdartikel over de Amerikaanse kwestie, een verslag van een gekostumeerd bal in de Royal Academy of Music en een artikel over de opening van nieuwe dokken in Hartlepool. Was mijn gast door een van deze artikelen in razernij ontstoken, of door de daaropvolgende stukken over de burgeroorlog in Kansas en een samenzwering om de koningin van Spanje te vermoorden? Ik kon het me niet voorstellen.

Vervolgens liet ik mijn blik over het overzicht van het binnen- en buitenlandse nieuws op de tweede pagina gaan.

De eerste en langste alinea betrof het feit dat een zekere mevrouw Zaluski, de voormalige mejuffrouw Emily Carteret, in gezelschap van haar echtgenoot, kolonel Tadeusz Zaluski, en hun pasgeboren zoontje van het Europese vasteland waren teruggekeerd naar Evenwood, het landhuis van lord Tansor, een hooggeplaatst familielid van mevrouw Zaluski. Ik bekeek de overige, veel kortere berichtjes, maar die maakten een volkomen onschuldige indruk. Vervolgens ging ik terug naar het eerste bericht. Berustte het op toeval dat juist hierop een duidelijke afdruk van mijnheer Gorsts schoen stond, alsof hij had geprobeerd de informatie in het stuk weg te vagen?

Ik ging naar mijn studeerkamer en legde de verscheurde pagina's in mijn bureaula, al kan ik niet precies zeggen waarom ik het nodig vond iets te bewaren waarvan de betekenis me volledig ontging. Vervolgens ging ik op zoek naar mijnheer Gorst.

Ik vond hem ten slotte helemaal achter in de tuin, waar hij wezenloos naar de met mos begroeide voet van een doornappelboom stond te staren. Toen hij mij hoorde naderen, keerde hij zijn wanhopige gezicht naar me toe.

'Mijnheer Gorst, mijn waarde heer! Wat is er in 's hemelsnaam aan de hand?'

'Weet u,' zei hij, op deerniswekkende, bijna gefluisterde toon. 'Het achtervolgt me ook hier. Zelfs hier, in dit paradijs. Er valt niet aan te ontsnappen.'

Ik wist niet goed wat ik moest antwoorden op zijn vreemde woorden, die duidelijk verband hielden met iets wat hij in de *Illustrated London News* had gelezen. Hij zag dat ik me opgelaten voelde maar ondernam geen poging dat gevoel te verminderen. Evenmin bood hij een verklaring voor zijn gedrag, terwijl ik op mijn beurt de verscheurde krantenpagina's die ik op het balkon had gevonden niet ter sprake bracht.

'Kom aan,' zei ik, zo opgewekt mogelijk. 'U bent vermoeid van de reis. Gaat u terug naar binnen en neem wat rust. Ik moet voor zaken de stad in, maar ben om zes uur weer terug om te dineren.'

Hij knikte instemmend, en zwijgend liepen we samen over het door bomen beschaduwde pad naar het geplaveide plaatsje achter het huis. Daar liet ik hem achter, zodat hij naar de kamer kon gaan die voor hem in gereedheid was gebracht.

16

Juffrouw Blantyre vindt
haar lotsbestemming

I
Vervolg van het verhaal van de vertelster

Toen de klok op de schoorsteenmantel vier uur sloeg, keek ik op uit de herinneringen van mijnheer Lazarus. Vier uur, en nog altijd was ik niet door milady ontboden. Het gaf niet. Ik was niet in de stemming om voor kamenier of gezelschapsdame te spelen en had geen idee wat ik zou hebben gedaan als de bel in de hoek van mijn kamer had weerklonken. Hoe kon ik mijn gebruikelijke rol blijven spelen als mijn hart in vuur en vlam stond?

Mijn vader! Mijn lieve vader! Ik zag hem nu heel duidelijk voor mijn geestesoog – en met een huivering van onmiddellijke herkenning, als bij een ontmoeting met een oude, dierbare vriend die je in geen jaren hebt gezien. Ik was me hem gaan voorstellen zoals hij door mijnheer Lazarus werd beschreven: een man die over een niet gering intellect beschikte en die dankzij zijn edelmoedige en karakteristieke aard in elk gezelschap een opvallende aanwezigheid was. Zulke mensen vergeet je niet licht: ze laten een sterke indruk op de wereld na. Mijnheer Thornhaugh was zo iemand. En ik was er zeker van dat mijn vader ook zo'n man was geweest.

Toch stuitte ik ook hier op mysteries, geheimen en nieuwe onbeantwoorde vragen waarop mijnheer Lazarus geen licht kon werpen. Mijn vader bleek in Londen te hebben gewoond, maar welk beroep had hij daar uitgeoefend? Was hij in de wereldstad geboren, en in wat voor milieu? En boven alles, waarom had hij zichzelf uit Engeland verbannen naar het onherbergzame Lanzarote?

Dat mijn hart was ontvlamd en mijn gedachten op hol waren geslagen kwam echter door iets wat zelfs nog sterker was dan mijn intense nieuwsgierigheid naar deze zaken.

De oorzaak daarvan was het door mijnheer Lazarus beschreven voorval rond het nummer van de *Illustrated London News* met het verslag van de aankomst in Engeland van kolonel Tadeusz Zaluski en zijn vrouw, de voormalige mejuffrouw Emily Carteret – mijn huidige meesteres. Het leek wel zeker dat er een betrekking tussen mijn vader en mejuffrouw Carteret had bestaan, een betrekking van dien aard dat hij enige tijd in woede was ontstoken toen hij had gelezen dat ze met de Poolse kolonel was getrouwd.

Vanwege dit gegeven – dat madames suggesties over lady Tansors bepalende invloed op mijn leven leek te staven – wilde ik dolgraag meer te weten komen. Maar kon mijnheer Lazarus me de kennis verschaffen waar ik nu naar hunkerde?

Ik bad dat de bel bleef zwijgen en hervatte mijn lectuur.

II
Vervolg van de herinneringen van de heer John Lazarus

De volgende ochtend stond ik vroeg op, liet mijnheer Gorst uitslapen en ging naar de haven, waar verschillende zaken mijn aandacht vereisten. Ze namen me twee of drie uur in beslag, en daarna ging ik per *carro de bois* naar het huis van mijnheer Danvers Pryce, een oude Madeirese kennis van me.

Ik had een specifieke reden om bij Pryce langs te gaan, die volstrekt geen verband hield met de wederzijdse zakelijke belangen waardoor we elkaar tijdens mijn eerste bezoek aan het eiland hadden leren kennen. Zoals ik had gehoopt trof ik ook mevrouw Pryce thuis, want ik wilde juist haar spreken.

Deze dame stelde veel belang in alle ditjes en datjes uit wat onze grootvaders de 'grote wereld' noemden. De *Court Companion* was haar vaste metgezel, en ik geloof in ernst dat ze alle lords en lady's van Engeland kon opnoemen, met al hun nakomelingen, landhuizen, herenhuizen en jaarinkomens. Ze was tot in de kleinste bijzonderheden op de hoogte van hun doen en laten, hetzij door verslagen uit de pers, hetzij door roddelpraatjes. Toen ik de naam van lord Tansor liet vallen, had ik er dan ook enig vertrouwen in dat mijn nieuwsgierigheid naar deze adellijke figuur ruimschoots zou worden bevredigd.

'Lord Tansor!' riep ze en ze smeet haar handwerkje neer. 'O, mijn beste John, dat moet je toch nog weten!'

'Wat moet ik nog weten?' vroeg ik.

'Het was zoiets schokkends,' antwoordde ze opgewonden. 'Dat kun je toch niet vergeten zijn?'

Opnieuw moest ik bekennen van niets te weten.

'De moord op zijn erfgenaam, mijn beste, de dichter Phoebus Daunt. Nu weet je het toch wel weer?'

Uiteraard kwam de naam van de heer Phoebus Daunt, wiens veelgeprezen werk sinds jaar en dag zeer werd bewonderd door mijn lieve vrouw, me meteen bekend voor. Vervolgens herinnerde ik me dat ik ten tijde van zijn dood in december 1854 op de Azoren had verbleven en dat derhalve het nieuws over deze nationale tragedie ons Atlantische nomaden pas weken later had bereikt. Korte tijd daarna had ik scheep moeten gaan naar Lissabon, zodat ik verstoken was gebleven van nadere informatie over deze gebeurtenis en haar gevolgen.

Van mevrouw Pryce vernam ik nu dat mijnheer Daunt kort voor zijn dood door lord Tansor tot erfgenaam van diens omvangrijke bezittingen was uitgeroepen. En dat niet alleen: hij had zich ook verloofd met mejuffrouw Emily Carteret, een familielid van de lord. Uiteraard herkende ik haar naam onmiddellijk als de naam op de pagina die mijnheer Gorst uit de *Illustrated London News* had gescheurd, en ik was een en al oor toen mevrouw Pryce me vertelde dat mejuffrouw Carteret vervolgens de plaats van haar vermoorde verloofde als opvolger van lord Tansor had ingenomen. Echter met dit verschil: naast de ongelooflijke rijkdom van haar familielid en zijn residentie in Evenwood zou ze vanwege haar bloedverwantschap ook zijn oude titel erven en de zesentwintigste barones Tansor worden.

'De oude man was er zwaar door aangeslagen, aangezien hij sinds de dood van zijn enige zoon kinderloos was,' zei mijnheer Pryce, waarna hij onmiddellijk door zijn vrouw werd berispt vanwege het bezigen van 'respectloos taalgebruik'.

'Welnu,' repliceerde hij, 'lord Tansor heeft twee armen en twee benen en loopt volgens mij rechtop, dus mogen we hem een man noemen. En omdat hij niet jong meer is, kunnen we volgens mij zeggen dat hij oud is.'

Er volgde nog wat van deze opgeruimde scherts. Toen kwam mevrouw Pryce goed op gang en sprak uitvoerig over het verdriet dat lord Tansor had gehad om het vreselijke verlies van zijn uitverkoren opvolger, op wie hij buitengewoon gesteld was geweest. Ook had ze het over de dame die zijn plaats had ingenomen.

'Mejuffrouw Carteret – of mevrouw Zaluski, zoals ik haar nu moet noemen – is een trots, kil nest, daar is iedereen het over eens.'

Mevrouw Pryce boog zich samenzweerderig naar me toe.

'En toch is ze getalenteerd, en een grote schoonheid. En de dood van die arme mijnheer Daunt heeft absoluut haar hart gebroken. Haar eigen vader is ook slachtoffer van een moordaanslag geweest. Moet je je indenken! Haar aanstaande echtgenoot én haar vader, allebei vermoord!'

'Maar kennelijk is ze nu getrouwd,' merkte ik op.

'Inderdaad,' luidde het antwoord, waarin een uitgesproken afkeurende toon doorklonk. 'Met een buitenlander die nauwelijks een penny bezit. En dat terwijl die arme mijnheer Daunt amper onder de groene zoden lag.'

Tegen deze woorden maakte mijnheer Pryce met een sceptisch gesnuif bezwaar.

'Amper onder de groene zoden! Een halfjaar! Lang genoeg, lijkt me.'

'Zoals je zegt, een halfjaar,' reageerde zijn vrouw. 'In de ogen van sommigen is dat ongepast snel.'

Mijnheer Pryce snoof opnieuw.

'Nu, ook al uit je je op die ergerlijke manier, mijnheer Pryce,' vervolgde ze met een licht hoofdschudden, 'het verandert niets aan de zaak. Het fatsoen werd geschonden. De publieke opinie was tegen haar gekant.'

'Het fatsoen! De publieke opinie!' riep mijnheer Pryce. 'Waarom zou lord Tansors erfgename zich daar druk om maken? Ze kan er een lange neus naar trekken. En denk dan hier eens over na, mevrouw Pryce. Ik heb gehoord dat ze met volledige goedkeuring van lord Tansor heeft gehandeld. Nou, wat zeg je daarvan?'

Deze vraag trof blijkbaar doel, want toen mevrouw Pryce antwoordde sloeg ze een wat verzoenender toon aan.

'Het is denk ik waar dat haar gedrag is voortgekomen uit een heel natuurlijk verlangen om aan de wensen van haar adellijke familielid tegemoet te komen. Ik moet toegeven dat die overweging waarschijnlijk sterk heeft meegespeeld.'

'Mevrouw Pryce wil daarmee zeggen,' zei haar echtgenoot terwijl hij zich naar mij toewendde, 'dat die óúwe Tansor' – daarbij wierp hij zijn eega een welwillende maar veelbetekenende blik toe – 'nog eerder het Kanaal zou kunnen overzwemmen dan dat hij een opvolger zou kunnen vinden – of zo je wil, voortbrengen. Daar mag je wel afkeurend bij mompelen, mevrouw Pryce, maar dat is nu eenmaal de waarheid. Die duffe vrouw...'

'Tweede vrouw,' viel mevrouw Pryce hem in de rede.

'Wat je zegt,' gaf mijnheer Price toe, 'die duffe twééde vrouw zal nooit een opvolger voortbrengen, dat is duidelijk. En iedereen weet dat hij het allerliefst een opvolger wil. Natuurlijk zou hij de voorkeur geven aan een eigen zoon of aan iemand die hij zijn zoon kan noemen. Maar de voormalige juffrouw Carteret, die het goede oude Duport-bloed in haar aderen heeft, voldoet uitstekend. En nu heeft zíj een zoon, en dus is voor lord Tansor alles in orde.'

Ik begreep niet wat dit alles met mijnheer Gorst te maken had, en dus vroeg ik mevrouw Pryce of ze weleens had gehoord van iemand die zo heette.

'Gorst?' Met de stelligheid van een orakel schudde ze haar hoofd. 'In niet een van de verslagen die ik over de familie heb gelezen werd iemand genoemd die zo heette, en ik heb die naam ook nooit horen noemen.'

'Weet u dat zeker?' vroeg ik.

Mijnheer Pryce snoof nog eens luid, alsof de suggestie dat de kennis van zijn vrouw over dit onderwerp in enig opzicht tekortschoot op volslagen dwaasheid berustte.

'Heel zeker.'

'Geen ex-aanbidder van juffrouw Carteret?'

'Natuurlijk kan ik dát niet met zekerheid zeggen,' gaf ze toe, 'maar ik geloof niet dat ik ooit van ene Gorst heb gehoord. Volgens sommige berichten had de moordenaar van mijnheer Phoebus Daunt genegenheid voor mejuffrouw Carteret opgevat, maar hij heette geen Gorst.'

Ik bedankte mijn oude vrienden voor hun gastvrijheid en ging naar huis terug. Mijn nieuwsgierigheid naar mijnheer Edwin Gorst was onverminderd groot.

III
Vervolg van de herinneringen van de heer John Lazarus

Gedurende de rest van augustus en een deel van de volgende maand bleef mijnheer Gorst op de Quinta da Pinheiro logeren.

Zoals ik had gehoopt verbeterde zijn gezondheid tijdens deze nazomerdagen gestaag. Hij maakte lange wandelingen door de nabijgelegen dennenbossen en ging vaak de Berg op, waar hij er een bijzonder genoegen in schepte om gezeten voor de deuren van de Onze-Lieve-Vrouwekerk over de in de diepte gelegen stad naar de einder te turen. Ook trof ik hem, wanneer ik na een dag zakendoen uit Funchal terugkeerde, wel in de tuin aan. Hij lag dan met een strohoed over zijn gezicht te slapen in een tussen twee appelbomen gespannen hangmat, of hij zat op het balkon te lezen, met zijn voeten op de balustrade en een sigaar in zijn mond.

Ik had hem permissie gegeven gebruik te maken van mijn bescheiden bibliotheek. Dat deed hem zichtbaar genoegen, want zoals ik intussen wist was hij een groot bibliofiel en leek hij op zijn best te zijn als we spraken over zaken als colofons, bindwerk en signaturen; hij legde dan een innemende geestdrift aan de dag. In mijn collectie bevond zich beslist niet veel dat zo'n verfijnde bibliofiele smaak kon verzadigen, maar hij nam er kennelijk ook genoegen mee een middag onderuit te zakken met een alledaagse uitgave van Smollett of Fielding. Ik herinner me ook nog goed dat een beduimeld exemplaar van *Gullivers reizen* hem helemaal in extase bracht.

'Dit heb ik sinds mijn kinderjaren niet meer gelezen!' riep hij uit, en ik verheugde me toen ik zag dat er bij deze ontdekking op zijn door zorgen getekende gezicht een uitdrukking van eenvoudige, pure vreugde verscheen.

Dit ging zo door tot de derde week van september.

Het tijdstip waarop ik Madeira moest verlaten om naar Engeland terug te keren, kwam naderbij. De gezondheid van mijn kameraad was opmerkelijk verbeterd, en hoewel hij nog niet volledig hersteld was, zei hij dat hij zich sterk genoeg voelde om zijn bestaan op Lanzarote te hervatten. Ik wilde echter niet dat hij daaraan zou beginnen, want ik geloofde dat hij snel weer naar zijn eerdere staat van aftakeling zou terugzakken.

'Wil je soms niet blijven tot ik terugkom,' vroeg ik, 'en dan pas een besluit nemen? Alle goede invloed van het Madeirese klimaat zou ongedaan worden gemaakt als je te vlug teruggaat en opnieuw ziek wordt. En bovendien zou het voor mij ook erg prettig zijn om het huis tijdens mijn afwezigheid bewoond en in goede handen te weten.'

'Ik heb weinig reden om naar Lanzarote terug te gaan, dat is waar,' antwoordde hij, 'alleen het laatste restje van mijn vroegere besluit om daar tot het einde van mijn dagen te blijven. En natuurlijk zal het niet meevallen uit dit paradijs te vertrekken. Toch denk ik dat ik dat wel moet doen.'

Gedurende alle weken die we in elkaars gezelschap hadden doorgebracht had hij niets over zijn verleden onthuld, en trouw aan mijn woord had ik geen pogingen gedaan het onderwerp aan te snijden. Maar er was iets veranderd: zijn verlangen om in zelfgekozen ballingschap op Lanzarote te verblijven was enigszins verzwakt. Ik had het in de loop van september duidelijk waargenomen en hoorde het nu nogmaals in de halfslachtige woorden die hij zojuist had gesproken. Edwin Gorst vatte weer hoop en levenslust op.

Kort en goed, na verschillende lange gesprekken stemde hij er ten slotte mee in om tot mijn terugkeer in de Quinta da Pinheiro te blijven en daarna te besluiten of hij naar de Canarische Eilanden zou terugkeren, op Madeira zou blijven of iets anders zou doen.

Een week voor mijn vertrek kwam er een briefje van mijn oude vriend George Murchison van het Engelse consulaat. Mijn logé en ik werden uitgenodigd om de volgende avond een receptie in zijn quinta bij te wonen, ter ere van enkele nieuwe bezoekers aan het eiland.

Bij onze aankomst had zich in de grote salon al een omvangrijk gezelschap verzameld. Murchison, een spotlustige en luidruchtige vent, schudde ons bij wijze van verwelkoming krachtig de hand en dirigeerde ons meteen naar de eregasten.

'Mijnheer Blantyre, mag ik u voorstellen aan mijn oude vriend mijnheer John Lazarus? John, dit is mijnheer James Blantyre, directeur van Blantyre & Calder.'

Nu kende ik deze naam goed, want het bedrijf waarover mijnheer Blantyre de leiding had was een vooraanstaande importeur van madirawijn, zij het dat ik nooit zaken met dit huis had gedaan. Hij was in gezelschap van zijn oudere broer en mededirecteur, de heer Alexander Blantyre. Het gezelschap omvatte verder Fergus, de zoon van mijnheer James Blantyre, die weduwnaar was; de echtgenote van mijnheer Alexander Blantyre en hun dochters, juffrouw Marguerite en juffrouw Susanna; alsook de oude mevrouw Blantyre, de moeder van mijnheer Alexander en mijnheer James, een frêle oude dame met sneeuwwit haar – men had de reis naar Madeira voornamelijk met het oog op haar gezondheid gemaakt.

Om de beurt werden we aan de verschillende familieleden voorgesteld, als laatste aan juffrouw Marguerite Blantyre, de oudste dochter van mijnheer Alexander Blantyre. Voor alle anderen had Gorst alleen een lichte buiging en een stug 'goedenavond' overgehad, maar tot juffrouw Marguerite richtte hij hoogst galant een korte welkomstspeech. Hij verzekerde haar dat Madeira een volmaakt paradijsje was en sprak de hoop uit dat ze een heel aangename winter op het eiland zou doorbrengen, alsmede de wens dat het klimaat voor haar grootmoeder even heilzaam zou zijn als voor hemzelf.

Ik hoorde dat ze hem vroeg: 'U bent hier dus al een tijd, mijnheer Gorst?'

'Pas een paar weken,' antwoordde hij, 'maar het effect op mijn gezondheid is aanzienlijk geweest, zelfs in die korte periode. En ik hoop op verdere verbetering, want mijnheer Lazarus is zo vriendelijk me tot zijn terugkeer in zijn huis te laten wonen.'

Er volgde nog een gesprekje over mijn ophanden zijnde vertrek, en daarna onderbrak mijnheer James Blantyre ons om ons voor te stellen aan de heer Roderick Shillito, een vriend van zijn zoon die gedurende de winter met de familie in de gehuurde quinta zou verblijven.

Ik moet bekennen dat deze man, die ik van ongeveer dezelfde leeftijd als Gorst schatte, niet direct een gunstige indruk op me maakte – en des te minder op Gorst, die zich, na aan hem te zijn voorgesteld, haastig verontschuldigde en zich naar de andere kant van het vertrek begaf. Daar sloot hij zich aan bij een groepje waarvan mijn vriend dokter Richard Prince deel uitmaakte, een van de gerenommeerdste Engelse artsen in Funchal. Toen we aan elkaar werden voorgesteld had Shillito gezegd dat hij zich vereerd voelde mij te ontmoeten, maar tegen Gorst had hij niet een van de gangbare beleefdheden uitgesproken en alleen geknikt, zijn ogen zichtbaar samengeknepen en zijn voorhoofd licht gefronst, alsof hij uit alle macht probeerde zich iets te binnen te brengen.

Nadat Gorst was weggegaan, sloeg ik juffrouw Marguerite Blantyre een poosje gade. Ze was een hoogst bevallig meisje van rond de twintig, vrij klein en tenger van bouw, met lichtbruin haar, een kuiltje in haar kin en een innemende, open blik. Later hoorde ik van haar moeder, die mij klaarblijkelijk graag in vertrouwen wilde nemen ofschoon ze me niet kende, dat al lange tijd de afspraak bestond dat ze zich met haar neef Fergus zou verloven zo gauw ze oud genoeg was.

'Het is erg prettig,' zei mevrouw Blantyre, 'om te zien dat twee jonge mensen zo'n diepe verbondenheid met elkaar voelen, vindt u ook niet, mijnheer Lazarus?'

Natuurlijk beaamde ik haar woorden uit beleefdheid en als het ware in algemene zin, want ik had weinig duidelijke tekenen van genegenheid tussen neef en nicht bespeurd. Het leek volstrekt onwaarschijnlijk dat Fergus, een jongeling met een tamelijk opgeblazen gezicht, een korte nek en een laag voorhoofd, de hartstocht van een jongedame zou kunnen opwekken, laat staan van zo'n evident gevoelige en onloochenbaar knappe jongedame als juffrouw Blantyre.

Zijn vader, mijnheer James Blantyre, maakte daarentegen de indruk een uiterst resoluut man te zijn – hij was gladgeschoren, weldoorvoed, had een wilskrachtige kin en verschilde volkomen van zijn broer, een broodmagere man met een lange kin, een zuinige mond en dichte, grijze bakkebaarden, die zich gedurende een groot deel van de avond wat afzijdig hield van de overige familieleden en slechts incidenteel een bijdrage aan de conversatie leverde.

Ik vond het merkwaardig dat mijnheer Alexander Blantyre zich als oudste van de twee broers duidelijk leek te voegen naar mijnheer James, die onmiddellijk een dominante plaats in het middelpunt van het groepje had ingenomen. Mijnheer James dirigeerde het gesprek naar voor iedereen interessante onderwerpen, zorgde ervoor dat de oude mevrouw Blantyre het naar haar zin had en het haar aan niets ontbrak, en complimenteerde zijn nichten met hun perfecte bloementuiltjes. Ook keken de anderen vragend naar mijnheer James toen Murchison opperde of het gezelschap niet een wandelingetje over het terras wilde maken, om de Chinese lantaarns te bekijken in de vele imposante bomen die een hoofdattractie van de tuin vormden.

Gorst was intussen aan de andere kant van de salon voortdurend met dokter Prince in gesprek. Maar toen hij zag dat de Blantyres zich samen met mijnheer Shillito naar het terras begaven, keerde hij terug naar de plek waar onze gastheer en ik stonden.

'En wat vindt u van onze nieuwe bewoners, mijnheer Gorst?' vroeg Murchison.

Mijn kameraad zei niets, zodat ik me genoodzaakt zag in zijn plaats te antwoorden.

'Het lijkt een heel aardige en interessante familie,' zei ik. 'En Blantyre & Calder geniet een eersteklas reputatie.'

'Daarin hebt u helemaal gelijk,' antwoordde Murchison, 'en ik zal u nog iets vertellen. Mijnheer Fergus Blantyre zal deze winter zijn beste beentje moeten voorzetten. Heel wat jongemannen op Madeira zullen maar al te graag zijn leuke nichtje van hem afpakken – nietwaar, Gorst?'

Tot mijn verbazing kwam er onmiddellijk antwoord.

'Juffrouw Blantyre is zeer charmant, en beslist een sieraad voor elk gezelschap.'

Terwijl hij deze woorden sprak, zagen we allebei dat hij een blik op het terras sloeg, waar de jongedame en haar moeder de Chinese lantaarns bewonderden.

'Ah!' zei Murchison met een veelbetekenende knipoog. 'Zo staan de zaken er dus voor. Ik zat nog dichter bij de waarheid dan ik dacht. Wat vind je daarvan, Lazarus?'

Ik wist niet goed wat ik ervan moest denken. Ik kon het Gorst – die tenslotte vrijgezel was – niet kwalijk nemen dat hij juffrouw Blantyre bewonderde. Ik had alleen niet zo'n openlijk uitgedragen voorkeur verwacht van een man die bij mijn weten volstrekt niet geneigd was zich aan anderen bloot te geven. Ik dacht terug aan mijn eerste ontmoeting met hem – een geestelijk gebroken banneling, door een ongebruikelijk wilsbesluit verstoken van normale menselijke contacten en medeleven, in afwachting van het moment dat de dood hem zou bevrijden van een last waarover hij absoluut niet wilde spreken – en ik was zowel blij als dankbaar dat ik een bescheiden aanzet had kunnen geven om hem de weg naar het herstel te laten inslaan.

Zo verstreek de avond, en toen hij ten einde liep deed ik de ronde door het vertrek om afscheid te nemen van de vele kennissen en zakenrelaties die Murchison had uitgenodigd om de gebroeders Blantyre en hun familieleden op Madeira te verwelkomen. Mijnheer Shillito was het grootste deel van de avond buiten op het terras gebleven. Daar liep hij in gezelschap van mijnheer Fergus Blantyre heen en weer; beiden hadden een sigaar in de mond en waren diep met elkaar in gesprek. Ik was blij dat ze zich niet te midden van het grote gezelschap in de salon bevonden, want dat verhinderde de kans op onaangenaamheden met Gorst, bij wie mijnheer Shillito naar het scheen op onverklaarbare wijze een diep gevoel van antipathie had opgewekt. Het komt soms inderdaad voor dat we een spontane vijandschap jegens een vreemde voelen, maar toch had ik onwillekeurig het idee dat hier meer speelde, al was de oorzaak een mysterie – net als zoveel dat met mijn nieuwe vriend verband hield.

Nadat ik mijn sociale plichten had vervuld, maakten Gorst en ik ons op om weg te gaan. Murchison stond in de hal om zijn vertrekkende gasten goedenacht te wensen. Net toen hij Gorst de hand schudde, verscheen de familie Blantyre, voorafgegaan door mijnheer Shillito.

'Ah, daar ben je dus, Gorst,' zei deze op kille, barse toon. 'Ik wilde je vragen: ben je er zeker van dat wij elkaar niet eerder hebben ontmoet? Ik heb me de hele avond afgevraagd waar ik je eerder kan hebben gezien, want ik weet zeker dat dat het geval is, begrijp je.'

Op dat ogenblik werd op spectaculaire wijze de verandering zichtbaar die mijn logé had ondergaan tijdens zijn urenlange wandelingen in de dennenbossen en de weken van rust en herstel in de Quinta da Pinheiro.

De woorden van mijnheer Shillito leken bij Gorst onmiddellijk een welhaast agressieve kracht wakker te roepen. Met gebalde vuisten, zijn schouders naar achteren en zijn voeten stevig en een stukje uit elkaar op de stenen tegels geplant stond hij klaar om naar voren te schieten en uiterst vastberaden en uitdagend beantwoordde hij mijnheer Shillito's onbeschaamde blik.

Ik moet bekennen dat ik hem tijdens de paar tellen die dit voorval duurde nauwelijks herkende, zo volkomen anders was hij dan de meestal in gepeins verzonken, levensmoede persoon die ik sinds onze aankomst op Madeira had leren kennen. Hoewel hij zich in zijn volle, indrukwekkende lengte oprichtte, deed zijn houding me nog het allermeest denken aan een terriër die ongedierte heeft geroken en op het punt staat om toe te slaan.

Ook mijnheer Shillito zag de verbijsterende verandering in hem, en nog iets, wat mij ontging. Hij verbleekte opeens en deed nerveus een stap naar voren, alsof Gorst een angstige, maar lang verdrongen herinnering bij hem had opgeroepen. Vervolgens mengde Murchison zich in het gezelschap: hij lachte, schudde de heren de hand, boog voor de dames en vroeg de oude mevrouw Blantyre hoffelijk of hij haar naar haar palanquin* mocht begeleiden. Terwijl men nog bezig was afscheid te nemen, draaide Gorst zich om en liep het donker in.

Toen ik hem inhaalde stond hij in de steeg naast Murchisons quinta

* Overdekte draagkoets, gewoonlijk door vier dragers gedragen.

een sigaar te roken en naar de door de maan beschenen bergtoppen te kijken.

'Is er iets, Gorst?' vroeg ik.

'Helemaal niets. Zin in een sigaar?'

Ik wees het aanbod af en we liepen zwijgend een eindje de steile steeg in.

'Er staat een ossenslee klaar,' zei ik. 'Zullen we gaan?'

'Ik denk dat ik ga lopen, als je het niet erg vindt,' antwoordde hij. 'Ik kom zo wel thuis.'

'Ik loop met je mee...'

'Nee,' interrumpeerde hij ietwat bruusk. 'Val me alsjeblieft niet lastig.' En vervolgens, op een rustiger toon: 'Als je het niet erg vindt.'

Hoewel ik tamelijk vermoeid was, bekommerde ik me niet in het minst om mezelf; ik wilde er alleen gerust op zijn dat hij inderdaad de weg terug naar de Quinta da Pinheiro zou vinden, een afstand van ongeveer anderhalve kilometer. Maar hij leek er zeker van te zijn dat hij de weg wist, en dus gingen we uiteen.

Het was een heldere, rustige nacht. Ik zag hoe zijn lange gestalte door de nauwe steeg naar boven liep, langs hoge muren waar palmbladeren, kamperfoelie en zwaar beladen takken van verschillende fruitbomen overheen hingen. Bij een bocht in de steeg bleef hij staan en draaide zich om. Boven de deur van een huisje met een torentje brandde een lantaarn die een bleekgeel licht over de keien wierp. Een ogenblik stond hij onder de lantaarn, nam een trek van zijn sigaar en zwaaide. Toen was hij verdwenen.

En zo kwam de dag waarop ik Madeira moest verlaten om naar Engeland terug te keren. Mijn koffers en hutkoffers waren naar de haven gebracht, en ik had mijn drie bedienden hun laatste instructies gegeven en ze op het hart gedrukt mijnheer Gorst tot mijn terugkeer als hun meester te beschouwen.

Toen ik mijn studeerkamer uit kwam om de klaarstaande ossenslee naar de stad te nemen, stond Gorst met zijn hoed in de hand in de hal, net terug van een van zijn boswandelingen.

'Tot weerziens, Gorst,' zei ik. 'Ik zal je schrijven om je te laten weten hoe de zaken er in het goeie ouwe Engeland voorstaan. En jij schrijft mij toch ook om me te vertellen hoe het met je gaat en wat je doet?'

'Dat zal ik doen,' zei hij. 'Met alle genoegen.'

Hij zweeg even en stak toen zijn hand uit – die niet meer trilde, zoals op Lanzarote, maar vast en sterk was.

'Dank je, Lazarus,' zei hij alleen, maar zijn woorden ontroerden me diep, want ik wist dat ze recht uit zijn hart kwamen.

Het waren de laatste woorden die ik hem hoorde spreken.

17

Waarin lady Tansor haar hart opent

I
Ik krijg een berisping

In een ontredderde gemoedstoestand sloeg ik de herinneringen van mijnheer John Lazarus dicht. Ik wist nu iets over mijn vader, maar de kennis had geen troost gebracht, alleen een wanhopig, onmogelijk verlangen om hem in levenden lijve mee te maken zoals hij echt was geweest en niet als voorwerp van een verre herinnering.

Mijnheer Lazarus (van wie ik een zeer hoge dunk had gekregen) had me nu ook een vluchtige indruk van mijn moeder gegeven, en tevens van mijn familieleden, de Blantyres, van wie ik nog nooit had gehoord.

Marguerite. Het beeld van die met mos overdekte grafzerk op het kerkhof van St-Vincent kwam me opnieuw voor de geest, terwijl ik me herinnerde hoezeer ik mijn best had gedaan om me een indruk te vormen van het uiterlijk van de vrouw met die zo muzikale naam – was ze groot of klein geweest, donker of blond? – en me had afgevraagd of ze zo lief was geweest als ze in mijn kinderlijke verbeelding op grond van haar naam was geworden. Mijnheer Lazarus' verslag wekte de indruk dat ze inderdaad zo was geweest, ook al bleef ze in mijn geest nog vaag en schimmig. Ik hoopte dat het afschrift van haar dagboek, dat mijnheer Thornhaugh me volgens zijn belofte spoedig zou toesturen, me een duidelijker beeld van haar persoonlijkheid en karakter zou geven. Voorlopig moest ik genoegen nemen met wat ik had – een klein fragment uit de herinneringen van die beste mijnheer Lazarus.

Terwijl ik op bed ging liggen, voelde ik me opeens ontmoedigd en bedrukt door klemmende vragen. Vooral één door mijnheer Lazarus genoemde figuur – de heer Roderick Shillito, van wie ik alleen wist dat hij een oude schoolkameraad van Phoebus Daunt was geweest, maar wiens naam me meteen een schok der herkenning had bezorgd – baarde me zorgen. Hij was aanwezig geweest op het diner in milady's huis op Grosvenor Square tijdens ons recente uitstapje naar Londen – ze had hem toen aan mij beschreven als 'een oude schoolvriend van mijnheer Phoebus Daunt'. Dat nu bleek dat hij twintig jaar geleden op Madeira mijn beide ouders had gekend kon opnieuw op een uitzonderlijk toeval berusten, net als de kwestie met de initialen B.K. Maar ofschoon het toeval – vaak in buitengewone vorm – een veel grotere rol in het leven speelt dan we vaak veronderstellen, aarzelde ik om mijnheer Shillito's huidige betrekking met lady Tansor eraan toe te schrijven. Kon mijn vaders duidelijke afkeer van deze man uit eerdere contacten zijn voortgekomen? Had er misschien zelfs een betrekking bestaan tussen mijn vader en mijnheer Shillito's schoolvriend Phoebus Daunt?

Op dat ogenblik werd mijn gedachtegang onderbroken doordat eindelijk de bel in de hoek van mijn kamer weerklonk. Milady riep me.

'Juffrouw Gorst!' riep mijnheer Armitage Vyse uit. 'Komt u binnen, komt u binnen!'

Op mijn kloppen had hij de deur geopend, en breed glimlachend steunde hij op zijn stok. Milady zat bij de haard, staarde afwezig naar de vlammen en hield een verzegelde enveloppe in haar hand.

'Hoe gaat het met u, juffrouw Gorst?' vroeg hij op bijzonder hartelijke toon.

'Heel goed, mijnheer, dank u,' zei ik en ik maakte plichtsgetrouw een reverence.

'Voortreffelijk! Voortreffelijk! Komt u nu dan bij de haard zitten?'

Hij begeleidde me naar de kleine sofa tegenover lady Tansor en ging vervolgens ongerieflijk dicht bij me zitten, met nog steeds die rare, griezelig vriendelijke glimlach op zijn gezicht. Milady verroerde zich niet, maar keek nog altijd aandachtig naar het vuur.

Ten slotte keerde ze zich naar mij toe. Haar gezicht stond afgetobd, en ze had donkere kringen rond haar ogen.

'Dit is voor jou,' zei ze kil en ze keek naar de enveloppe. 'Van mijnheer Wraxall.'

'Mijnheer Montagu Wraxall,' voegde mijnheer Vyse daaraan toe, terwijl hij heel comfortabel en zelfgenoegzaam zijn lange benen strekte en zijn handen naar zijn achterhoofd bracht. 'Fantastische kerel! Een legendarische figuur in onze professie, moet u weten. Scherpzinnig, heel scherpzinnig.'

Zijn toon was hartelijk en vertrouwelijk, maar zijn blik stuurde een koude rilling over mijn rug en gaf me het gevoel dat ik me achteloos op gevaarlijk terrein had gewaagd. Ik kon slechts vermoeden dat zowel mijnheer Vyse als mijn meesteres een betrekking met mijnheer Wraxall wilde ontmoedigen, omdat die een bedreiging voor hun plannen vormde.

'We gingen vanmorgen toevallig langs op North Lodge,' zei milady op een vlakke, emotieloze toon die me desondanks verontrustte, 'en mijnheer Wraxall vroeg of we jou dit briefje wilden bezorgen. Hij informeerde ook naar je en zei dat het hem speet dat hij vanwege zaken veel langer dan verwacht van Evenwood weg was geweest. Ik moet bekennen dat ik niet wist dat jullie op zo'n vertrouwelijke voet met elkaar stonden.'

'O nee, milady!' protesteerde ik met enig vuur, want ik bespeurde nu iets licht uitdagends in haar toon. 'Niet in het minst.'

'Vergeef me, Alice. Ik had de indruk dat je mijnheer Wraxall voor het eerst op de uitvaart van professor Slake hebt ontmoet.'

'Dat is ook zo, milady.'

'Maar je hebt kennelijk nader met hem kennisgemaakt zonder dat ik ervan wist,' vervolgde ze.

Waarom ondervroeg ze me op deze manier? Ik kon in de omgang met mijnheer Wraxall niets onbetamelijks ontwaren, maar het was overduidelijk dat milady, evenals mijnheer Vyse, ons contact afkeurde. Vervolgens viel me in dat dit misschien samenhing met de moord op mijnheer Paul Carteret, waarvoor wijlen de professor zo veel belangstelling had gehad. Ik besloot dan ook niets te zeggen over het gesprek dat ik met mijnheer Wraxall over dit onderwerp had gevoerd.

Ik trotseerde milady's blik en legde uit dat ik mijnheer Wraxall volkomen toevallig tegen het lijf was gelopen toen hij het douairièrehuis uit was gekomen en dat hij het voornemen had uitgesproken me op de thee te vragen als hij naar North Lodge terugkeerde.

'Zozo!' zei mijnheer Vyse met een cynisch lachje. 'Op de thee, hè? Dat is me wat!'

'In dat geval,' zei lady Tansor terwijl ze me met een ijzige blik de enveloppe overhandigde, 'mag je je briefje hebben.'

Er viel een korte stilte.

'Het douairièrehuis, zei je?' vroeg milady vervolgens op een toon die erop wees dat ze over een lastige kwestie had nagedacht.

'Neemt u me niet kwalijk, milady?'

'Je zei dat je mijnheer Wraxall toevallig bij het douairièrehuis was tegengekomen.'

'Ja, milady. Hij verzamelde brieven die professor Slake aan...'

Ik aarzelde en besefte onmiddellijk dat ik dat niet had moeten doen. Milady's gezicht stond nu zeer alert, en haar grote, zwarte ogen waren op mij gericht.

'Ja, Alice?'

'Brieven die aan wijlen uw vader waren geschreven,' vervolgde ik zo luchtig mogelijk.

'Brieven aan mijn vader?'

'Ja, milady.'

'En heeft mijnheer Wraxall u meer over de inhoud van die brieven verteld?'

'Nee, milady. Mijnheer Wraxall moest ze nog doornemen. Ik weet alleen dat het om een groot aantal brieven ging.'

Ze stond op en liep naar het raam. Mijnheer Vyse hoestte en glimlachte vaderlijk.

'Welnu, juffrouw Gorst, u krijgt meen ik promotie, nietwaar,' zei hij. 'U wordt toch de gezelschapsdame van milady?'

'Ja, mijnheer.'

Ik boog zedig mijn hoofd, vastbesloten om zo min mogelijk te zeggen, maar mijnheer Vyse leek met even grote vastberadenheid de stilte te willen opvullen.

'Ik twijfel er niet aan dat u dat volledig verdient. Toch is het misschien minder dan u vroeger had verwacht – omdat u van goede komaf bent, bedoel ik.'

'Ik ben als wees grootgebracht, mijnheer,' antwoordde ik. 'Ik dacht dat u dat wel wist. En hoewel ik van een goede opvoeding heb kunnen profiteren, kan ik geen aanspraak maken op bijzondere voorrechten vanwege mijn afkomst – en ik doe dat ook niet. Ik ben volmaakt tevreden met mijn huidige positie, die veel beter is dan ik ooit had mogen verwachten, en ik ben milady dankbaar voor de genegenheid die ze me blijft betonen. Ik zal voortdurend trachten die genegenheid te verdienen.'

Een mooie toespraak, dacht ik, evenzeer bedoeld voor milady als voor mijnheer Vyse, die op het punt stond te antwoorden toen mijn meesteres hem voor was.

'Ik weet helemaal niet zo zeker, Alice,' zei ze, 'of het juist was dat je ermee instemde bij mijnheer Montagu Wraxall op de thee te gaan. Ik zal het je evenwel niet uitdrukkelijk verbieden, al hoop ik dat je nu inziet dat het ondoordacht – en enigszins aanmatigend – van je was om zijn uitnodiging te aanvaarden zonder eerst mij te hebben geraadpleegd. Zoals je moet erkennen heb ik veel consideratie met je gehad ten aanzien van je positie hier, een consideratie die ik nooit voor anderen in jouw plaats heb gehad, maar mijn tolerantie kent grenzen.'

'Grenzen,' zei mijnheer Vyse met een wijs knikje.

'Ik had gehoopt,' voegde milady daar nog aan toe, 'dat er geen geheimen meer tussen ons zouden zijn.'

Ik stond versteld van haar huichelachtigheid. Geheimen! Zij had massa's geheimen, en toch gaf ze mij een uitbrander omdat ik de mijne voor mezelf hield!

'Misschien,' probeerde mijnheer Vyse, 'zou juffrouw Gorst milady het briefje van mijnheer Wraxall kunnen laten lezen, en zou dat u er enigermate van kunnen overtuigen dat ze niets onbetamelijks in de zin hadden en de zaken weer in het juiste licht plaatsen. Dat zou u toch niet erg vinden, juffrouw Gorst? Ik voor mij ben er zeker van dat u van plan was het briefje na ontvangst uit eigen beweging aan milady voor te leggen. Zegt u eens, heb ik geen gelijk?'

Hij had me te pakken, en hij wist het. Daar zat hij, met een grijns van oor tot oor, terwijl zijn horlogeketting en zijn zegelringen het licht van de haard weerkaatsten. Hij was zo zelfverzekerd, zo bestudeerd vriendelijk en zo merkwaardig op zijn gemak.

Omdat ik geen keus had, liep ik naar lady Tansor toe en gaf haar de nog ongeopende brief terug.

'Geen geheimen meer, Alice,' fluisterde ze.

'Nee, milady.'

Ze had maar een paar tellen nodig om het briefje te lezen, dat ze me vervolgens met een donkere blik teruggaf. Ze zei geen woord, maar liep haastig naar de aangrenzende slaapkamer en sloeg de deur achter zich dicht.

Ik wierp een blik op het vel en de paar regels die erop geschreven stonden:

Waarde mejuffrouw Gorst,
Eindelijk ben ik terug.
Het is al bijna Kerstmis, maar als u nog steeds genegen bent om
mijn uitnodiging te accepteren, zal ik u met alle genoegen aan-
staande zondag, de 31ste, om drie uur welkom heten in North
Lodge.
Ik krijg nog een gast, een jonge vriend van me, die uit Londen is
overgekomen om de feestdagen bij zijn zieke vader door te brengen.
Zijn vrouw zal er ook zijn, dus u bent niet zonder chaperonne.
Met vriendelijke groeten,
M.R.J. Wraxall

'Zo dan,' hoorde ik mijnheer Vyse zeggen toen ik het briefje had gelezen
en het in mijn zak stak, 'dat is gebeurd en alles is rechtgezet. En morgen
is het Kerstavond! Kan het nog aangenamer?'

Hij was opgestaan, leunde op zijn stok met zijn rug naar de haard en
nam me op met een van zijn verwarrende glimlachjes. Hij maakte een
uiterst vriendelijke, charmante en voorkomende indruk, maar ik wist
beter. Ik wist ook welk gevaar hij voor me betekende, want ik herinnerde me levendig hoe hij in vermomming tegenover de schurkachtige Billy Yapp had gezeten.

Terwijl ik overwoog of ik zou wachten tot milady haar slaapkamer
uit kwam of weer naar boven zou gaan om daar een nadere oproep af te
wachten, werd er één keer op de deur geklopt, die vervolgens openging
en mijnheer Perseus toonde terwijl hij roerloos in de deuropening
stond – zoals altijd was zijn gezicht onaangedaan als een masker. Toen
zag ik dat hij, terwijl hij eerst naar mij en vervolgens naar de dandyach-
tige gestalte van mijnheer Vyse keek, tweemaal zijn vuist balde. Het was
heel onbeduidend, maar iets in dit onwillekeurige gebaar gaf blijk van
zijn verbolgenheid wegens het feit dat hij mijnheer Vyse zo onbeschaamd voor de haard in zijn moeders privévertrekken aantrof, alsof
hij die zich had toegeëigend.

'Ah, Vyse,' zei hij op een toon van kille hoffelijkheid. 'Daar bent u –
net als juffrouw Gorst.'

'Ik ben inderdaad hier,' antwoordde mijnheer Vyse volkomen onge-
geneerd, en overdreven hartelijk maakte hij een buiging. 'Wilt u niet
binnenkomen?'

De belediging was duidelijk opzettelijk. Alsof mijnheer Perseus Duport een uitnodiging van een gast nodig had om de vertrekken van zijn eigen moeder te mogen betreden!

Mijnheer Perseus stapte de kamer in, sloot de deur en keek om zich heen.

'Waar is mijn moeder?' vroeg hij.

'Helaas, ze had vanochtend bij het ontwaken weer hoofdpijn,' zei mijnheer Vyse op lijzige toon. 'Op mijn voorstel zijn we er met de barouchet op uitgetrokken, uiteraard goed ingepakt – ik heb ontdekt dat een flinke dosis schone plattelandslucht een eersteklas middel tegen hoofdpijn is. Tot mijn genoegen kan ik zeggen dat mijn aanbeveling bij milady in de smaak viel en dat ze bij terugkeer flink opgefrist was, zij het een weinig vermoeid. Ze ligt nu te rusten.'

U kunt goed liegen, mijnheer, dacht ik terwijl hij me een sluwe, steelse blik toewierp.

'Goed dan, ik zal haar niet storen,' zei mijnheer Perseus. 'Ik wilde haar alleen laten weten dat mijn broer terug is uit Wales en dat Shillito ook is aangekomen. Hij zit in de salon en vraagt naar u. Ik veronderstel dat het u vrijstaat om naar beneden te komen?'

Zijn antipathie voor mijnheer Vyse was duidelijk, maar laatstgenoemde bleef onaantastbaar en straalde grote zelfgenoegzaamheid uit.

'Alleszins,' luidde het antwoord. Toen wendde hij zich tot mij met de woorden: 'Ik denk dat u kunt gaan, juffrouw Gorst. Milady zal bellen als ze u nodig heeft.'

Ik maakte bij wijze van antwoord een kleine reverence en vertrok. Ondertussen richtte hij zich nogmaals tot mijnheer Perseus.

'Ik heb juffrouw Gorst gefeliciteerd met haar geluk. Haar zware dagen zijn spoedig voorbij. Ze wordt nu gezelschapsdame van milady! Al met al een opmerkelijk voorbeeld van hoe een goede opvoeding triomfeert over de omstandigheden. Afkomst verloochent zich niet, afkomst verloochent zich niet.'

Mijnheer Perseus negeerde deze gladde woorden, opende de deur voor mij en maakte een lichte buiging met zijn hoofd toen ik hem passeerde. Vervolgens ontmoetten onze blikken elkaar heel even, en ik moet bekennen dat ik in die korte tijdspanne iets zag waarvan mijn hart opeens ging bonzen. Wat was het? Ik kon het niet zeggen, maar ik verliet milady's vertrekken op onverklaarbare wijze in een veel betere stemming dan ik ze was binnengegaan.

De herinneringen van mijnheer Lazarus lagen nog op mijn tafel. Toen ik een kaars opstak en het boek op een willekeurige plaats opensloeg, viel mijn oog op het verslag van de receptie voor de familie Blantyre, waar mijn ouders elkaar voor het eerst hadden ontmoet, en op de beschrijving van de heer Roderick Shillito – die op dit moment ongetwijfeld op zijn gemak met mijnheer Vyse in de salon zat.

Wat zou er gebeuren wanneer ik aan deze man werd voorgesteld – iets wat me zeker te wachten stond? Zou de naam Gorst bij hem herinneringen oproepen aan de man die hij twintig jaar geleden op Madeira had ontmoet? Ik zou argwaan kunnen wekken en zelfs in gevaar kunnen komen. In elk geval was ik gewaarschuwd, maar dat stelde me nauwelijks gerust.

Op dat moment ging de bel, en dus ging ik de trap weer af naar de vertrekken van milady.

II
Waarin ik opnieuw word gepromoveerd

Ze zat bij het haardvuur en keek onverstoorbaar naar de fel opflakkerende houtblokken. Mijnheer Vyse en mijnheer Perseus waren nergens te bekennen.

Toen ik de kamer binnenkwam, keerde ze haar bleke, afgetobde gezicht naar me toe.

'Ga maar zitten, Alice,' zei ze vriendelijk. 'Ik wil je iets zeggen.'

Ik nam opnieuw plaats op de sofa tegenover haar. Tot mijn verbazing boog ze zich naar voren en nam mijn handen teder in de hare.

'Ik heb vroeger een vriendin gehad,' begon ze op een rustige, peinzende toon, 'de beste vriendin van de hele wereld – de enige echte vriendin die ik ooit heb gehad. Als we bij elkaar waren, waren we onafscheidelijk, als zusters.'

Ze wendde haar blik even af. Ik zag dat haar ogen vochtig waren, maar toen ik iets wilde zeggen hief ze haar hand op.

'Nee, Alice. Zeg maar niets. De herinneringen zijn pijnlijk voor me, zelfs nu nog, en ze worden dat des te meer doordat mijn eigen allerliefste zus ons in mijn kinderjaren is ontvallen – je moet vast hebben gehoord dat de arme stakker in de Evenbrook is verdronken. Jaren later, in een periode waaraan ik altijd met de grootste tederheid zal terugdenken, vulde die vriendin de leegte in mijn bestaan die door mijn lieve zus was achtergelaten. We vertrouwden elkaar al onze geheimpjes, verwachtingen en dromen toe, en in die sfeer van diepe genegenheid en fiducie werden we samen vrouw.

Ze kwam elke zomer op Evenwood logeren en werd de grote lieveling van mijn vader. Maar toen werd onze band door bepaalde omstandigheden verbroken en was het niet meer mogelijk ons vroegere intieme contact voort te zetten.'

'En sindsdien hebt u haar nooit meer gezien?'

'Nooit meer,' zuchtte ze. 'Ik heb de afgelopen twintig jaar niets meer van haar vernomen – en er is nooit iemand voor haar in de plaats gekomen. Natuurlijk heb ik hier in de omgeving en in de stad een grote kennissenkring, maar iemand zoals zij is er nooit meer geweest.

Er bestond een heel zeldzame genegenheid tussen ons, moet je weten, ook al waren we in veel opzichten erg verschillend. Zij was vaak dartel en onverantwoordelijk – ze leek achteloos door het leven te huppelen, terwijl ik door mijn opvoeding heel serieus was en me altijd behoedzaam gedroeg. Maar ik denk dat we elkaar aanvulden en onze verschillen lieten versmelten. We zagen er ook zo anders uit. Zij was een klein poppetje, met schitterend blond haar en heel lichtblauwe ogen, terwijl ik natuurlijk donker was en de lengte van een man had. We moeten een vreemd plaatje hebben gevormd!'

Met een treurig lachje liet ze mijn handen los en leunde achterover in haar stoel, verzonken in mooie herinneringen.

Enige tijd luisterden we zwijgend naar het geknetter van de gloeiende houtblokken. Toen nam ze mijn handen opnieuw in de hare en keek me diep in de ogen.

'Nu, liefste Alice, dit wilde ik je vertellen. Toen ik je voor het eerst zag wist ik meteen dat we op een dag vriendinnen zouden worden – echte vriendinnen, zoals zij en ik. Jij kwam als dienares naar me toe, maar zoals ik je heb verteld doorzag ik je vermomming. Ik herkende je ware aard.'

O, die borende ogen, zwart als violenblaadjes, die deden denken aan de ogen van een Byzantijnse icoon, vastberaden op de eeuwigheid gefixeerd. Zo mooi, zo fascinerend, zo oneindig mysterieus! Ik voelde dat ik wegzonk in hun zuigende, verraderlijke diepte en weerloos bezweek voor hun macht, zoals velen voor mij. Haar woorden hadden me aanvankelijk verontrust, tot me duidelijk werd dat ze geen zinspeling of dreigement inhielden. Ze waren, integendeel, van een tedere oprecht-heid die ik nooit eerder uit haar mond had gehoord – en het was beto-verend.

'Je zult het wel vreemd vinden,' vervolgde ze, 'dat ik zulke dingen zeg – tenslotte ken ik je pas heel kort. Ik beken dat ik het zelf vreemd vind, die onverklaarbare affiniteit die ik tussen ons voel. Ik heb me er uit alle macht tegen verzet, want natuurlijk ben ik me bewust van de ongelijk-heid van onze posities. Ook heb ik – zo heftig! – geprobeerd de betrek-kingen in stand te houden die tussen een meesteres en een kamenier horen te bestaan, zoals zo-even, omdat je mijnheer Wraxalls uitnodi-ging had aanvaard. Maar ik kan me niet meer verzetten.

Geloof het of niet, maar ik word door zorgen overstelpt en heb nie-mand die ik in vertrouwen kan nemen. Ik zie dat je ongelovig kijkt, maar het is maar al te waar. Uiteraard heb ik mijn lieve zoon Perseus, maar sommige dingen kan een moeder zelfs haar kinderen niet vertel-len – en andere moet ze misschien in hun eigen belang voor zich hou-den.

Het gevolg is dat ik het gevoel heb volkomen alleen op de wereld te zijn. Ik moet bekennen dat ik niet langer het vooruitzicht kan verdra-gen dat ik tot het einde van mijn dagen verstoken zal blijven van een band met iemand van mijn eigen geslacht, een band zoals ik die eens met mijn vroegere vriendin had en waarnaar ik dagelijks smacht.

Wil jíj dus zo'n vriendin voor me zijn, Alice, en tevens mijn betaalde gezelschapsdame, met ingang van vandaag? Mijn trouwe, toegewijde vriendin?'

'Ik weet niet wat ik moet zeggen, milady,' zei ik en ik deed alsof ik ver-ward en dankbaar was, ook al was ik inwendig dolblij. 'Dit is zo... onver-wacht... zo onverdiend...'

'O, Alice, lief gansje toch!' lachte ze. 'Je moet natuurlijk ja zeggen, en je moet me niet meer met "milady" aanspreken – als we zo samen zijn, bedoel ik. Ik heet Emily Grace Duport, en als we niet in gezelschap of in tegenwoordigheid van mijn zonen zijn, moet je me voortaan dus Emily noemen.'

'Maar,' protesteerde ik, 'u en uw vorige vriendin waren leeftijdgeno-ten. Ik ben nog zo jong en weet nog zo weinig over het leven. U hebt toch een vriendin van uw eigen leeftijd nodig?'

'Onzin!' riep ze. 'Jij bent uiteraard jong in jaren, maar er rust een on-gewoon verstandig hoofd op jouw schouders. En waarom zou ik geen jongere vriendin kunnen hebben, zeker wanneer ik oprecht voel dat we op dezelfde manier tegen dingen aankijken? Ik weet dat jij het ook zo voelt – dat het voorbestemd is dat onze levens met elkaar vervlochten raken. Zeg dat jij het zo voelt!'

Ik kon het niet ontkennen, want het was niet meer dan de waarheid – en zelfs de reden waarom ik naar dit landgoed was gestuurd. Toen ze vervolgens mijn gefluisterde erkenning hoorde, viel ze voor me op de knieën, sloeg haar armen om mijn hals en kuste me.

'Zo!' zei ze. 'Bezegeld met een kus!'

Men zal zich kunnen indenken hoe verbaasd ik was toen mijn meesteres als een hartstochtelijke smekelinge voor me neerknielde en op zo'n extraverte manier tegen me sprak. Het riep het beeld bij me op van hoe ze overmand door verdriet voor de tombe van Phoebus Daunt was geknield. Nu had ze echter een opgetogen, hoopvolle, smekende uitdrukking op haar gezicht, en – tot mijn nog grotere verbazing – ik beantwoordde haar omhelzing en verviel tot een merkwaardige staat van bereidwillige onderwerping, waaraan ik me slechts met zeer grote moeite wist te onttrekken.

Ik had geen idee wat deze verbijsterende verandering in haar teweeg had gebracht – een zo plotselinge en totale transformatie dat die zelfs voor mijn argwanende blik volledig vrij van huichelarij leek. Ik erken dat ik volkomen verbluft was en wist dat ik haar niet moest vertrouwen, maar me toch gevleid en ontroerd voelde door dit uitbundige vriendschapsaanbod van de enige vrouw op de wereld die ik nooit mijn vriendin zou kunnen noemen.

Met een tevreden zucht leunde milady weer achterover in haar stoel.

'Weet je nog,' vroeg ze, 'dat ik je toen je voor het eerst voor me stond, vroeg of je dacht dat we vriendinnen zouden worden?'

Ik zei dat ik het me nog heel goed herinnerde, maar nooit had durven hopen dat zoiets ooit kon worden verwezenlijkt – 'al wilde ik het natuurlijk wel heel graag,' voegde ik daaraan toe.

'Het is het lot, weet je. Daar ben ik zeker van – zoals van weinig andere dingen in mijn leven – en ik ben er oprecht heel blij om.'

'Net als ik,' zei ik en ik pakte haar hand. 'Echt waar.'

Een poosje zitten we zwijgend bij elkaar, allebei door onze eigen gedachten in beslag genomen.

'Het zal natuurlijk niet meevallen voor je, Alice,' merkt ze even later op. 'Je zult je door deze plotselinge verandering in onze verhouding ongetwijfeld ongemakkelijk en onbeholpen voelen. Maar ik wil dat je in mijn gezelschap even gelukkig zult worden als ik, naar ik weet, in het jouwe zal zijn. En dus moet je trachten je natuurlijke fijngevoeligheid te overwinnen, die je zeer siert, en proberen me als je gelijke te behandelen – ik bedoel natuurlijk: op onze vertrouwelijke momenten, als de wereld het niet ziet, en nooit als er personeel bij is. Publiekelijk moeten we meer op onze hoede zijn. Je treedt dan als mijn betaalde gezelschapsdame op, en we moeten zorgen dat je je gedrag dienovereenkomstig aanpast.'

'Ah, ja,' zeg ik netjes en volgzaam, 'we moeten ons natuurlijk aan de fatsoensregels houden. Onder elkaar vriendinnen, in het openbaar meesteres en gezelschapsdame.'

'Precies!' roept ze. 'Jij begrijpt me altijd, lieve Alice.'

O ja, milady, denk ik, ik begrijp het heel goed.

We praatten nog ruim een halfuur. Of beter gezegd, ik nam er genoegen mee mijn nieuwe vriendin te laten praten, wat ze blijkbaar al te graag deed, terwijl ik dankbaar en gedienstig glimlachte en knikte. Toen begon het donker te worden en was het tijd om de lampen aan te steken.

'Weet je, Alice,' zei milady terwijl ze opstond en haar handen naar de haard uitstak, 'ik denk dat ik toch graag weer een tijdje naar Londen toe wil. Het zal heel anders zijn nu jij me gezelschap kunt houden. Ik weet zeker dat ik geen hekel aan Londen zal hebben als jij bij me bent. Dan gaan we naar het theater, en naar concerten. O ja, naar concerten! Ik ben al… nu ja, al heel lang niet meer naar een concert geweest. Jij vindt dat toch leuk, schat?'

De regen sloeg nu tegen de ramen, door toedoen van een huilende wind.

'En dan,' vervolgde ze, op een soort verrukte maar peinzende toon – en ze wachtte mijn antwoord niet af, maar liep naar het zitje in de vensternis om over het door de regen geteisterde landgoed uit te kijken – 'dan kunnen we uitstapjes maken, naar de dierentuin misschien, of naar de Tower. Uiteraard moet je ook bepaalde mensen ontmoeten, aan wie ik je kan voorstellen zodat ik je in de hoogste kringen kan introduceren. Ik heb je al verteld dat ik dat graag wil doen.'

Ze zag er schitterend uit in haar lange, donkergrijze japon, die haar lange gestalte nauw omsloot en haar bleke teint volmaakt deed uitkomen. Wie zou haar niet bewonderen en niet met haar bevriend willen zijn?

Nu ik haar daar zag staan, zo mysterieus en verleidelijk in de gloed van de haard, besefte ik dat ik tegenover madame nooit zou kunnen bekennen wat ik mezelf amper durfde te bekennen: dat ik gefascineerd begon te raken door deze vrouw terwijl ik hierheen was gekomen om haar nog onbekende vergrijpen aan de kaak te stellen. Wat is het menselijk hart inconsequent en verwarrend, dat het zich tegelijk door iets aangetrokken en afgestoten kan voelen, en dat het ondanks zichzelf kan worden aangelokt door iets wat op zijn vernietiging uit is!

Zo kwam er, drie maanden na mijn aankomst op het landhuis Evenwood, een einde aan mijn aanstelling als kamenier van de zesentwintigste barones Tansor en werd ik de uitverkoren vriendin van Emily Grace Duport, geboren Carteret – de vrouw die, naar mijn beschermengel madame De l'Orme me had verzekerd, mijn gezworen vijand was.

18

Met zijn dertigen aan tafel,
en wat daarop volgde

I
Het kleden voor het diner

Milady en ik bleven bij de haard zitten praten totdat het tijd was om haar te kleden voor het diner.

'Heb je er bezwaar tegen om mij te helpen met kleden, Alice?' vroeg ze. 'Als vriendin uiteraard, niet als mijn kamenier? Volgende week komt er een meisje voor een gesprek – ze is familie van Pocock. Als zij voldoet, zal ik niet de moeite nemen nog een ander te laten komen. Tot die tijd...'

Enthousiast verzekerde ik haar dat ik haar tot de komst van de nieuwe kamenier met alle genoegen zou bijstaan bij haar toilet, en daarop klapte ze in haar handen en gaf me nog een kus.

Opnieuw had ze in zeer levendige bewoordingen herinneringen opgehaald aan haar vroegere vriendin en de gelukkige tijd die ze samen hadden beleefd.

'Wat treurig dat er een einde aan zo'n periode moest komen,' merkte ik op. 'U had het over bepaalde omstandigheden...'

'Vergeef me, Alice.' Ze werd opeens serieus. 'Over die dingen kan ik niet praten.'

'Nu, ik zal natuurlijk niet aandringen,' antwoordde ik, terwijl ik besloot dat ik me licht ontstemd zou tonen vanwege haar weigering. 'Ik maakte die opmerking alleen maar omdat ik dacht dat u een vertrouwelinge wilde. Maar zelfs vriendinnen moeten kennelijk hun geheimen hebben.'

'Dit is geen geheim, Alice,' zei ze vriendelijk maar vasthoudend. 'De omstandigheden waarop ik zinspeelde omvatten vertrouwelijkheden die ik onder geen voorwaarde kan doorvertellen, zelfs niet aan een vriendin.'

Haar stem had een hardere klank gekregen, en in haar ogen vlamde het oude heerszuchtige lichtje op. Een ogenblik was ik bang dat ik te vrijpostig was geweest, maar toen leek ze zich opeens weer te vermannen.

'Maar dit zijn allemaal dingen van het verleden,' zei ze. 'We moesten ze daar maar laten rusten. Voor ons allebei is dit een nieuw begin, en ik hoop dat we als echte vriendinnen onze geheimen met elkaar zullen delen.'

Ik stond opnieuw versteld van haar hypocrisie, want ik wist maar al te goed dat zij haar hartsgeheimen nooit bereidwillig aan me zou openbaren.

Toen ik haar met kleden had geholpen, vertelde ze me dat ze wilde dat ik die avond met het gezelschap mee zou dineren en dat ik voortaan al mijn maaltijden met de familie moest gebruiken.

'Ik denk dat er heel wat tongen in beweging zullen komen,' zuchtte ze, 'en dat er heel wat hoofden zullen worden geschud en de mensen zullen denken dat ik krankzinnig ben geworden omdat ik een voormalige kamenier op deze wijze bevorder, maar daarover hoeven wij ons niet in het minst te bekommeren, lieve Alice. Iedereen zal spoedig inzien dat het dienen niet jouw bestemming is en vervolgens zal men toejuichen dat ik zo verstandig ben geweest je uit dat bestaan te bevrijden.'

Ze praatte maar door, totdat ik klaar was met haar haar en haar het doosje overhandigde met het kostbare medaillon aan het zwarte fluwelen bandje waarin ze de haarlok bewaarde die ze van Phoebus Daunts hoofd had geknipt.

'O ja,' zei ze terwijl ze het medaillon om haar hals hing, 'ik heb Barrington gevraagd jouw spulletjes morgenochtend naar de torenkamer te brengen, zodat je Eerste Kerstdag in je nieuwe bed wakker kunt worden. Nu, wat trek jij vanavond aan? Je moet een goede indruk op onze gasten maken, nietwaar. En op Eerste Kerstdag wordt Perseus ook meerderjarig. Wat een dag zal dat worden!'

Ze springt van haar stoel op, rent als een opgewonden jonge juffer op de avond van haar eerste bal naar een van de grote klerenkasten en haalt er verschillende japonnen uit, die ze eerst ter inspectie omhooghoudt, om ze vervolgens op een steeds groter wordende stapel op de grond te gooien.

'Ah!' roept ze ten slotte uit, terwijl ze een sierlijke japon van zilvergrijze zijde tevoorschijn haalt. Hij is bij de schouders laag uitgesneden, en rondom de rok zijn ruches en strikken van donkerder zijde aangebracht, afgezet met rode rozen.

'Dat is hem! Ik denk dat deze je heel goed zal staan. Kom, ik wil je ermee zien. Ik zal je helpen.'

Met die woorden begint ze geestdriftig de knoopjes los te maken van de saaie zwarte jurk die ik overdag meestal draag en houdt de japon open zodat ik erin kan stappen.

Het was erg verwarrend om door milady te worden gekleed, alsof zij de kamenier en ik de meesteres was, maar het ongerijmde van de situatie leek niet tot haar door te dringen. Ze leek er zelfs nogal wat plezier aan te beleven en babbelde opgewekt verder terwijl ze de japon dichtknoopte, een diadeem met parels en papieren bloemen in mijn haar stak en me vervolgens meetroonde naar de grote spiegel.

'Zo!' riep ze vol bewondering. 'Helemaal veranderd!'

Ze stond achter me, met haar handen beschermend op mijn blote schouders, en zo bekeken we samen mijn spiegelbeeld.

De japon paste perfect, want we waren ongeveer even lang, en ondanks het leeftijdsverschil was milady's figuur nog bijna even strak als het mijne. Met een schok realiseerde ik me dat we met ons donkere haar en onze redelijk gelijkende gelaatstrekken bijna voor moeder en dochter konden doorgaan. Misschien kwam milady op dezelfde gedachte, want ze schrok opeens en haalde haar handen van mijn schouders.

'Lieve hemel!' riep ze uit, meer tegen zichzelf dan tegen mij. Vervolgens fluisterde ze: 'Ik had gelijk!'

'Is er iets mis, milady?' vroeg ik, want ik begreep niets van wat ze zei.

'Mis? Wat zou er mis kunnen zijn? Je lijkt in dit licht alleen sprekend op iemand die ik vroeger heb gekend. Je hebt me altijd aan die... persoon doen denken. Maar vanavond... hier, op dit moment... is de gelijkenis wel bijzonder sterk. Ik werd er een beetje door verrast.'

'Ook een vriendin?' vroeg ik.

Dit keer antwoordde ze niet, maar ze draaide zich om, liep naar de toilettafel en opende een ivoren juwelenkistje.

'Nog iets, om het helemaal af te maken,' zei ze en ze haalde een prachtig collier met opalen en diamanten uit het doosje, dat ze mij om de hals wilde doen.

'O nee,' protesteerde ik en ik deinsde terug. 'Dat kan ik onmogelijk... echt, dat kan niet.'

'Onzin!' zei ze, maakte het sluitinkje dicht en deed een stap terug om te bekijken hoe het stond. 'Je bent voor dit soort dingen geboren. Moet je zien hoe goed het je staat.'

Het was waar. Mijn spiegelbeeld toonde een dame van hoge komaf, volmaakt op haar gemak met dure kleren en sieraden. Waar, zei ik bij mezelf, is nu de eenvoudige kamenier gebleven?

Vervolgens viel mijn blik op het ivoren juwelenkistje, dat nog ge-opend op de toilettafel stond. Te midden van verschillende ringen en armbanden die door elkaar heen op de donkerrode pluchen voering la-gen, zag ik een sleuteltje met een reepje zwarte zijde eraan. Het wekte onmiddellijk mijn nieuwsgierigheid, want waar een sleutel is, moet ook een slot zijn.

'Kom, Alice,' zei milady en ze nam me bij de arm. 'We moeten naar beneden. Onze gasten zitten te wachten.'

II
Het slechte geheugen van mijnheer Shillito

Het gezelschap – dat in totaal dertig kerstgasten omvat – is al bijeen in de Chinese salon. Als milady en ik binnenkomen, draaien alle hoofden onze kant uit.

We lopen langzaam door het weelderig ingerichte en plotseling doodstille vertrek, terwijl milady me om beurten aan alle gasten voor-stelt als 'juffrouw Gorst, mijn nieuwe gezelschapsdame'.

Ik zie tot mijn genoegen dat mijnheer Wraxall ook is uitgenodigd, en wanneer milady zich afwendt om met sir Lionel Voysey te spreken, wis-selen wij kort enkele woorden over mijn ophanden zijnde bezoek aan North Lodge.

Terwijl ik word voorgesteld aan majoor Hunt-Graham, een neef van milady, voegt mijnheer Randolph zich bij ons.

'Goedenavond, juffrouw Gorst. Ik hoop dat het goed met u gaat,' zijn de eerste woorden die hij tot me richt. Vervolgens complimenteert hij me met mijn bekoorlijke verschijning en vraagt wat ik sinds zijn vertrek naar Wales heb gedaan. Alle gebruikelijke vragen worden gesteld en de gebruikelijke nietszeggende antwoorden worden gegeven, maar zijn blik spreekt een andere taal. Voor hem heeft de afwezigheid kennelijk zijn spreekwoordelijke werk gedaan. Voor mij lijdt het geen twijfel. Ik heb het vanaf de eerste woorden die hij tegen me sprak gemerkt, aan zijn 'bekentenis' op onze wandeling vanuit Easton en aan andere tekenen en signalen. Ik ben er nu zeker van. Wat ik er ook van denken moet, te midden van alle rumoer en gepraat en het komen en gaan van bedienden weet ik opeens zeker – hoe fantastisch het ook mag lijken – dat mijnheer Randolph verliefd op me is geworden.

Ik voel me gevleid maar ben ook verontrust, want elk gevoel van voldoening dat ik mezelf toesta wordt onmiddellijk getemperd door de zekerheid dat ik zijn gevoelens voor mij nooit zal kunnen beantwoorden. Ik vind mijnheer Randolph zo ongeveer de aardigste persoon die ik in mijn leven heb ontmoet. Vanaf onze eerste ontmoeting voor de bibliotheek heb ik me aangetrokken gevoeld tot zijn ongekunstelde, rondborstige charme. Ooit kon ik me voorstellen dat ik van hem zou houden, maar nu niet meer. Ik heb hem niet op het eerste gezicht mijn hart geschonken, wat ik gemakkelijk had kunnen doen, en weet nu dat dat er nooit van zal komen.

De man met wie ik zou trouwen kon knap zijn, of niet. Hij kon jong of oud zijn, hij zou mijn liefde volledig moeten beantwoorden, lief en zorgzaam moeten zijn en me in alle opzichten als zijn gelijke moeten behandelen (geen gering ideaal, maar ik geloofde dat zulke mannen bestonden). Boven alles moest hij iemand zijn van wie ik kon leren, zoals ik van mijnheer Thornhaugh had geleerd, en aan wiens geestelijk leven ik deel kon hebben. Zoals ik hem had leren kennen en zoals anderen hem beschreven was mijnheer Randolph blijmoedig en hartelijk: iedereen was op hem gesteld. Maar ook was me uit mijn eigen waarnemingen duidelijk dat hij de geestelijke kwaliteiten miste die de man van wie ik zou houden beslist zou moeten bezitten.

Mijnheer Perseus stemde daarentegen veel beter met mijn ideaal overeen: een dichter, een ontwikkeld man met smaak en inzicht, en de extra materiële factor dat hij eens een oude adellijke titel zou erven en zo rijk als Croesus zou zijn. Daarnaast had hij dat mysterieuze aspect over zich dat op iemand met mijn romantische aard een natuurlijke aantrekkingskracht heeft. Hij had me vanaf het eerste ogenblik geïntrigeerd, ook al had ik dat voor mezelf amper erkend. Met het verstrijken van de weken was mijn fascinatie echter gegroeid. Ik had het gevoel dat er heel veel aan hem te ontdekken viel. Zijn broer lijkt zijn hart altijd op de tong te hebben en presenteert zich aan de wereld zoals hij kennelijk echt is: open, oprecht en ongecompliceerd. Mijnheer Perseus is daarentegen gesloten, zwijgzaam en voortdurend op zijn hoede. Maar ik zie mijnheer Perseus klaarblijkelijk anders dan anderen. Natuurlijk is hij trots: trots op wie hij is, trots op zijn oude geslacht en de verheven status van zijn familie, en trots op zijn eigen capaciteiten. Maar ofschoon ik weleens zou willen dat hij zich minder bewust is van zijn eigenwaarde, geloof ik niet dat zijn gebruikelijke reserve en de houding van aanmatigende minachting die hij tegen minder fortuinlijke en talentvolle mensen pleegt aan te nemen, tekenen zijn van een onbuigzame en bekrompen natuur, die verstoken is van het vermogen tot medeleven. Mijn hart zegt me iets anders, en wel dat mijnheer Perseus, in tegenstelling tot zijn broer, meer – veel meer – is dan hij lijkt te zijn of zichzelf toestaat te zijn.

Terwijl deze gedachten ongeordend door mijn hoofd flitsen, worden ze afgebroken door de komst van mijnheer Perseus zelf, die stijfjes buigt en me goedenavond zegt.

'Nu, juffrouw Gorst,' merkt hij op terwijl zijn blik langs mijn geleende japon gaat en tot stilstand komt bij het collier dat ik van zijn moeder beslist moest dragen, 'ik zie dat u uw oude huid hebt afgelegd. U staat als herboren voor ons.'

'Kom schat, je moet niet zo plagen,' zegt milady berispend en ze tikt haar oudste zoon zachtjes op de arm.

'O, ik plaag niet, dat verzeker ik u,' antwoordt mijnheer Perseus zonder zijn blik van me af te wenden. 'Ik plaag nooit, zoals ik u al eens heb verteld. Ik ben volkomen serieus. Ik bespeur in de verandering niets dan goeds. U bent tot bloei gekomen, juffrouw Gorst, op hoogst opmerkelijke wijze, en in slechts enkele uren tijd. Ik vraag me af wat hierna zal komen? Binnenkort wordt u ons aller koningin.'

'En zoals ík eerder heb gezegd, mijnheer,' reageer ik, nog onzeker of hij schertst, 'streef ik er alleen naar milady te dienen en ik zal dat als gezelschapsdame net zo doen als toen ik nog kamenier was: naar beste kunnen. Een fraaie japon verandert daar niets aan. Ik ben nog dezelfde persoon die ik was.'

'U hebt ongelijk,' antwoordt hij, op zachtere toon maar nadrukkelijk. 'U bent erg veranderd, of misschien bent u weer geworden wat u eigenlijk bent. Vind je ook niet, Randolph?'

Hij werpt zijn broer een onbetwistbaar uitdagende blik toe, alsof hij hem wil tergen om een andere mening ten beste te geven. Maar voordat er nog meer kan worden gezegd, krijgen we gezelschap van mijnheer Vyse en een transpirerende, gezette man – meteen veronderstel ik dat het mijnheer Roderick Shillito is.

Hier komt de hachelijke situatie die ik heb verwacht. Ik moet aan de nieuwkomer worden voorgesteld. Zal mijn naam bij hem een herinnering aan mijn vader wakker roepen?

Mijnheer Vyse, die op zijn stok met de zilveren knop steunt en op zijn gebruikelijke wolfachtige manier staat te stralen, buigt ter begroeting zwijgend voor milady en steekt mij vervolgens zijn hand toe.

'Shillito, vergun mij de eer om je voor te stellen aan mejuffrouw Esperanza Gorst, milady's nieuwe gezelschapsdame. Mejuffrouw Gorst is uitgegroeid tot een groot sieraad voor Evenwood, en ik voorspel dat ze het nog verder zal brengen.'

Dan doet hij een stap naar achteren, alsof hij beter wil kunnen zien wat voor uitwerking zijn woorden op zijn vriend hebben, die ik nu aan mijn lezers zal voorstellen door mijn beschrijving van hem in mijn Geheime Boek weer te geven.

Mijnheer Roderick Shillito

Leeftijd en voorkomen: rond de vijftig. Lang – bijna net zo lang als mijnheer Vyse – maar zwaarlijvig en met een grove motoriek. Roze huid, strakgespannen over een groot vollemaansgezicht. Kleine, schriele mond. Vochtige, dicht bij elkaar staande varkensogen met bleke wimpers. Heeft boven op zijn hoofd een brede kale, spikkelige plek, met aan weerszijden naar achteren gekamde plukken stug, vuilgeel haar dat doet denken aan verdord gras. Wekt al met al de indruk van een bejaarde, boosaardige putto.

Karakter: biedt een compleet beeld van een toegewijde, zelfzuchtige streber. Vaste uitdrukking van sluwheid en ontaarding, niet verzacht door een compenserende trek van spontane grootmoedigheid of medemenselijkheid. Een volleerd klaploper, zou ik zeggen – en ongetwijfeld nog iets veel ergers. Een vreemde metgezel voor mijnheer Vyse (aan wie hij zich gewoontegetrouw ondergeschikt maakt). Hij heeft niets van diens flamboyante, verfijnde manieren en is intellectueel zeker zijn mindere.

Conclusie: in veel opzichten een afstotelijke paljas, maar met zekerheid ook een bullebak en een lafaard.

Nadat mijnheer Vyse mijn naam heeft uitgesproken, krabt mijnheer Shillito zich over zijn dikke hoofd en tuit zijn dikke, vochtige lippen.

'Gorst,' zegt hij langzaam. 'Die naam komt me geloof ik bekend voor, al ben ik een boon als ik weet waarom. Bent u ooit in Dublin geweest, juffrouw Gorst?'

'Nee, mijnheer. Nooit.'

'Nee? Hmm.'

Hij geeft zich nogmaals over aan ingespannen gepeins. Vervolgens wordt in zijn lichte ogen de weerschijn van een vage herinnering zichtbaar.

'Ik heb het! Op Madeira heb ik ooit iemand ontmoet die Gorst heette. Dat is het! Zegt u nu eens, juffrouw Gorst, heb ik het goed? Bent u ooit op Madeira geweest?'

'Nooit van mijn leven, mijnheer,' antwoord ik, in het besef dat mijn wangen gaan gloeien en dat zowel milady als mijnheer Vyse grote belangstelling voor het gesprek opvat nu het deze wending heeft genomen.

'Raar hoor,' reageert mijnheer Shillito met een snuivend lachje. In de kennelijke verwachting dat de anderen hem zullen bijvallen kijkt hij om zich heen. 'Gorst is toch een ongewone naam, nietwaar? Ik heb beslist maar één persoon gekend die zo heette. Nu kom ik er hier weer een tegen, en toch lijkt er geen verband te bestaan met de kerel die ik op Madeira heb ontmoet. Typisch.'

Hij snuift nog eens sceptisch, alsof hij zijn gelijk wil bewijzen.

Ik besluit dat ik er het beste het zwijgen toe kan doen, maar dan komt milady tussenbeide.

'Wanneer hebt u met die heer kennisgemaakt, mijnheer Shillito?' vraagt ze.

'Eens even denken,' antwoordt hij. 'Dat moet in '55 zijn geweest, of daaromtrent – nee, in '56. Ik weet het weer, in '56. Daar ben ik zeker van.'

'Dus niet meer dan ongeveer een jaar voor jouw geboorte, Alice,' merkt milady op. 'Acht je het mogelijk dat de heer in kwestie een verwant van je was – of zelfs je vader? Heb je ooit gehoord dat hij Madeira bezocht heeft?'

Uiteraard ontken ik dat ik over zulke kennis beschik. Vervolgens verhindert een hoogst welkome en onverwachte opmerking van mijnheer Perseus, die mijnheer Shillito gedurende de voorafgaande woordenwisseling steeds streng heeft aangekeken, verdere vragen. Terwijl hij mijnheer Shillito met een van zijn kilste blikken en met nauw verholen minachting fixeert, spreekt hij de mening uit dat het voor een héér (hij benadrukt het woord) tamelijk ongemanierd is om een dame aan een ongewenst verhoor te onderwerpen.

Mijnheer Shillito haalt onverschillig zijn schouders op, maar zegt niets. Vervolgens verbreekt mijnheer Vyse de nogal ongemakkelijke stilte.

'Goed gezegd, mijnheer. Dit is een feestelijke gelegenheid, laten we ons dus feestelijk gedragen! Ah, Pocock heeft de deuren geopend. Zullen we naar binnen gaan?'

Hij biedt milady zijn arm en leidt haar het vertrek uit, terwijl hij naar het gezelschap buigt en glimlacht alsof hij de onbetwiste heer des huizes is. Twee aan twee volgen de andere gasten hen naar de eetzaal vol spiegels en nemen plaats aan de grote tafel.

Maar al te zichtbaar is de uitwerking op milady's oudste zoon wanneer hij ziet hoe mijnheer Vyse zijn moeder naar de eetzaal begeleidt. Duidelijk hoor ik hem 'die verdomde kerel' fluisteren, waarna hij kwaad het vertrek uit beent.

Ik word door mijnheer Randolph Duport naar de eetzaal gebracht, en mijnheer Shillito vergezelt op opvallend onbehouwen wijze de dochter van de dominee, de sproetige, knokige juffrouw Jemima Thripp.

'Verduiveld onbehoorlijk van Shillito om u zo onbeschaamd te ondervragen,' zegt mijnheer Randolph terwijl we de in karmijn en goud gedecoreerde ruimte binnengaan. 'Het verbaast me ook dat moeder hem aanmoedigde.'

'En wat vindt u van zijn vriend, mijnheer Vyse?'

'Pientere kerel,' antwoordt hij, tamelijk behoedzaam. 'Sinds vaders dood is moeder nogal afhankelijk van hem geworden – ik bedoel voor zakelijke adviezen en dergelijke. Natuurlijk moet Perseus niets van hem hebben. Hij denkt dat Vyse een bepaalde macht over haar heeft.'

Bij deze opmerking spits ik mijn oren.

'Macht? Wat bedoelt u daarmee?'

'Nou, een bepaalde greep of invloed op haar. Perseus is daarvan overtuigd. Vyse was natuurlijk een grote vriend van mijnheer Phoebus Daunt – gezworen kameraden, volgens alle verhalen – en Shillito heeft bij Daunt op school gezeten, en daardoor kunnen ze allebei bijzondere aanspraken op moeders gunst maken.'

'Maar milady zal mijnheer Shillito toch niet aardig vinden?' vroeg ik.

Hij schudde zijn hoofd.

'Zeker niet, maar ze tolereert hem als een soort verplichting jegens mijnheer Daunt. Nu, waar hebben ze u neergezet?'

We waren bij de weelderig gedekte tafel aangekomen, en ik werd plotseling bang dat ik een plaats in de buurt van of zelfs naast mijnheer Shillito had gekregen. Maar mijnheer Randolph overlegde met mijnheer Pocock en kwam algauw terug om me te vertellen dat milady had opgedragen dat ik naast haar moest zitten. Tot mijn opluchting zag ik dat mijnheer Shillito een plaats halverwege de tafel had gekregen, van waar hij mij niet zo gemakkelijk kon lastigvallen.

Zo zat ik aan bij het diner voor alle kerstgasten in de in karmijn en goud gedecoreerde eetzaal van Evenwood. Samen met lady Tansor en haar beide zonen zat ik aan het hoofd van de tafel onder het grote tongewelf, verblind door het gouden tafelgerei en al het schitterende kristal, en omgeven door de eindeloze, steeds wisselende reflecties in de hoge spiegels aan de muren.

Toen ik omhoogkeek naar het balkon van waar ik nog niet zo lang geleden op een even voornaam gezelschap had neergezien, gingen de stoffige gordijnen een stukje open en verscheen het gezicht van mevrouw Battersby. Haar blik bleef enkele seconden op mij gericht, maar op dat moment maakte mijnheer Randolph een opmerking, en toen ik weer omhoogkeek was het hoofd van de huishouding verdwenen.

Wat zag milady er die avond stralend uit! Wat was ze waardig en elegant! Wat was ze zelfverzekerd en sereen! Telkens wanneer ze opstond werd de blik van alle heren in de zaal onweerstaanbaar naar haar toe gezogen – en ze stond zo nu en dan op, volleerd gastvrouw als ze was, om naar haar gasten aan de andere kant van de grote tafel te gaan – waarbij ze hier een belangstellende vraag stelde, daar een paar woorden fluisterde en intussen opgewekt lachte en glimlachte. Nadat ze haar koninklijke gunsten had bewezen, schreed ze sierlijk door het vertrek en terug naar haar plaats.

Mij schonk ze voortdurend op strelende wijze aandacht, zodat ook ik nauwlettend werd geobserveerd en bekeken – vooral door de dames. Met elk lachje dat ze me toewierp, met elke zachte aanraking van haar hand tegen de mijne en met elke liefdevolle blik werd het voor mij echter steeds moeilijker te geloven dat ze mijn vijand was, een vijand die ik te gronde moest richten. Ik voelde dat ik al ten prooi viel aan haar verfijnde charme, en ik wist dat ik die moest weerstaan, omdat anders alles verloren zou zijn.

III
Waarin een voorstel voor een uitstapje wordt gedaan

Toen de derde gang werd afgeruimd, boog mijnheer Perseus, die sinds we aan tafel hadden plaatsgenomen weinig had gesproken, zich naar zijn moeder toe en fluisterde iets in haar oor. Vervolgens verontschuldigde hij zich tegenover zijn directe buren en verliet het vertrek. Ik keek toe hoe hij wegging en hoopte zijn blik te vangen en misschien een glimlachje toegeworpen te krijgen. Hij liet echter niet blijken dat hij mij opmerkte, en toen hij door de dubbele deuren verdween voelde ik me opeens alleen en in de steek gelaten.

'Perseus voelt zich niet wel,' verklaarde lady Tansor met een zucht. 'Ik vrees dat hij te veel rookt. Ik dring er altijd bij hem op aan zijn sigaren op te geven en regelmatiger te eten, maar hij luistert niet.'

'Wat is uw mening, juffrouw Gorst?' vroeg mijnheer Randolph. 'Vindt u dat mijn broer te veel rookt?'

'Ik zou het echt niet kunnen zeggen. Ik denk dat veel jongemannen zich aan die gewoonte bezondigen.'

'Jongemannen moeten hun pleziertjes hebben,' merkte majoor Hunt-Graham op. 'Roken is niet zo kwaad, weet u. Ik heb wel jongeheren met slechtere gewoontes meegemaakt. En in het geval van mijn jonge familielid geloof ik dat het zeer bevorderlijk is voor zijn dichtader.'

De majoor was een bijzonder aantrekkelijk type. Hij was lang en goedgebouwd en had soepel, zilvergrijs haar, en zijn gelaatskleur was donkerder geworden door de vele jaren die hij in India had doorgebracht. Hij had een rustige en soevereine oogopslag die, aangevuld door zijn verfijnde, patricische trekken, zijn langwerpige gezicht een keizerlijke uitdrukking verleende die me sterk deed denken aan een buste van Julius Caesar die mijnheer Thornhaugh op zijn studeerkamer in de Avenue d'Uhrich had staan.

'Mijn eigen zoon is een onverbeterlijke sigarenroker,' vervolgde hij. 'Mijn vrouw zaliger kon hem nooit overhalen om ermee te stoppen. Maar het is voor moeders even natuurlijk om over zulke dingen te kniezen als het voor zonen is om zich erin te verliezen.'

'Ik ben zelf dol op een sigaar,' viel mijnheer Vyse in, die naast de majoor zat. 'Ik voor mij merk dat het niet zozeer de dichtader als wel de spijsvertering bevordert, en dat ik beter slaap als ik vlak voor het naar bed gaan een sigaar rook. Maar uiteraard moet men alleen het allerbeste roken. Mijn smaak werd door een oude vriend gevormd – hij rookte altijd Ramón Allones, en in navolging van hem heb ook ik nooit iets anders gerookt. De kistjes zijn trouwens kostelijk. Zowel kleurrijk als nuttig.'

Hij straalde een en al welwillendheid uit.

'U bent toch in Wales geweest, meen ik,' zei de majoor tegen mijnheer Randolph.

'Inderdaad, mijnheer – ik heb er een vriend opgezocht. Ik ben ook bijzonder op de bergen gesteld.'

Hij liet een holle, rauwe lach weerklinken en sloeg zijn zoveelste grote slok wijn achterover, wat bij mij de uitgesproken en verrassende indruk wekte dat hij enigszins aangeschoten raakte.

'Een vriend? Uit uw tijd bij dokter Savage?' vroeg de majoor, een tikje bits naar mijn idee.

'Inderdaad. Mijnheer Rhys Paget uit Llanberis. Een heel beste kerel. Een betere vind je nergens,' antwoordde mijnheer Randolph, en op een bedachtzamer toon voegde hij daaraan toe: 'Een heerlijke tijd.'

Op dat ogenblik stond milady plotseling uit haar stoel op, ten teken dat het voor de dames tijd was om zich terug te trekken in de Chinese salon. Zwijgend en stram snelde ze weg, zodat ik zowat achter haar aan moest rennen. Toen ik gehaast onder het balkon door de gang in liep, haalde mijnheer Randolph me in.

'Ik moet me verontschuldigen, juffrouw Gorst.'

'Verontschuldigen?' riep ik uit. 'Waarvoor dan?'

'Ik ben vanavond niet helemaal mezelf. Ik zou niet willen dat u denkt... ik bedoel, het zou me leed doen als u in enig opzicht een lage dunk van me zou hebben.'

'Ik begrijp het niet, mijnheer,' zei ik. 'Waarom zou ik een lage dunk van u hebben?'

Hij aarzelde, terwijl een groepje kwebbelende dames op weg naar de salon langs ons liep.

'Omdat ik vrees dat ik vanavond een klein beetje te veel heb gedronken en omdat ik – ik ben zo onbescheiden om dat aan u te zeggen, juffrouw Gorst – u zo hoogacht. Ik hoop dat u net zo over mij denkt en het gevoel hebt dat u in mij een trouwe vriend hebt, zoals ik hoop in u een trouwe vriendin te hebben.'

Opnieuw dacht ik in zijn blik een andere, diepere bedoeling te lezen. Dit had hij me willen vertellen toen we na de kerkdienst samen terug naar huis waren gelopen. Hij wil niet zomaar met me bevriend zijn. Hij houdt van me – dat weet ik zeker – en gelooft ten onrechte dat zijn liefde kan worden beantwoord.

Hij staat met zijn handen in het haar, en er komt geen stom woord meer uit zijn mond. Dan lijkt hij moed te vatten.

'Bent u al eens naar de Tempel der Winden gelopen, juffrouw Gorst?' vraagt hij ten slotte. 'Hij verkeert tegenwoordig in een nogal jammerlijke staat, maar je hebt van daaruit een erg mooi uitzicht op het huis.'

Ik vertel hem dat ik dat gedeelte van het landgoed nog niet heb verkend en de tempel heel graag eens zou bekijken.

'Voortreffelijk!' roept hij uit. 'Dan kunnen we misschien samen een rondje om het meer lopen en vervolgens naar de tempel toe gaan – als u dat wat lijkt?'

En dus spreken we af dat we een uitstapje zullen maken als de kerstviering voorbij is en mijn taken het toelaten.

Wanneer hij naar de eetzaal lijkt te willen terugkeren, krijgt zijn uitdrukking een nieuwe intensiteit – intiem maar afstandelijk, alsof hij me niet aankijkt maar door me heen kijkt en daar iets ziet wat hij alleen kan zien.

Vanwege een geluid achter me draai ik mijn hoofd om.

Mevrouw Battersby staat onder aan de trap naar het balkon. Gedrieën kijken we elkaar in de plotseling lege gang zwijgend aan met een verwachtingsvolle trek op ons gezicht, alsof we alle drie zojuist onze beginpositie hebben ingenomen voor een wonderlijke, geluidloze dans.

'Verlangt u iets, mevrouw Battersby?' vraag ik, me prettig bewust van mijn nieuwe macht en gezag over haar, en graag bereid om die te tonen.

'Nee, juffrouw Gorst,' antwoordt ze en ze vervolgt haar weg, waarbij haar voetstappen weergalmen op de zwart-witte tegels van de gang.

Mijnheer Randolph slaat een ogenblik gade hoe het hoofd van de huishouding door een deur aan het einde van de gang verdwijnt. Vervolgens spreekt hij enkele verontschuldigende woorden en keert naar de eetzaal terug. Ik moet me nu haasten om me bij milady in de Chinese salon te voegen.

'Waar heb je gezeten, liefje?' vraagt ze.

'De roep der natuur,' fluister ik.

De kaarttafels zijn tevoorschijn gehaald, en er vormen zich groepjes kaartsters. Er wordt voorgesteld om whist te spelen. Ik ben niet zo dol op whist, maar uiteraard heb ik geen keus en moet ik ermee instemmen milady's partner te worden. Net als we willen plaatsnemen, verschijnt echter tot mijn opluchting mevrouw Bedmore – de voormalige mejuffrouw Susan Lorimer, een oude vriendin van milady – en vraagt of milady háár partner wil worden. Dat geeft mij de gelegenheid met een schijn van zeer oprechte teleurstelling mijn plaats af te staan.

Een minuut of tien zit ik bij de haard, tot ik er zeker van ben dat milady helemaal in het spel opgaat. Even voor tienen maak ik me vervolgens stilletjes uit de voeten.

Ik moet iets doen.

19

Een stem uit het verleden

I
De geheime kast

Het ivoren juwelenkistje stond nog op milady's toilettafel. Ik pakte het sleuteltje aan het zwarte zijden lint en bekeek de kamer goed.

Alle meubelstukken waren me vertrouwd – ik had in alle laden en kasten gekeken en alle dozen en kisten doorzocht. Met het sleuteltje in de hand begon ik ze nu opnieuw te onderzoeken, echter zonder succes. Omdat ik korte tijd later weer naar beneden moest, ging ik haastig de andere kamers af, maar ik kon geen enkel afgesloten kastje, kistje, laatje of doosje vinden.

Misschien had ik de sleutel in handen – al was hij daarvoor wel erg klein – van milady's studeerkamer op de begane grond, een vertrek dat behalve voor haar en haar secretaris voor niemand toegankelijk was. Toch was ik er zeker van dat ik hier in haar privévertrekken een geheime bergplaats over het hoofd had gezien; waarom zou ze het sleuteltje anders in haar juwelenkistje bewaren? Terwijl ik in tweestrijd verkeerde en me afvroeg of ik niet beter op een meer gelegen tijdstip verder kon zoeken, ging mijn blik langs het portret van de mooie jonge cavalier, de kleine Anthony Duport.

Het hing een beetje scheef, alsof het uit zijn normale positie was geduwd. De macht der gewoonte – ik had de laatste tijd de vertrekken immers moeten opruimen en schoonmaken – deed me naar het portret toe lopen om het recht te hangen. Terwijl ik erop afging gaf ik mezelf ervan langs dat ik zo dom had kunnen zijn, want meteen zag ik waarnaar ik op zoek was geweest: de omtrek van een kleine, in de lambrisering ingebouwde kast die normaal gesproken door het portret van de jongeheer Duport in zijn blauwe kniebroek aan het oog werd onttrokken. Uiteraard zat de kast op slot.

Ik haalde het portret van de muur en stak het sleuteltje in het koperen sleutelgatplaatje. Het liet zich gemakkelijk omdraaien, en het vierkante deurtje zwaaide open. Met kloppend hart keek ik erin.

Brieven: vijf of zes dikke bundels, alle bijeengehouden met hetzelfde zwarte zijden lint dat ook aan het sleuteltje was bevestigd. En achter in de holte stond een fotografisch portret in een fraaie vergulde lijst met een zwartfluwelen rouwrand eromheen.

De klok boven de haard sloeg het kwartier. Ik was te lang weg geweest. Ze zouden me missen, en ik kon geen geloofwaardig excuus voor mijn afwezigheid bedenken. De brieven moesten wachten, maar ik kon de verleiding om de foto uit de kast te halen niet weerstaan.

Er stond een man van een jaar of dertig op. Hij was van gemiddelde lengte maar breedgeschouderd en ging zeer fraai en kostbaar gekleed in een overjas met zijden revers, een lichtgrijze pantalon en glanzend gepoetste schoenen met brede neuzen. Hij zat in driekwart profiel op een stoel met hoge rugleuning voor een geschilderde achtergrond die een zomerse tuin voorstelde. Op een versierde sokkel naast hem stond een marmeren buste – de kop van een beeldschone jongeman, misschien een god.

In zijn trekken deed het knappe, zwartbebaarde gezicht van de geportretteerde me enigszins aan mijnheer Perseus denken. Het portret wekte echter de indruk dat de man een heel ander karakter had dan milady's trotse, gereserveerde oudste zoon. Zijn verontrustende, strakke blik suggereerde meteen een uitzonderlijk intellect en grote fysieke moed, maar ook het vermogen deze eigenschappen actief en meedogenloos te gebruiken. Hij was met andere woorden een man die je beter niet kon tarten.

Ik had het gevoel dat ik hem al kende, en gedurende een kort, vreugdevol ogenblik maakte het onmogelijke denkbeeld zich van me meester dat het misschien mijn vader was, die milady naar ik nu zeker wist had gekend. Toen zag ik dat achter op de foto de drie initialen P.R.D. en de datering augustus 1853 stonden geschreven. De geportretteerde was natuurlijk niemand anders dan het voorwerp van milady's onvergankelijke passie: Phoebus Rainsford Daunt zelf.

Phoebus Daunt was bij leven een veel indrukwekkender en gedenkwaardiger figuur geweest dan het onaantrekkelijke beeld dat ik me van hem had gevormd. Ik had me een man zonder enig gewicht voorgesteld, een zelfgenoegzame, lachwekkend pompeuze figuur. Hier wees daarentegen alles op onbetwistbare wilskracht, lichaamskracht en geestkracht – die zowel in zijn uitdrukking als zijn houding manifest aanwezig waren. Wat een prachtig, benijdenswaardig paar moesten ze zijn geweest: de beeldschone mejuffrouw Emily Carteret en haar knappe, dichterlijke minnaar!

Er verstreek een minuut, en nog een. Nog altijd kon ik me niet verzetten tegen de fascinatie die uitging van de dreigende, gevaarlijke kop van Phoebus Daunt. Hij mocht dan een slechte dichter zijn geweest, ik meende nu te begrijpen waarom wijlen lord Tansor hem tot zijn opvolger had benoemd en hoe hij het hart van de voormalige mejuffrouw Carteret had veroverd, zodat er nooit meer plaats zou zijn voor een andere man.

Ik zette de foto terug en stond op het punt de kastdeur te sluiten, maar op het laatste moment kon ik de verleiding niet weerstaan om er een van de brievenbundels uit te halen – ze waren allemaal in hetzelfde karakteristieke handschrift geschreven, dat ik door de verschillende opdrachten in de dichtbundels van Daunt die ik aan milady had voorgelezen, onmiddellijk als het zijne herkende. Alle brieven waren aan milady gericht.

Voldaan vanwege mijn belangrijke ontdekking legde ik de bundel weer op zijn plaats, sloot de kast af en hing het portret van de bekoorlijke Anthony terug aan zijn haakje.

Het was duidelijk dat de brieven zelf niet uit hun bergplaats konden worden verwijderd: het risico was te groot dat milady, wellicht op een nacht waarin ze door haar angstdromen werd gekweld, de geheime kast zou openen om naar het gezicht van haar overleden minnaar te staren. Ik zou een methode moeten verzinnen waarmee ik ze afzonderlijk kon lezen en overschrijven, hetzij hier ter plaatse, als ik zeker wist dat ik niet zou worden gestoord, hetzij door ze een voor een mee te nemen naar mijn eigen veilige kamer.

Terug in de Chinese salon merkte ik tot mijn opluchting dat milady nog in haar spelletje whist met mevrouw Bedmore en de anderen verwikkeld was, en dat mijn afwezigheid kennelijk onopgemerkt was gebleven.

De verdere avond verstreek zonder incidenten, al moest ik voortdurend de vorsende blik van mijnheer Shillito mijden. Pas toen de klokken van het grote huis het middernachtelijk uur sloegen ging ik eindelijk terug naar boven, om voor het laatst in mijn kleine kamertje onder het schuine dak te slapen.

De ochtend van de dag voor Kerstmis bracht ik door met het pakken van mijn spulletjes. Mijn nieuwe accommodatie bestond uit een aller-aardigste zitkamer, een slaapkamer en nog een aangrenzend vertrek, dat nu leegstond maar vroeger als rommelkamer was gebruikt. De zit-kamer, die een schitterend gestuct plafond met heraldische motieven had dat nog uit de dagen van koningin Elizabeth stamde, besloeg een hoek van de toren aan de oostkant van het terras voor de bibliotheek. De hoge, openslaande ramen boden net als de vensters in lady Tansors vertrekken, een verdieping lager, uitzicht over de grindpaden van de lusthof, tot aan de verre bossen van Molesey. Op de vloer lagen fraaie, dikke tapijten, er was een haard met een imposante natuurstenen schouw en er stond een omvangrijke sofa. Als geheel getuigde de zitka-mer op uiterst passende wijze van mijn nieuwe positie in huis.

Eerste Kerstdag brak aan – een hoogst belangrijke dag, waarop im-mers ook werd gevierd dat Perseus de meerderjarige leeftijd had be-reikt.

's Ochtends betrokken we voor ons gereserveerde plaatsen in de St Michael and All Angels, waar we een van dominee Thripps langdradige preken moesten aanhoren. Onder de dreigende blik van lady Tansor was hij echter zo verstandig om zich tot een duur van slechts twintig minuten te beperken. De feestelijkheden van de dag werden 's avonds besloten met een banket van alles overtreffende luister, waarop de erf-genaam werd toegedronken en op het gênante af werd geprezen.

De daaropvolgende dagen stonden in het teken van de in de kersttijd gebruikelijke activiteiten. We nuttigden veel grotere hoeveelheden plumpudding en champagne dan goed voor ons was. Er werden toneel-stukjes opgevoerd waarin mijnheer Maurice FitzMaurice – die lady Tansor op een volstrekt bespottelijke manier probeerde te imponeren met zijn geniale dramatische gaven – een prominente rol speelde. In de grote balzaal werd groots amusement verzorgd, waarvoor een gezel-schap musici en zangers uit Londen was overgekomen. We dansten en zongen, biljartten en kaartten, en roddelden er ongeremd op los.

Terwijl de heren er met het jachtgeweer op uittrokken, zaten wij da-mes tijdens die lange middagen, waarop sneeuw in de lucht hing, bij de haard in onze romans te lezen, staarden afwezig door de berijpte ruiten naar de bevroren Evenbrook of verdeden geeuwend onze tijd tot we ons weer konden kleden voor het diner.

De ochtend na Tweede Kerstdag kreeg mijnheer Shillito, die ik zo veel mogelijk had weten te mijden, tot mijn grote opluchting een brief die hem vanwege een dringende familiekwestie naar Londen riep. Ik zag hem door de toegangshof naar zijn rijtuig waggelen, vergezeld door mijnheer Vyse, met wie hij op fluistertoon enkele woorden wisselde, afgewisseld met wat ik alleen kan beschrijven als veelbetekenende blikken en knikjes in de richting van het huis. Vervolgens was hij verdwenen, zodat ik gespaard bleef voor nieuwe ongewenste verhoren over mijn achternaam en het verband met de man die hij twintig jaar geleden op Madeira had ontmoet.

Mijnheer Perseus bleef een groot deel van de dag op zijn kamer. Toen hij ten slotte beneden kwam en zich bij het gezelschap voegde, maakte hij een afstandelijke, afwezige indruk en zei niet veel. Een korte opmerking over het weer, zo nu en dan een behoedzaam glimlachje en een zijdelingse blik als ik het vertrek verliet: dat was alles wat ik van hem kreeg. Toch had ik niet het gevoel genegeerd of afgewezen te worden. Integendeel, ik verkeerde in de hoogst merkwaardige zekerheid dat hij aan me dacht, zelfs al leek hij nog zo verstrooid of in zichzelf verdiept.

Aangezien ik verplicht was dicht bij milady te blijven en vaak in gezelschap van haar gasten verkeerde, was er weinig gelegenheid voor vertrouwelijke gesprekken met mijnheer Randolph. Desondanks bleef hij me er door zijn gedragingen van overtuigen dat ik mezelf ten aanzien van zijn gevoelens voor mij niet voor de gek hield, en was ik er zeker van dat hij alleen maar wachtte op een geschikte gelegenheid om samen de wandeling naar de Tempel der Winden te maken en zijn liefde uit te spreken. Ik wist niet precies wat ik dan zou doen, en dus zette ik de kwestie voorlopig uit mijn hoofd.

Milady bleef voorkomend, amusant, warm, vertrouwelijk (over onbeduidende zaken) en in alle opzichten aardig. In gezelschap hield ze me voortdurend dicht bij zich, terwijl ze in de beslotenheid van haar vertrekken een hoogst innemende, natuurlijke charme aan de dag legde. We ontdekten veel onderwerpen die onze wederzijdse belangstelling hadden. Soms giechelden we als schoolmeisjes, roddelden op een schandelijke manier over de kerstgasten en bestudeerden modeplaten. Ik ontdekte zelfs dat ik met een gevoel van schuld en genoegen begon uit te zien naar onze momenten samen, waarop we onttrokken aan andermans blik op de sofa in haar privézitkamer of in het zitje in de vensternis zaten te praten en te lachen en ons in alle opzichten gedroegen als echte vriendinnen, zoals zij zo graag wilde. Als ik haar echter doodstil alleen bij de haard zag zitten of haar eenzaam over het terras zag dwalen, was duidelijk dat ze nog altijd gebukt ging onder een vreselijk, ingekankerd geestelijk leed, waartegen onze plezierige, kameraadschappelijke momenten slechts tijdelijk troost boden.

Zoals ik had beloofd, bleef ik haar kleden en haar bij haar toilet terzijde staan zolang er nog geen nieuwe kamenier was aangenomen. De puur huishoudelijke taken die ik eerder had verricht waren nu echter, op mijn aanbeveling, aan Sukie gedelegeerd.

Na de suggestie van mevrouw Ridpath hadden we geregeld dat al haar post en die uit de Avenue d'Uhrich voortaan werd geadresseerd aan mejuffrouw S. Prout in Willow Cottage, terwijl Sukie mijn brieven aan madame in Easton postte. De lieve schat wilde mij vanwege mijn steun aan haar en haar moeder zo roerend graag ter wille zijn dat ze geen moment vroeg waarom zulke voorzorgen moesten worden getroffen.

We hadden deze voorzorgsmaatregelen voor het eerst toegepast bij een brief van mij aan madame, waarin ik haar vertelde dat de uitvoering van onze plannen heel goed vorderde en dat ik door mijn nieuwe vriendschap met lady Tansor in een gunstige positie verkeerde om aan de volgende fase van onze onderneming te beginnen.

Toen ik, op een avond dat milady in haar studeerkamer bezig was, in afwachting van haar terugkeer op mijn kamer bij de haard zat te lezen, kwam Sukie binnen met een pakketje.

'Dit is voor u gekomen, juffrouw Alice,' fluisterde ze. 'Van de dame uit Londen.'

Ze overhandigde me het pakje, en ik zag aan de adressering dat het inderdaad van mevrouw Ridpath kwam.

'Dank je, lieve Sukie. Hoe gaat het met je moeder?'

'Dank u, juffrouw. Het gaat goed met haar, en ik moet u de hartelijke groeten van haar doen. En van Barrington moest ik dit aan u geven,' voegde ze daaraan toe en overhandigde me een ander, nog kleiner pakje.

Ik bekeek het gedrukte etiket:

J.M. PROUDFOOT & ZONEN

GEDIPLOMEERDE APOTHEKERS EN DROGISTEN

MARKET-SQUARE, EASTON

Ik wist dat het in bruin pakpapier gewikkelde pakje een flesje Battley's Drops* bevatte dat ik kortgeleden bij Proudfoot had besteld – het was een bedwelmend middel dat mijn huisleraar vaak tegen slapeloosheid gebruikte. Ik had er zelf een speciaal plannetje mee en daarom legde ik het ongeopend in de la van mijn schrijftafel. Toen Sukie weg was, richtte ik mijn aandacht op het eerste pakketje.

Er zat een kort briefje van mevrouw Ridpath in, en aan de eerste pagina van een bundel in steno beschreven vellen was een brief van mijnheer Thornhaugh bevestigd:

Koninginnetje,
Met spoed stuur ik je hierbij de beloofde uittreksels – in steno – uit het dagboek van je moeder. Je moet ze transcriberen, lezen & vervolgens vernietigen, tezamen met de bladzijden in steno. Ik zal verder niets zeggen over wat je gaat lezen, alleen dat het madames hart zeer verblijdt dat ze eindelijk in staat is jou de tekst van je moeder voor te leggen.

Je laatste brief aan madame heeft haar zeer verheugd. Dat je er – in zo korte tijd & zo volledig – in bent geslaagd de genegenheid & achting van Lady T. te veroveren sterkt haar in de overtuiging dat de zaak nu volledig succesvol kan worden afgehandeld, & misschien sneller dan ze had voorzien.

Ik smeek je echter, koninginnetje, om geen onnodige risico's te nemen. Lady T. is en blijft een gevaarlijke en vindingrijke vijand, & haar betrekking met de heer V. blijft ons beiden verontrusten. Ik heb door de bemiddeling van oude Londense kennissen informatie over deze man ingewonnen & de uitkomsten sterken me in de gedachte dat hij iemand is die je tot elke prijs moet mijden. En aangezien duidelijk is dat hij bepaalde betrekkingen met lady T. heeft, moet je hem ook als een actieve bedreiging van je belangen beschouwen.

---

* Battley's Sedative Solution, een gepatenteerd laudanumdrankje dat opium, sherry, alcohol, gebluste kalk en gedistilleerd water bevatte.

Met betrekking tot je postscriptum kan ik je verzekeren dat madames laatste brief met instructies geschreven is & zoals beloofd op of rond de laatste dag van het jaar in je bezit zal zijn. Dan zul je alles weten.

Pas heel goed op jezelf.

Je toegenegen oude huisleraar,

B. Thornhaugh

Ik deed mijn deur op slot en zette me ertoe de bladzijden in steno te transcriberen. Toen ik ermee klaar was, lang nadat ik mijn avonddienst bij milady achter de rug had, viel ik uitgeput maar in een staat van intense vreugde op mijn bed neer.

Hier volgen de twee eerste uittreksels uit het dagboek van mijn moeder. Probeert u zich in te denken hoe ik me voelde nadat mijnheer Thornhaughs steno woord voor woord was omgezet in de levendige bewoordingen van Marguerite Alice Blantyre, de latere mevrouw Gorst, die naast mijn vader op het kerkhof van St-Vincent begraven ligt.

II
Het dagboek van mejuffrouw Marguerite Blantyre
Uittreksel 1: de ontmoeting met mijnheer Gorst

Quinta dos Alecrins*

Funchal

17 september 1856

Vanavond werd ons een verrukkelijk welkom op Madeira bereid door de heer George Murchison, een functionaris van het Engelse consulaat, in zijn bekoorlijke, even buiten de stad gelegen villa.

Papa was geërgerd en knorrig en had niet willen gaan, wat mama zeer mishaagde en veroorzaakte dat ze woorden hadden. Maar natuurlijk kon hij niet definitief weigeren, want de ontvangst werd ter ere van ons georganiseerd. Het doet me veel leed om te

---

* 'Villa van de Rozemarijnstruiken'. Rozemarijnstruiken kunnen op Madeira heel hoog worden, soms zelfs hoog genoeg om een haag te vormen.

zien hoe papa veranderd is en voortdurend in de schaduw van oom James staat. Hij kon niet voorzien dat onze bezittingen in West-Indië hun waarde zouden verliezen, maar oom James vergeeft 't hem niet, en ik vrees dat hij papa dagelijks met de neus op zijn tegenslag drukt.

Desondanks was het gisteravond heel prettig. Mijnheer Murchison, onze gastheer, is voor zulke bijeenkomsten een geweldige aanwinst, want hij is voortdurend uitgelaten en wil het zijn gasten steeds naar de zin maken.

Hij stelde ons voor aan een aantal vooraanstaande eilandbewoners, onder anderen aan mijnheer John Lazarus, een belangrijke cargadoor, en diens metgezel mijnheer Edwin Gorst, een opvallende figuur die ik vijf-, zesendertig schatte, al ziet hij eruit als iemand die veel heeft meegemaakt en er al het dubbele aantal jaren op heeft zitten. Hij logeert enige tijd bij mijnheer Lazarus in de villa die laatstgenoemde enkele jaren geleden heeft gekocht.

Mijnheer Lazarus zelf is een ongekunstelde, rondborstige, bruinverbrande man met vriendelijke, lichtblauwe ogen. Kortom, iemand aan wie je onmogelijk een hekel kunt hebben – ík kan me tenminste niet voorstellen dat ik ooit een hekel aan hem zou krijgen. Natuurlijk vond mijn zus hem vreselijk saai, maar Susanna is dan ook nog griezelig jong en houdt er als jongere het geloofsartikel op na dat iemand met een stabiele, verstandige en betrouwbare natuur een verderfelijke uitwerking op de wereld heeft.

Mijnheer Shillito was er ook. Hij is in Fergus' ogen tot een soort halfgod uitgegroeid, want hij laat zich volkomen door zijn eigen grillen en verlangens leiden, zoals dat in mindere mate ook voor Fergus geldt. De gedachte dat ik, in het belang van papa, de vrouw van mijn oppervlakkige en egoïstische neef moet worden, is soms onverdraaglijk. Maar het is – tezamen met het afzien van de erfenis die ik van grootmama zou krijgen – de prijs die oom James ons heeft opgelegd zodat we het gerieflijke leven kunnen blijven leiden dat we gewend waren, terwijl papa tevens zijn positie in de firma kan behouden. In zijn belang en dat van mama moet ik mijn eigen gevoelens voor altijd uit mijn hoofd zetten. Fergus en ik zijn allebei machteloze gevangenen die ons leven niet naar eigen goeddunken kunnen leiden, maar aan de wil van onze ouders gebonden zijn.

Op de terugweg na de receptie passeerden we mijnheer Gorst, die de heuvel bij de villa van mijnheer Murchison op liep. Toen onze palanquin voorbijkwam bleef hij staan, en in een opwelling stak ik mijn hoofd naar buiten en wenste hem goedenacht. Dat kwam me op meedogenloze plagerijen van Susanna te staan, die op haar typisch pesterige manier bleef vragen wat Fergus daarvan zou zeggen. Ik kon daarop alleen maar antwoorden dat het me niet veel kon schelen wat neef Fergus van een gewone betuiging van beleefdheid vond. Susanna haalde laatdunkend haar neus op, iets waar papa vroeger erg kwaad om werd maar waar hij, nu hij voortdurend door sombere gedachten in beslag wordt genomen, geen acht meer op slaat.

Misschien had Susanna in mijn optreden echter iets bespeurd wat voor mij nog niet direct duidelijk was. Want mijnheer Gorst heeft inderdaad iets over zich wat mij intrigeert en fascineert, en wat (dat kan ik alleen in de vertrouwelijkheid van mijn dagboek erkennen) een verloofde jaloers zou moeten maken, als die verloofde een ander was dan Fergus Blantyre.

Mijnheer Gorst gedroeg zich vanavond beslist erg attent tegenover mij, maar op een rustige, natuurlijke manier die me meteen op mijn gemak stelde. Hij is lang, veel langer dan Fergus, en heeft in zijn grote, donkere ogen een blik die verraadt dat hij veel heeft geleden, echter zonder een spoor van zelfmedelijden of rancune. Het zijn prachtige, innemende ogen en ik merk dat ik er voortdurend aan moet denken. Is dat verkeerd van me? Misschien wel, en misschien was mijn eenvoudige 'goedenacht' toch meer dan een gewone beleefdheidsbetuiging.

Ik betwijfel echter of ik mijnheer Edwin Gorst nog vaak te zien zal krijgen. Mijnheer Lazarus, zijn gastheer, vertrekt spoedig naar Engeland en keert pas over een maand of twee naar Madeira terug. Tijdens zijn afwezigheid blijft mijnheer Gorst in de villa van zijn gastheer logeren, maar aangezien hij – zoals mijnheer Lazarus me vertelde – de aard en de gewoonten van een kluizenaar heeft, zal hij hoogstwaarschijnlijk in de Quinta da Pinheiro blijven en gezelschap mijden. Ik hoop echter van niet.

En met die zondige gedachte leg ik vanavond de pen neer.

III
Het dagboek van mejuffrouw Marguerite Blantyre
Uittreksel 2: de Berg

Quinta dos Alecrins
Funchal

19 september 1856
We zijn net terug van ons uitstapje naar de Berg, en ik schrijf haastig mijn indrukken op terwijl ze me nog vers voor de geest staan.

Aanvankelijk scheen de zon fel en ongehinderd, maar toen we onze bestemming naderden, daalde er een dichte mist over ons neer. Algauw begon het hevig te regenen, zodat we moesten schuilen in de portiek van de kerk van Nossa Senhora, nadat we zo snel als we konden de steile basalten trap naar de kerk waren op gerend (gelukkig niet op onze knieën, zoals de katholieke boetelingen).*

We stonden een poosje te kijken naar het grauwe regengordijn dat de stad die nu onder ons lag aan het zicht onttrok. Papa zat alleen in de kerk, terwijl oom James ongeduldig door de portiek heen en weer liep.

Er waren een stuk of vijf andere bezoekers, die net als wij voor de stortbui schuilden en in een groepje aan de andere kant van de portiek bij elkaar stonden. Toen de regen eindelijk wat minder hevig werd, liepen twee of drie van hen een stukje naar voren, zodat een lange gestalte zichtbaar werd die op een stenen bank tegen de buitenmuur van de kerk zat. Ik herkende meteen mijnheer Gorst: hij was gekleed in een cape en had een zwarte strohoed op het hoofd en een lange wandelstok in zijn linkerhand. Ik moet bekennen dat mijn hart een slag oversloeg toen ik hem zag, maar ik vermande me onmiddellijk, wendde me af en zei tegen mama dat we spoedig weer naar de stad zouden kunnen afdalen. Ik ontkwam er echter niet aan me nog eens in de richting van mijnheer Gorsts zitplaats te keren, om te zien of hij me had opgemerkt. Hij leek

---

* Deze kerk, vanwaar men een spectaculair uitzicht heeft, werd in 1818 voltooid en staat op de plaats van een vijftiende-eeuwse kapel die bij de aardbeving van 1748 werd verwoest. Op Maria-Hemelvaart (15 augustus) gaan boetelingen nog altijd op hun knieën de trap op.

evenwel volledig in gedachten verzonken en mijn aanwezigheid –
of die van wie dan ook – niet op te merken.

Enkele minuten later was het bijna opgehouden met regenen,
al bleef het wolkendek donker en dreigend. Oom James klapte
bruusk in zijn handen en stuurde Susanna de kerk in om papa te
halen. Hij drong erop aan dat we onze kans zouden grijpen en
naar Funchal zouden terugkeren voordat het weer ging regenen.
Terwijl we over de enorme plassen heen stapten die nu op het pla-
veisel voor de portiek lagen, keek ik om. Mijnheer Gorst was van
zijn zitplaats opgestaan en maakte zich op om achter ons aan de
trap af te dalen, al had hij ons kennelijk nog altijd niet herkend.

Bijna met schaamte beken ik hoe brutaal ik was, want ik bleef
opzettelijk op een afstandje van de anderen, en even later hoorde
ik het tikken van mijnheer Gorsts wandelstok vlak achter me.

Terwijl hij op gelijke hoogte met me kwam, bleef ik de dwaze
schijn ophouden dat ik hem niet zag, maar net toen hij op het
punt stond me te passeren groette ik hem aarzelend, alsof ik hem
niet goed had herkend. Toen hij mijn woorden hoorde, bleef hij
staan en keerde zijn gezicht naar me toe.

Hij begroette me zo op het oog met groot genoegen. Hij glimlachte terwijl hij sprak – wat een warme, innemende lach – en tikte vriendelijk tegen zijn hoed. Bij het horen van onze conversatie
bleven oom James en de anderen net voor de voet van de trap
staan en keken om. Ik zei iets doms en onbeduidends tegen mijnheer Gorst, iets wat ik me niet eens meer herinner, en maakte me
op om me bij mijn familie te voegen. Ik zag dat Susanna giechelde
en dat mama – die eerst naar mij en toen naar Susanna keek – een
nogal boze trek op haar gezicht had.

Oom James keek argwanend naar de rollende wolken en riep
dat ik me moest haasten, anders zouden we allemaal doorweekt
raken – onze ossensleden stonden een stukje verderop klaar (Susanna had de steile afdaling naar Funchal per sleetje willen maken,
maar dat had oom James streng verboden). Ik nam haastig afscheid van mijnheer Gorst, maar toen ik mijn eerste stap zette
hield hij me staande met de vraag of we nog meer uitstapjes wilden maken. Ik vertelde hem dat we de volgende dag naar Camacha zouden gaan.

Hij zei dat Camacha een heerlijke plek was en dat hij er vaak naartoe wandelde. Toen wenste hij me een prettige dag en liep in een kordaat tempo de trap af. Hij maakte in het voorbijgaan een buiging naar oom James en de anderen, en verdween vervolgens in de mist.

Tot mijn ontsteltenis merk ik dat dit voorval – hoe alledaags en onbeduidend het ook was – me de hele dag is blijven bezighouden. En nu ik het in mijn dagboek opteken, komt het me nog onbelangrijker voor. Een toevallige ontmoeting. Een uitwisseling van gangbare beleefdheden. Meer niet. Hij kan mij nooit zo interessant vinden als ik hem. Waarom zou ik voor mijnheer Edwin Gorst interessant zijn? Niets in zijn gezicht – in die ogen – verraadt dat, dat is zeker, en daar ben ik uiteraard blij om. Want ik ben voorbestemd voor neef Fergus, en daarmee is de kous af.

20

Waarin mijnheer Vyse zijn tanden laat zien

I
Mijnheer Vyse zegt wat hij op het hart heeft

Op de dag nadat ik het pakje van mijnheer Thornhaugh had ontvangen ging ik 's ochtends naar Charlie Skinner toe.

'Kun je iets voor me doen, Charlie?' vroeg ik hem.

Hij sprong van zijn stoel op, ging in de houding staan en salueerde.

'Tot uw orders, juffrouw.'

Vijf minuten later kwam hij terug met een sleutelbos die hij mij overhandigde, salueerde nogmaals en ging fluitend zijns weegs.

Op een van de expedities die ik in de ochtenduren door het huis maakte, was ik op een smalle stenen trap gestuit die van beneden naar een kaal gangetje achter milady's vertrekken liep. Deze donkere, gewelfde gang kwam via een smalle boog, waarin een gordijn hing, in het schilderijenkabinet uit. Halverwege de gang was een lage deuropening, en daarachter bevond zich een kast die werd gebruikt voor de opslag van onder meer hutkoffers en hoedendozen, en die toegang tot milady's zitkamer bood.

Van Sukie wist ik dat de deur tussen deze kast en de gang al enkele jaren op slot zat. Ze kon me niet vertellen waar de sleutel was, maar dacht dat Charlie Skinner – de bron van alle kennis over dergelijke zaken – het wel zou weten, wat ook zo bleek te zijn.

Nadat Charlie was vertrokken, ging ik naar de gang en vond aan de bos die ik van hem had gekregen algauw een roestige sleutel die in het slot paste. Met enige moeite wist ik de in zijn scharnieren krakende deur uiteindelijk open te krijgen. Ik ging de kast in en sloot de deur achter me.

Aan weerskanten van de binnenste deur bevonden zich twee kleine, ronde ramen met bleekgeel glas erin. Ze boden een goed zicht op het vertrek erachter, en het leek me dat ik door de deur op een kier te zetten alles wat binnen werd gezegd zou kunnen horen.

Net toen ik weg wilde gaan, werd de deur naar de zitkamer geopend en kwam milady binnen, gevolgd door mijnheer Vyse.

Aanvankelijk bleven ze buiten gehoorsafstand, want samen stonden ze met hun rug naar mij toe zachtjes te praten bij het raam aan de andere kant. Toen liep milady, wier gezicht een staat van opperste nervositeit verried, naar haar stoel bij de haard, slechts zo'n meter van de kastdeur, en mijnheer Vyse voegde zich algauw bij haar.

Komt u dus bij me staan en kijkt en luistert u mee naar wat er op die heldere winterochtend tussen lady Tansor en mijnheer Armitage Vyse voorviel.

Ziet u, om te beginnen, de wilde blik in milady's ogen? Ik heb hem al menigmaal eerder gezien, nadat de nachtmerries haar van haar slaap hadden beroofd.

'Maar waarom is hij nog hier?' vraagt ze klaaglijk, terwijl mijnheer Vyse – dit keer zonder glimlach – vermoeid op de sofa tegenover haar neervalt. 'Hij weet het. Hij moet het weten.'

'Maak je alsjeblieft niet zo druk,' zegt mijnheer Vyse op lijzige toon. 'Hij weet het niet. Het heeft niets te betekenen.'

'Niets?' roept ze uit. 'Hoe kan het nu niets te betekenen hebben?'

'Het is een stom toeval dat hij dit keer hier is. Niet meer en niet minder.'

'Maar hoe kun je daar zo zeker van zijn?'

'Ik heb gehoord dat zijn vader ernstig ziek is en dat hij van zijn meerderen verlof heeft gekregen om wat langer in Northamptonshire te blijven. Je moet het niet erger maken dan het is en op mijn oordeel vertrouwen. Je vertrouwt me toch, milady?'

'Ja, natuurlijk,' antwoordt ze. 'Sinds de dood van de kolonel ben je me zeer tot troost en tot steun geweest, en uiteraard zal ik altijd bij je in het krijt staan voor je onwankelbare trouw aan de nagedachtenis van mijn liefste Phoebus. Ik wil er eenvoudigweg zeker van zijn dat we geen gevaar lopen om te worden ontdekt. Ik meen dat Gully een bepaalde reputatie geniet.'

'Pff! Een reputatie! De grote sukkel!' antwoordt mijnheer Vyse, met grote minachting. 'Een jochie.'

'Maar hij is bij Wraxall, ook iemand met een bepaalde reputatie in deze zaken. Je weet dat zijn oom nooit geloofde – nu, ik hoef eigenlijk niets meer te zeggen. En nu horen we dat hij brieven van Slake aan mijn vader heeft. Misschien staan daar dingen in waaruit valt af te leiden...'

Mijnheer Vyse valt haar ongeduldig in de rede.

'Die brieven aan je vader hebben iets om het lijf, of niet – het laatste, als je het mij vraagt. Want als er in die correspondentie met je vader iets belangrijks stond, waarom heeft Slake het dan niet openbaar gemaakt? Rustig maar, milady. Het is allemaal goed. Het kómt allemaal goed.'

'Kon ik maar...'

'Luister naar mij.'

Hij buigt zich naar voren en laat zijn beide handen op zijn stok rusten.

'Je moet al je zorgen opzij zetten. Ik ben hier om alles in orde te maken. Jouw belangen zijn mijn voornaamste zorg, en zoals ik hopelijk ten aanzien van ons probleempje van kortgeleden heb aangetoond, kun je op mij vertrouwen om als dat nodig zou zijn actie te ondernemen – van welke aard dan ook.'

Ze geeft hem geen antwoord maar kijkt naar haar handen, die gevouwen in haar schoot liggen.

'Je leeft te veel in het verleden, milady,' vervolgt mijnheer Vyse op berispende toon. 'Wat Wraxall en zijn oom betreft heb ik je eerder al aangeraden niet te blijven stilstaan bij de omstandigheden van je vaders – ahum – treurige verscheiden. Bedenk: alleen wij beiden weten hoe de vork werkelijk in de steel zit. Slake was een onverbeterlijke bemoeial, maar hij is dood, en daarmee is elke kans op ontdekking verdwenen. Let wel: hij kon nooit enig bewijs op tafel leggen om zijn vermoedens te staven. Want waar is het? Waar is het tastbare bewijs dat jou met de zaak in verband brengt? Dat is er niet. Wat zwart op wit staat kan in deze kwesties dodelijk zijn, milady, maar heb je me niet menigmaal verzekerd dat er over deze kwestie niets op papier staat – dat er niets op dat dodelijke medium is vastgelegd – op grond waarvan jij kunt worden veroordeeld?

Wat de oude vrouw betreft kan ik je alleen maar, voor de zoveelste keer, verzekeren dat jij, en ik, veilig zijn. Gully heeft niets. Hij zal haar snel vergeten, als hij haar al niet vergeten is. Er zullen altijd genoeg lijken uit de Theems worden gevist om hem bezig te houden – neem me niet kwalijk, ik zeg slechts waar het op staat. Bovendien loopt het spoor dood, is de zoon een sukkel en weet Yapp maar al te goed dat hij mij niet in de wielen moet rijden.'

Hij zwijgt even en haalt hoorbaar adem.

'Iets anders daarentegen is dat meisje.'

'Wat bedoel je?' vraagt milady, duidelijk verbijsterd over zijn woorden. 'Doel je op Alice?'

Als mijn naam wordt genoemd speelt mijn maag op. Heeft mijnheer Vyse me ontmaskerd?

'Ik besef dat er – hoe zal ik het zeggen? – de laatste tijd een nieuwe, tamelijk verrassende vertrouwelijkheid tussen jou en mejuffrouw Esperanza Gorst is ontstaan,' zegt mijnheer Vyse, en hij spreekt elke lettergreep van mijn voornaam langzaam en met boosaardig genoegen uit. 'Enigszins tegen mijn eigen oordeel in heb ik ermee ingestemd dat het meisje jouw gezelschapsdame is geworden, maar een nog nauwere betrekking zou ik niet goedkeuren. Dat zou uitgesproken gevaarlijk zijn. Wie weet wat je je misschien laat ontglippen... Begrijp je me?'

'Weet je nog, Armitage,' antwoordt ze een beetje stekelig, 'dat ik op jouw aanraden bij mejuffrouw Gainsborough bevredigende referenties over het karakter van Alice heb ingewonnen en dat we zelf bevestiging kregen dat haar verhalen over haar opvoeding waar zijn? Ik heb er alle vertrouwen in dat ze is wie ze pretendeert te zijn en zie geen enkele reden om aan haar te twijfelen.'

'Werkelijk milady, wat ben je een onnozele hals!' roept mijnheer Vyse met een cynisch lachje. 'Dacht je dat je zulke dingen niet kunt arrangeren?'

'Maar waarom zou ze? Als ze over haar identiteit heeft gelogen, wie is ze dan, en met welke bedoeling kan ze dan hier zijn gekomen?'

Hij geeft geen antwoord, maar leunt achterover en tikt in hoog tempo met het uiteinde van zijn stok tegen de poot van de sofa, zoals een geërgerde kat zijn staart heen en weer beweegt.

'Ik moet bekennen dat dat me niet duidelijk is,' zegt hij ten slotte. 'Vooralsnog,' voegt hij er onheilspellend aan toe.

'Dus je maakt me bang met enkel ongegronde vermoedens?'

Zijn ontsteltenis gaat nu zichtbaar over in woede.

'Nee, niet volledig ongegrond. Shillito is er zeker van dat ze familie is van de man die hij op Madeira heeft ontmoet. Hij gelooft zelfs dat ze weleens een dochter van hem zou kunnen zijn.'

Milady werpt haar hoofd achterover en lacht honend.

'Nou, dat is me de beschuldiging wel! Familie van iemand die je vriend twintig jaar geleden heeft ontmoet! Ben je soms vergeten dat ze een wees is, die haar ouders nooit heeft gekend? Zelfs al heeft mijnheer Shillito gelijk, wat voor kwaad schuilt er dan in?'

'Dat staat nog te bezien,' antwoordt hij. 'Maar er moet serieus worden overwogen óf er kwaad in schuilt, risico's moeten worden afgewogen en gepaste maatregelen getroffen. Je kunt altijd beter van het ergste uitgaan. Ik spreek uit ervaring.'

'Maar ik begrijp nog altijd niet hoe...'

'Laat me het dan uitleggen. Shillito is er zeker van dat hij die Gorst al kende vóórdat hij op Madeira aan hem werd voorgesteld. Helaas kan hij zich nog niet herinneren onder welke omstandigheden hij hem eerder gekend heeft, maar Shillito weet zeker – en daar gaat het om, milady – dat de man toen geen Gorst heette.'

'Werkelijk, Armitage, dit is idioot! Mijnheer Shillito kan het bij het verkeerde eind hebben. En wat kan het ons schelen als die man ooit een andere naam had, of als Alice misschien zijn dochter is?'

'Welnu,' zegt mijnheer Vyse op beangstigend veelbetekenende toon, 'dat hangt er helemaal van af wie hij was.'

Milady schudt heftig haar hoofd.

'Nee, nee, dat is niet voldoende. Ik heb voor dit soort dingen een scherpe intuïtie. Die heeft me nog nooit in de steek gelaten. Alice heeft niets kwaads in de zin, volstrekt niets. Ze is een volkomen onschuldige, beminnelijke jonge vrouw, die heeft bewezen zowel loyaal als zorgzaam te zijn. Ze heeft niets slinks of leugenachtigs over zich.'

'En die uitnodiging van Wraxall dan? Heeft ze die soms niet voor jou verzwegen?'

Milady is even verbluft, maar herstelt zich snel.

'Een vergeeflijke vergissing. Ze had er niets mee in de zin. Je hebt het bij het verkeerde eind, Armitage, al is het inderdaad waar dat ik bijzonder op haar gesteld ben geraakt. Zozeer dat ik haar nu in alle opzichten als een vriendin beschouw. Ja – haal dat ergerlijke lachje van je gezicht –, als een vriendin, al zijn er natuurlijk bepaalde zaken die ik nooit vrijuit met haar zal kunnen bespreken. Dat vind ik jammer, maar er is niets aan te doen. Wil je me een genoegen doen, Armitage, en dit onderwerp niet meer ter sprake brengen? Ik mag hopen dat ik duidelijk ben?'

Ze fixeert hem met haar koninklijke blik – de lady Tansor zoals we haar kennen.

'Uitstekend,' zegt mijnheer Vyse, en hij tikt weer zachtjes met zijn stok tegen de sofa. Ik kan zijn gezicht niet zien, maar stel me voor dat het woord van een van zijn uiterst innemende lachjes vergezeld is gegaan.

Even zitten ze zwijgend tegenover elkaar, maar dan buigt mijnheer Vyse zich opnieuw naar voren en legt zijn lange, grondig gewassen hand op de hare.

'Mag ik vragen, milady, of u nog hebt nagedacht over de kwestie die we tijdens onze rit in de barouchet hebben besproken?'

'Dring daarover alsjeblieft niet aan, Armitage. Ik kan je nog geen antwoord geven – zeker niet het antwoord dat je wilt horen.'

Ze maakt haar hand los van de zijne, staat op uit haar stoel en loopt naar het raam, waar ze over het berijpte landgoed uitkijkt. Mijnheer Vyse blijft op de sofa zitten, met zijn lange benen naar de haard uitgestrekt, en zwaait zijn stok heen en weer.

'Sta me toe op te merken,' zegt hij op uiterst sinistere toon, 'dat je me nogal hebt aangemoedigd, want anders zou ik de kwestie niet zo snel ter sprake hebben gebracht. Je zult zeker ook moeten erkennen dat ik een toonbeeld van geduld ben geweest.'

Hij staat nu recht achter milady en onttrekt haar aan mijn blik. Zij mag dan lang zijn, hij is nog een kop groter, en zo in zijn volle lengte opgericht oogt hij bijzonder dreigend. Milady blijft echter zwijgen.

'Laat ik het anders formuleren.'

Zijn ijzige toon doet me huiveren. De wolf laat zijn tanden zien.

'Je moet een schuld afbetalen. Een aanzienlijke schuld.'

'Ik heb niets beloofd.'

Ze stapt een eindje bij hem vandaan, maar kijkt hem nog steeds niet aan.

'Dat is waar. De schuld blijft echter bestaan. Je hebt een vergaand beroep op mij gedaan, milady, en ik moet – en zal – schadeloos worden gesteld. Maar kijk eens hoe toegeeflijk ik kan zijn! Je wens wordt vervuld. Ik zal niet langer aandringen – voorlopig niet. Maar laten we elkaar goed begrijpen. Jij hebt je rijkdom en je positie dankzij mij veiliggesteld, en daarvoor heb ik geen gering risico genomen. Het zou me heel veel pijn doen als bepaalde zaken – zoals jij het zo delicaat formuleert – bekend zouden worden en jou van je huidige geneugten zouden beroven. Je hebt zoveel te verliezen, milady, zoveel. Maar komaan, laten we weer vrienden zijn. Geen onaangenaamheden meer. De lucht is gezuiverd, en nu laat ik je alleen met je eigen gedachten.'

Zachtjes voor zich uit neuriënd loopt hij naar de deur, draait zich om en maakt een buiginkje voor haar.

'Tot vanavond.'

Als hij weg is, rent milady naar haar slaapkamer en slaat de deur achter zich dicht.

Terug op mijn eigen kamer las ik mijn steno-aantekeningen van het gesprek tussen milady en mijnheer Vyse over.

Door wat ik zojuist had gehoord was ik ervan overtuigd dat ze samen de moord op mevrouw Kraus hadden beraamd, al had ik er nog altijd geen idee van waarom zo'n vreselijke daad nodig was geweest. Ook besefte ik hoe milady op eenzame momenten moest lijden onder de last van haar schuld, onder de voortdurende angst voor ontdekking en – en daarmee werd mijnheer Perseus' argwaan jegens mijnheer Vyse bevestigd – onder het vooruitzicht ten onder te zullen gaan als ze niet toegaf aan het kennelijke verlangen van haar medeplichtige om in ruil voor verleende diensten met haar te trouwen.

Ook begon in mijn geest een andere zekerheid gestalte te krijgen: dat de dood van milady's vader, twintig jaar geleden, op de een of andere manier verband hield met de moord op mevrouw Kraus. 'Alleen wij beiden weten hoe de vork werkelijk in de steel zit,' had mijnheer Vyse milady verzekerd. Maar hoe zat de vork dan in de steel, en welke rol had milady in het geheel gespeeld?

Ook de betekenis van mijnheer Shillito's overtuiging dat hij mijn vader vroeger onder een andere naam had gekend, ontging me. Misschien had mijnheer Shillito het bij het verkeerde eind: maar wat als dat niet het geval was? Ik kon weliswaar niet zeggen waarom, maar deze kwestie baarde me grote onrust, en leidde ertoe dat mijn al zo hevige verlangen om meer over mijn vader aan de weet te komen nog sterker werd.

Ik ging die avond na het diner vroeg naar mijn kamer om nader over deze zaken na te denken en mijn Geheime Boek bij te werken. Ook schreef ik een brief aan madame, waarin ik haar meedeelde wat ik had gehoord. Ik wilde die brief de volgende middag meenemen naar de Prouts.

Toen ik mijn pen neerlegde was het al laat, maar aangezien ik dolgraag de transcripten uit het dagboek van mijn moeder wilde uitlezen was ik nog niet aan slapen toe.

Gaat u daarom met mij mee terug naar het verleden en naar een zonniger klimaat. Laten we de Engelse winter van 1876 verruilen voor het zonnige eiland Madeira, twintig jaar eerder.

II
Schandaal op Madeira

Een paar dagen na haar eerste ontmoeting met Edwin Gorst op mijnheer Murchisons receptie maakte mijn moeder in gezelschap van haar zus en haar oom een uitstapje naar Camacha voor een bezoek aan de heer William Lambton, een van de belangrijkste wijnboeren van Madeira.

Ze vertrokken 's ochtends vroeg uit Funchal en arriveerden op tijd op de plaats van bestemming om het ontbijt te kunnen gebruiken, waarna mijn moeder zich terugtrok met een boek in een houten tuinhuisje op het uitgestrekte terrein van mijnheer Lambtons quinta. Nauwelijks zat ze daar, of ze hoorde een stok op het keiharde oppervlak van het aangrenzende landweggetje tikken, wat erop wees dat er iemand langskwam. Vervolgens viel er een stilte. De passant was vlak voor de poort blijven staan.

Ze wachtte af en dacht te zullen horen dat de reiziger zijn weg had vervolgd, maar er weerklonk geen geluid. Kennelijk daartoe aangezet door een scherpe intuïtie sloop ze naar de poort, opende hem en keek naar buiten.

Ze werd begroet door het glimlachende gezicht van mijnheer Edwin Gorst. Later tekende ze in haar dagboek op:

We begroetten elkaar, en ik vroeg waarom hij op zo'n hete ochtend aan de lange klim naar Camacha was begonnen.

Hij antwoordde dat hij veel liep, omdat de inspanning hem rustig maakte. Vervolgens sprak hij deze opwindende woorden: 'Ik moet bekennen, juffrouw Blantyre, dat de kans om u te zien me ertoe bracht op een dag als deze hierheen te komen.'

Dat zei hij woordelijk, en nu ik deze woorden opschrijf ervaar ik opnieuw de sensatie die ik onderging toen ik ze voor het eerst van zijn lippen hoorde komen. Want ik zag dat hij niet meer glimlachte, de gemoedelijke spot was volkomen vervlogen en vervangen door een toon van diepe ernst en onuitgesproken gewicht.

Dat moment was fantastisch voor mij, vanwege het extatische, onverwachte karakter ervan en omdat ik – ja! ik beken het – in mijn hart wist dat ik er vurig naar had verlangd. Toch was ik ook bang, oprecht bang, want ik voelde – en ik voel het nu weer – dat een gevaarlijke fascinatie in me opspeelde, als een veelstrengig zijden koord dat er prachtig uitzag maar zich langzaam en dodelijk om mijn hart wikkelde. We waren immers nog praktisch vreemden voor elkaar. Wat was dan de oorzaak van dit plotselinge, emotionerende tumult, waarvan ik zo rusteloos en ontevreden werd, terwijl ik toch dolgraag dat verrukkelijke moment steeds opnieuw wil beleven en alle gedachten aan mijn huidige en toekomstige verplichtingen verdring?

Mijn vader vroeg of ze al naar de Sé Kathedraal was geweest. Ze zei van niet. Hij vertelde haar dat de kerk veel interessante aspecten had en dat hij, net als alle vergelijkbare monumenten, een noodzakelijke afstand tussen ons en de wereld schiep die ons eraan herinnerde wat we werkelijk zijn. Zij vroeg of hij een gelovig katholiek was. Hij zei dat hij geen gevestigde religie aanhing, maar zichzelf toch niet als heiden beschouwde. Na nog wat langer te hebben gepraat, vervolgde hij zijn weg.

Toen ze uit Camacha was teruggekeerd, schreef mijn moeder het volgende in haar dagboek: 'Wat moet ik denken van de dag die zojuist is verstreken? Was het een keerpunt in mijn leven, of een kortstondige bagatel? Nee! Het kan – en mag – niet zijn wat ik zó graag zou willen. Over een halfjaar ben ik de vrouw van Fergus Blantyre. Mijn leven is dan voorbij, en van dit alles rest niets meer dan een vervlogen droom.'

Haar voorspelling kwam echter niet uit. De eerstvolgende zondag zag ze na het kerkbezoek kans om in haar eentje naar de kathedraal te gaan, maar er was geen spoor van mijn vader. De daaropvolgende zondag bracht eenzelfde teleurstelling. 'Als hij slechts íéts had gevoeld van wat ík op die hete ochtend in Camacha voelde,' schreef ze, 'zou hij in de kathedraal zijn geweest, wat hij naar mijn idee had gesuggereerd. Hij was er niet. Hij is er niet langsgegaan. En ik ben een arme dwaas omdat ik iets anders had verwacht.'

Er verstreken drie weken. Toen, op een heldere, winderige maandagochtend, ging mijn moeder weer naar de Sé Kathedraal, vastbesloten dat dit de laatste keer zou zijn. Als hij er niet was, zou ze weten dat haar lotsbestemming elders lag.

Ze posteerde zich vlak achter de deuropening en bekeek ingespannen de mensen die binnenkwamen en weggingen, alsmede de paar knielende gestalten die zaten te bidden. Toen viel haar oog op een groepje Engelse bezoekers dat een stukje het schip was in gelopen.

Ze herkende hem onmiddellijk: hij was in gesprek met een heer uit het voornoemde groepje. In zijn ene hand hield hij zijn hoed en zijn stok, met de andere wees hij omhoog naar het donkere houten plafond met de wervelende decoraties in ivoor.

Ze sloeg hem nog enkele minuten gade, totdat hij de heer de hand schudde, een buiging naar de groep maakte en langzaam door het middelste gangpad van het schip op haar afliep:

> Terwijl hij steeds dichter bij de plek kwam waar ik stond, bleef ik met wild bonzend hart als aan de grond genageld staan.
>
> Vlak achter me stond de deur op een kier, zodat zich een brede baan gouden licht over de stenen vloer kon uitspreiden. Daarin stapte mijnheer Gorst, met neergeslagen ogen en net zo diep in gedachten verzonken als op de dag waarop ik hem op de Berg had gezien. Plotseling keek hij op, en eindelijk zag hij mij.
>
> Hij deed geen poging me te groeten, maar dat stoorde me niet. Want meteen herkende ik in zijn magnifieke glimlach en de manier waarop hij me aankeek alles wat ik er eerder in had gezien – alsof hij op Gods aarde niemand anders wilde zien dan mij.
>
> Ik zeg dat niet om mezelf te vleien of te misleiden. Ik zeg het omdat ik wist dat het zo was, boven alle twijfel verheven, net zo zeker als ik op dat moment wist – wat er ook van komen moge, en tot welke prijs – dat ik van Edwin Gorst hield.

Nadat ze nog enkele woorden hadden gewisseld, vroeg mijn vader aan mijn moeder of het haar vrijstond een halfuurtje naar de zee te wandelen, omdat het zo'n mooie dag leek te worden. Ik citeer haar latere beschrijving van die wandeling hier onverkort:

> Als verdoofd liep ik met hem de straat op. Ik weet nog dat we tijdens de wandeling met elkaar praatten, al kan ik me nauwelijks herinneren wat er werd gezegd – vast niets van belang.

Uiteindelijk bereikten we de restanten van de pier die enkele jaren geleden was aangelegd maar in een winterstorm is bezweken, zodat hij nu slechts tot de waterkant reikt. Het is een geliefd toevluchtsoord voor de actiefste kuurders op het eiland, en her en der zaten wat van zulke mensen op de enorme stenen die voor de verwoestende werking van de storm gespaard waren gebleven.

Mijnheer Gorst en ik vonden een geschikte zitplaats, een stukje van de anderen verwijderd en met uitzicht op de Deserta's die in de verte bleek opflikkerden in het wisselende zonlicht.

De aanlandige zeewind was koel, maar niet onaangenaam. Mijnheer Gorst was evenwel bezorgd dat ik misschien kou zou vatten en vroeg verschillende keren of ik terug wilde. Maar ik zou voor geen goud terug hebben willen gaan, al bleef ik angstig dat iemand ons samen zou zien en dat aan oom James en Fergus zou vertellen. Ik zat echter met mijnheer Gorst aan mijn zijde, met het geraas van de aanrollende golven in mijn oren en de wind van de Atlantische Oceaan in mijn gezicht, dus wat bekommerde ik me om mogelijke onprettige gevolgen? Als die zich ooit zouden voordoen was er nog alle tijd om me te beraden.

We zeiden niet veel – een opmerking van mijnheer Gorst, een reactie van mij en wederzijdse stille glimlachjes omdat we het zo prettig hadden, meer niet. Toen brak de zon in al zijn majestueuze glorie door vanachter een dreigende wolkenbank. En op dat stralende ogenblik keerde mijnheer Gorst zijn ogen volledig naar mij toe – die diepe, gevaarlijke poelen waarin ik dolgraag wilde verdrinken!

'Ik wil dat u weet, juffrouw Blantyre,' zei hij zacht, 'dat ik u heb bewonderd vanaf het allereerste moment dat we bij mijnheer Murchison aan elkaar werden voorgesteld.' Hij vervolgde dat het verkeerd van hem was om zo te spreken. Hij had er de afgelopen weken en dagen tegen gevochten, maar merkte nu dat hij in mijn aanwezigheid niet langer kon blijven zwijgen.

Ik kan en wil niet meer schrijven, al lopen mijn hart en hoofd bijna over. Want ik ben nu niet in staat om me elk woord en elke zin te binnen te brengen die die lieve lippen hebben uitgesproken. Ik herinner me alleen het gevoel van overweldigende vreugde dat me omgaf, en dat me ook omgeeft nu ik aan mijn bureautje bij het open raam uitkijk op de maan, die zijn schijnsel over het klooster van Santa Clara werpt.

Dit is het begin van het pad dat ik nu moet inslaan, weg van de plicht die ik mijn familie verschuldigd ben.

We bleven ruim een uur zitten en probeerden allebei de ander te overtreffen in het opbiechten van de geheimen die we in ons hart hadden bewaard en die ons – zo plotseling en onverwachts – tot dit moment hadden gebracht.

Ik voelde – en voel – geen schaamte, geen berouw. De zonden die me vroeger in gedachten zo vreselijk hadden geleken en die ter wille van de eer en het fatsoen tot elke prijs moesten worden geschuwd, omarmde ik nu met de bereidwilligheid van een martelares. Het woord – het heilige liefdeswoord – was niet uitgesproken. Waarom ook? Ik wist dat ik van hem hield en dat hij van mij hield. Hij hoefde het me niet te vertellen. Zolang ik in zijn ogen bleef zien wat ik er vanmiddag in had gezien, zou hij het me niet hoeven te vertellen.

We liepen terug langs de kerk van het Colégio en bleven even staan kijken naar de vier nissen op de façade waarin beelden van verschillende jezuïtische heiligen prijkten. Mijnheer Gorst vroeg of hij me naar onze quinta mocht begeleiden, maar ik zei dat ik liever alleen terug wilde gaan.

'Mag ik dan morgen langskomen?' vroeg hij.

Hij zag mijn aarzeling en drong niet verder aan. We hadden het niet over mijn verloving met Fergus gehad, maar nu rees hij tussen ons op als een zwarte wolk die een veelbelovende, mooie dag verduisterde. Ik moest het onvermijdelijke onder ogen zien.

We spraken nog enkele woorden en gingen uiteen.

De teerling was geworpen. Er volgden meer heimelijke ontmoetingen en veelbetekenende plannen werden gesmeed. Begin december 1856 werd de laatste noodlottige stap gezet. Als aanvulling op het verhaal van de laatste weken die mijn moeder op Madeira doorbracht, laat ik hier – zonder commentaar – een brief van mijn vader aan John Lazarus volgen, die in diens memoires is opgenomen.

Quinta da Pinheiro
Funchal

21 december 1856

Mijn waarde Lazarus,

Wanneer u dit leest, zult u het nieuws al hebben ontvangen dat juffrouw Blantyre & ik Madeira hebben verlaten. U moet ook weten –
want dat weet u misschien nog niet – dat we gaan trouwen.

Ik kan me maar al te goed voorstellen wat u van mij moet vinden.
Een man die u van de zekere ondergang en de dood hebt gered, die u
het vrije gebruik van uw woning hebt verleend & die u aan uw
vrienden hebt voorgesteld & die u dientengevolge eindeloos veel
dank verschuldigd is, heeft u met het laaghartigste betoon van minachting terugbetaald.

Gelooft u me, waarde heer, wanneer ik u zeg dat ik – meer dan wie
ook – besef dat ik elke smadelijke en stuitende kwalificatie verdien
die u kunt verzinnen & dat ik u – en dat is bijna net zo erg – geen excuus voor mijn daden kan verschaffen, slechts dit – wat feitelijk helemaal geen excuus is, doch slechts een feitelijke constatering: door mij
naar Madeira mee te nemen bent u té goed in uw opzet geslaagd. U
hebt zodoende niet alleen bewerkstelligd dat ik lichamelijk ben hersteld, maar u hebt nog iets meer doen herleven, iets waarvan ik
meende dat het voorgoed was afgestorven.

Ik ben nog niet in staat u uiteen te zetten hoe de situatie werkelijk
in elkaar steekt, maar dit kan ik u verzekeren: dat ik altijd de diepste
genegenheid voor juffrouw Blantyre zal koesteren en alles zal doen
wat in mijn macht ligt om haar het geluk te schenken dat ze verdient.
En tevens dat ze uit vrije wil met mij meegaat, dat wij elkaar waar-
achtige wederzijdse achting toedragen, en dat haar blazoen niet de
minste smet van onfatsoenlijk gedrag aankleeft. En tevens dat mijn
bedoelingen jegens haar van de meest eerzame aard zijn & dat ook
altijd zullen blijven.

Wilt u tot besluit hiervan doordrongen zijn, waarde vriend, en
daarmee gelukkig zijn: door mij mijn leven terug te geven hebt u – zo
God of het lot het wilde – zonder het te beseffen nog een herstel te-
weeggebracht – een veel groter herstel dat uw inspanningen veel
meer waard is dan u ooit voor mogelijk kunt hebben gehouden.

U smartelijk toegenegen in eeuwige vriendschap & dankbaarheid
om wat u voor mij hebt gedaan,
E. Gorst

III
Mijnheer Perseus ergert zich

De volgende middag – het was donker en guur, en ik gleed uit over de onregelmatige, dunne stukjes ijs die kraakten en knisperden onder mijn voeten – ging ik over het landgoed op weg naar Willow Cottage met de brief die ik aan madame had geschreven. Mijn hoofd was nog vol van mijn moeders aangrijpende verslag van haar vlucht met mijn vader.

Terwijl we bij het keukenfornuis aan onze thee nipten, vroeg ik mevrouw Prout of bekend was waarom lady Tansor mijnheer Randolph van de academie van dokter Savage had gehaald.

'Dat, juffrouw, was om te beginnen al een raadsel,' zei ze en ze zette haar kopje neer. 'Mijnheer Pocock sprak van een mysterie, want de jongeman is nog nooit zo gelukkig geweest als toen hij bij dokter Savage was. Natuurlijk werd er wel wat van gezegd,' voegde ze daar op geheimzinnige toon aan toe.

'Wat van gezegd?'

'Nou, wat zouden de mensen nu zeggen als een knappe jongeheer met goede vooruitzichten voor het eerst vrij is, weg van huis en weg van zijn mammie, en dan plotseling weer naar huis wordt gehaald en er bij zijn terugkeer harde woorden vallen?'

'Ik zou het echt niet weten.'

'Er was een dame in het spel, schat – zo werd algemeen gedacht. Maar het lijkt geen gevolgen te hebben gekregen. Hij heeft natuurlijk een poos lopen mokken en pruilen en een paar weken bij zijn vriend in Wales gezeten. Maar goddank komt aan alles een eind, en daarmee zijn we gezegend, al denken we van niet.'

'En wie was die dame – als er inderdaad een dame was?' vroeg ik, terwijl Sukie de theepot met heet water bijvulde.

'Dat hebben we nooit geweten, juffrouw, en ik denk dat we het ook nooit zullen weten. Vast staat alleen dat milady hem meteen van school heeft gehaald, want mijnheer Randolph is dan wel de jongste zoon, hij moet toch met een goede partij trouwen – en zijn mammie wilde er beslist voor zorgen dat zij een vinger in de pap hield. Ach, het is een schat van een jongen! Ik hoop dat hij gelukkig wordt.'

Ik ga naar huis langs het kerkhof en houd even stil om in de portiek te zitten.

Ik zit er nog niet lang, of ik hoor over het grindpad voetstappen naderen. Als ik opkijk uit mijn dagdromerij zie ik mijnheer Perseus, die met een boek in de hand vanaf de bovenste tree van de portiektrap op me neerziet.

'Goedemorgen, juffrouw Gorst,' zegt hij met een ongemakkelijke, weifelende glimlach. 'Ik zag u het huisje van de Prouts uit komen en dacht dat u op de terugweg naar huis misschien graag wat gezelschap zou hebben.'

Ik ben opgewonden door zijn voorstel. Ik bedenk echter opnieuw dat het milady zou kunnen mishagen als ik erop inga en breng mezelf ertoe om het aanbod beleefd van de hand te wijzen, met de woorden dat ik liever nog even blijf waar ik ben. Ik geloof oprecht dat ik hem een gepast hoffelijk antwoord heb gegeven, al doet het me pijn om hem af te wijzen. Tot mijn verbazing betrekt zijn gezicht.

'Op mijn woord, juffrouw Gorst,' roept hij in een plotselinge vlaag van woede en ergernis. 'U maakt het iemand wel moeilijk als hij alleen maar aardig wil zijn.'

Zijn reactie op mijn op dankbare toon uitgesproken weigering lijkt me in geen verhouding tot het vergrijp te staan, en onwillekeurig voel ik me door zijn kritische toon gekwetst.

'Ik hoop, mijnheer,' antwoord ik terwijl ik een kleur krijg, 'dat ik u altijd het respect en de egards heb betoond die u gezien uw positie toekomen en die ik u gezien mijn eigen plaats in uw huis verschuldigd ben.'

Hij antwoordt niet en draait zich plotseling om om te vertrekken, maar keert zich dan weer naar me toe.

'Dit is misgegaan, juffrouw Gorst,' zegt hij terwijl hij de trap naar de portiek af loopt. 'Dit is helemaal misgegaan. Ik hoop dat u wilt erkennen dat ik vanaf onze allereerste kennismaking mijn best heb gedaan om u vriendschappelijk de hand te reiken.'

Omdat ik nog niet precies weet hoe ik hem heb gegriefd, vind ik het moeilijk om een antwoord te formuleren. Daarom doe ik er ook geen poging toe, en dat lijkt hem nog kwader te maken.

'Ik merk dat u nog altijd niets te zeggen hebt,' zegt hij en hij werpt me een hoogst beledigde blik toe. 'Speelt u een spelletje met mij, juffrouw Gorst?'

Ik acht het verstandig evenmin in te gaan op deze door niets gerechtvaardigde beschuldiging. In plaats daarvan sta ik op van de stenen bank waarop ik heb gezeten en maak aanstalten om te vertrekken, maar hij steekt een arm uit zodat ik niet langs de trap kan.

'Wilt u mijn nieuwsgierigheid bevredigen, juffrouw Gorst,' zegt hij, 'en me vertellen wat u aan mijn gedrag jegens u zo verwerpelijk vindt? Weet u, sommigen zouden zeggen dat ik mezelf verlaag door een voormalige dienares zo veel genegenheid te betonen, ook wanneer het gaat om iemand die naar het schijnt van betere komaf is.'

Op dat moment besef ik dat zijn hele tirade slechts voor een deel voortkomt uit mijn afwijzing van zijn aanbod mij op de terugweg naar huis te vergezellen, en dat er in werkelijkheid een andere oorzaak is. Nog merkwaardiger is dat, wanneer ik hem in de ogen kijk, mijn eigen ergernis over zijn heftige woorden helemaal is verdwenen.

'Neemt u mij niet kwalijk, mijnheer,' antwoord ik, 'maar ik denk dat hoe minder er over deze kwestie gezegd wordt, hoe beter het is.'

Hij concludeert terecht dat ik vastbesloten ben om het gesprek te beëindigen en stapt opzij zodat ik de trap af kan gaan.

Ik laat hem in de portiek achter en loop haastig naar het kerkhofportaal. Als ik op het punt sta het te openen, haalt hij me in.

'Dit is voor u,' zegt hij, niet in het minst nog boos, en hij reikt me het boek aan dat hij bij zich had. 'Ik heb er iets in geschreven, dus u mag het hebben. Doet u ermee wat u wilt.'

Ik neem het boek van hem aan, en hij loopt School Lane in, in de richting van de hoofdweg.

Hij heeft me een exemplaar van *Merlijn en Nimue* gegeven, in de door Freeth & Hoare gepubliceerde luxe-editie. Op het schutblad heeft hij in een sierlijk, vloeiend handschrift geschreven:

Voor juffrouw Esperanza Gorst, met warme gevoelens, van de auteur
December MDCCCLXXVI

21

Er wordt een kind geboren

I
Milady wil worden gerustgesteld

Mijnheer Perseus kwam die avond niet beneden dineren, en dat bespaarde mij de gênante situatie die ik had verwacht, ook al miste ik zijn aanwezigheid. Mijnheer Randolph was stil en in gepeins verzonken, en ging algauw van tafel. Ook milady leek zich niet helemaal in orde te voelen.

Later, toen we met ons handwerk bij de haard in haar zitkamer zaten, keek ze naar me op terwijl ze een draad door de naald haalde.

'Trouwens, Alice,' zei ze, 'is er nog nieuws van die fascinerende mijnheer Thornhaugh? Ploetert hij nog aan zijn magnum opus?'

'Hij wordt er voortdurend door in beslag genomen,' antwoordde ik, 'zoals dat met grote, waardevolle ondernemingen altijd het geval is.'

'Ja, zo zal het wel gaan. Heb je me ooit verteld wat het onderwerp van dit grote project is?'

'Het wordt een geschiedenis van de alchemie, helemaal vanaf het begin.'

'Alchemie? Het veranderen van onedele metalen in goud?'

'Dat is het niet alleen, als ik het goed heb begrepen. Volgens mijnheer Thornhaugh is het een mystiek filosofisch stelsel – de filosofie van de spirituele transformatie.'

'Spirituele transformatie,' zei ze peinzend. 'Wel, wel. Inderdaad een nobel onderwerp. En wanneer zal het werk voltooid zijn? Tenslotte denk ik dat ik het graag eens zou zien.'

'Voor zover ik weet heeft mijnheer Thornhaugh nog geen tijdstip in zijn hoofd.'

'Zo gaat dat altijd met die geleerden,' verzuchtte ze. 'Ze kunnen nooit iets afsluiten, maar gaan alsmaar door en blijven spitten tot ze er dood bij neervallen, en dan komt het nooit af. Mijn vader was een zeer grondige geleerde en ging ongewoon systematisch te werk. Maar zelfs hij was te lang bezig met de geschiedenis van onze familie waaraan hij was begonnen – en inderdaad heeft hij zijn werk nooit volbracht, ondanks alle hulp die ik hem in de laatste fasen kon geven bij het verzamelen en ordenen van de benodigde documenten.'

Ze richtte zich weer op haar handwerk. Het vuur knetterde en de klok tikte. Het was warm en knus, en de behaaglijke stilte werd alleen verstoord door het getik van de regen tegen het raam.

'Alice, liefje.'

Met een vragende blik keek ik op.

'Ik moet je iets vragen – en ik hoop dat je er eerlijk antwoord op kunt geven en er geen aanstoot aan neemt. Kun je me dat beloven, liefje – als vriendin?'

Wat kon ik zeggen? Alleen dat ik mijn best zou doen om haar tevreden te stellen.

'Al kan ik natuurlijk een vroegere belofte van vertrouwelijkheid niet verbreken,' voegde ik daaraan toe, ondeugend zinspelend op haar eerdere weigering om te vertellen waarom de grootste vriendschap uit haar leven was beëindigd.

'Natuurlijk niet.'

'Zegt u me dan maar wat u wilt weten.'

'Nu, dit. Ben je volkomen eerlijk tegenover me geweest, in alles wat met jezelf te maken had, met je opvoeding en dergelijke – in alles wat je daarover sinds je komst naar Evenwood hebt verteld? Je hebt me toch niet misleid, liefje? Geen welbewuste voorwendsels en onwaarheden? Kun je me dat verzekeren, bij alles wat je heilig is?'

Ik laat merken dat ik door de vraag gekwetst en verrast ben, en vraag of ze redenen heeft om wat ik haar over mezelf heb verteld in twijfel te trekken.

'Nee, nee,' roept ze, er duidelijk op uit om mij gerust te stellen. 'Je moet me niet verkeerd begrijpen. Natuurlijk vertrouw ik je, en ik heb geen enkele reden om aan je te twijfelen.'

'Er heeft zeker iemand kwaad van me gesproken,' zeg ik en ik zet een gegriefde toon op.

'Niemand heeft kwaad van je gesproken, Alice. Ik wilde er alleen zeker van zijn dat ik mijn vertrouwen en genegenheid niet schenk aan iemand die die gevoelens zal afwijzen als – je moet me verontschuldigen...'

Ze legt haar handwerk neer en brengt met een gevoelvol gebaar haar hand naar haar voorhoofd.

Een beetje medeleven lijkt geboden, en dus pak ik zachtjes haar hand en vraag terwijl ik haar welwillend in de ogen kijk of ze zinspeelt op haar vroegere vriendin.

Ze knikt en wendt haar blik af.

'Ik zie dat de wond nog steeds niet geheeld is.'

'Vergeef me, Alice, schat. Ik had je niet in deze positie mogen brengen. Het was fout van me om zo'n vraag te stellen, want je hebt me nooit enige reden tot wantrouwen gegeven. Maar ik moet er zeker van zijn – volkomen zeker – dat onze vriendschap op een hecht fundament van wederzijds vertrouwen en oprechtheid zal berusten. Ik zou het niet kunnen verdragen om nog eens teleurgesteld te worden, door het pijnlijke losscheuren van een band die uiterst waardevol voor me is. We moeten elkaar trouw zijn.'

'Geen geheimen,' zeg ik, opnieuw met een dubbelzinnig glimlachje.

'Geen geheimen.'

'Welnu dan,' vervolg ik op kordate maar verzoenende toon, 'ik zal uw vraag beantwoorden. Ik heb over mezelf niets voor u verzwegen. Ik ben degeen die u denkt dat ik ben, en niemand anders: Esperanza Alice Gorst, op 1 september 1857 in Parijs een maand te vroeg geboren. Wilt u haar levensverhaal in het kort nog eens horen?

Ze was een wees die allebei haar ouders niet heeft gekend en als gevolg daarvan is grootgebracht door madame Bertaud, een oude vriendin van haar moeder. Ze kwam in oktober 1875 naar Engeland en verbleef daar bij een andere vriendin van haar moeder, wijlen mevrouw Emma Poynter, en kreeg twee maanden later haar eerste dienstbetrekking als kamenier van mejuffrouw Helen Gainsborough. Vervolgens solliciteerde ze als kamenier bij u, milady, en die betrekking kreeg ze – geheel tegen haar verwachting in, maar zeer tot haar voldoening. En dat is, in alle beknoptheid, de waarheid – en niets dan de waarheid – over Esperanza Alice Gorst.'

'Bravo, Alice!' riep milady. 'Je hebt onder zware druk de ware geest getoond en je er moedig doorheen geslagen – zoals ik wel wist. Maar je hebt wel iets voor me verborgen gehouden, moet je weten.'

'En wat dan wel?'

'Je ware aard. Je bent niet onderdanig meer, Alice – dat bespeur ik heel sterk, ook al doe je nog steeds alsof die onderdanigheid in je aard ligt. Kijk niet zo verschrikt! Ik vind je zo juist des te aardiger. Het toont aan wat ik altijd heb geweten: dat wij verwante geesten zijn. De persoon die je werkelijk bent wordt alleen door de omstandigheden verhuld. En nu heb ik je uit je ondergeschikte positie verlost, dus kun je eindelijk jezelf zijn!'

Luister! Hoort u het? Het geluid van een stok – tip-tap, tip-tap – dat weergalmt in de koude avondlucht. Het is mijnheer Armitage Vyse, die op weg naar zijn rijtuig de trap van het bordes af loopt, want zijn kerstbezoek aan Evenwood is voorbij.

Als hij in het rijtuig wil stappen draait hij zich om en kijkt omhoog. Zijn magere gezicht met de flamboyante snor wordt verlicht door de lantaarn die door Digges, zijn lijfknecht, omhoog wordt gehouden. Onze blikken ontmoeten elkaar.

Hij glimlacht – wat een lach! Breed en niet weg te branden, een lach waarin vleierij en intimidatie samengaan. Hij lijkt te willen zeggen: 'Pas goed op uzelf, juffrouw Esperanza Gorst, want ik heb u in het vizier.' Als hij me bang wil maken, is hij in zijn opzet geslaagd. Ik probeer mijn gezicht in de plooi te houden, maar omdat ik weet waartoe hij in staat is, begint mijn hart te bonzen. Dan neemt hij met een kleine buiging en nog altijd glimlachend zijn hoed af, zet hem langzaam weer op en klimt in het voertuig.

Ik sta bij een van de ramen van het schilderijenkabinet en zie de schommelende lichten op zijn rijtuig vervagen en vervolgens in het donker verdwijnen. Milady heeft hoofdpijn en is vroeg naar bed gegaan. Toen ik bij haar wegging, bevestigde ze dat ze heeft besloten enkele dagen in Londen door te brengen. Ze zei dat ze haar vroegere afkeer van de hoofdstad heeft overwonnen en sprak nogmaals de wens uit mij van het bestaan in de hoogste kringen te laten proeven. En dus zullen we op nieuwjaarsdag, een dag die milady nooit viert, naar Grosvenor Square vertrekken. Ik ben er niet gerust op. Maar ook al is mijnheer Vyse dan in de buurt, ik ben blij met de verandering van omgeving en de gelegenheid misschien mevrouw Ridpath nog eens te zien.

Toen ik het rijtuig van mijnheer Vyse had zien vertrekken en naar mijn kamer wilde gaan, kwam Sukie hijgend de trap op, met een pakje bij zich.

'Het spijt me zo, juffrouw Alice. Ik had u dit vanmorgen moeten brengen, maar ik heb me verslapen en toen is het me door het hoofd geschoten. Het is gisteren gekomen.'

In het pakje zat nog een bundel uittreksels in steno uit het dagboek van mijn moeder. Twee uur later, tegen twaalven, was ik klaar met het transcriberen van de nieuwe uittreksels.

Ik goot wat water in een kom om de inkt van mijn vingers te wassen. Vervolgens moest ik huilen.

II
Naar Frankrijk
Uit het dagboek van mejuffrouw Marguerite Blantyre

Na hun geheime vertrek van Madeira gingen mijn ouders scheep naar Mallorca. Ze leefden van het kleine beetje geld dat mijn moeder tot haar beschikking had en vulden dat aan met de verkoop van een deel van haar sieraden. Op Mallorca vonden ze onderdak in een huis dicht bij de La Seo-Kathedraal in de stad Palma. Ze noemden zich enige tijd Edward en Mary Gray en waren zogenaamd broer en zus. Omdat mijn vader er zeker van was dat er jacht op hen zou worden gemaakt, bleven ze slechts korte tijd op Mallorca en vertrokken al spoedig naar Marseille.

Na een zware, omslachtige tocht naar het noorden traden ze ten slotte op 15 januari 1857 in Cahors met elkaar in het huwelijk. Dit zijn mijn moeders bespiegelingen over die gedenkwaardige gebeurtenis, een dag later opgetekend in Hotel des Ambassadeurs:

Voor het eerst in mijn leven neem ik als mevrouw Gorst – en niet meer als Marguerite Blantyre of Mary Gray – de pen op om in mijn dagboek te schrijven!

Gisteren, op donderdag 15 januari, zijn Edwin en ik in de kerk van de Sacré-Coeur getrouwd. Het kostte maar heel weinig tijd om iemand anders te worden – de vrouw van mijn allerliefste Edwin, van wie ik altijd zal houden, tot aan mijn dood. En nu ben ik in alle opzichten de zijne – werkelijk en helemaal de zijne – en kan ik me niet voorstellen hoe ik het ooit zonder zijn dierbare aanwezigheid zal kunnen stellen.

De herberg is niet al te schoon, maar het eten is voortreffelijk, en de stad – waar Fénélon* nog heeft gestudeerd – is verrukkelijk. Toen ik vanmorgen voor het ontbijt beneden kwam, werd ik door een van de kelners voor het eerst als madame Gorst aangesproken! Het klonk zo raar en degelijk – om als *madame* en niet langer als *mademoiselle* te worden beschouwd! Maar ik merkte dat ik in de loop van de dag, toen ik eraan gewend raakte, door elke vreemde die ons op straat passeerde zo wilde worden aangesproken, zó opwindend klonken die woorden me in de oren. Madame Gorst! Mevrouw Gorst!

Edwin, die afwezig en stil was gedurende de laatste etappe van onze reis vanuit Montauban, is volkomen veranderd: hij is nu optimistisch, lief en attent, en praat verrukkelijk veel over de verschillende oude gebouwen en andere oudheden die ons hier omringen.

Toen we vanmorgen onder de bleke winterzon gearmd door de stad liepen, lachend om de ontelbare maar oneindig kostbare onbenulligheden die alle verliefde stellen samen delen, had ik het gevoel dat ik nooit meer zo gelukkig zal zijn – en dat kon me niet schelen ook. Ik geloof dat ik in die uren die alles goedmaakten, waarachtiger leefde dan ik ooit in mijn leven heb geleefd, en ik kon me niet voorstellen dat er aan die wonderbaarlijke staat van vervulling nog iets kon worden toegevoegd, niet in dit bestaan en niet in het volgende. Wat er nog zou gebeuren, welke beproevingen ik nog zou ondergaan, ik zou altijd gepantserd zijn tegen de wanhoop – zelfs tegen de verschrikkingen van de dood – dankzij de herinnering dat ik op een keer, gedurende heel korte tijd, met mijn allerliefste Edwin door het paradijs heb gelopen.

III
De Avenue d'Uhrich
Uit het dagboek van Marguerite Gorst

In de laatste week van januari 1857 kwamen mijn ouders uiteindelijk in Parijs aan, waar ze hun intrek namen boven een zaak in schildersbeno-

---

* François de Salignac de la Mothe-Fénélon (1651-1715), Frans prelaat en schrijver.

digdheden aan de Quai de Montebello, op de linkeroever van de Seine, met uitzicht op het Île de la Cité. Ze wilden zich daar tijdelijk vestigen totdat ze veilig naar Engeland konden oversteken zonder angst om te worden opgejaagd en ontdekt door mijn moeders oom en zijn vertegenwoordigers: haar neef en ex-verloofde Fergus Blantyre en zijn vriend, mijnheer Roderick Shillito.

Monsieur Alphonse Lambert, de eigenaar van de winkel waarboven ze woonden, was een zachtaardige, zeer welwillende en goedgeefse man van rond de zestig, die voor zijn chronisch zieke echtgenote zorgde. Door zijn goedmoedigheid konden mijn ouders zich een aanzienlijke speelruimte met de huur veroorloven. Toen ze in Parijs aankwamen, was hun kleine voorraadje geld namelijk tot vrijwel niets geslonken.

Op een dag bood mijn moeder de huisbaas aan hem in de winkel te helpen, bij wijze van tegemoetkoming tot ze het verschuldigde bedrag aan huur bijeen konden brengen. Algauw voelde ze zich helemaal thuis tussen de ezels, paletten, doeken, penselen, gipsafgietsels en andere door monsieur Lambert verkochte waren. Hij beschouwde haar kennelijk al even snel als een onmisbare aanwinst voor zijn zaak.

Mijn moeder bekoorde niet alleen monsieur Lamberts klanten, maar legde ook onmiddellijk een grote vaardigheid aan de dag in het bereiden van de kleuren. Ze tekende en schilderde al sinds haar kinderjaren, en de schetsen en schilderijen die ze algauw in de buurt begon te maken en die ze schuchter ter beoordeling aan monsieur Lamberts vakbekwame oog voorlegde, toonden haar niet geringe kunstzinnige vaardigheid.

Toen, op een mooie lenteochtend, zag een heer die met zijn dochter de winkel in kwam om wat verf en penselen voor haar te kopen, toevallig een van deze werkjes, bewonderde het en vroeg tot verbazing en genoegen van de winkelier of het te koop was. Algauw was mijn moeder genoodzaakt haar taken in de winkel te laten voor wat ze waren. Van haar huisbaas kreeg ze een zolderkamer waar ze met veel genoegen gezichten op de kathedraal en de *quais* schiep die gretig aftrek vonden bij de bezoekers aan deze schilderachtige stadsdelen.

Intussen hield mijn vader zich zo nu en dan met literaire werkzaamheden bezig en behartigde hij de artistieke belangen van zijn vrouw. Hij besteedde veel tijd aan het zoeken naar nieuwe opdrachtgevers, het bij hen afleveren van haar tekeningen en schilderijen, en het uitzoeken van nieuwe stadsgezichten en andere onderwerpen die ze kon schilderen.

Op een dag, toen mijn vader thuiskwam nadat hij een gezicht op de

Conciergerie bij een heer in de Rue de St-Antoine had afgeleverd, verklaarde hij dat mijn moeder en hij binnen enkele dagen de Quai de Montebello zouden verlaten.

Mijn moeder was uiteraard geschokt door dit nieuws, totdat hij uitlegde dat hij volkomen toevallig een oude kennis was tegengekomen: madame De l'Orme, die hij via een wederzijdse vriend had leren kennen toen hij jaren geleden in Londen woonde. Deze dame, die ongeveer even oud was als mijn vader, was nu weduwe, maar was door haar overleden echtgenoot goed verzorgd achtergelaten. Ze woonde alleen in een groot huis aan de Avenue d'Uhrich en toen ze hoorde in welke situatie mijn ouders verkeerden, stelde ze voor dat ze zonder huur te hoeven betalen bij haar introkken. Ze mochten de hele tweede verdieping van het pand bewonen, die bestond uit zes gerieflijke, fraai gemeubileerde kamers. Een ervan was een ruim, goed verlicht hoekvertrek dat als atelier voor mijn moeder kon worden ingericht.

Mijn vader had met dit voorstel ingestemd, en madame De l'Orme had hem kennelijk nauwelijks hoeven overreden. Mijn moeder, die de Quai de Montebello en het bescheiden maar uiterst behaaglijke leventje bij monsieur Lambert niet zo graag achter zich wilde laten, ging uiteindelijk met tegenzin met het plan akkoord. En dus verhuisden ze in juni 1857 met hun schaarse bezittingen en mijn moeders schildersbenodigdheden naar het huis van madame De l'Orme aan de Avenue d'Uhrich.

Gedurende de periode aan de Quai de Montebello was het huwelijk van mijn ouders over het algemeen gelukkig geweest, al was hun financiële situatie, de regelmatige verkoop van het werk van mijn moeder ten spijt, vaak erg onzeker. Het plan om in Engeland te gaan wonen was bijgevolg opgegeven, en ze waren het er samen over eens dat ze in Parijs zouden blijven.

Uit verschillende aantekeningen in mijn moeders dagboek komt echter naar voren dat zich spoedig na de verhuizing naar de Avenue d'Uhrich scheurtjes voordeden in hun tot dan toe gelukkige verbintenis – hoewel dit nergens uitdrukkelijk wordt vermeld, bezorgde de oorzaak daarvan mijn moeder veel leed en spanning. Hun onenigheid en meningsverschillen ontstonden kennelijk mede doordat mijn vader absoluut niet wilde dat er enig contact tussen zijn vrouw en de andere Blantyres bestond, een hoogst onredelijk verbod (in mijn ogen evenzeer als in de hare), dat mijn moeder zwaar viel. Want ze hield veel van haar ouders en haar zus, en had gehoopt dat het onomkeerbare feit van haar huwelijk tot een verzoening zou leiden – zo niet met haar oom, dan toch met haar naaste familieleden.

Ik zeg het met pijn in het hart, maar ik heb uit het dagboek ook opgemaakt dat er een zekere, niet verklaarde antipathie tussen mijn moeder en madame De l'Orme bestond. Tevens moet ik twee of drie verhulde verwijzingen vermelden naar bepaalde gebeurtenissen uit mijn vaders vroegere bestaan in Engeland. De aanhoudende gevolgen daarvan lijken er in wellicht niet geringe mate toe te hebben bijgedragen dat mijn moeder steeds ongelukkiger werd.

Wat de oorzaken van hun moeilijkheden ook waren, mijn vader ging zich afstandelijk en onvoorspelbaar gedragen. Hij sloot zich vaak lange tijd achtereen op en ging na het invallen van de duisternis de deur uit om over straat rond te zwerven. Ik weet niet zeker of deze treurige toestand bleef bestaan of werd opgelost, want de dagboekuittreksels die me door mijnheer Thornhaugh zijn toegestuurd lopen maar tot half juli 1857. De aantekeningen worden een keer kortstondig hervat in september van dat jaar – op de eerste dag van die maand, om ongeveer drie uur 's middags, werd ik geboren in een kamer met uitzicht op de ommuurde tuin van madame De l'Ormes huis aan de Avenue d'Uhrich.

IV
De laatste woorden van Marguerite Gorst

De gezondheid van mijn lieve moeder werd noodlottig verzwakt door de inspanningen die ze moest doen om mij ter wereld te brengen. Ze overleed op 9 januari 1858 en werd begraven op het kerkhof van St-Vincent, onder de granieten zerk die ik later zo goed leerde kennen.

In haar laatste dagboeknotitie, die ze slechts drie dagen voor haar dood schreef, geeft ze uiting aan haar vreugde over mijn geboorte en aan de vele hoopvolle verwachtingen die ze voor mijn toekomstige leven koesterde. Ook spreekt ze op uiterst schrijnende wijze haar verdriet uit omdat haar eigen ouders nog steeds geen weet hadden van haar huwelijk en evenmin van het bestaan van hun prachtige, gezonde kleindochter. Dit zijn de laatste woorden die ze schreef, en daarmee zal ik nu besluiten:

6 januari 1858

Mijn leven is nu voorbij, hoewel dokter Girard hardnekkig maar beminnelijk de schijn van het tegendeel blijft ophouden. Ik zal mijn dierbare ouders nooit meer terugzien, noch mijn lieve, onuitstaanbare zus met haar onbezonnen grillen, en zij zullen hun prachtige kleinkind en nicht nooit te zien krijgen. Dat is een aller-afschuwelijkst en onnatuurlijk gemis, dat me meer pijn doet dan ik kan zeggen. Maar Edwin staat erop dat het zo moet zijn, en mijn liefde voor hem is – ondanks alles wat er tussen ons is voorgevallen – nog zo groot dat ik niet tegen zijn verlangens kan en wil ingaan, zelfs in het uiterste geval, nu mijn dood ophanden is. Want ik weet dat de dood zijn netten al over me heeft uitgeworpen en dat ik spoedig zal worden binnengehaald.

Bij mijn vertrek uit Madeira koesterde ik de opgetogen verwachting dat we blijvend gelukkig zouden worden. En inderdaad bén ik een tijdlang gelukkig met Edwin geweest – gelukkiger dan ik me in mijn leven ooit heb gevoeld. Maar alles is veranderd – híj is veranderd – sinds we bij die beste monsieur Lambert zijn weggegaan, en vooral sinds de geboorte van ons schattige dochtertje, dat Edwin totaal verafgoodt.

Als hij niet dwars en nerveus is, is hij wel afwezig en verstrooid, alsof hij zich geestelijk maar niet kan losmaken van een onweerstaanbare en beklemmende kwestie. Hij sluit zichzelf op, krabbelt in zijn opschrijfboek en schrijft brieven – ik weet niet aan wie. Hij loopt urenlang in gedachten verzonken door de tuin en gaat 's nachts de deur uit om pas vlak voordat het licht wordt weer terug te keren.

Aan tafel is hij zwijgzaam, zelfs tegenover M. Hij verwaarloost zijn werk en klaagt nu over hoofdpijnen, waartegen – naar hij beweert – alleen zijn druppels soelaas bieden.

Houdt hij van mij? Heeft hij ooit oprecht van me gehouden? Hij was mijn allerliefste en beste vriend en metgezel, mijn steun en toeverlaat. En zelfs gedurende alle zwarte dagen van de afgelopen maanden is hij menigmaal tot me teruggekeerd als de Edwin die ik heb gekend en van wie ik altijd zal blijven houden, zelfs als ik in mijn graf lig. Maar liefde? Oprechte, onversneden, onvergankelijke liefde – die in alle opzichten opweegt tegen de liefde die ik voor hém voel, en al meteen na onze allereerste ontmoeting gevoeld heb? Heeft hij die ooit voor mij gevoeld? Steeds opnieuw stel ik mezelf die vraag, maar er komt geen antwoord.

M. wil beslist bij me blijven totdat Edwin terugkeert, hoewel ik met rust gelaten wilde worden. Terwijl ik dit schrijf, zit ze bij het raam en kijkt uit over de tuin. Van tijd tot tijd keert ze zich naar mij toe en glimlacht. We spreken weinig, want we hebben niets meer te zeggen. We zijn ten behoeve van Edwin echter tot een soort verstandhouding gekomen waar we, denk ik, allebei genoegen mee nemen.

Vanuit mijn bed zie ik de kale takken van de kastanje en de hoge grijze muur, waarop ijzeren pieken prijken en die ons scheidt van onze buurman, monsieur Verron. Spoedig zal in die takken nieuw leven ontbotten, en zal mijn allerliefste meisje, mijn kleine Esperanza, mijn hoop en mijn schat, onder een waas van groen in het zachte zonlicht met haar beentjes liggen te trappelen en onachterhaalbare dromen dromen. Hoe graag ik ook wil dat het anders zou zijn, ik moet me erbij neerleggen dat ze hier, onder M.'s dak wordt grootgebracht. Ik word echter getroost door de wetenschap dat het haar aan niets zal ontbreken en dat ze als dame de wereld in zal gaan.

De pijn is weer terug, en nog steeds zijn Edwin en dokter Girard nergens te bekennen. Ik wil zo graag dat hij komt!

22

Waarin madames derde brief wordt geopend

I
Aan het meer

Zo stierf mijn moeder, en daarmee kwam er een einde aan het verslag van mijn vroege leven aan de Avenue d'Uhrich. Uit de dagboekuittreksels die mijnheer Thornhaugh me had toegestuurd en uit de memoires van de heer John Lazarus had ik alle mogelijke kennis over mijn ouders opgedaan, maar tot mijn bittere teleurstelling bleef er nog veel onverklaard.

Ik wilde vooral weten wat er was gebeurd in de periode na mijn moeders dood, toen ik alleen nog een vader had, en tevens onder welke omstandigheden hij in 1862, op mijn vijfde, was overleden.

Madame had me alleen verteld dat mijn vader een jaar na het verlies van zijn vrouw uit de Avenue d'Uhrich was vertrokken en mij tijdelijk aan haar zorgen had toevertrouwd. Omdat hij al lange tijd interesse koesterde voor de oude beschavingen van het Nabije Oosten, was hij van plan die regio te bereizen met de bedoeling materiaal te verzamelen voor een populair-wetenschappelijk boek over het Babylonische rijk. De kleine uitgeverij waarvoor hij vertaalwerk deed, had daarvoor haar belangstelling uitgesproken. Het was zijn bedoeling de reis niet langer dan een halfjaar te laten duren, maar na slechts twee maanden had madame geen brieven meer van hem ontvangen, en enkele jaren werd niets meer van hem vernomen. In april 1862 kwam er eindelijk een brief van een functionaris van de Britse ambassade in Constantinopel, waarin madame werd meegedeeld dat mijn vader ongeveer een week eerder in die stad aan roodvonk was overleden.

De vereiste regelingen werden getroffen, en na verloop van tijd werd zijn lichaam naar Parijs gebracht, waar hij naast zijn vrouw werd begraven.

Hoewel me nog bijstaat dat madame me vertelde dat papa nooit meer thuis zou komen, bewaar ik vreemd genoeg geen herinnering aan zijn begrafenis. Ik weet alleen nog dat ik een paar dagen later voor het eerst werd meegenomen naar de twee stenen zerken waaronder de stoffelijke resten van Edwin en Marguerite Gorst rusten.

Ik had geen verdriet om de dood van mijn ouders – dat weet ik zeker – want ik kon me natuurlijk met geen mogelijkheid zelfs maar de kleinste bijzonderheid over een van hen beiden te binnen brengen. Ze waren weinig meer dan namen, in die twee uitdrukkingsloze granieten zerken gebeiteld. Madame was mijn enige ouder geworden en zou spoedig gezelschap krijgen van die beste, lieve mijnheer Thornhaugh. Ik zou smartelijk om madame hebben getreurd als zij in de koude grond was weggestopt en er een zerk over haar heen was geplaatst. Ik treurde echter niet om Edwin en Marguerite Gorst, want zij waren vreemden voor me en hun realiteit was door de meer dan toereikende zorg van madame uitgewist. Pas toen ik ouder was stelde de scherpe pijn van het verlies me bloot aan zijn langzaam werkende gif, en pas nu, in het landhuis Evenwood, moest ik om hen huilen.

De slaap kwam die nacht snel, en ik ontwaakte later dan gebruikelijk. Maar het was zondag, de laatste zondag van het oude jaar, en de kerkdienst begon pas om tien uur.

Toen ik binnenkwam zat mijnheer Randolph alleen in de ontbijtzaal aan zijn koffie te nippen. Hoopvol keek hij op.

'Juffrouw Gorst!' riep hij terwijl hij me een bijzonder warme glimlach toewierp. 'Daar bent u dan. Ik heb op u gewacht. Als u ervoor in de stemming bent, wilt u dan misschien vandaag na de kerk ons uitstapje naar de tempel maken? Als het niet slecht uitkomt?'

Het komt heel goed uit, en later die ochtend, nadat we dominee Thripps slotpreek van het oude jaar hebben doorstaan, begeven we ons naar het meer. Aan de andere kant staat, boven op een geterrasseerde heuvel, de Tempel der Winden.

Hoewel het over het geheel genomen een sombere ochtend is, worden de grijze wolkenlagen hier en daar gebroken door steeds grotere spleten bleek zonlicht. We hebben het gehad over de verschillende activiteiten en voorvallen van de afgelopen kerstviering. We lachen nog eens om het onbedoeld komische optreden van mijnheer Maurice FitzMaurice, zijn het erover eens dat sir Edgar Fawkes een nog roder gezicht heeft gekregen en nog dikker is geworden, en vragen ons af of de zus van juffrouw Marchpain ooit de handschoenen heeft teruggevonden die ze was kwijtgeraakt (mijnheer Randolph vermoedt dat ze als amoureuze trofeeën door de galante kapitein Villiers zijn ontvreemd).

We bekijken de tempel, ooit een fraaie toevoeging aan de attracties van het landgoed die nu echter in hoog tempo tot een ruïne vervalt, en maken langzaam aanstalten om het pad naar de oprijlaan weer op te lopen. Nadat we een poosje over niets bijzonders hebben gepraat, valt mijnheer Randolph plotseling stil. Zichtbaar nerveus vraagt hij vervolgens of ik het goedvind dat hij me bij mijn voornaam noemt.

'Natuurlijk mag dat,' zeg ik hem, want ik zie er niets kwaads in. 'Uw moeder heeft me altijd Alice genoemd, maar zoals u vermoedelijk weet heb ik nog een naam, als u die liever gebruikt.'

'Weet je,' zegt hij glimlachend, 'dat denk ik wel. Hij is zo apart en mysterieus en past zo veel beter bij je dan Alice. Ja. Het wordt Esperanza. "Hoop" betekent dat, volgens mij.'

'Inderdaad.'

'Nu, dan drukt dat precies uit hoe ik me voel – ik doel dan op de hoop die ik al deze weken heb gekoesterd dat ik misschien voor jou ben wat ik zo graag wil dat jij voor mij bent.'

Vervolgens vraagt hij, bijna voordat ik er erg in heb, of hij op een tijdstip en een plaats die mij schikken alleen naar me toe mag komen om een zaak te bespreken die voor hem van het grootste belang is.

'Ik wil je iets heel bepaalds voorleggen,' vervolgt hij, en zijn ogen lijken te stralen van vastberadenheid. 'Ik heb er al sinds we die dag samen vanaf de Duport Arms naar huis terugliepen met je over willen praten – dat wil zeggen, het aan je willen vragen. Eigenlijk heb ik vanaf onze allereerste ontmoeting beseft wat er tussen ons zou kunnen bestaan. Vind je dat niet vreemd? Ík wel – ik vind het heel vreemd dat ik er zo gauw zo zeker van was. Maar evengoed is het wel waar. Weet je, ik wist meteen dat jij – ach, bliksems! Ik ben zo'n kluns in dit soort dingen. Mijn broer zou het zo kunnen formuleren dat je het zou begrijpen, maar ik niet. Mag ik dus naar je toe komen als je daaraan toe bent, zodat ik je kan vragen – nu, wat ik je zo graag wil vragen?'

Was deze aarzelende verklaring een inleiding op een huwelijksaanzoek? Hoewel ik het nauwelijks kan geloven, maak ik dat nu op uit zijn onhandige maar vurige woorden en uit de gepassioneerde blik in zijn ogen. Ik ben sinds mijn aankomst op Evenwood bijzonder op mijnheer

Randolph gesteld geraakt. Het raakt me sterk dat hij me kennelijk van het begin af aan graag heeft gemogen en dat hij zo duidelijk uiting heeft gegeven aan de wens om bevriend met me te zijn. Ik lijk echter terecht te vermoeden dat er nog een diepere drijfveer in het spel is en dat hij met zijn zojuist afgestoken betoog over vriendschap een andere, nog belangrijkere bedoeling wil overbrengen.

Het is fantastisch dat ik het hart van mijnheer Randolph Duport heb veroverd, en ik ben bijna boos op mezelf en geen klein beetje beschaamd omdat ik het aanzoek moet afwijzen dat hij me, naar ik zeker weet, wil doen. Ik zal daarbij uitvoerig mijn dankbaarheid uitspreken voor de eer die hij me bewijst en zeggen dat het me in niet geringe mate spijt. Maar ik kan me niet voorstellen dat er tussen ons een andere band zal bestaan dan een oprechte en standvastige vriendschap. Hoe kostbaar dat ook is, het is niet voldoende. Als ik trouw, moet dat uit liefde gebeuren, uit ware liefde – niets minder.

'Je drukt je heel goed uit,' zeg ik hem, 'en natuurlijk ben ik heel graag bereid om aan te horen wat je me wilt vertellen. Ik kan echter niet over mijn eigen tijd beschikken, want ik moet voortdurend voor je moeder klaarstaan.'

'Welnu,' zegt mijnheer Randolph opgewekt, 'dan moeten we tijd zien te maken, als dat kan.'

Ik wil verdere uitvluchten zoeken, maar de woorden besterven me op de lippen.

We zijn bij een groengeschilderd botenhuis aangekomen. Aan één kant van het pad strekt het glinsterende oppervlak van het meer zich uit tot bij de Tempel der Winden op zijn geterrasseerde heuvel. Aan de andere kant reikt een brede, zacht glooiende helling, die met jonge boompjes is beplant, tot aan de flauw oplichtende Evenbrook.

'Hé, jij daar!' roept mijnheer Randolph opeens. 'Wat doe jij daar, verduiveld nog toe?'

Ik volg zijn blik.

Gehurkt achter een strook met lage struiken vlak naast het botenhuis zit een man. Hij heeft een leren pet op, en zijn zwarte haar valt in lange, vette pieken langs zijn hoofd. Ik herken hem meteen, want hij is sinds onze terugkeer uit Londen vaak mijn dromen binnengedrongen.

Het is Billy Yapp, algemeen bekend als Sweeney, zoals mijnheer Solomon Pilgrim me in Dark House Lane heeft verteld.

Eerst denk ik dat ik me vergis. Als de man vervolgens uit zijn schuilplaats wegvlucht en in de richting van de rivier rent, krijg ik duidelijk zicht op het magere, ongure gelaat dat me in dranklokaal Antigallican zo veel schrik heeft aangejaagd. Ik vergis me niet.

Meteen zet mijnheer Randolph de achtervolging in. Maar hoewel hij fit en sterk is, is hij geen partij voor Yapp, die algauw het bos aan de noordoever van de Evenbrook bereikt en uit het zicht verdwijnt.

Volledig ontsteld wacht ik de terugkeer van mijnheer Randolph af, want ik ben tot de slotsom gekomen dat Yapp in opdracht van mijnheer Armitage Vyse naar Evenwood moet zijn gestuurd. Maar met welk doel? Om mij te bespioneren – of om mij hetzelfde aan te doen wat hij, naar ik zeker weet, mevrouw Barbarina Kraus heeft aangedaan?

Na een minuut of vijf komt mijnheer Randolph tot mijn immense opluchting door het bos teruggelopen. Hij heeft zijn hoed in de hand en hijgt van inspanning.

'Ik ben hem kwijt,' puft hij. 'Die kerel is verdomd snel.'

'Wat was hij volgens u aan het doen?' vraag ik.

'Niets positiefs, daar durf ik een leuke som om te verwedden. Zo te zien komt hij ook niet hier uit de omgeving. Maar maak je niet ongerust. We gaan nu terug en dan stuur ik een stel mannen het landgoed op, al wed ik dat hij hier niet blijft rondhangen.'

Wanneer we de kruising met de oprijlaan bereiken, nadert ons vanuit de richting van de westpoort een lange gestalte te paard. Als hij naderbij komt, zie ik dat het mijnheer Perseus is.

Wanneer hij bij ons is toomt hij even zijn rijdier in, werpt mij een uiterst laatdunkende blik toe en geeft dan – zonder een woord tegen ons beiden te zeggen – zijn paard de sporen naar huis.

Wanneer ik de hal binnenga, tref ik daar mijnheer Perseus aan die met zijn rijzweep in de hand voor het portret van de Turkse zeerover loopt te ijsberen. Kennelijk heeft hij op mij gewacht.

'Ik zie dat u weer een wandeling hebt gemaakt, juffrouw Gorst,' merkt hij op uiterst afkeurende toon op, en terwijl hij dit zegt tikt hij geprikkeld met zijn zweep tegen de zijkant van zijn been.

In de wetenschap dat ik niets onfatsoenlijks heb gedaan bevestig ik zijn constatering en verontschuldig me op beleefde toon.

'Staat u mij toe om op te merken,' zegt hij vervolgens, als ik op het punt sta de trap op te gaan, 'dat u er kennelijk een zeer uitgesproken voorkeur voor mijn broer op na houdt. Ik weet niet of dergelijk gedrag voor mijn moeders gezelschapsdame wel helemaal gepast is, maar misschien heeft milady daarop een andere kijk. Ze is vast op de hoogte van uw...'

Hij zwijgt even, alsof hij het juiste woord zoekt.

'Genegenheid,' vervolgt hij, met de uitstraling van iemand die de ander een verbale handschoen toewerpt.

'Neemt u mij niet kwalijk, mijnheer,' antwoord ik, gepikeerd door zijn insinuering, 'maar u vergist zich. Tussen mijnheer Randolph Duport en mijzelf bestaat geen "genegenheid" in de zin waarop u kennelijk doelt, en milady hoeft dan ook niets in overweging te nemen.'

'Uw wandelingen met mijn broer zijn niet onopgemerkt gebleven, moet u weten.'

Ik ben niet in de stemming voor een discussie over deze kwestie, want ik ben nog geschokt door de confrontatie met Billy Yapp en wil dolgraag naar mijn kamer gaan. Daarom verontschuldig ik mezelf opnieuw, maar als ik me afwend pakt hij me opeens bij de pols om me tegen te houden. Bij het zien van de verbijsterde trek op mijn gezicht laat hij meteen los, maar hij excuseert zich niet voor zijn daad.

'Uw positie hier is veranderd, juffrouw Gorst,' zegt hij vervolgens op rustige maar vastberaden toon, 'en ik voorspel u dat ze nog verder zal veranderen. Daar ben ik blij om, gelooft u me. Milady is dol op u en al met al is het naar mijn mening een goede zaak dat u nu een plaats in huis inneemt die veel beter bij uw natuurlijke status past. Ik beschouw het echter als mijn plicht u te wijzen op een feit betreffende mijn broer dat u vast al weet.'

Ik probeer hem opnieuw te verzekeren dat hij zich vergist als hij denkt dat de achting die ik voor mijnheer Randolph voel meer inhoudt dan onze respectieve posities toelaten, of dat ik ongepaste bedoelingen ten aanzien van hem koester, maar hij onderbreekt me.

'Laat u me uitpraten, juffrouw Gorst. Ik wil u alleen teleurstelling en leed besparen. Mijn broer heeft een onontkoombare verplichting jegens deze grote familie en degenen die haar groot hebben gemaakt. Misschien beseft u niet dat bij de Duports altijd zelfs van de jongste zoons wordt verwacht dat ze met een goede partij trouwen. Mijn broer vormt daarop geen uitzondering. Het is daarom zijn plicht een vrouw te vinden die de familiebelangen zal versterken en uitbreiden, en lady Tansor is vastbesloten dat hij aldus handelt. Begrijpt u mij?'

Hij is nu op zijn onuitstaanbaarst – opgeblazen, arrogant, de aanmatigende toekomstige lord in al zijn hoogmoed. De blik waarop ik word onthaald maakt me woedend, want natuurlijk begrijp ik hem maar al te goed. Hoewel ik een ongewoon begunstigde plaats in dit huis heb, dient die heerszuchtige blik me eraan te herinneren dat ik moet oppassen en niet boven mijn macht moet reiken. Ik ben als dienares naar Evenwood gekomen. Ik ben arm. Ik ben een wees en weet weinig van mijn ouders. Wat heb ik de machtige Duports nou te bieden? Dat, en meer, lees ik in zijn ijskoude ogen.

Natuurlijk kan ik niet onthullen dat ik ervan overtuigd ben dat zijn broer van me houdt en dat ik geloof dat hij me een huwelijksaanzoek wil doen. Maar als ik ten slotte vanuit mijn irritatie antwoord, wijs ik er met gepaste eerbied maar zuiver hypothetisch op dat zelfs als ik me in de genegenheid en achting van mijnheer Randolph Duport zou mogen verheugen en die achting wederzijds zou zijn, sommigen dat zouden beschouwen als een zaak die alleen ons aanging.

'Daar vergist u zich in, juffrouw Gorst,' repliceert hij. 'Zoals ik zojuist met grote inspanning heb geopperd, is het wel degelijk een zaak waarover anderen zich een mening zullen en moeten vormen – in het bijzonder milady – en u kunt er zeker van zijn dat de gevolgen niet gunstig voor u zullen uitvallen. Als u mij toestaat: u hebt zich er kennelijk nogal snel van overtuigd dat uw nieuwe positie u het privilege verleent om naar eigen goeddunken te handelen. Bind in, juffrouw Gorst, in uw eigen belang: bind in. Zegt u niets.'

Enkele ogenblikken staan we zwijgend tegenover elkaar terwijl ik overweeg wat ik tegen hem moet zeggen. Uiteindelijk vertel ik hem dat ik een taak voor milady moet vervullen, en voor de derde keer verzeker ik hem dat ik volstrekt geen buitengewone gevoelens voor zijn broer heb.

'Ik ben blij u dat te horen zeggen, juffrouw Gorst. Ik hoop dat u me wilt vergeven dat ik zo openhartig heb gesproken. Ik wens slechts onaangenaamheden te vermijden.'

Hij maakt een stijve buiging voor me, en ik draai me om en ga de trap op. Bij elke stap die ik zet voel ik zijn blik op me rusten.

Ik heb voor milady niets te verbergen ten aanzien van mijn gevoelens voor haar jongste zoon, en ik ben er nog altijd zeker van dat ik bij haar in de gunst sta. Waarom zou ik me dus bekommeren om wat mijnheer Perseus Duport van me vindt?

Maar ook al doe ik alsof het niet zo is, ik bekommer me wel degelijk om wat mijnheer Perseus Duport van me vindt en het baart me zorgen dat hij misschien nog steeds denkt dat ik verliefd ben op zijn broer. Ik kan het niet meer ontkennen. Ik bekommer me er héél erg om.

II
Madame De l'Orme aan mejuffrouw Esperanza Gorst
BRIEF 3

Nauwelijks heb ik, geestelijk in grote beroering, mijn kamerdeur gesloten of Sukie klopt aan en geeft me een enveloppe. Ik weet onmiddellijk van wie hij is en wat erin zit.

Eindelijk was de dag gekomen waarop ik zou leren wie ik werkelijk was en waarom ik naar Evenwood was gestuurd. Want in mijn trillende handen lag de langverwachte derde brief met instructies van madame.

Het zou een dag worden zoals ik nog nooit had beleefd en – hopelijk – nooit meer zal beleven. Madames woorden troffen me als vuurpijlen in mijn ziel. De branden die ze veroorzaakten zijn nog niet uitgewoed en zullen nasmeulen totdat ik in mijn graf lig.

Hier volgt wat ik las, gezeten aan mijn bureau in de torenkamer op Evenwood, op die uiterst gedenkwaardige dag waarop het jaar 1876 ten einde liep.

Avenue d'Uhrich
Parijs

Mijn liefste kind,
Eindelijk is het moment gekomen waarop ik de Grote Opgave voor jou in een helder & ondubbelzinnig licht moet stellen & ik zal dat zo bondig mogelijk doen.

Wat ik je allereerst moet vertellen – ter voorbereiding op het volgende – zal je, vrees ik, groot en blijvend leed doen, zoals het mij veel leed doet om het op te schrijven. En dus moet je dapper zijn, engel van me, & de definitieve waarheid over je geschiedenis onder ogen zien met dezelfde moed die je in de rol die je op Evenwood speelt op zo bewonderenswaardige wijze hebt getoond.

Je hebt als kind vaak je vaders naam gezien op zijn graf op het kerkhof van St-Vincent. Zoals je weet, staat op de zerk de naam Edwin Gorst, overleden in 1862.

Dit was evenwel niet je vaders ware naam, maar de naam die hij had aangenomen nadat hem een allervreselijkste ramp was overkomen. Vanwege de gevolgen daarvan moest hij zijn geboorteland voorgoed ontvluchten.

Je moet dus weten dat je vader werd geboren als Edward Charles Duport, de wettige zoon van Julius Verney Duport, de vijfentwintigste baron Tansor, & zijn eerste echtgenote, de voormalige Laura Fairmile. Ongetwijfeld heb je in de hal op Evenwood het portret van lord en lady Tansor met hun tweede zoon, Henry Hereward, gezien. Zij waren je grootouders & het jongetje was je arme, overleden oom.

Maar hoewel je vader als de ware en onbetwiste erfopvolger van de baronie Tansor was geboren, werd deze wetenschap zowel hem als zijn vader, wijlen lord Tansor, door zijn moeder onthouden. Hij is dan ook in volslagen onwetendheid over zijn ware identiteit & zijn erfrecht opgegroeid. Niet jouw meesteres maar hij zou de vijfentwintigste baron hebben moeten opvolgen.

Het is een lang en verontrustend verhaal, dat je pas later volledig kan worden verteld. Maar om kort te gaan, je grootmoeder liet je vader – zonder dat haar man van het bestaan van zijn zoon op de hoogte was – door een ander grootbrengen. Dit om lord Tansor te straffen omdat hij haar eigen geliefde vader failliet had doen gaan, wat naar haar onwrikbare overtuiging tot diens vroege dood had geleid. Door deze daad zette ze een reeks gebeurtenissen in gang die jou ruim vijftig jaar later naar Evenwood hebben gebracht.

Door haar man volledig onkundig te houden van het bestaan van zijn zoon bezorgde lady Tansor hem het grootst mogelijke leed – ook al zou hij nooit weten wat er was gebeurd. Ze had weliswaar berouw van haar grote zonde & leed uiteindelijk smartelijk onder de wroeging over haar daad, maar toen was het te laat om het nog goed te maken, & de gevolgen zouden ingrijpender en verstrekkender blijken dan zij zich ooit had kunnen indenken.

Aangezien lord Tansors tweede huwelijk geen erfopvolger had opgeleverd, verkoos lord Tansor het, zoals je intussen weet, om zijn gehele omvangrijke bezit na te laten aan Phoebus Daunt, de zoon van zijn predikant. De enige voorwaarde was dat Phoebus de naam Duport aannam, waartoe hij maar al te graag bereid was. Evenmin hoef ik je nog eens te vertellen wat je al in mijnheer Vyses in memoriam hebt gelezen over de moord op Daunt, gepleegd door zijn vroege-

re schoolkameraad en vriend Edward Glyver. Ik smeek je, mijn lieve kind, om je schrap te zetten voor wat nu moet worden verteld.

De vrouw aan wie Laura Tansor haar eerstgeboren zoon Edward Duport had afgestaan om als haar eigen kind te worden grootgebracht, was haar oudste en dierbaarste gezelschapsdame. Natuurlijk groeide de jongen op onder de naam van de man van zijn pleegmoeder. Die naam was Glyver. Begrijp je het nu?

Edward Glyver – de man die Phoebus Daunt heeft vermoord – was jouw vader.

O, mijn allerliefste kind! Ik kan me maar al te goed voorstellen welke schok deze woorden bij jou teweegbrengen. Hoe kan de klap worden verzacht, aangezien het de eenvoudige, maar gruwelijke waarheid is? Laat ik een poging wagen.

Geloof nooit en te nimmer, liefje, dat je vader een gewone moordenaar was of dat hij handelde uit ordinaire jaloezie of blinde wraaklust. Zeker, Daunt was er als enige verantwoordelijk voor dat hij van Eton werd gestuurd, na valselijk te zijn beschuldigd van de diefstal van een uiterst kostbaar boek uit de schoolbibliotheek. Ook verhinderde deze aanklacht, al was hij dan vals, dat hij de carrière kon volgen die hij boven alles begeerde: hij wilde een studiebeurs voor een universiteit krijgen en het leven van een geleerde leiden. De herinnering aan dit opzettelijk bedreven onrecht bleef je vader vele jaren bij, en daarin koesterde hij een onblusbaar verlangen om Daunt, net als hijzelf, de bittere ervaring van een gefnuikte ambitie te laten ondergaan. Hij wilde hem echter niet laten sterven, een dergelijke extreme daad ging hij pas overwegen toen hij werd geconfronteerd met een zo groot verraad en verlies dat er voor hem geen andere weg meer open leek te staan.

Toen hij deze daad ten slotte beging, was je vader tijdelijk beroofd van zijn verstand en verstoken van elk moreel besef, en stond hij op de rand van de wanhoop. Zijn vroegere zelfbeheersing & alle andere verheven eigenschappen waarover mijnheer Heatherington in zijn reactie op het bevooroordeelde in memoriam van mijnheer Vyse schreef, waren door de schok tijdelijk verdwenen. Alleen zijn formidabele wil restte hem nog.

Zo verviel hij tot een kortstondige waanzin, waarin alleen de vernietiging van zijn vijand nog telde – niet omdat hij had gezorgd dat hij van school was gestuurd, en evenmin omdat hij tot erfgenaam van lord Tansor was benoemd. Want je vader had er alle vertrouwen in dat hij dat met succes voor de rechter kon aanvechten, met behulp van door hem verzamelde bewijzen voor zijn ware identiteit.

Phoebus Daunt stierf omdat hij, tezamen met de vrouw die je vader meer dan wie ook liefhad, een uiterst boosaardige samenzwering tegen hem had gesmeed. Door middel van uitzonderlijk wrede misleiding verkregen Daunt & deze vrouw de documenten die je vader na langdurige inspanning boven water had gehaald en die bewezen dat hij lord Tansors rechtmatige erfgenaam was. Vervolgens vernietigden ze deze documenten, en beroofden zodoende je vader voorgoed van de middelen om zijn recht te halen.

En hoe luidt de naam van die slinkse, gewetenloze vrouw, die hem deed geloven dat ze zijn liefde beantwoordde en vervolgens al zijn hoop op geluk en voorspoed de bodem insloeg door hem glashard te vertellen dat ze nooit van een ander dan Phoebus Daunt had gehouden, dat ze met Daunt wilde trouwen en dat ze de bewijzen van je vaders ware identiteit, die hij in de onnozelheid van zijn toegewijde liefde bij haar in bewaring had gegeven en ter gegarandeerde vernietiging aan zijn vijand had afgestaan?

Wie kon dit perfide schepsel anders zijn dan de huidige lady Tansor – de voormalige mejuffrouw Emily Carteret, de vrouw wier haar jij hebt opgemaakt, wier japonnen jij hebt afgeborsteld en versteld, wier gezelschapsdame je bent geworden en die zich nu je vriendin noemt.

Begrijp je nu, mijn lieve kind, waarom lady Tansor je vijand is, zoals ze de vijand van je vader was, & waarom ze altijd je vijand zal blijven? Ze heeft zich jóuw geboorterecht en dat van je kinderen toegeëigend toen ze door middel van een samenzwering hem zijn geboorterecht ontnam.

Toch gebiedt de eerlijkheid me te erkennen dat je vader van haar hield & van haar bleef houden, ook nadat ze hem had verraden. Je moet dit begrijpen: ik geloof dat ze ergens – in de diepten van haar duistere hart – ook genegenheid voor hem heeft gevoeld, hoe zwak en futiel die ook was vergeleken met haar allesverterende passie voor Phoebus Daunt.

Een tijdlang weigerde je vader juffrouw Carteret verantwoordelijk te stellen voor de catastrofe die zij mede had aangericht, want hij meende dat hij haar niet kon veroordelen vanwege wat ze in naam van de liefde had gedaan, aangezien hij ten behoeve van haar ook alles zou hebben gedaan en elke denkbare misdaad begaan.

Geleidelijk echter begon hij in zijn eenzame Atlantische ballingschap, toen hij afgezonderd van alles wat zijn leven had veraangenaamd en ver van het land en de stad waarvan hij hield, onder de naam Edwin Gorst op Lanzarote woonde, de dingen in een ander licht te zien en besefte hij dat er naast zijn eigen ongeluk nog een groter onrecht bestond. Want door je vader te onthouden wat hem krachtens zijn geboorterecht en zijn afkomst toekwam (en aldus de daad van zijn moeder nog eens verergerend) onthielden juffrouw Carteret en Phoebus Daunt ook zijn nakomelingen wat hun rechtens toekwam. Je vader besloot dat dit misdrijf tegen toekomstige generaties ongedaan moest worden gemaakt. Maar wat kon hij doen?

Ten slotte reikte – naar zijn overtuiging – het lot hem de middelen aan. Hij werd, zoals je intussen weet, door toedoen van de heer John Lazarus uit zijn ballingschap bevrijd. Toen hij was hersteld & zijn vitaliteit had teruggekregen, dacht hij een plan uit – een desperaat, vermetel plan met een geringe kans van slagen, dat echter misschien rehabilitatie zou brengen – niet voor hemzelf, want die kans had hij door zijn misdrijf onherroepelijk verspeeld, maar voor zijn wettige erfgenamen, zodat zij in zijn plaats de baronie Tansor zouden kunnen erven.

Zijn opzet was eenvoudig, zij het vol onzekerheden & misschien niet ongevaarlijk, maar de verantwoordelijkheid die hij tegenover zijn oude bloedlijn voelde deed alle praktische bezwaren teniet.

Zoals je je nog uit mijnheer Lazarus' memoires zult herinneren, vernam je vader kort na zijn aankomst op Madeira door stom toeval dat juffrouw Carteret met kolonel Zaluski was getrouwd, en dat uit hun verbintenis een zoon was geboren. Hierdoor, en door de wetenschap dat juffrouw Carteret nu lord Tansors wettige erfgenaam was & dat haar zoon derhalve na haar dood zowel de titel als de bezittingen zou erven, werd hij tot daden genoopt.

Allereerst moest hij trouwen zodra hij een geschikte vrouw vond die hij oprechte genegenheid kon schenken. Toen hij al na een heel kort verblijf op Madeira werd voorgesteld aan jouw moeder, de voormalige mejuffrouw Marguerite Blantyre, meende hij opnieuw dat er sprake was van een ingreep van het lot.

Zoals je intussen weet, namen je vader & juffrouw Blantyre de wijk, trouwden ze & werd er na verloop van tijd een kind geboren. Dat kind – jij, mijn engel – werd het werktuig waarmee alles wat verloren was gegaan kon worden teruggewonnen, als het lot het toestond.

Want ook jij bent, net als hij, een wettig geboren Duport. Zowel hij als jij was daardoor onderworpen aan een hogere plicht: jegens de lange, ongebroken lijn van jullie voorouders & jegens jullie nakomelingen. Hij werd, door verraad & boze opzet, gedwarsboomd in de vervulling van deze plicht, maar door jou, zijn beminde dochter, zou dit grote onrecht eindelijk kunnen worden rechtgezet.

Daarmee ben ik dan aangeland bij dat wat je vader door middel van jou wilde bereiken.

Voordat hij, na de dood van je moeder, naar het Oosten vertrok, deed ik hem een plechtige belofte: dat ik jou als mijn eigen kind zou grootbrengen en in de loop der tijd het door hem uitgedachte plan in gang zou zetten, en wel door jou in de nabijheid te brengen van de vrouw die zowel hem als jou heeft beroofd.

Om het verlorene terug te winnen en aldus de erfopvolging van de Tansors weer volgens de directe afstammingslijn te laten verlopen, heeft je vader jou, zijn enige en dierbare kind, de volgende grote en voor hem bindende verplichting opgelegd: je moet je verzekeren van de duurzame genegenheid – en zo mogelijk de liefde – van de huidige erfopvolger.

Hiertoe roept hij je, in naam van alles wat je heilig is, op vanuit het hiernamaals.

Je moet met Perseus Duport trouwen.

EINDE VAN HET DERDE BEDRIJF

Plicht en verlangen

In de volle glorie van onze dag hebben onze zonden, net als onze schaduw, weinig om het lijf: maar hoe groot en monsterachtig worden ze tegen onze avond!

Sir John Suckling, *Aglaura* (1638)

23

Op North Lodge

I
Ik vind nieuwe vastberadenheid

Nadat ik madames brief had gelezen, verzonk ik in een hel waaruit ik nooit meer dacht te kunnen worden verlost. De grondslagen van mijn vorige leven waren onder me weggezakt, en ik bleef achter in een staat van diepe wanhoop en geestelijke verwarring, alsof ik plotseling op een onherbergzame, grauwe kust was aangeland, zonder hoop op redding. Ik las de woorden van mijn voogdes steeds weer, totdat ze in mijn geheugen gebrand stonden – nu eens liep ik wild door het vertrek op en neer, onder een niet te beteugelen tranenvloed, dan weer lag ik als verdoofd op bed en staarde met lege blik naar de doolhof van met elkaar vervlochten motieven op het gestucte plafond.

Vergeefs spande ik me in om te begrijpen wat madame me had verteld: dat ik Esperanza Duport was, via mijn wederrechtelijk onteigende vader de wettige erfgenaam van wijlen lord Tansor. Dat ik door de huidige lady Tansor en haar vroegere minnaar van mijn geboorterecht was beroofd. En dat ik, als alles naar wens verliep, de Grote Opgave – het herstel van dat geboorterecht ten behoeve van mij en mijn nakomelingen – moest vervullen door lady Tansor eindelijk voor de rechter te brengen en met haar oudste zoon in het huwelijk te treden.

Het viel al niet mee om dat tot me te laten doordringen en te bevatten, maar de wetenschap dat mijn vader voor de dood van Phoebus Daunt verantwoordelijk was geweest, kon ik nauwelijks aan.

Was het echt waar? Was de lieve vader die ik voor ogen had gehad de beruchte moordenaar Edward Glyver? Mijn geweten wilde madames rechtvaardiging van mijn vaders misdrijf niet accepteren, hoewel de instinctieve neiging om mijn vader te verdedigen het probeerde te overschreeuwen. Ze beweerde dat hij kortstondig tot de rand van de waanzin was gedreven nadat de vrouw van wie hij hield hem had verraden. Maar was zelfs tijdelijke krankzinnigheid een rechtvaardiging voor zo'n gruwelijke daad? Ik had met mijn vader te doen, ik huilde om hem, maar ik kon wat hij had gedaan niet vergoelijken. Alles wat hij in mijn ogen had moeten zijn, werd door zijn misdrijf tenietgedaan. De schaduw daarvan viel nu als een onuitwisbare erfzonde over mij heen, zijn onschuldige dochter.

Maar in een langzaam en pijnlijk proces deed mijn gevoel van dochterlijke loyaliteit zich weer gelden. Wat hij ook had gedaan en welke naam hij ook had gedragen – Glyver of Gorst of nog een andere naam – hij bleef de vader die ik zo graag had willen kennen, de buitengewone man over wie ik in de memoires van mijnheer Lazarus en mijn moeders dagboek had gelezen en van wiens sterke persoonlijkheid ik me door deze getuigenissen uit de eerste hand zo'n levendige indruk had gevormd. Hij had iets vreselijks en onvergeeflijks gedaan, maar als hij op dat ogenblik mijn kamer in zou zijn gestapt, zou ik me dan vol deugdzame weerzin van hem hebben afgekeerd of mezelf in zijn armen hebben geworpen?

Na veel van dergelijke gekwelde overdenkingen kom ik uiteindelijk tot een broos vergelijk met mijn geweten, en richten mijn gedachten zich weer op het heden.

Ik wist nu wat ik moest doen om het gestolen erfgoed van mijn vader terug te winnen. Het was inderdaad een grote en beslist ook een onmogelijke opgave. Mijnheer Perseus zou me in mijn huidige positie nooit als een passende echtgenote beschouwen. Hij had me voor zijn broer nog niet goed genoeg bevonden. Hoe kon hij me dan goed genoeg achten om de echtgenote van de volgende lord Tansor te worden? We bleken nu neef en nicht te zijn, maar ik had vooralsnog geen bewijs van mijn ware identiteit, en misschien zou ik een dergelijk bewijs nooit vinden. Voor mijnheer Perseus was ik nog steeds Esperanza Gorst, zijn moeders voormalige kamenier.

Maar hoe onmogelijk de opgave ook lijkt, ik verlies er de moed niet door. Terwijl ik over madames woorden nadenk, merk ik dat ik nieuwe kracht krijg door de uitdaging waarvoor ik gesteld ben. Erg veel aan mijnheer Perseus bevalt me niet – of verfoei ik zelfs. Maar hij heeft veel meer dat me aantrekt. Soms heb ik vluchtige maar verleidelijke glimpjes opgevangen van een andere Perseus Duport, en die hebben me doen geloven dat hij zijn ware zelf voortdurend probeert te onderdrukken. Hij doet me denken aan een enorme, ijzige oceaan – aan de oppervlakte koud en grauw, maar daaronder zinderend van verborgen leven. Kennelijk kan hij het zichzelf niet toestaan te worden gezien als iets anders dan de trotse, onschendbare toekomstige lord, die optimaal aan alle in hem gestelde verwachtingen moet voldoen en die eens – in navolging van zijn moeders formidable verwant, de vijfentwintigste baron – de aloude reputatie van de Duports als een van de voornaamste families van het land zal moeten hooghouden. Het is een enorme verantwoordelijkheid, en hij ervaart het ook duidelijk als zodanig. Voor het eerst begin ik in zijn trots, zijn egocentrisme en zijn strenge toewijding aan iets wat groter is dan hijzelf een zekere verdienste te ontwaren. Wat mijn eigen gevoelens betreft, zeg ik alleen dat het vooruitzicht op een huwelijk met mijnheer Perseus, als het door een wonder tot stand kon worden gebracht, me niet – nee, absoluut niet – onaangenaam voorkwam.

Uiteindelijk val ik op bed neer en zak onmiddellijk weg in een diepe slaap. Wanneer ik een uur later wakker word, ben ik wonderlijk kalm van geest en van hart, en met een nieuwe vastberadenheid vervuld.

Ik zal mijn plicht vervullen jegens mijn vader, jegens madame, jegens het oude geslacht dat ik nu het mijne moet noemen, en jegens mijn nakomelingen. Ik doe het met graagte, want de beloning is bepaald niet gering. Uitgeput maar geestelijk verkwikt kom ik uit bed en leg een gelofte af tegen mezelf. Ik zweer op de onschuldige ziel van Amélie Verron, de dierbaarste en loyaalste vriendin die ik ooit heb gehad.

Er is geen weg terug. Al heb ik weinig kans van slagen, ik ga net zo lang door totdat ik niet meer verder kan. Want ik heb de oproep van mijn vader uit het hiernamaals gehoord. Hij mag dan een moordenaar zijn geweest, ik zal hem niet teleurstellen.

II

Het triumviraat

'Gelijk de profeet,' zei mijnheer Montagu Wraxall op plechtige toon, 'staan wij in een dal vol dorre beenderen.* Het is onze plicht om op deze

---

* Hier wordt verwezen naar Ezechiëls visioen van de herrijzenis van Israël (Ezechiël 37).

resten van vroeger leven nieuwe spieren te leggen, er nieuw vlees op te doen komen en er weer geest in te brengen, zodat er eindelijk gerechtigheid kan geschieden.'

Samen zaten we – mijnheer Wraxall, een jongeman met een zonderling voorkomen en ik – bijna met onze knieën tegen elkaar in de krappe, met papier bezaaide salon van North Lodge thee te drinken.

De jongeman was me voorgesteld als inspecteur Alfred T. Gully van de Londense recherche – degeen naar wie meneer Vyse in het onlangs door mij afgeluisterde gesprek met lady Tansor had verwezen. In *The Times* had ik gelezen dat hij als politieman ook het onderzoek naar de moord op mevrouw Barbarina Kraus leidde. Geen wonder, dacht ik, dat milady verontrust is over zijn aanwezigheid.

Het gezelschap omvatte nog een vierde persoon. Dat was mevrouw Gully, een kleine, elegant geklede jonge vrouw met een gereserveerde, maar open en intelligente manier van doen, die een stukje van ons vandaan bij de haard in een bundel essays van Matthew Arnold zat te lezen en zo nu en dan haar hoofd ophief en haar man een liefdevolle blik toewierp.

Die laatste had, zoals ik al heb opgemerkt, een hoogst zonderling uiterlijk en een even eigenaardige inborst. Hier volgt de beschrijving die ik later in mijn Geheime Boek van hem gaf:

De heer Alfred T. Gully
Leeftijd: rond de vijfentwintig. Geboren in Easton, als zoon van een plaatselijke inspecteur van politie.

Uiterlijk: jongensachtig. Heeft appelwangen, een brede, volle mond en een hoogst merkwaardige wipneus, die sterk de indruk wekt dat zijn neusgaten voortdurend door de haak van een onzichtbare vislijn omhoog worden getrokken. Gehuld in een donkerblauwe geklede jas (helaas met gerafelde manchetten) en een broek met een Schots ruitmotief (met zichtbaar glimmende plekken bij de knieën). Zijn hoed, die iets te klein is voor zijn grote hoofd, heeft op zijn voorhoofd een flauwe rode striem achtergelaten.

Indrukken: zijn stem is enigszins krasserig en vertoont veelvuldig de onmiskenbare modulaties van wat ik intussen als een Northamptonshires accent herken. Toch spreekt hij op de vloeiende, zelfverzekerde toon van een ontwikkeld en belezen mens, zij het niet iemand die zoals gebruikelijk zijn opleiding op een particuliere kostschool en een universiteit heeft genoten.

Conclusie: een zeer gedenkwaardig man. Ik geloof graag dat hij zijn reputatie als ongewoon bekwaam rechercheur ten volle verdient. Vriendelijk, maar ook iemand met wie ondanks zijn bescheiden houding niet te spotten valt – lijkt in dat opzicht enigszins op mijnheer Wraxall.

Na eerst enkele beleefdheden te hebben uitgewisseld, hadden we zo goed en zo kwaad als het ging plaatsgenomen op drie nogal wankele stoelen met wielvormige leuningen, voor een boograampje met uitzicht op het westen, op de Odstock Road. Mijnheer Wraxall luidde een kleine koperen bel, en vrijwel onmiddellijk verscheen mevrouw Wapshott, de vrouw die hij als kokkin en huishoudster in dienst had, met een theeblad. De thee was in het welkome gezelschap van een grote, versgebakken gembercake.

'En hoe gaat het met u, juffrouw Gorst?' vroeg mijn gastheer terwijl hij me een stuk cake aanreikte.

'Heel goed, mijnheer,' antwoordde ik. 'Ik ben erg blij met mijn nieuwe functie.'

'Juffrouw Gorst heeft promotie gemaakt. Ze is nu gezelschapsdame van milady,' zei mijnheer Wraxall tegen de rechercheur, die alleen zijn hoofd licht neigde, op een wijze die mij ervan overtuigde dat hij van dit feit al op de hoogte was.

'Ik neem aan dat een gezelschapsdame heel andere taken heeft dan een kamenier,' merkte mijnheer Wraxall na een omzichtige stilte op, 'taken die haar veel kans bieden om de persoon en het doen en laten van haar werkgeefster te observeren. De menselijke natuur is een oneindig fascinerend studieonderwerp – vindt u ook niet, juffrouw Gorst?'

'Ach ja, de menselijke natuur!' riep mijnheer Gully voordat ik kon antwoorden. 'Dat grenzeloze terrein waarop u en ik voortdurend aan het ploeteren zijn, mijnheer Wraxall!'

Hij haalde een grote, tamelijk smoezelige zakdoek tevoorschijn en snoot luid raspend zijn neus. Vervolgens schudde hij zijn hoofd en slaakte een hoogst droefgeestige zucht.

'U weet misschien niet, juffrouw Gorst,' vervolgde mijnheer Wraxall, 'dat mijn jonge vriend al een belangrijk man bij de Londense recherche is, hoewel hij in Easton is geboren – zijn vader was daar jarenlang inspecteur bij het plaatselijke politiekorps. Ik heb het geluk gehad in mijn laatste grote strafzaak van de uitzonderlijke talenten van mijn jonge vriend te kunnen profiteren. Sindsdien zijn we – als ik het zo mag uit-drukken – wapenbroeders geworden.'

'Erg vriendelijk, mijnheer Wraxall, erg vriendelijk,' zei de recher-cheur, zichtbaar geraakt door de complimenten van de grote man.

'Mijnheer Gully houdt zich momenteel bezig met een bijzonder in-trigerende zaak,' ging mijnheer Wraxall verder, 'waarvoor ook ik veel belangstelling heb – ik volg hem als amateur, moet u begrijpen. Mis-schien hebt u er in de kranten over gelezen? De bijzonder schokkende moord – helaas geen ongebruikelijk voorval in de gevaarlijke delen van de hoofdstad waar mijnheer Gully en ik beroepshalve bekend zijn ge-raakt – op een vrouw, een mevrouw Barbarina Kraus. De zaak is in ver-schillende opzichten interessant.'

'Interessant, mijnheer Wraxall?' weerklonk de stem van de inspec-teur. 'Dat kunt u wel zeggen. En veelbetekenend.'

'Veelbetekenend, dat zeker,' beaamde mijnheer Wraxall om vervol-gens stil te vallen. 'Genoeg hiervan!' riep hij toen plotseling uit, en hij stampte met zijn voet en zette met een klap zijn theekopje neer. 'Ik bele-dig u, juffrouw Gorst, door op deze belachelijke manier om de hete brij heen te draaien. Ik wil me oprecht excuseren. Zodra ik u zag wist ik dat u een vriendin en een bondgenote was, en ik vlei mezelf met de veron-derstelling dat u net zo over mij dacht – en daarin had u gelijk. Staat u me dus toe dat ik mijn fout rechtzet en u als vriendin behandel.

Ik heb u hier uitgenodigd, juffrouw Gorst, omdat u kennelijk wel iets zag in mijn opvattingen over de dood van de heer Paul Carteret, een ou-de vriend van mijn oom. Had ik het bij het rechte eind?'

Ik gaf uiting aan mijn spijt omdat ik zo weinig over de zaak wist. 'Al heb ik de indruk,' erkende ik vervolgens, 'uit wat ik van anderen heb ge-hoord en uit wat u me zelf hebt verteld, dat bij de officiële uitspraak... vraagtekens kunnen worden geplaatst.'

Opnieuw slaakte mijnheer Gully een droefgeestige zucht.

Mijnheer Wraxall boog zijn glimmende hoofd naar me toe en op een nadrukkelijk hoorbare fluistertoon, zodat alles duidelijk voor mijnheer Gully te volgen was, deelde hij me mee dat inspecteur Gully senior de zaak had behandeld en dat hij had vastgehouden aan de officiële lezing dat de moord op mijnheer Carteret een eenvoudige roofmoord was ge-weest.

'Deze mijnheer Gully was toen natuurlijk nog maar een jongen, maar in de loop der jaren heeft hij net als ik een andere kijk op de zaak gekregen. Het is dan ook een soort stokpaardje van ons geworden waar we samen vaak over hebben gesproken. Ook met wijlen mijn oom, die in de ogen van sommige mensen nogal lastig was omdat hij de uitkomst van het onderzoek absoluut niet wenste te accepteren en de gedachte van de hand wees dat mijnheer Carteret het slachtoffer was geworden van een rondtrekkende boevenbende die het gemunt had op boeren en anderen die met veel geld van de markt terugkwamen. Ik heb de afgelopen tijd in de kleine uurtjes elke snipper papier doorgenomen die mijn oom heeft nagelaten, op zoek naar iets wat een beetje licht op deze tragedie kan werpen, maar zonder veel resultaat. Wij – mijnheer Gully en ik – hopen uiteindelijk ondubbelzinnig te kunnen vaststellen wat er op die noodlottige dag is gebeurd en – en dat houdt ons momenteel het meest bezig – waaróm het is gebeurd.

Nu, daar bent u dan, juffrouw Gorst. En mag ik u dus – uiteraard mits u bereid bent zich bij ons aan te sluiten – officieel en zeer tot mijn genoegen welkom heten tot wat nu, naar ik oprecht hoop, is uitgegroeid tot een triumviraat van waarheidszoekers?'

Hij steekt me zijn hand toe, die ik, al ben ik door het gebaar verrast, bereidwillig aanneem met de woorden dat ik me heel graag bij hen aansluit als zij daartoe bereid zijn, ook al zie ik niet in welke praktische bijdrage ik aan hun onderneming kan leveren.

'O nee, juffrouw Gorst,' zei mijnheer Wraxall op warme toon. 'U doet uzelf tekort. Ik ben er absoluut van overtuigd dat u een heel nuttig lid van ons kleine bondgenootschap zult zijn.'

'Heel nuttig,' beaamde mijnheer Gully met een mond vol cake.

'U neemt hier op Evenwood een uitzonderlijke positie in,' merkte mijnheer Wraxall vervolgens op. 'Als gevolg van die positie kunnen – nee, zullen – zich kansen voordoen, en kunnen misschien ontdekkingen worden gedaan. En die kunnen onze zaak vooruithelpen op manieren waar we nu nog geen weet van hebben.

U moet evenwel begrijpen dat onze interesse in de dood van de heer Paul Carteret, nu meer dan twintig jaar geleden, absoluut niet louter... hoe zal ik het uitdrukken, mijnheer Gully?'

'Van academische aard is, mijnheer Wraxall?' opperde de rechercheur.

'Precies,' antwoordde mijnheer Wraxall met een instemmend knikje.

'En ik wil dit zeggen, juffrouw Gorst: mijnheer Gully en ik hebben een gemeenschappelijke visie op bepaalde gebeurtenissen van hoogst dubieuze aard die verband houden met de adellijke dame bij wie u momenteel als gezelschapsdame bent aangesteld. Die visie laat zich in grote lijnen als sceptisch omschrijven – en daarmee bedoel ik dat we er geenszins van overtuigd zijn dat milady geheel onschuldig is en niet – sterk of minder sterk – bij deze gebeurtenissen betrokken is. Tevens meen ik dat u zich in die algemene visie kunt vinden, juffrouw Gorst. Heb ik het bij het rechte eind?'

Ik dacht even na wat ik moest zeggen, want ik had mezelf aangeleerd vragen over mijn persoon met de nodige behoedzaamheid te beantwoorden. Het was echter onmogelijk die wijze, grijze ogen te wantrouwen, en dus bedankte ik mijnheer Wraxall voor zijn openhartigheid en het vertrouwen dat hij daarmee in mij stelde.

'En u hebt gelijk,' erkende ik. 'Sinds ik kamenier van lady Tansor ben sta ik heel dicht bij haar, en ik ben inderdaad nieuwsgierig geworden naar bepaalde aspecten van haar vroegere en haar huidige bestaan.'

'Aha!' riep mijnheer Gully uit. 'Aspecten! Van haar vroegere én haar huidige bestaan! Daarmee zegt u het, juffrouw Gorst.'

'Goed!' riep mijnheer Wraxall en hij sloeg op zijn knie. 'Een van die aspecten uit haar vroegere bestaan is wellicht de moord op mijnheer Paul Carteret in oktober 1853, waarover we zojuist spraken. Een aspect uit haar huidige bestaan is wellicht de zaak waarop ik al heb gezinspeeld en waardoor mijnheer Gully op dit moment meer in beslag wordt genomen: de brute moord op een vrouw wier lichaam nog geen drie maanden geleden bij de vismarkt van Billingsgate in de Theems werd gevonden.

De vraag die ik u nu stel, juffrouw Gorst, is deze: behoren deze twee schijnbaar los van elkaar staande misdaden – de één een misdaad uit het verleden, de ander een recent misdrijf, maar allebei onopgelost – in werkelijkheid tot één geheel van gebeurtenissen die nog altijd doorgaan? Beroepshalve meen ik van wel, en mijnheer Gully is het met me eens. Hadden we daarvoor alleen maar het bewijs! Want wie zou anders geloven dat een en dezelfde aaneenschakeling van gebeurtenissen het verband vormt tussen de gruwelijke moord op mevrouw Barbarina Kraus, een vrouw uit de lagere standen van wie bekend was dat ze criminele connecties had, en de fatale overval, alweer jaren geleden, op de heer Paul Carteret, de vroegere secretaris en bibliothecaris van zijn verwant, wijlen lord Tansor, en de vader van de huidige barones? Zeker, het is absoluut niet te geloven. Het hele idee is lachwekkend, nietwaar? En toch is het een feit, juffrouw Gorst – een uitzonderlijk maar onweerlegbaar feit – dat toen mijnheer Gully voor het eerst aan deze buitengewone mogelijkheid dacht, zijn voeten begonnen te jeuken.'

Op mijn gezicht moet te lezen hebben gestaan dat ik volkomen verbluft was door mijnheer Wraxalls woorden, want de rechercheur kwam meteen met een verklaring.

'Hoe het komt weet ik niet, juffrouw Gorst,' zei hij, 'maar als ik in een zaak op het goede spoor zit, gaan mijn voeten jeuken. Martha kan het u vertellen.'

Mevrouw Gully keek nog eens op van het boek van Matthew Arnold waarin ze vlijtig zat te lezen, en knikte bevestigend.

'Ze jeuken nu,' zei haar man en hij keek naar zijn schoenen.

'Ik heb haar gezien,' zei ik, want opeens wilde ik zelf de loop van het gesprek bepalen. 'De oude vrouw, bedoel ik. Ik heb ook met haar gesproken, in de Duport Arms.'

'Aha!' zei mijnheer Gully, die zijn opschrijfboek tevoorschijn haalde en begon te schrijven.

'U hebt het over wijlen mevrouw Kraus?' vroeg mijnheer Wraxall op gretig geïnteresseerde toon.

'Ik geloof het wel.'

'En wat deed ze volgens u in Easton?'

'Ik denk dat ze naar Evenwood was gekomen om lady Tansor op te zoeken.'

'Waarom denkt u dat?' vroeg mijnheer Gully.

Ik vertelde dat milady me opdracht had gegeven om een briefje ter attentie van een zekere B.K. naar de Duport Arms te brengen en dat ze me vervolgens had verteld dat deze B.K. Bertha Kennedy was, een aan lager wal geraakte voormalige dienares, maar dat ik er intussen zeker van was dat het om mevrouw Barbarina Kraus ging.

'Een voormalige dienares!' riep mijnheer Wraxall opgewekt uit, terwijl hij mijnheer Gully een veelbetekenende blik toewierp. Vervolgens voegde hij er op geheimzinnige toon aan toe: 'Misschien was dat niet eens zo ver bezijden de waarheid. We zijn iets op het spoor, Gully.'

'Dat zijn we zeker, mijnheer Wraxall,' beaamde de rechercheur.

Ze keken elkaar nog enkele ogenblikken aan en knikten eendrachtig. Toen richtte mijnheer Wraxall zich tot mij – met zachte stem en op een nieuwe, ernstige toon.

'Heel in het kort komt het hierop neer, juffrouw Gorst,' begon hij. 'Mijnheer Gully en ik zijn de onwrikbare mening toegedaan dat de opvolging van de Duports de enige verbindende schakel tussen de dood van Paul Carteret en mevrouw Barbarina Kraus is. Onze theorie – die bij gebrek aan gedegen bewijs een theorie moet blijven – behelst dat mijnheer Carteret informatie bezat op grond waarvan de heer Phoebus Daunt zijn vooruitzichten als geadopteerde erfgenaam van lord Tansor zouden zijn ontnomen.

Tevens geloven we – zij het voorlopig op nóg speculatievere gronden – dat mevrouw Kraus werd vermoord omdat ze iets wist wat een fatale bedreiging vormde voor de gunstige uitkomst van de eerste misdaad.

Om kort te gaan hebben we geconcludeerd dat de moord op mijnheer Carteret, ruim twintig jaar geleden, het eerste bedrijf was in een groter drama, dat eerst tot de moord op mijnheer Carteret heeft geleid, vervolgens tot de moord op Phoebus Daunt, en nu tot de moord op mevrouw Barbarina Kraus. Wilt u daar nog iets aan toevoegen, mijnheer Gully?'

'Een bewonderenswaardige samenvatting, mijnheer Wraxall,' antwoordde de jongeman terwijl hij zijn opschrijfboek dichtsloeg. 'Zoals te verwachten viel. "De gunstige uitkomst van de eerste misdaad" – voortreffelijk geformuleerd! Ik heb er niets aan toe te voegen, misschien alleen een nadrukkelijke kleinigheid, die ik u in de vorm van een vraag zal voorleggen, juffrouw Gorst: *cui bono*? Of, om het van de andere kant te bekijken, wie zal alles verliezen als bepaalde zaken, die lang aan het oog onttrokken zijn geweest, aan het licht zouden komen?'

'U doelt op lady Tansor?' vroeg ik.

'Op haar, ja.'

'Dan beschuldigt u haar ervan haar eigen vader te hebben vermoord?'

De rechercheur wierp een vragende blik op de jurist.

'We hebben geen bewijzen voor die zeer ernstige beschuldiging,' zei deze laatste. 'Maar we kunnen de mogelijkheid – en zelfs de waarschijnlijkheid – niet verwerpen dat milady de tragedie in samenwerking met mijnheer Phoebus Daunt in gang heeft gezet, al heeft ze misschien de fatale uitkomst niet voorzien.'

'En mevrouw Kraus?' vroeg ik.

'Chantage,' interrumpeerde mijnheer Gully op zelfverzekerde toon. 'Heel eenvoudig. Duidelijker kan het niet. Waarom zou het slachtoffer anders naar Evenwood zijn gekomen dan om bij lady Tansor een eis in te dienen? De eis dat zij geld zou krijgen om te zwijgen over een kwestie die voor milady van zeer groot belang was?

Om welke kwestie dat gaat – tja, dat is de kern van het mysterie. Maar dankzij u, juffrouw Gorst, kunnen we nu een uitgesproken verband tussen milady en de vermoorde vrouw leggen.'

'Haar eis werd onvoorwaardelijk van de hand gewezen, of men wekte de indruk dat men erop wilde ingaan,' merkte mijnheer Wraxall op. 'Hoe dan ook, in het geniep werd een andere weg bewandeld, en dat had voor mevrouw Kraus hoogst onaangename consequenties. Natuurlijk kan milady het misdrijf met geen mogelijkheid zelf hebben gepleegd; ze moet een medeplichtige hebben gehad.'

'Mijnheer Armitage Vyse.'

'Voortreffelijk, juffrouw Gorst! Uitgerekend de man die wij verdenken!'

Mijnheer Wraxall keek me stralend van vreugde aan.

'Zie je, Gully,' zei hij terwijl hij zich tot de rechercheur wendde, 'wat een geweldige aanvulling juffrouw Gorst voor onze onderneming kan zijn? Let op mijn woorden: nu we juffrouw Gorst aan onze kant hebben, gaan we de waarheid achterhalen.'

De staande klok in de hoek van de kamer sloeg vijf uur. Toen mijnheer Gully dat hoorde, haalde hij zijn vestzakhorloge tevoorschijn om te controleren of de beide uurwerken wel gelijkliepen.

'Als ik de trein nog wil halen, moet ik nu vertrekken,' zei hij, en hij sprong overeind en veegde een paar verdwaalde cakekruimels van zijn jas. 'Tot ziens dus, juffrouw Gorst,' zei hij en hij schudde me krachtig de hand. 'We zullen elkaar vast spoedig weerzien. Tot ziens, tot ziens!'

III
Mijnheer Wraxall gebruikt zijn intuïtie

Nadat mijnheer Gully en zijn vrouw waren vertrokken – mevrouw Gully had me alleen een minimaal 'Goedemiddag, juffrouw Gorst, prettig om met u te hebben kennisgemaakt' toegevoegd – liepen mijnheer Wraxall en ik het ommuurde tuintje achter North Lodge in.

'U bent kennelijk erg op mijnheer Gully gesteld,' merkte ik op.

Door een poort waren we een klein weiland op gelopen. Achter een hek voerde de oprijlaan langs een fraai aangeplante woudzoom naar de poort van het landgoed aan Odstock Road.

'Daar is een achtenswaardig man vermoord,' zei mijnheer Wraxall, en hij staarde naar de donkere bomenrij waar ik met milady en haar beide zonen langs was gekomen toen we voor de begrafenis van professor Slake naar Barnack reden. 'Het verstrijken van de tijd heeft de herinnering aan die wandaad nog niet uitgewist, en dat zal ook niet gebeuren.'

Boven ons weerklonk het schorre gekras en geklapwiek van plotseling opgeschrikte roeken. Ik bleef staan om naar de fratsen van dit haveloze gezelschap te kijken. Mijnheer Wraxall liep intussen een stukje verder, met zijn blik nog steeds op de westelijke horizon gevestigd. Vervolgens keerde hij zich weer naar mij toe.

'Vergeeft u me, mejuffrouw Gorst. U had het over mijnheer Gully. Ja, ik ben erg op hem gesteld. Hoewel je dat op grond van zijn uiterlijk niet zou denken, heeft hij een ruimdenkende en oorspronkelijke geest. Ik denk dat niet veel jongemannen met zijn achtergrond bij het ontbijt Plato lezen, zeker zijn collega's bij de recherche niet! Ik zal nooit een zoon voortbrengen, maar als dat wel het geval was geweest zou ik me trots en gelukkig prijzen met een zoon als recherche-inspecteur Alfred Gully.'

'Ik had graag wat meer met mevrouw Gully gesproken,' zei ik toen we naar North Lodge terugliepen. 'Ze leek me iemand die ik graag beter zou willen leren kennen.'

'Ah, zwijgzame Martha,' lachte mijnheer Wraxall. 'Een uiterst intelligente en discrete jonge vrouw. Ze is Gully's officieuze rechterhand, moet u weten. Hij is volkomen afhankelijk van haar, en zij heeft voor zijn onderzoeken vaak het laatste, essentiële puzzelstukje aangereikt dat voor het succes zorgde. Haar levensverhaal laat op opmerkelijke wijze zien hoe je jezelf kunt opwerken. Martha's vader was slager in Bermondsey, maar als meisje vatte ze het prijzenswaardige verlangen op om arts te worden. Uiteraard werkte haar milieu niet mee – welnu, dat gaat ons niet aan.

Wat ons echter wel aangaat, of zou moeten aangaan, is mijnheer Armitage Vyse. U moet oppassen voor die man, mijn beste. Hij is geen sieraad voor onze professie, en er wordt het een en ander over hem gefluisterd dat me grote zorgen baart. Zijn invloed op lady Tansor is de laatste tijd bijzonder groot geworden, en op grond daarvan denk ik dat hij een

334

plan klaar heeft, dat als het wordt ontdekt de ontdekker in gevaar zou kunnen brengen.'

De blik die hij me toewierp verontrustte me, want hij leek me stilzwijgend aan te moedigen mijn hart uit te storten. Ik had maar al te graag met mijnheer Gully en hem willen samenwerken in hun poging om vast te stellen in welke mate lady Tansor bij de dood van haar vader en mevrouw Kraus betrokken was. Want als onze verdenkingen konden worden bewezen, zou mijn eigenbelang daar onvoorstelbaar mee gediend zijn, evenals het hunne. Maar ik was – nog – niet in staat om iemand volledig in vertrouwen te nemen, zelfs mijnheer Wraxall niet. Daarom hield ik mijn beweegredenen voorlopig voor me.

Toen we bij de achterdeur van North Lodge kwamen, bleef mijnheer Wraxall staan, met zijn hand op de klink.

'Ik wil nog iets zeggen, juffrouw Gorst, en ik zal openhartig tegen u zijn, zoals dat onder vrienden hoort. U bent met een bedoeling naar Evenwood gekomen. Anderen geloven misschien dat een jongedame met uw ontwikkeling en talenten er genoegen mee nam om kamenier te zijn, maar ik niet. Dat is het grote nadeel van mijn roeping: dat ik twijfel aan wat me wordt verteld zolang ik niets kan bewijzen. Ik kan nog zoveel speculeren, maar ik weet in dit geval niet wie u werkelijk bent en waarom u hier bent – en dus kan ik niets bewijzen. Ik ben er alleen zeker van dat ik terecht geloof dat er met u meer – veel meer – aan de hand is dan op het eerste gezicht het geval lijkt te zijn, juffrouw Gorst.'

Ik stond op het punt een ontwijkend antwoord te geven, maar door zijn hand op te steken weerhield hij me daarvan.

'Nee, laat u me alstublieft uitspreken, mijn beste. Mijn hele intuïtie zegt me dat u hier niet met onoprechte bedoelingen bent. Maar dat u iets in uw schild voert door u anders voor te doen dan u bent, staat naar mijn beroepsmatige oordeel volledig buiten kijf.

Maar wees niet bang. Ik vlei mezelf met de gedachte dat ik een uitzonderlijk scherpe intuïtie heb – ik kan er al jaren heel comfortabel van leven – en ik vertrouw erop dat u veilig bent en dat uw bedoelingen niet kunnen worden ontdekt. Ook zie ik heel duidelijk dat u vooralsnog niet bereid bent mij in vertrouwen te nemen – al hoop ik dat daar verandering in zal komen. Zeg maar niets, mijn beste. Dat is niet nodig. Ik denk dat wij elkaar heel goed begrijpen. Ik zeg alleen dat u volledig op mij kunt vertrouwen en dat ik tot het uiterste wil gaan om u te helpen bij alles waar u aan begint, want ik ben er inderdaad zeker van dat het een zaak van het grootste gewicht is en dat u me erover zult vertellen als u daaraan toe bent. Maar laten we nu naar binnen gaan. Het wordt nogal kil, en er is nog cake.'

Ik merkte echter dat ik toch iets wilde zeggen.

Toen we samen bij de haard zaten en onze theekopjes weer waren volgeschonken, besloot ik mijn nieuwe vriend en bondgenoot te vertellen wat ik over mijnheer Armitage Vyse wist, ook dat hij in de Antigallican Billy Yapp had ontmoet en dat Yapp onlangs op Evenwood was opgedoken.

Hij luisterde zeer geconcentreerd en aandachtig naar me. Toen ik was uitgesproken, stond hij op en liep naar het raam, waar hij een poosje zwijgend bleef nadenken.

'Sweeney Yapp. Nou, nou. Gully had gelijk.'

Daaruit maakte ik op dat de rechercheur deze Yapp – een goede bekende van de politie – al verdacht van de moord op mevrouw Kraus, en mijnheer Wraxall bevestigde algauw dat die conclusie juist was.

'Gully was er zeker van dat het Yapps werk was,' zei hij en hij ging weer zitten. 'Als je mensen op de juiste manier aanpakt praten ze wel, maar het ontbrak hem aan bewijs, en dat is nog steeds het geval. Maar we weten nu tenminste wie Yapp ertoe heeft aangezet, en misschien ook namens wie die persoon optrad. Welnu, mijn beste, het lijkt erop dat mijnheer Gully zijn beste beentje zal moeten voorzetten. U hebt het in u om een voortreffelijk speurder te worden – en een ongewoon moedig speurder bovendien, want u hebt zich in een zaak als de Antigallican gewaagd. Ik verzoek u met klem dat nooit meer te doen.

Het lijkt er evenwel op dat de intuïtie van mijnheer Vyse net als de mijne uitstekend functioneert. Hij koestert een verdenking tegen u, en daardoor loopt u beslist gevaar. U hebt zeker gelijk als u denkt dat Yapp door Vyse hierheen is gestuurd, en we moeten ons daar grote zorgen over maken. Ik moet Gully zo snel mogelijk een telegram sturen.'

'En morgen vertrekken we naar Londen,' zei ik.

'Is dat zo?' zei mijnheer Wraxall. 'Dan smeek ik u om tijdens uw verblijf in Londen erg goed op uzelf te passen. U mag me, als u daaraan behoefte heeft, altijd komen opzoeken op King's Bench Walk, nummer 14. En zult u, tenzij het absoluut noodzakelijk is, niet zonder begeleiding naar buiten gaan? Kunt u me dat beloven?'

'Ik ben bang van niet,' antwoordde ik en ik schudde meewarig mijn hoofd, want ik had al plannen voor verschillende uitstapjes, mits milady me enige vrijheid liet.

'In dat geval zal ik Gully vragen u bescherming te verlenen. Er werkt een geschikte man bij de recherche, brigadier Swann. Laten we kijken wat er in dat opzicht geregeld kan worden.'

Daarover waren we het eens. Mijnheer Wraxall zou na overleg met mijnheer Gully de vereiste maatregelen treffen.

'U hebt veel geduld met me gehad, mijnheer,' zei ik toen ik opstond om te vertrekken, 'want u hebt me niet geprest om meer over mezelf te vertellen dan gezien de huidige stand van zaken voor mij mogelijk is – hoewel ik uiteraard niet wil erkennen dat uw beroemde intuïtie in dit geval juist is.'

'Uiteraard,' zei hij, en hij glimlachte en liet zijn prachtige grijze ogen op me rusten. 'Ik beweer nooit dat ik onfeilbaar ben.'

'Maar ik heb een vraag voor u – als u bereid bent om hem aan te horen.'

'Vraagt u maar,' zei hij.

'Waarom verdenkt u lady Tansor van betrokkenheid bij de moord op mevrouw Kraus?'

'Ah,' zei hij, 'een uitstekende vraag, mijn beste. Uitstekend. En mevrouw Gully helemaal waardig, die er geweldig bedreven in is ergens de vinger op te leggen. De suggestie – meer was het niet – bereikte ons in een kort briefje dat inspecteur Gully door een anonieme informant is toegestuurd. We hebben op dit moment geen idee wie het kan zijn, dus daar moet het voorlopig bij blijven. Nu, dit was heel prettig, juffrouw Gorst,' zei hij terwijl hij me mijn hoed en handschoenen aanreikte, 'werkelijk heel prettig. Goeie genade!'

'Wat is er?' vroeg ik angstig.

'Ach, ik bedenk net wat voor dag het is.'

'31 december?'

'Precies,' antwoordde hij. 'En dus wens ik u het allerbeste voor het nieuwe jaar 1877, in de hoop en het vertrouwen dat alles wat u onderneemt met succes zal worden bekroond en dat op alle dorre beenderen eindelijk het vlees van de waarheid zal komen. En mag ik u nu op de terugweg naar huis vergezellen, mijn beste? Het wordt donker, en misschien is het beter dat u niet alleen gaat.'

24

Sneeuw en geheimen

I
De nachtelijke bezoeker

Bij de poort van de toegangshof gingen mijnheer Wraxall en ik uiteen. Tijdens de wandeling vanuit North Lodge hadden we, terwijl de avond viel, verder gepraat over zaken die verband hielden met de dood van lady Tansors vader.

'U zei, meen ik, dat mijnheer Carteret een oude vriend van professor Slake was,' merkte ik op.

'Inderdaad – het waren allebei geleerden, maar ze hadden andere interesses. Mijnheer Carterets belangstelling was van historische en letterkundige aard, terwijl de voornaamste hartstocht van mijn oom uitging naar de filologie en de religieuze gebruiken uit de oudheid, al wijdde hij zich natuurlijk ook jarenlang aan zijn grote geschiedwerk over de heidense volkeren.'

Vervolgens vroeg ik mijnheer Wraxall of hij naar bevrediging vorderde met het doornemen van de papieren van de professor.

'Naar bevrediging is misschien niet *le mot juste*,' lachte hij. 'Maar ja, ik geloof dat ik redelijk opschiet, al is er nog veel te doen.'

'En mag ik u – als u het niet erg vindt – vragen of er nog iets interessants stond in de brieven van uw oom aan mijnheer Carteret die u uit het douairièrehuis hebt meegenomen?'

Mijnheer Wraxall, die duidelijk raadde waarop ik doelde, feliciteerde me opnieuw omdat ik de juiste vraag had gesteld.

'Ik heb al de hele middag op het moment gewacht dat u naar die brieven zou vragen,' zei hij. 'Er waren er heel veel, en ik heb het grootste deel van die nacht nodig gehad om ze door te nemen en te ordenen. De meeste gingen over onderwerpen waar ze als geleerden allebei in geïnteresseerd waren. Twee brieven trokken echter mijn bijzondere aandacht. De eerste hield op merkwaardige wijze verband met de moord op Phoebus Daunt.'

Ik voelde hoe mijn maag zich samentrok, en in verwarring moest ik me afwenden.

Met een bezorgde blik informeerde mijnheer Wraxall of er iets aan de hand was.

'Nee, niets, dank u,' verzekerde ik hem, hoewel ik wist dat mijn gezicht iets anders vertelde. 'Gaat u alstublieft verder.'

Van madame wist ik al dat dominee Achilles Daunt, de vader van de dichter, als predikant op Evenwood was aangesteld dankzij de invloed van zijn tweede vrouw, Phoebus' stiefmoeder, die familie van wijlen lord Tansor was.* Nu hoorde ik van mijnheer Wraxall dat hij ook een reputatie als classicus en bibliograaf had genoten, en roem had geoogst als samensteller van de *Bibliotheca Duportiana*, een volledige catalogus van de boeken in de bibliotheek van Evenwood. Mijnheer Carteret had daaraan aantekeningen bijgedragen over de handschriften uit de collectie.

Het bleek nu dat dr. Daunt enige tijd voor de moordaanslag op mijnheer Carteret bezig was geweest aan een vertaling – die hij wilde publiceren – van Iamblichus, een Griekse schrijver over wie mijnheer Thornhaugh het in zijn lessen weleens had gehad, maar wiens werk ik niet kende.

De dominee had de drukproeven van zijn vertaling naar professor Slake gestuurd, zodat die er als specialist zijn mening over kon geven. Vervolgens had hij echter nogmaals geschreven met het verzoek de vertaling door te sturen aan een zekere Edward Glapthorn, een werknemer van advocatenkantoor Tredgold, Tredgold & Orr die veel van Iamblichus afwist. De brief die mijnheer Wraxall uit het douairièrehuis had meegenomen ging vooral over dit verzoek.

'En dat, juffrouw Gorst,' zei de jurist, 'is het verband waarover ik het had. Glapthorn was een schuilnaam van Edward Glyver, de moordenaar van Phoebus Daunt.'

Van dat feit was ik dankzij het mij door madame toegestuurde artikel

---

* Caroline Daunt, geboren Petrie (1797-1874), was een achternicht van de vijfentwintigste lord Tansor. Ze trad in 1821 in het huwelijk met Achilles Daunt.

van mijnheer Vyse uit de *London Monthly Review* al op de hoogte, maar ik reageerde met gepaste verbazing op deze informatie.

'Misschien nog interessanter,' vervolgde mijnheer Wraxall, 'was de mening die mijn oom over deze heer had – want een heer was hij – en die hij in verschillende latere brieven aan Daunt heeft verwoord. Hoewel ze elkaar nooit persoonlijk hebben ontmoet, hebben ze korte tijd over de Iamblichus-vertaling gecorrespondeerd. Uit die briefwisseling kreeg mijn oom een bijzonder goede indruk van mijnheer Glapthorn – of Glyver, of hoe hij in werkelijkheid ook geheten heeft – als geleerde én als mens. Deze indruk werd bevestigd door dr. Daunt, die hem verschillende keren had ontmoet. Het bericht dat diezelfde man slechts een jaar later verantwoordelijk was voor de moord op de zoon van zijn vriend, was voor mijn oom een hevige schok.'

Hoewel mijnheer Wraxalls relaas mijn vader geenszins zuiverde van de blaam voor zijn misdrijf, troostte het me toch zeer, omdat mijnheer Heatheringtons gunstige oordeel over zijn persoon door een onafhankelijke partij werd bevestigd.

'U had het nog over een tweede brief,' zei ik, toen we op het punt stonden ieder ons weegs te gaan.

'Ja,' antwoordde mijnheer Wraxall. 'Die... gaf me te denken.'

'In welk opzicht?'

'Uit het antwoord van mijn oom op een brief van zijn vriend bleek dat mijnheer Carteret gebruikmaakte van het feit dat zijn dochter de Franse taal vloeiend beheerste. Ook gebruikte hij haar als assistente toen hij zijn geschiedenis van de familie Duport samenstelde. Na de dood van mijnheer Carteret kreeg mijn oom het verzoek dat werk te redigeren en te voltooien.'

Onzeker vroeg ik waarom dat te denken gaf.

'Alleen hierom,' antwoordde mijnheer Wraxall. 'Mijn oom verwijst naar het feit dat mijnheer Carteret en zijn dochter bezig waren met het ordenen van bepaalde documenten die verband hielden met lady Laura, de eerste vrouw van lord Tansor, die tijdens hun huwelijk lange tijd in het buitenland verbleef, alsof ze op een rare manier vooruitliep op juffrouw Carterets verblijf op het vasteland na de dood van Phoebus Daunt.'

'In het buitenland?' vroeg ik.

'Ze verbleef kennelijk voornamelijk in Rennes, in Bretagne. Een merkwaardige episode. Heel merkwaardig.'

'Ik ben bang dat ik het nog steeds niet begrijp,' zei ik.

'Welnu, mijn beste,' antwoordde mijnheer Wraxall met een glimlach. 'Ik begrijp het evenmin. Maar mijn intuïtie van al die jaren zegt me dat deze informatie op de een of andere manier iets te betekenen heeft. Ik ben echter bang dat ik, gezien alle andere interessante onderwerpen die we met inspecteur Gully hebben besproken, de kwestie voorlopig moet laten rusten totdat de mist uiteindelijk optrekt. Ik hoop en denk dat dat te zijner tijd het geval zal zijn.'

Toen ten tijde van de Zwarte Dood een eerstgeboren zoon op oudejaarsdag was overleden, was bij de Duports de traditie ontstaan om geen oud en nieuw te vieren, en milady hield deze traditie graag in stand. Hoe dan ook was het diner op oudejaarsavond 1876 een saaie bedoening.

Uiteraard waren er geen gasten, en ik spande me niet erg in om aardig te doen. Milady deed zich daarentegen opgewekt en spraakzaam voor, en kwetterde er zeer tegen haar natuur lustig op los. De banaliteiten volgden elkaar op, en opnieuw somde ze alle plaatsen op die ze tijdens ons verblijf in Londen wilde bezoeken, alsmede alle mensen met wie ze mij wilde laten kennismaken – dat alles zo uitputtend en langdradig dat ik dacht dat ik het op een gillen zou zetten.

Mijnheer Randolph was er niet – zijn verblijfplaats was onbekend – terwijl zijn broer zich in een houding van koppige verstrooidheid hulde, die hij zo nu en dan afwisselde met scherpe opmerkingen en donkere blikken.

Na de ontvangst van madames derde brief was mijnheer Perseus uiteraard het voorwerp van mijn allerhevigste interesse, al paste ik er wel voor op dat te laten blijken. Terwijl hij daar zwijgend zijn avondmaal at, moest ik denken aan onze recente ontmoeting in de portiek van de kerk, toen hij kwaad was geworden om mijn afwijzing van zijn pogingen mij, in zijn woorden, 'vriendschappelijk de hand te reiken'. Ik had er spijt van dat ik niet meer voor zijn toenaderingspoging had opengestaan, maar daar was nu niets meer aan te doen. Wel putte ik enige bemoediging uit zijn misnoegde gedrag en zijn vervolgens uitgesproken vermoeden dat ik gevoelens voor zijn broer had, dit in de gedachte dat deze uitbarsting niet zozeer kon zijn voortgekomen uit hardnekkige trots, als wel uit verdriet omdat hij in zijn affectie voor mij was versmaad. Ook dacht ik aan het gesigneerde exemplaar van *Merlijn en Nimue* dat hij aan mij had gegeven, een gebaar dat bij nader inzien meer leek te hebben betekend dan ik destijds besefte. Misschien zou het veroveren van de genegenheid van mijnheer Perseus Duport niet zo'n moeilijke opgave zijn als ik eerst had gedacht, al leek een huwelijk nog onmogelijk. Ik had nu tenminste – begon ik mezelf aan te praten – een vleugje hoop dat zijn hart toch ontvankelijk was en dat ik er een plekje innam.

'En hoe vond je mijnheer Wraxall?' vroeg milady, toen we na het diner samen in de salon zaten.

'Zoals verwacht,' antwoordde ik bits, terwijl ik naar het tapijt bleef turen.

'Alice toch,' zei ze op afkeurende en teleurgestelde toon, 'wat ben je vanavond humeurig. Wat is er aan de hand, er is toch juist heel veel waarop we ons kunnen verheugen? Wil je soms niet naar Londen?'

'Natuurlijk wel.'

'Dat mag ik hopen. Je zult er baat bij hebben.'

Ik zeg niets, maar pak een exemplaar van Tennysons onlangs verschenen toneelstuk over koningin Mary,* dat op een tafeltje in de buurt ligt, en doe alsof ik lees. Maar vrijwel onmiddellijk beginnen de pagina's voor mijn zwaar vermoeide ogen te dansen. Het boek valt uit mijn handen en ik zak krachteloos achterover in mijn stoel.

'Alice!' roept lady Tansor. 'Voel je je niet goed?'

Bij het horen van de bezorgde toon in zijn moeders stem springt mijnheer Perseus, die aan de andere kant van de kamer op zijn eentje met een ongeopend nummer van Tinsley's Magazine op schoot zat te niksen, overeind en komt haastig naar ons toe.

'Het is goed, moeder,' hoor ik hem zeggen. 'Ik neem het wel over. Nu, juffrouw Gorst, hoe gaat het met u?'

'Ik ben een beetje duizelig, mijnheer,' zeg ik tegen hem. 'Maar ik smeek u: maakt u zich geen zorgen. Het is niets, dat verzeker ik u. Ik ben een beetje moe, dat is alles. Ik heb afgelopen nacht niet goed geslapen.'

'Evengoed,' zegt hij, 'moeten we u naar uw kamer brengen en Pordage laten komen.'

Ik protesteer dat dat niet nodig is, maar bruusk doch bezorgd schuift

---

* *Queen Mary: A Drama* beleefde zijn eerste opvoering in april 1876 in het Lyceum Theatre en werd een maand later gepubliceerd.

hij mijn bezwaren terzijde en roept een van de lakeien die voor de deur staan. Pas dan besef ik dat hij – voorzichtig maar vastberaden – mijn handen in de zijne heeft genomen en er nu zachtjes over wrijft. Natuurlijk had ik ze meteen moeten terugtrekken, maar dat heb ik niet gedaan want het bezorgde me een allerplezierigste sensatie van troost en veiligheid om de warme, blanke handen van de toekomstige lord op de mijne te voelen.

Nadat ik naar bed was gebracht en dokter Pordage (wiens klamme handen ik in stille walging op mijn voorhoofd moest verdragen, maar die terecht de diagnose stelde dat ik een nacht goed moest slapen) gelukkig was vertrokken, viel ik algauw in een diepe slaap.

Ik werd plotseling wakker doordat het bed bewoog. Geschrokken ging ik overeind zitten.

Een gordijn was niet helemaal dichtgetrokken, en daardoor viel het bleke maanlicht in dunne stralen over het bed. Naast me werd een liggende gestalte zichtbaar.

Ik roep haar naam. Ze opent haar ogen en staart me slaperig aan.

'Alice, schat,' mompelt milady. 'Heb ik je wakker gemaakt?'

Ik stap uit bed om mijn kaars aan te steken. Zij gaat rechtop zitten, haar lange haar valt los over haar schouders en haar rug. Het lijkt of ze sterk gekrompen is. Vervolgens zie ik waardoor dat komt.

Ze draagt het nachthemd van een man. De mouwen vallen over haar slanke handen, zodat alleen de uiteinden van haar nagels nog zichtbaar zijn. Haar figuur wordt volledig verhuld door de brede plooien van het hemd, en op de linkerborst, onder het wapen van de Duports, staan drie initialen geborduurd: P.R.D.

Het is het nachthemd van haar overleden minnaar.

Met de kaars in mijn hand kijk ik haar ongelovig aan, terwijl de schaduwen van de flakkerende vlam over haar gezicht spelen, dat even wit is als het nachthemd dat ze draagt.

Waar had ze deze intieme relikwie bewaard? Ik stond versteld van haar vermogen om dingen te verstoppen. Toen opende ze haar mond.

'Ik kon niet slapen. Dromen – zulke wonderlijk levendige dromen – over jou, lieve Alice, en toch weer niet over jou. Dus toen moest ik opstaan, om me ervan te vergewissen dat alles in orde was. Maar je sliep – je sliep zo vredig! En dus besloot ik hier naast je te gaan liggen, heel eventjes maar. En toen ben ik zelf in slaap gevallen. Is dat niet heerlijk!

Om zo makkelijk en zo verrukkelijk in slaap te vallen! Dit bed ligt zo lekker, lekkerder dan mijn eigen bed.'

Ze lachte zacht en vreugdeloos en liet haar hoofd langzaam op de kussens terugzakken.

'U moet naar uw kamer teruggaan,' zei ik op geruststellende toon, terwijl ik de kaars neerzette en op de rand van het bed ging zitten. 'Kom, dan breng ik u naar beneden. Weet u niet meer dat we morgen naar Londen vertrekken? U hebt uw rust nodig.'

'Rust nemen? O, als ik eens rust zou hebben! Maar ik krijg nooit rust. Nooit.'

Ik stak haar mijn hand toe, maar ze verroerde zich niet.

'Neemt u mijn hand,' zei ik. 'Vannacht krijgt u rust. Dat beloof ik.'

Ze legt haar hand in de mijne, en samen gaan we de trap af naar haar vertrekken – nadat ik eerst een blauw glazen flesje met Battley's Drops, aangeschaft bij J.M. Proudfoot & Sons op Market Square te Easton, in de zak van mijn nachthemd heb gestoken.

Ze neemt de druppels bereidwillig in en accepteert mijn verzekering dat ze erdoor in slaap zal vallen, en dat ze geen kwaad kunnen.

'Zo,' fluister ik terwijl ik haar toedek en haar over haar haar streel. 'Gaat u nu maar slapen.'

'Lieve Alice,' zegt ze alleen nog, terwijl ze haar ogen sluit.

Een halfuur zit ik voor de haard in haar slaapkamer naar de uitdovende stukken hout te kijken, totdat ik er zeker van ben dat ze diep in slaap is. Dan pak ik de kaars en loop op mijn tenen naar de zitkamer.

II
Een wapen van woorden

De sleutel liet zich gemakkelijk omdraaien in het koperen plaatje, net zoals toen ik de geheime kast achter het portret van Anthony Duport voor het eerst had ontsloten. Terwijl ik mijn hand naar binnen stak, staarde de intimiderende, zwartbebaarde kop van Phoebus Daunt, door de fotograaf vastgelegd, me vanuit de beschaduwde nis aan.

Met trillende handen en nerveus gespitst op geluiden uit de aangrenzende kamer maakte ik zo snel mogelijk het lint om de eerste bundel brieven los, bracht de bundel naar de tafel waarop ik mijn kaars had gezet en begon te lezen.

Alle brieven waren chronologisch gerangschikt. De eerste brief, die in november 1852 in Daunts Londense woning aan Mecklenburg Square was geschreven, bevatte een uitvoerig verslag van de uitvaart van de hertog van Wellington. De daaropvolgende brieven hadden eveneens niets interessants of belangrijks te bieden, ze bevestigden alleen dat er een opmerkelijke wederzijdse affectie tussen de schrijver en mejuffrouw Carteret had bestaan; hij richtte zich voortdurend in uiterst liefdevolle bewoordingen tot haar.

De tweede bundel leverde even weinig op. Bladzijde na bladzijde beschreef Daunt hoe hij in de stad zijn tijd zonder haar doorbracht, wie hij had ontmoet, waar hij had gedineerd, wat deze of gene op de club had gezegd en hoe gunstig zijn gedichten door de critici waren ontvangen. Vervolgens waren er lange passages waarin hij vertelde over zaken die hij ten behoeve van lord Tansor had gedaan – taken waarvan hij zich altijd tot opperste tevredenheid van zijn werkgever kweet. In andere brieven beschreef hij even uitputtend en uitvoerig verschillende onbeduidende voorvallen die hem op zijn reizen waren overkomen.

In een brief in de vierde bundel vond ik echter het volgende korte postscriptum, dat ik onmiddellijk in steno op een vel briefpapier van milady overschreef.

Liefste,
Ik schrijf dit inderhaast. P. is net hier geweest. Hij is zo ver & lijkt te begrijpen wat hij moet doen – als jíj tenminste nog wilt dat hij je plan uitvoert. Zoals ik je heb verteld blijf ik een onbehaaglijk gevoel over de zaak houden, want ik weet waartoe P. in staat is. Ik heb echter veel moeite gedaan om hem aan zijn verstand te brengen dat P.S.C. niets mag overkomen & dat we alleen de documenten nodig hebben. Ik hóóp dat ik daarin ben geslaagd, maar ben daar niet zeker van & dus bestaat er nog steeds een risico. Bericht me meteen – een heel kort berichtje is genoeg: ja of nee. Ik smeek je, zorg dat je deze boodschap beslist vernietigt.

De brief was gedateerd op 21 oktober 1853, vier dagen voordat de noodlottige moordaanslag plaatsvond op mijnheer Paul Stephen Carteret – het leed voor mij geen twijfel dat hij degeen was die in het postscriptum met zijn initialen werd aangeduid – toen hij via het bos in het westen het landgoed op kwam.

Ik was opgetogen. Eindelijk had ik bewijsmateriaal – ondubbelzinnig bewijsmateriaal op schrift – dat aangaf dat milady had samengezworen om haar vader in een hinderlaag te lokken en betrokken was bij de tragische gevolgen daarvan. Ze had mijnheer Vyse verzekerd dat er niets bestond wat haar met de dood van haar vader in verband bracht, maar ze had gelogen. Hier was hij dan: een tekst op papier die, zoals mijnheer Vyse had gewaarschuwd, fatale gevolgen kon hebben.

Het postscriptum onthulde ook dat de overval op mijnheer Carteret door één persoon was uitgevoerd. En wel de mysterieuze P., die zijn opdracht kennelijk had gekregen van Phoebus Daunt volgens instructies van juffrouw Carteret, net zoals Billy Yapp door haar vertegenwoordiger – mijnheer Vyse – was gerekruteerd om mevrouw Kraus te vermoorden.

Het doel van de samenzwering werd ook duidelijker: het verkrijgen van bepaalde documenten die mijnheer Carteret bij zich had gehad. Toen besefte ik opeens hoe de zaak in elkaar zat.

Mijnheer Carteret moest documenten hebben ontdekt die duidelijk maakten dat er een wettige erfgenaam bestond die Phoebus Daunts schitterende vooruitzichten kon torpederen. Was het zelfs mogelijk dat hij deze ontdekking tijdens zijn werk aan de geschiedenis van de familie Duport had gedaan, waarbij zijn dochter hem terzijde had gestaan? Als dat zo was, was de erfopvolging van de Duports misschien inderdaad de verbindende schakel tussen de dood van mijnheer Carteret, de dood van Phoebus Daunt en de dood van mevrouw Kraus, precies zoals mijnheer Wraxall en inspecteur Gully vermoedden.

III
Een ontmoeting in de mist

Milady gebruikte de volgende ochtend het ontbijt alleen, in haar eigen zitkamer; soms gaf ze daaraan de voorkeur. Ook ik at in eenzaamheid, beneden in de ontbijtzaal, teleurgesteld omdat mijnheer Perseus vroeg had ontbeten en vervolgens voor zaken naar Easton was gereden.

Even na tienen namen we plaats in het rijtuig. De lucht was zwanger van sneeuw, en zelfs op het kleine stukje op de trap voor het huis verkilde de snijdende oostenwind ons tot op het bot. We trokken de plaids over onze schoot en vertrokken om de trein naar Londen te halen.

Violet Allardyce, de nieuwe kamenier, ging met ons mee – ze was een plomp meisje dat een wezenloze indruk maakte en voortdurend blijk gaf van een groot ontzag voor zowel haar meesteres als voor mij maar haar taken alleszins doelmatig verrichtte, zij het soms niet tot mijn genoegen.

Emily – ik begon mezelf eraan te wennen haar in gedachten en onder vier ogen bij haar voornaam te noemen, zoals ze graag wilde – was aanvankelijk stil, maar niet helemaal afkerig van een gesprek. Geen van beiden zeiden we iets over de gebeurtenissen van de afgelopen nacht, en toen we het station in Londen naderden klaarde haar humeur op. Eenmaal in de buurt van Grosvenor Square zette ze opnieuw enthousiast haar plannen voor de komende dagen uiteen.

Toen het rijtuig voor het huis tot stilstand kwam, bedekten wervelende vlagen zachte sneeuw de trottoirs, de daken en de trap onder een steeds diepere, nog smetteloos witte laag. Met haar hoofd gebogen tegen de wind en met smeltende sneeuwvlokken op haar zwarte bontstola ging Emily meteen naar binnen. Ik bleef een ogenblik bij het opstapje van het rijtuig staan om te genieten van het heerlijke gevoel van koude sneeuw op mijn gezicht en om te luisteren naar het verrukte gegil van kinderen die de achterdeur van een naburig huis uit kwamen.

Die avond dineerden we bij lord en lady Benefield in hun woning aan de nabijgelegen Park Lane – niet ver van het herenhuis dat wijlen lord Tansor vroeger had bezeten en waar Phoebus Daunt in de tuin door mijn vader was geveld. Bij onze aankomst sloeg ik Emily nauwlettend gade. Maar voor zover ze zich niet op haar gemak voelde in de nabijheid van de plek waar haar minnaar – op een avond waarop het ook sneeuwde – was omgekomen, liet ze dat niet blijken.

Een gedetailleerde beschrijving van het verloop van de avond is overbodig. Ik volsta met te vertellen dat ik werd voorgesteld aan een stuk of tien uiterst onopmerkelijke hooggeplaatste en rijke mensen, dat we aten en dronken van het fijnste kristal en porselein en dat we over nietszeggende ditjes en datjes spraken. Uiteindelijk werden we even na enen naar Grosvenor Square teruggebracht.

Toen we de volgende dag wakker werden, was de sneeuw al grotendeels weg en lagen de straten vol smerige, taaie sneeuwresten en modder, waar je traag en moeizaam doorheen kwam. Niets kon Emily echter remmen in haar vastberaden verlangen om haar plannen uit te voeren. En dus bezochten we, de hinder ten spijt, verschillende fraai geklede maar onbezorgd indolente, aanzienlijke dames in de buurt van Mayfair, die allemaal verklaarden dat ze het heel prettig vonden kennis met mij te maken. Vervolgens bekeken we de Queen's Collection in Buckingham Palace en de Hollandse meesters van de hertog van Bedford op Belgrave Square. 's Middags woonden we een concert van de Philharmonic Society bij, 's avonds zagen we een toneelvoorstelling en laat in de avond gebruikten we een informeel souper *à deux* in Grillon's Hotel, waar Emily kennelijk een goede bekende was.

Onze tweede volle dag bracht meer van hetzelfde, onder meer een bezoek aan St Paul's Cathedral, waar Emily graag naar de beroemde Whispering Gallery wilde, die ik naar eigen zeggen tijdens ons eerste verblijf in Londen al had bezocht. Voordat we verder gingen wilde ze beslist nog de wonderlijke akoestische eigenschappen onderzoeken, en daarom moest ik me naar de andere kant van de Gallery spoeden en mijn oor tegen de muur drukken.

'Heb je me gehoord?' vraagt ze opgewonden als ik terugkom.

'Nee,' antwoord ik. 'Wat heb je gefluisterd?'

'O, niets. Alleen een heel klein geheimpje dat ik je wilde verklappen,' zegt ze met een teleurgestelde zucht. 'Ik vraag me af waarom je me niet kon horen. Misschien waren er vandaag te veel mensen. Kom, laten we naar beneden gaan.'

En dus gingen we naar beneden en stapten in het met modder bespatte rijtuig, dat ons door het donker en de derrie naar de Tower bracht en vervolgens, terwijl er ijzige regen begon te vallen, naar het wassenbeeldenkabinet van madame Tussaud, waar we op aandringen van Emily een extra sixpence betaalden om het gruwelkabinet te bekijken. De dag werd afgesloten met een groots diner in het imposante herenhuis van mijnheer Jasper Dinever, de bankier van de Duports, dat werd bijgewoond door een aantal eminente figuren uit de politieke en financiële wereld.

Ik geloof dat ik het er die avond goed van afbracht en dat ik de mij toebedeelde rol volmaakt speelde. Ik was beurtelings ingetogen, onberispelijk koket, zorgeloos en serieus, al naar gelang de situatie. Pronkend met mijn geleende kleding en sieraden luisterde ik vol aandacht en medeleven naar de andere aanwezigen, en sprak ik vleiende, bewonderende, schertsende en vermakelijke woorden, in overeenstemming met ieders geslacht en karakter. Enigszins tot mijn verbazing ontdekte ik dat ik ook in staat was anderen te bekoren, en zo wist ik de mannen te charmeren en tegelijkertijd toch een goede indruk op hun dames te maken. Kortom, ik triomfeerde – tot zichtbaar genoegen van Emily.

Lieve God, wat was ze trots op haar schepping! Alsof ze er ook maar enigszins verantwoordelijk voor was! De waarheid was uiteraard van heel andere aard. Ík had háár herschapen. Zij was nu mijn schepsel, al besefte ze dat nog niet.

Dag na dag was ik getuige geweest van de trage maar onverbiddelijke transformatie van Emily Tansor. Van de kille, hautaine adellijke dame – vol zelfvertrouwen door haar schoonheid en macht – bij wie ik als kamenier had gesolliciteerd, was ze veranderd in een inschikkelijke, gevoelige en toegankelijke vrouw van middelbare leeftijd die – alleen jegens mij – een onvermoed vermogen tot impulsieve genegenheid had getoond.

Tegenover anderen behield ze haar oude ijzige en onbenaderbare persoonlijkheid, maar tegenover mij niet meer. Waar was dat onaantastbare, tegen elke aanval verschanste hart gebleven? Kennelijk had ik de sleutel gevonden die paste in het slot van die roemruchte, onvermurwbare poort, zoals ik ook had ontdekt hoe ik de geheime kast met de brieven van haar minnaar moest openen.

Na Madame Tussaud's waren we naar Grosvenor Square teruggegaan om vóór het diner nog een uurtje te rusten. Ik had nu een heel ruime en gerieflijke kamer op de tweede verdieping, die uitzag op de achtertuin en in alle opzichten beter was dan de kamer die ik tijdens ons eerste bezoek had gehad.

Nadat ik mijn hoed had afgezet en mijn jas en laarsjes had uitgetrokken, strekte ik mijn pijnlijke benen en voeten voor de haard uit in de verwachting dat ik een heerlijk uurtje voor mezelf had, toen er op de deur werd geklopt.

Het was een stralende Charlie Skinner, die samen met mijnheer Pocock van Evenwood was meegekomen.

'Brief, juffrouw,' zei hij in zijn gebruikelijke militaire stijl en hij overhandigde me een ongefrankeerde enveloppe.

'Dank je, Charlie,' zei ik en ik beantwoordde zijn groet. 'En wat vind je van Londen?'

'Bijzonder smerig, juffrouw,' antwoordde hij, waarna hij nog eens naar me salueerde en inrukte.

Op de enveloppe stond als enige adressering 'juffrouw Gorst'. Er zat een vierkant velletje blauw papier in, waarop in een achteroverhellend handschrift met veel lussen enkele regels stonden geschreven:

Geachte juffrouw Gorst,
Ik ben zo vrij u mede te delen dat mijn meerdere, inspecteur Alfred
Gully, mij heeft verzocht u op behoedzame afstand te begeleiden
wanneer u alleen Grosvenor Square verlaat, om ervoor te zorgen dat
u niets overkomt. Ik voel mij zeer vereerd dat ik dit mag doen &
stuur u daarom dit briefje met de vraag of u zo vriendelijk wilt zijn
om als het u schikt even naar buiten te komen, zodat ik weet hoe u
eruitziet & u mij leert kennen. Ik sta op de hoek van Brook Street &
blijf daar geposteerd totdat u komt.
Ik verblijf, juffrouw Gorst, met de meeste hoogachting,
Whiffen Swann (brigadier)

Mijnheer Wraxall had woord gehouden. En dus reeg ik met een vermoeide zucht mijn laarsjes weer dicht, trok mijn jas aan, zette mijn hoed op en sloop naar beneden om mijn nieuwe beschermer te ontmoeten.

Toen ik op de hoek van Brook Street aankwam keek ik om me heen of ik brigadier Swann zag staan, maar ik kon niemand ontdekken die beantwoordde aan het beeld dat ik me van hem had gevormd. Een niet-geüniformeerde rechercheur zou, dacht ik, van nature onopvallend zijn. Ik stelde me een magere persoon met een soepel lichaam in een donker kostuum voor – ik verbeeldde me dat hij zich dankzij die kenmerken onzichtbaar in kleine hoeken en gaten kon verschuilen. Maar ik zag niemand die voldeed aan mijn vooropgezette beeld van brigadier Whiffen Swann. Er wás zelfs helemaal niemand, want het was bitter koud, er kwam een dichte mist opzetten en ieder verstandig mens zat binnen met zijn stoel dicht bij de haard, waar ik ook had moeten zitten.

Ik liep nog enkele minuten heen en weer, steeds geïrriteerder omdat ik op zo'n avond naar buiten was geroepen. Net toen ik naar het huis terug wilde gaan, stapte uit de mistige schaduw een korte, gedrongen, bebrilde en uiterst opvallende man tevoorschijn die een felgele, geruite overjas en een lichtbruine bolhoed droeg.

'Juffrouw Gorst, neem ik aan?'

Hij had de zwaarste, norste stem die ik ooit had gehoord, die klonk als het gegrom van een grote hond met maagklachten.

'Dat ben ik, ja,' antwoordde ik. 'En u bent?'

'Brigadier Whiffen Swann van de recherche, tot uw dienst, juffrouw. Ik hoop dat het goed met u gaat?'

'Uitstekend, dank u, brigadier Swann,' antwoordde ik. 'Ik vind het alleen een beetje koud en onaangenaam.'

'U bent het niet gewend, zoals ik, juffrouw, dat is alles.'

'U hebt gelijk, brigadier,' zei ik nadrukkelijk en nog steeds boos omdat hij me had laten wachten, 'ik ben het níét gewend.'

'Ik had mijn redenen, juffrouw, om me niet meteen bekend te maken.'

Zijn stugge, uiterst kritische blik verontrustte me enigszins en gaf me een heel ander idee van de persoonlijkheid en de bekwaamheden van de brigadier. Zijn dunne, lichte baard en kleine ogen hadden aanvankelijk de indruk gewekt dat hij een tamelijk kleurloze en onschuldige man was, maar nu lichtte er achter die beslagen brillenglazen een stille, maar verbeten en hardnekkige beslistheid op.

'Toen u het huis uit kwam werd u gevolgd, juffrouw. Door een lange, magere figuur, gladgeschoren, rond de veertig jaar oud en met grote oren. Het topje van zijn linker wijsvinger ontbreekt en hij loopt een beetje mank. Komt dat u bekend voor, juffrouw?'

'Absoluut niet,' antwoordde ik en ik keek nerveus om me heen.

'Dat dacht ik al,' zei brigadier Swann met een snuivend geluid.

'Hij volgde me, zegt u?'

'Zonder enige twijfel.'

'Waar is hij nu?' vroeg ik.

Brigadier Swann gebaarde me om vanuit het licht van de straatlantaarn waaronder ik stond mee te komen naar een beschaduwde plek.

'Hij staat hier vlakbij, juffrouw. Hij wil graag even met u praten, als u het niet erg vindt en zodra het u schikt.'

Van verbazing kon ik een ogenblik geen woord uitbrengen. Uiteraard zei ik dat ik de onbekende onder geen beding wenste te ontmoeten, en ik verzocht brigadier Swann me onmiddellijk terug naar huis te begeleiden.

'Ik zal u natuurlijk begeleiden, juffrouw,' zei hij, 'zoals me door inspecteur Gully is opgedragen. Maar als u me mijn vrijmoedigheid wilt vergeven, mag ik misschien voorstellen dat u op uw besluit terugkomt en mij naar die persoon toe stuurt om hem door te geven op welke tijd en plaats een ontmoeting met hem u gelegen komt? U zult dan niet alleen zijn, weet u. Ik zal steeds bij u zijn. Uw veiligheid is gegarandeerd, u hoeft niet bang te zijn. Ik ben geen man met wie te spotten valt, als puntje bij paaltje komt.'

'Maar waarom zou ik bereid zijn een volkomen onbekende te ontmoeten?' vroeg ik verwarder en angstiger dan ooit.

'Omdat ik denk dat u er baat bij kunt hebben, juffrouw,' antwoordde brigadier Swann. 'Ik heb verschillende keren met inspecteur Gully gesproken over diverse zaken die met uw persoon verband houden, en bovendien weet ik wie deze man is.'

'Kent u hem dan?'

'Zeer zeker. Zijn naam is Conrad Kraus.'

25

Een hardnekkige violengeur

I
Brigadier Swann maakt aantekeningen

De volgende ochtend bevond ik me volgens afspraak om negen uur in het Castle and Falcon Hotel aan St Martin's le Grand in Aldersgate.

Toen ik naar beneden was gegaan voor het ontbijt, had Charlie Skinner me twee berichten gebracht.

Het eerste kwam van mijnheer Wraxall, die door inspecteur Gully op de hoogte was gesteld van mijn ontmoeting met brigadier Swann de vorige avond.

'Dit is een hoogst onvoorziene en zonder twijfel belangrijke ontwikkeling,' schreef hij, 'en ik ben blij – maar absoluut niet verrast – dat u zo dapper bent geweest met een ontmoeting met mijnheer Kraus in te stemmen. In brigadier Swanns handen bent u volkomen veilig – hij is een van Gully's beste mannen. Veel geluk dus, mijn beste. Ik zie vol verwachting naar nader bericht van u uit.'

Het tweede briefje was van mevrouw Ridpath, die bevestigde dat ze me graag later die ochtend in Devonshire Street wilde ontvangen, zoals ik had verzocht.

Emily moest die ochtend naar haar advocaat, mijnheer Donald Orr, en we zouden onze geplande activiteiten pas na de lunch hervatten. Even voor halfnegen glipte ik ongezien het huis uit.

Brigadier Swann stond op de hoek van het plein te wachten. Hij gaf geen teken van herkenning, maar bleef enkele meters achter me lopen toen ik begon aan de wandeling naar het hotel in Aldersgate waar ik op zijn voorstel met de zoon van de vermoorde mevrouw Kraus had afgesproken.

We troffen hem in de hoek van de lege gelagkamer, waar hij afwezig uit het vuile raam zat te staren. Hij was lang en mager met een gelige gelaatskleur, alsof hij ondervoed was. Zijn grote handen en zijn schouders wezen erop dat hij vroeger sterk en robuust van constitutie was geweest, maar door aanhoudende ontberingen en tegenspoed een welhaast broze gestalte had gekregen.

Brigadier Swann had hem rond de veertig geschat – of wist waarschijnlijk hoe oud hij was –, maar hij had een merkwaardig jeugdig gezicht en kon, als hij zich eens goed had gewassen, een bezoek aan de kapper had gebracht, een stel stevige maaltijden genuttigd en schoon goed had aangetrokken, gemakkelijk doorgaan voor iemand die slechts half zo oud was.

De brigadier ging mij voor de gelagkamer in en sprak enkele woorden met de man. Toen gebaarde hij dat ik bij hen aan tafel kon komen zitten.

'Wilt u iets gebruiken, juffrouw Gorst?' vroeg hij.

Ik bedankte hem en zei dat ik de zaak liefst zo snel mogelijk wilde afhandelen.

'Uitstekend, juffrouw,' zei de brigadier. 'U vindt het vast niet erg als ik aantekeningen maak.'

Vervolgens haalde hij een zwartleren opschrijfboek tevoorschijn, dat hij op een lege bladzijde opensloeg en op tafel legde, viste een potlood uit de binnenzak van zijn overjas en keek eerst mij en vervolgens mijnheer Kraus vol verwachting aan. Nadat het even stil was gebleven, legde hij ongeduldig zijn potlood neer en wierp een afkeurende blik op mijnheer Kraus.

'Nou, Conrad,' gromde hij, 'we zijn hier op jouw verzoek, dus je kunt maar beter vertellen waarom. Juffrouw Gorst heeft niet de hele dag de tijd – en ik ook niet.'

Conrad negeerde de brigadier, legde een vuile hand op tafel en begon onzichtbare spiraalmotieven te tekenen.

'Als u het niet erg vindt, mijnheer Kraus,' zei ik vriendelijk.

Hij keek op en wierp me zo'n wanhopige, meelijwekkende blik toe, als een angstig kind dat weet dat het iets moet doen maar dat helemaal niet wil en bang is voor straf, dat mijn hart bijna brak.

'U lijkt zo op haar, juffrouw.'

Hij wendde zijn hoofd af en staarde weer uit het raam. Er viel een koude, lichte regen, die het roet en het vuil in kronkelige straaltjes langs het vensterglas omlaag deed sijpelen.

'Op wie lijk ik, mijnheer Kraus?' vroeg ik, terwijl de brigadier in zijn opschrijfboek begon te schrijven.

'Op de lady. Op juffrouw Carteret.'

'Bedoel je lady Tansor, Conrad? Mag ik je Conrad noemen?'

Hij keek me een ogenblik aan alsof hij zich iets probeerde te herinneren en knikte vervolgens.

'En hoe ken jij juffrouw Carteret, zoals lady Tansor toen heette? Kun je me dat vertellen?'

Terwijl ik de vraag stelde ging mijn hart sneller kloppen, want ik voelde dat dit arme, moeizaam sprekende schepsel weleens de kennis kon bezitten die kon onthullen waarom zijn moeder was vermoord.

'Toen moeder en ik met haar op de boot weggingen,' zei hij, 'vond ik het varen leuk, maar de rijtuigen niet. We hebben een heel eind met rijtuigen gereden. Daar werd ik beroerd van.'

'En waar gingen jullie met het rijtuig naartoe, Conrad?' vroeg ik.

'Naar Carlsbad, zei moeder. Opa woonde daar.'

Brigadier Swann, die verder schreef, gaf me een veelbetekenend knikje. Ik denk dat hij daarmee wilde overbrengen dat het onderzoek door deze informatie naar zijn mening een veelbelovende nieuwe richting kon inslaan.

Vervolgens vroeg ik Conrad waarom ze naar Carlsbad waren gegaan. Hij zei dat hij dat niet wist, maar dat juffrouw Carteret zijn moeder geld had gegeven waar ze op moest passen.

'En een mooie jurk,' voegde hij daaraan toe. 'Moeder hield van mooie jurken. U hebt een mooie jurk aan, juffrouw. Moeder zou hem mooi hebben gevonden.'

'Wat hebben jullie in Carlsbad gedaan, Conrad?' luidde mijn volgende vraag, maar hij schudde alleen zijn hoofd en ging weer onzichtbare tekeningen maken. Toen bedacht ik een heel andere vraag.

'Hoe zat het met de kolonel? Kolonel Zaluski? Was hij in Carlsbad bij jullie?'

Door dit aanzetje keek Conrad op, en hij knikte opnieuw.

'De kolonel – ja. Die heeft ze daar gevonden. In Carlsbad.'

'Wat bedoel je met "gevonden"? Was ze naar hem op zoek geweest?'

'Moeder zei dat ze naar iemand op zoek was – waarom weet ik niet. En toen op een avond heeft ze de kolonel gevonden, en daarna is hij bij ons gebleven toen we weer met het rijtuig gingen. Maar toen was ze geen juffrouw Carteret meer.'

'Je bedoelt dat ze met hem was getrouwd?' vroeg ik.

Hij knikte opnieuw.

'Maar dat weten we al, Conrad. Er moet iets anders zijn waarom je me wilde spreken. En wat dan wel?'

Hij antwoordde niet, maar staarde alleen afwezig naar het tafelblad.

Brigadier Swann begon nu duidelijke tekenen van ongedurigheid te vertonen. Hij ging verzitten en stampte met zijn schoen op de houten vloer.

'Kom, Conrad,' zei hij, en zijn stem kreeg een diepe, dreigende klank, als het geluid van een ver onweer. 'Gooi het er allemaal maar uit. Wat wou je aan juffrouw Gorst vertellen?'

'Ik wil niks zeggen. Ik wil het alleen maar terug,' antwoordde Conrad met plotselinge heftigheid.

'Wat wil je terug?' vroeg de brigadier. 'Vertel op, man.'

'Zo is het wel genoeg, brigadier,' protesteerde ik. 'Wat zou je terug willen hebben, Conrad? Als ik kan, zal ik je helpen.'

'Het stuk papier waarop zij heeft geschreven.'

'En waar denk je dat dat stuk papier gebleven is? Weet je dat?'

'Die man heeft het meegenomen,' antwoordde hij. 'Die lange man die moeder op mijn verjaardag heeft opgezocht. Toen hebben ze een hele tijd gepraat – hij heeft het van moeder gekregen en toen is zij weggegaan en nooit meer teruggekomen. Maar het was van mij – het is altijd van mij geweest, ook al kon ik niet lezen wat erop stond. Het rook naar haar. Het heeft altijd naar haar geroken. Ze zei dat ik het naar het postkantoor moest brengen, maar dat heb ik niet gedaan. Daar rook het te lekker voor. Daarom heb ik het in mijn zak gestoken en dat heb ik aan niemand verteld, zelfs aan moeder niet. Toen we weer thuiskwamen heb ik het in mijn kamer verstopt, en daar haalde ik het elke nacht tevoorschijn. Dan moest ik aan mevrouw Zaluski denken, want ze was zo mooi, ze leek op een koningin uit de verhalen die opa me vertelde, maar ze was heel gemeen tegen ons. Ze dachten dat ik dat meisje in Franzenbad kwaad wilde doen, maar dat was niet zo – ik wou alleen maar dat ze mijn vriendinnetje werd. Dus toen moesten moeder en ik heel vlug weg, 's nachts, en we hadden niet genoeg geld voor een rijtuig, en dus moesten we lopen tot moeder wat geld kreeg en toen konden we naar huis.'

'En je hebt het vel papier dus een hele tijd bewaard?' vroeg ik. 'Tot je al tamelijk oud was?'

'Ja, juffrouw,' antwoordde Conrad. 'Toen heeft moeder het gevonden. Ze werd eerst boos, maar toen zei ze dat ik een brave jongen was,
omdat ik het zo lang had bewaard. Want het zou ons heel goed van pas
komen, we konden het gebruiken om mevrouw Turripper de huur voor
onze kamers te betalen. Ik snapte dat niet, want het was geen geld, alleen maar een stuk papier met het luchtje van mevrouw Zaluski eraan.
Maar moeder zei dat het voor ons net zo veel waard was als geld.

En toen kwam die man, de lange man met de stok, en toen heeft ze
het aan hem gegeven, maar hij heeft haar in de rivier laten gooien. Dat
weet ik, zowaar als ik hier zit. Ze zei dat hij een oude vriend was, maar ik
wist dat dat niet zo was. Ik haat de man met de stok. Ik haat hem! Ik haat
hem! Hij heeft het papier meegenomen, en toen heeft hij moeder gepakt.'

Er volgde een gespannen pauze, waarin Conrad nog enkele spiralen
op de tafel trok.

'Ik wil het dus terughebben, juffrouw,' zei hij, en plotseling keek hij
op, met een aandoenlijk smekende uitdrukking in zijn treurige ogen.
'Het stuk papier met haar luchtje eraan, haar heerlijke luchtje. Van viooltjes, zei moeder. Dát wil ik. Ik denk dat de man met de stok het wou
hebben, zodat hij het aan mevrouw Zaluski kon teruggeven. Dát denk
ik. Bent u haar dochter, juffrouw? Dan kunt u het voor me halen, maar
u hebt een andere naam. Waarom? Of kunt u me een ander stuk papier
geven dat net zo ruikt? Het moet net zo ruiken. Zegt u toch ja, juffrouw!'

Hij leunde achterover en sloot zijn ogen, alsof het hem grote inspanning had gekost om zoveel te zeggen.

'Kijk me aan, Conrad? Wil je dat voor me doen?'

Langzaam deed hij wat ik had gevraagd. Toen zag ik wat een mooie
ogen hij had. Ze waren heel zacht- en diepbruin, net als de ogen van
mijnheer Randolph, met lange, donkere wimpers, en er sprak zo'n intens en triest verlangen uit dat in mijn eigen ogen de tranen opwelden.

'Ik ben haar dochter niet, Conrad,' zei ik, 'en ik weet niet waar je vel
papier is. Maar ik weet zeker dat je het terug kunt krijgen als we het
kunnen vinden.'

'Dank u, juffrouw,' zei hij. 'Maar nu weet ik nog niet wie u bent.
Waarom snap ik alles toch niet?'

Er viel weer een stilte, waarin de brigadier zijn aantekeningen af-
maakte en het leren opschrijfboekje weer in de zak van zijn overjas stak.

'Nog één vraag, Conrad,' zei ik terwijl ik op het punt stond om weg te gaan. 'Je zei dat je moeder op je verjaardag naar de man toe ging die je vel papier heeft gekregen. Wanneer was dat? Weet je de datum?'

Haastig haalde brigadier Swann zijn opschrijfboek weer tevoorschijn.

'Vijftien dagen na het begin van september,' zei Conrad met roerende zelfverzekerdheid. 'Dat weet ik altijd. Moeder zei me altijd wanneer ik moest beginnen te tellen, want ik kan helemaal tot vijftig tellen, maar ik kan niet lezen.'

'En gebeurde dat op je laatste verjaardag?'

Hij knikte nogmaals instemmend.

'En zeg me nog eens, Conrad,' en ik lachte hem bemoedigend toe. 'Aan wie heeft je moeder het vel papier gegeven?'

'Dat heb ik u verteld,' zei hij, en al pratend keerde hij zijn gezicht naar het raam toe. 'Aan de lange man met de stok. En de grote snor.'

Voor de tweede keer sloot brigadier Swann zijn opschrijfboek.

'Ik denk dat we hier niet meer kunnen doen,' zei hij, en hij stond op en drukte zijn bolhoed stevig op zijn hoofd. 'Als u het goedvindt, juffrouw, rijden we met zijn allen in een huurrijtuig naar Grosvenor Square terug, en dan gaan onze vriend en ik naar het bureau, om onder vier ogen een paar woorden te wisselen. U zei toch dat u mij vandaag niet meer nodig hebt?'

'Inderdaad, brigadier. De rest van de dag moet ik lady Tansor vergezellen.'

'Uitstekend. Kom nu maar mee, Conrad. De inspecteur wil je graag zien. Je weet toch nog wie de inspecteur is, hè?'

Conrad knikte.

We gingen het hotel uit en vonden algauw een huurrijtuig dat ons naar Grosvenor Square bracht.

Ik klopte aan, en Charlie deed open.

'Goedemorgen, juffrouw,' zei hij, ging in de houding staan en salueerde.

Ik zag dat hij vervolgens een blik naar buiten wierp, naar de gezichten van Conrad Kraus en brigadier Whiffen Swann die uit het raampje van het huurrijtuig keken.

'Geen woord, Charlie,' fluisterde ik terwijl ik haastig langs hem heen liep.

'Geen woord, juffrouw,' antwoordde hij en hij sloot de deur.

II
De eenarmige soldaat

Ongezien vertrok ik een halfuur later opnieuw uit Grosvenor Square, en dit keer wandelde ik naar het huis van mevrouw Ridpath in Devonshire Street.

Natuurlijk had ik de brigadier moeten vertellen waar ik heen ging. Maar ik had vandaag lang genoeg met brigadier Whiffen Swann te maken gehad, en dit was een privékwestie: ik wilde niet dat hierover aan inspecteur Gully en vervolgens aan mijnheer Wraxall verslag werd uitgebracht.

Bij aankomst in Devonshire Street zag ik dat ik een kwartier te vroeg was, maar omdat ik me een beetje moe voelde klopte ik toch maar op de zwarte voordeur aan.

De dienstbode liet me binnen, nam mijn jas en paraplu aan en begeleidde me naar boven, naar de salon.

Toen het meisje me wilde aankondigen, wendde ze zich eerst tot mij. 'Ze verwacht u, juffrouw,' fluisterde ze, 'maar de mijnheer is er nog.'

'De mijnheer?'

'Hij wilde zijn naam niet zeggen, juffrouw.'

Met die woorden klopte ze zachtjes op de deur, waarna we naar binnen gingen.

Met een uitdrukking van plotselinge verwarring op haar gezicht staarde mevrouw Ridpath me aan vanaf een chaise longue bij de haard aan de andere kant van de kamer. Haar bezoeker zat met zijn rug naar me toe.

Het was een lange man met een brede rug. Hij had een schitterende kop met dikke goudblonde krullen die langs zijn gespierde nek vielen en hij bracht met zijn linkerhand een glas brandewijn naar zijn lippen. Over de armleuning van de stoel hing de lege rechtermouw van zijn tweedjasje.

'Esperanza, schat van me!' riep mevrouw Ridpath uit, duidelijk nog van de wijs door mijn komst. 'Ben je niet een beetje te vroeg?'

Ze liep naar me toe, kuste me op de wang en loodste me mee naar de chaise longue. Terwijl ik ging zitten, kon ik voor het eerst het gezicht van de bezoeker zien.

En wat een indrukwekkend knap gezicht, precies zoals je je een grote Saksische koning of een zeevarende Vikingkrijger voorstelt: verweerd en gladgeschoren, op een ronduit schitterende snor na, waarvan de uiteinden bijna op zijn kin hingen. Bovendien had hij de gevoeligste lichtblauwe ogen die ik ooit had gezien.

'Schat, mag ik je voorstellen aan kapitein...'

'Willoughby,' viel de man haar in de rede, en hij stond op om mij de hand te schudden. 'John Willoughby.'

Het leed nu geen twijfel meer: hij had maar één arm, en dat herinnerde me meteen aan de man die ik op de brug over de Evenbrook had gezien op de dag dat milady met mijnheer Armitage Vyse in de barouchet uit rijden was gegaan.

'Ja,' zei mevrouw Ridpath, die vreemd genoeg mijn vragende blik leek te ontwijken. 'Kapitein John Willoughby. En dit, John, is juffrouw Esperanza Gorst, over wie je me vaak hebt horen vertellen.'

'Ik vind het erg prettig en voel me zeer vereerd om met u kennis te maken, juffrouw Gorst,' zei kapitein Willoughby, en hij liet mijn hand los en ging weer zitten.

Daarop volgde een gênant aarzelend stilzwijgen, waarin kapitein Willoughby met de vingers van zijn enige hand op de armleuning van de stoel tikte, en er op mevrouw Ridpaths gezicht een uiterst verlegen en ongemakkelijke glimlach prijkte.

Uiteindelijk werden er enkele woorden gesproken over de onlangs gevallen sneeuw en verschillende andere onbeduidende zaken. Ten slotte hield ik het niet meer uit.

'Ik denk dat ik u ken, mijnheer,' zei ik en ik wierp kapitein Willoughby mijn vrijpostigste blik toe.

'Ik geloof niet dat dat mogelijk is, schat,' begon mevrouw Ridpath, maar kapitein Willoughby belette haar nog iets te zeggen.

'Nee, Lizzie,' zei hij, 'juffrouw Gorst heeft gelijk. Ik denk dat ze me inderdaad kent – in elk geval van gezicht – en ze heeft het recht iets meer over me te weten.'

'Zoals je wilt,' zei mevrouw Ridpath, en ze legde met overduidelijke tegenzin haar gevouwen handen berustend in haar schoot.

'Zo is het nu eenmaal, Lizzie. Het heeft geen zin te ontkennen wat niet te ontkennen valt. Welnu, juffrouw Gorst, u hebt me niet eerder ontmoet, maar wel eerder gezien – dat is waar. En dus zal ik het u uitleggen, zo eerlijk mogelijk, want ik ben een eerlijk man en op een andere manier kan ik het niet.'

Hij kuchte een keer, sloeg zijn benen over elkaar en leunde achterover in zijn stoel.

'U moet het volgende over mij weten. Ik ben – excuseer, wás – een van de oudste vrienden van uw vader. We waren natuurlijk in alle mogelijke opzichten anders, hij en ik – ik durf wel te zeggen dat nog nooit twee kerels meer van elkaar hebben verschild. Ik ging ooit door voor een heel behoorlijk sportman en kon iedereen in Leicestershire het snot voor de ogen rijden, maar toen schoten de Russen mijn arm eraf. Uw hooggeachte vader kon daarentegen nauwelijks een paard bestijgen zonder er meteen vanaf te vallen. Toch waren we van het begin af kameraden, en we zijn de beste kameraden gebleven, ook toen we door de omstandigheden gescheiden waren.'

'En waar hebt u mijn vader leren kennen, kapitein Willoughby?' vroeg ik.

'Ah, op school. Op Eton. Hij was natuurlijk intern – hij had een beurs. Wij, externe leerlingen, woonden op kamers in de stad, maar ik kon het meteen geweldig met hem vinden, en algauw ontbeet hij bij mij thuis en bewaarde ik een deel van zijn spullen op mijn kamer – Long Chamber, waar de beursstudenten waren ondergebracht, was een tamelijk onvriendelijk oord. In Scutari* werd ik er enigszins aan herinnerd.

Welnu, uw vader behoorde tot de allerpientersten – hij was bijzonder pienter. Ik ben een biet als ik snap hoe hij al die kennis kon onthouden. "De geleerde jongen", zo noemden we hem allemaal toen hij op school kwam. Er was absoluut niemand zoals hij – hij kon verduiveld goed leren. Zijn leraren konden hem amper volgen, laat staan wij. Ik was een bliksemse domkop, altijd al, maar dat maakte Glyver niets uit.'

'Glyver? Kende u hem onder die naam?'

'Op school wel, ja. Als Edward Glyver.'

'Niet als Glapthorn?'

'Nee, toen niet,' zei kapitein Willoughby na een ogenblik te hebben nagedacht. 'Dat was later, toen hij hier woonde – in Londen, bedoel ik.'

'U moet op school Phoebus Daunt dus ook hebben gekend?' merkte ik op.

Kapitein Willoughby deed zijn benen van elkaar en haalde zijn pijp tevoorschijn.

---

* Het Britse militaire hospitaal (in het huidige Üsküdar, het oude Chrysopolis, in Turkije) dat beroemd werd doordat Florence Nightingale er tijdens de Krimoorlog werkzaam was.

'Vindt u het erg als ik rook, juffrouw Gorst?' vroeg hij.

'Helemaal niet.'

Er verstreek enige tijd, waarin hij in zijn jaszak naar een buil tabak tastte, met één hand behendig zijn pijp stopte en een lucifer bij de kop hield. Toen leunde hij weer achterover in zijn stoel en blies een heerlijk geurende, blauwgrijze rookwolk uit.

'Waar hadden we het over?' vroeg hij.

'Phoebus Daunt,' antwoordde ik. 'Ik merkte op dat u hem op school ook moet hebben gekend.'

'Een beetje.'

Het was maar al te duidelijk dat de kapitein niet van plan was nog iets over dit onderwerp te zeggen. In plaats van verder aan te dringen stelde ik hem dan ook een andere vraag.

'Kapitein Willoughby, bent u de vriend op Evenwood over wie madame De l'Orme me heeft verteld?'

Op deze vraag antwoordde hij onmiddellijk.

'U mag me als zodanig beschouwen.'

'Degeen met wie ik contact moet maken door, als ik hulp nodig heb, twee brandende kaarsen voor mijn raam te zetten?'

'Opnieuw mag u me als die persoon beschouwen.'

'En hoe is die regeling tot stand gekomen?'

Hij blies nog een rookpluim uit.

'Dat is gemakkelijk verteld,' zei hij, 'en ik ben bereid het uit de doeken te doen.'

Opnieuw blies hij traag en langdurig een rookwolk uit.

'Welnu dan, uw vader heeft mij geschreven vlak nadat u was geboren en voordat hij vanuit Parijs op reis ging naar het Oosten – ik meen dat u daarvan op de hoogte bent. Hij had met het oog op uw toekomst een plan bedacht en vroeg me op u te letten, indien me dat zou worden verzocht. En daar heb ik uiteraard meteen mee ingestemd.'

'Maar toen is hij overleden,' merkte ik op.

'Inderdaad,' zei kapitein Willoughby vanachter een nevel van rookflarden.

'En toen?'

'Madame De l'Orme schreef me vorig jaar met de mededeling dat de omstandigheden zich er eindelijk voor leenden om het plan van uw vader te voltrekken. Uiteraard werd ik door dat bericht onmiddellijk gemobiliseerd, en ik begon de vereiste voorbereidingen te treffen.

Alles verliep soepel, en toen u op Evenwood aankwam, had ik al een huisje in het dorp betrokken. Misschien kent u het wel. Curate's Cottage.'

Dat kende ik – het was een klein huis met één verdieping, niet ver van de ingang van het kerkhof – en ik herinnerde me nu dat Sukie had gezegd dat er een nieuwe huurder in was getrokken, een oud-militair die erg op zichzelf was.

'Sindsdien heb ik zonder uitzondering, met goed en met slecht weer, elke ochtend, middag, namiddag en avond de ronde over het landgoed gedaan. Altijd hou ik even halt voor de westelijke façade, om naar een bepaald raam te kijken. Als ik er zeker van ben dat daar geen kaarsen branden, ga ik verheugd verder. Ik denk dat u me daar op een mistige ochtend één keer hebt zien staan.'

'En een keer op de brug,' zei ik, 'toen lady Tansor in gezelschap van een heer in haar barouchet langsreed.'

'Ah,' zei kapitein Willoughby. 'Hebt u me toen gezien?'

'U was het! U hebt me uit het mausoleum bevrijd!' riep ik uit, want plotseling drong dat tot me door.

Kapitein Willoughby knikte.

'In de roos, mijn beste. Er brandden geen kaarsen, het was de intuïtie van een militair – en er kwam een beetje geluk bij kijken.'

Hij bleek me toevallig naar het mausoleum te hebben zien vertrekken en had besloten op zijn middagronde met een omweg terug te lopen, om zich ervan te vergewissen dat alles met mij in orde was.

Toen hij kort na het vertrek van milady bij het mausoleum was aangekomen en mijn gegil vanuit dat afschuwelijke bouwwerk had gehoord, was hem eerst de moed in de schoenen gezonken omdat hij niet wist hoe hij mij moest bevrijden. Toen schoot hem te binnen dat hij zijn buurman, de praatzieke dominee Thripp, had horen vertellen dat er in de pastorie een sleutel van het mausoleum werd bewaard. Na een lange wandeling te hebben gemaakt naar de dominee had hij de sleutel uiteindelijk bemachtigd, onder het voorwendsel dat hij grote bouwkundige interesse voor het interieur van het gebouw had.

'Ik had natuurlijk donders veel geluk dat de ouwe baas thuis was,' erkende de kapitein. 'Maar wees niet bang, ik had u er op de een of andere manier wel uit gekregen, al had ik de artillerie moeten laten uitrukken om de deuren eruit te schieten.'

Natuurlijk moest ik hem zoenen, en daar was hij helemaal confuus van.

'Nou, nou,' zei hij in een vergeefse poging een stoere toon aan te slaan, 'zo kan het wel weer. Ik deed alleen mijn plicht maar, weet u.'

Voordat ik hem verder ondervroeg, liet ik hem ter beloning nog wat trekken van zijn pijp nemen.

'Welnu, kapitein Willoughby,' zei ik ten slotte. 'Zegt u me eens. Handelt u onder strenge orders?'

'Onder orders? Wat bedoelt u?'

'Ik heb veel belangrijke en dringende vragen over de levensgeschiedenis van mijn vader waar ik erg graag een antwoord op wil hebben. Ik heb sterk de indruk, kapitein Willoughby, dat u heel veel meer over hem weet dan u mij kunt vertellen en dat u mij graag wilt onthullen wat u weet, maar dat u aan een bepaalde verplichting gebonden bent. Ik dacht simpelweg dat u orders opvolgde, waartoe een militair immers verplicht is.'

Mevrouw Ridpath had gedurende mijn gesprek met kapitein Willoughby gezwegen, al was ze nog altijd zichtbaar in verlegenheid gebracht. Voordat kapitein Willoughby zijn mond weer kon openen, stond ze nu echter op om de bel voor de dienstbode te luiden.

'Je moet me wel erg ongemanierd vinden, liefje,' zei ze. 'Je bent nu al een kwartier hier in huis, en ik heb je nog niets te drinken aangeboden. Je wilt toch wel iets gebruiken?'

Algauw stond de dienstbode voor de deur en kreeg haar opdracht. Nadat ze was vertrokken, ging mevrouw Ridpath weer zitten en pakte zachtjes mijn hand.

'Je moet weten, liefje, dat kapitein Willoughby en ik niet op eigen initiatief te werk gaan. Zoals je al hebt begrepen, mogen we alleen handelen volgens de instructies van madame De l'Orme, die op haar beurt haar belofte aan je vader vervult. Als je wilt mag je van "orders" spreken, maar het zijn wel orders die we niet kunnen herroepen of negeren. Dat zal niet altijd zo zijn. Er zal een dag aanbreken...'

'Er breekt altíjd een nieuwe dag aan,' zei ik, want ik wilde haar niet verder in verlegenheid brengen, 'en dus zal ik me verder niet onaangenaam gedragen, lieve mevrouw Ridpath, maar geduldig die dag afwachten waarop alles eindelijk duidelijk wordt. Maar zou u me alstublieft alleen dit willen zeggen: waarom hebt u een rol in het plan van mijn vader gekregen?'

'Dat is een lang verhaal, liefje,' zei ze, 'en dit is niet het geschikte moment om het te vertellen. Maar ik denk dat madame er niet op tegen is dat je in elk geval het volgende weet. Ik was een van je voorgangsters op Evenwood. Ik heette toen Lizzie Brine?

Lizzie Brine.

Ik herinnerde me dat Emily me had verteld: 'Ik heb vroeger een kamenier gehad, Elizabeth Brine heette ze, die me jarenlang zeer naar voldoening heeft gediend.' Ook mijnheer Pocock had haar naam genoemd, alsmede die van haar broer John Brine, die in het douairière-huis knecht van mijnheer Paul Carteret was geweest.

Mevrouw Ridpath zag aan mijn gelaatsuitdrukking dat ik me in een flits het een en ander herinnerde.

'Ik zie dat je van me gehoord hebt,' zei ze.

'Dat is zo.'

'Ik heb nog iets meer te zeggen, liefje, en ik denk dat ik dan voorlopig genoeg heb gezegd.

Toen niet zo lang na de dood van mijnheer Phoebus Daunt bekend werd dat juffrouw Carteret, zoals ze toen heette, op het vasteland wilde gaan reizen, verwachtte ik natuurlijk dat ik haar mocht vergezellen. Ik kreeg echter van juffrouw Carteret te horen dat ze een dienares nodig had die Frans en Duits sprak en dat ze daarom een nieuwe kamenier wilde aanstellen.

Ze vertrok dus van Evenwood, en korte tijd later werd ik samen met mijn broer door wijlen lord Tansor ontslagen. Ik zeg niet dat we slecht werden behandeld: we kregen uitstekende referenties en genoeg geld om uit Engeland, waar we geen toekomst meer hadden, te kunnen vertrekken en in Amerika een nieuw bestaan op te bouwen. John kocht wat grond in Connecticut om een boerderij te beginnen, en ik werd huishoudster van mijnheer Nathan Ridpath, een bankier in Boston.

Nu, je zult wel een beetje vermoeden hoe het verder is gegaan. Ik trouwde met mijnheer Ridpath en daardoor begon ik mezelf te ontwikkelen. Ik was altijd leergierig geweest en erg gesteld op de weinige boeken waarop ik de hand kon leggen – om te beginnen leerde ik natuurlijk Frans en Duits. Niet zozeer om mijn gram te halen op mijn vroegere meesteres, al zal ik niet ontkennen dat het me enige voldoening gaf de vaardigheden aan te leren die tot mijn ontslag hadden geleid, maar voornamelijk om ten behoeve van mijn man boven het niveau van een Engels dorpsmeisje uit te stijgen.

Toen we pas een halfjaar getrouwd waren, overleed mijnheer Ridpath. Hij liet mij zeer goed verzorgd achter, en aangezien ik er zo warmpjes bij zat ben ik naar Engeland teruggegaan. Ik heb toen dit huis gekocht en woon hier sindsdien.'

Ik hoorde haar in vervoering aan, want elk stukje informatie over Emily's verleden was voor mij natuurlijk van het grootste belang. En in Lizzie Brines verhaal begon ik de vage contouren te ontwaren van een uiterst belangwekkende, maar nog ongevormde waarheid.

'Maar hoe hebt u mijn vader leren kennen?' vroeg ik.

'Toen ik kamenier van juffrouw Carteret was, hebben wij – mijn broer John en ik – een regeling met je vader getroffen.'

'Een regeling?'

'Toen je vader – mijnheer Glapthorn, zoals wij hem destijds kenden – in Londen woonde, moest hij op de hoogte worden gehouden van wat zich op Evenwood afspeelde, vooral ten aanzien van juffrouw Carteret en mijnheer Phoebus Daunt.'

'Ik begrijp het,' zei ik. 'Maar hoe hebben jullie elkaar na uw terugkeer uit Amerika weer teruggevonden?'

'Ik kwam in 1857 hierheen,' zei mevrouw Ridpath. 'Toen ik me hier gerieflijk had gevestigd, maakte ik een reisje naar Parijs – die stad had ik altijd graag willen bezoeken, en nu had ik natuurlijk de middelen en de tijd om erheen te gaan. Bovendien sprak ik de taal.

Volkomen toevallig zag ik op een dag in de etalage van een winkel aan de Quai de Montebello een paar prachtige aquarellen te koop staan. In de zaak was een man – een Engelsman – in gesprek met een dame die daar werkte: zijn vrouw, naar ik algauw begreep. Hoewel hij sinds we elkaar voor het laatst hadden gezien sterk was veranderd, herkende ik hem meteen. En hij mij ook, al gaven we geen van beiden een teken van herkenning.

Nu, ik kocht een van de aquarellen en ging de winkel uit. Maar hij haalde me algauw in, en zo hernieuwden we onze kennismaking.

Nadat ik naar Londen was teruggekeerd, verhuisden hij en zijn vrouw – ze noemden zich mijnheer en mevrouw Gorst – op uitnodiging van madame De l'Orme naar de Avenue d'Uhrich. We bleven corresponderen, en na verloop van tijd werd ik net als kapitein Willoughby gevraagd mee te werken aan je vaders grote plan om via jou, zijn enige kind, zijn erfenis terug te krijgen. En ik was daar heel graag toe bereid, om het grote onrecht teniet te doen dat hem en jou door mijn vroegere meesteres was aangedaan.'

Door de donkere wolken van onwetendheid en twijfel brak nu meer licht – meer gezegend licht. Ik kuste mevrouw Ridpath en bedankte haar omdat ze me haar vertrouwen had geschonken, zij het in beperkte mate, zoals we allebei wisten.

'Zo, juffrouw Gorst,' zei kapitein Willoughby, die uit zijn stoel opstond en nu boven me uit torende, 'nu weet u een beetje meer dan toen u vanochtend wakker werd. We zijn eindelijk aan elkaar voorgesteld, en daar ben ik oprecht blij om.'

'Anders ik wel, kapitein Willougby,' antwoordde ik. 'Ik ben werkelijk blij.'

'Natuurlijk zal ik opnieuw mijn rondes doen als u naar Evenwood bent teruggekeerd,' vervolgde hij, 'en ik vertrouw erop dat uw kaarsen uit zullen blijven. Maar Londen is een andere zaak. Londen is behoorlijk groot. En ik kan niet overal zijn, moet u weten, dus u moet in uw dagelijkse bezigheden voorzichtig zijn, zeker wanneer u alleen het huis uitgaat. Laat u het Lizzie onmiddellijk weten als u zichzelf bedreigd voelt door een zekere jurist – u weet vast wel op wie ik doel –, dan trommelt zij de hulptroepen op. Zult u dat doen?'

Nadat kapitein Willoughby was vertrokken, gaf mevrouw Ridpath me een briefje van mijnheer Thornhaugh dat het rapport had gekruist dat ze juist naar madame had doorgestuurd:

Madame en ik maken ons natuurlijk zorgen, koninginnetje, dat wat zij je plichtshalve over je vader en jezelf moest vertellen je veel verdriet heeft gedaan. Schrijf dus zo gauw je kunt, om ons beiden te verzekeren dat alles goed met je is. Want het moment is aangebroken om de beslissende fase van onze Grote Opgave op gang te brengen. Madame beseft maar al te goed dat je opmerkelijke vindingrijkheid en geestkracht op uitzonderlijke wijze op de proef zullen worden gesteld. Ik zal het hier nu bij laten, alleen verzeker ik je nogmaals dat madame en ik er het grootst mogelijke vertrouwen in hebben dat je onderneming op een volledig succes zal uitlopen, & dat wat je vader is kwijtgeraakt jou volledig zal worden teruggegeven – door jóúw toedoen.

Nadat ik het briefje van mijnheer Thornhaugh had gelezen, dronk ik mijn thee op en maakte me op om te vertrekken.

'Tot weerziens, lieve Esperanza,' zei mevrouw Ridpath bij de deur. 'Ik ben blij en erg opgelucht dat we elkaar een beetje beter begrijpen. Ik vond het erg onaangenaam om mijn ware identiteit voor je te moeten verbergen, al weet ik niet wat madame zal zeggen als ik dit aan haar vertel, want dat ben ik verplicht. Maar ik zie er geen kwaad in, dus nogmaals tot weerziens, lief kind. Je vader zou geweldig trots op je zijn.'

Er was een huurrijtuig besteld, dat op me stond te wachten. Toen het wegreed met bestemming Grosvenor Square, liet ik mijn hoofd achteroverzakken en sloot mijn ogen.

Er waren weer enkele kleine maar belangrijke stappen gezet die tot de verwezenlijking van mijn grote doel en de definitieve en langverwachte rehabilitatie van mijn vader moesten leiden. Maar wat lag er nog in het verschiet?

26

De oude man uit Billiter Street

I
Een eerste en laatste ontmoeting

Ik werd om halftwee voor de lunch verwacht, en het was al tien voor halftwee toen Charlie op mijn dringende kloppen opendeed.

'Is lady Tansor al terug van mijnheer Orr?'

'Ja, juffrouw,' antwoordde hij, keurig saluerend. 'Een halfuur geleden.'

Ik rende naar mijn kamer om een andere japon aan te trekken en mijn haar opnieuw op te maken. Vervolgens spoedde ik me precies toen de bel voor de lunch luidde weer naar beneden, naar de eetzaal.

'Wat heb je vanmorgen gedaan, schat?' vroeg Emily terwijl de soep naar binnen werd gebracht.

Ik zei dat ik een wandeling had gemaakt.

'Een wandeling? Het is niet zulk goed weer om te wandelen.'

'O, daar sla ik geen acht op,' zeg ik nonchalant. 'Ik vind Londen bij elk weertype fascinerend.'

'Wel,' antwoordt ze terwijl ze haar mond met haar servet bet om er een beetje soep af te vegen, 'dat is een hoogst oorspronkelijk idee, moet ik zeggen. Waar ben je naartoe gegaan?'

Ik heb mijn antwoord al klaar.

'Naar Regent's Park, en daarna naar de Pantheon Bazaar.'*

---

* Oorspronkelijk een modieus theater, waarvan de hoofdingang aan Oxford Street lag. Tot de bezienswaardigheden behoorden een schilderijenkabinet en een speelgoedbazaar. Op de begane grond bevonden zich verschillende winkeltjes waar allerlei kledingstukken en snuisterijen te koop waren.

'De Pantheon Bazaar! Wat interessant! Ik ben er zelf uiteraard nooit geweest. Is het niet een beetje – ordinair? Je moet wel bedenken, liefje, dat je nu alleen nog op de meest achtenswaardige plaatsen gezien mag worden.'

'O, het Pantheon is heel achtenswaardig,' zei ik luchtig. Hoewel ik dat niet uitsprak, was ik verbolgen over haar minachtende toon.

'Uiteraard. Het was niet mijn bedoeling iets anders te suggereren, schat.'

Ze legt het servet neer en neemt een slokje brandewijn.

'Maar ik wil liever niet dat mijn gezelschapsdame – en vriendin – op zo'n plaats wordt gezien. Dat zou een volkomen verkeerde indruk kunnen wekken. Weet je, je hebt winkels en je hebt bazaars. Je moet je eigenlijk alleen in de beste winkels vertonen. Je zult mejuffrouw Miranda Fox-More en mejuffrouw Eleanor de Freitas niet in een bazaar tegenkomen. Die zouden daar niet aan moeten denken. Heb je iets gekocht?'

'Nee,' antwoordde ik. 'Ik wilde een cadeautje voor je kopen, omdat je zo aardig en zo attent bent geweest om me naar Londen mee te nemen, maar er was zo'n enorme keus! Ik kon simpelweg niet beslissen wat je leuk zou vinden.'

'Nu, dat was in elk geval een aardige gedachte,' zei ze met een air van ijzige opluchting. 'En dat doet me hieraan denken, schat: mijn oude jurken staan je erg goed, maar je moet nu echt zelf eens iets hebben. Voordat we volgende week vertrekken zullen we naar Regent Street gaan om te zien wat er mogelijk is.'

Na de lunch hervatten we Emily's onaantastbare programma en vertrokken in het pas gepoetste rijtuig naar het Museum of Practical Geology in Jermyn Street, wat haar kennelijk geweldig veel genoegen deed, maar waar ik me bijna te pletter verveelde. Vervolgens gingen we naar Westminster Abbey, dat veel meer aan mijn smaak voldeed en waar ik graag urenlang was gebleven. Maar natuurlijk werd ik snel meegenomen naar een andere beroemde bezienswaardigheid, die Emily prompt afstreepte van een lijst die ze in haar handtasje bewaarde waarop alle plaatsen stonden waarvan ze bij voorbaat had besloten dat ik – als oningewijd bezoekster van de hoofdstad – ze moest zien.

Zo ging de dag vlot voorbij, en algauw was het tijd om een groots diner bij te wonen in St James's, bij sir Marcus Leveret, de voormalige Britse ambassadeur in Portugal – en groots was het zeker.

Mijn hoofd liep om door het grote aantal hooggeboren en vooraanstaande mensen aan wie ik werd voorgesteld: ambassadeurs en parlementsleden, buitenlandse prinsen en inheemse vorsten, rechters en bankiers, generaals en admiraals, echtgenotes, dochters, moeders en douairières, allemaal magnifiek gekleed en gekapt en met schitterende sieraden uitgedost. Daarnaast was er uiteraard royaal voorzien in knappe jonge vrijgezellen – stuk voor stuk onberispelijke huwelijkskandidaten, maar ik had voor geen van hen ook maar de minste belangstelling.

Zo kwam de vrijdag, die weer een ellendige ochtend bracht waarop we met het rijtuig van de ene plek naar de andere hobbelden en over zwaar bemodderde straten door donkere, met roet vervuilde nevelflarden reden. Na de lunch zei Emily echter dat ze zich niet goed voelde en dokter Manley, haar Londense arts, werd ontboden.

'Het spijt me, Alice,' zei ze nadat de dokter was vertrokken, 'maar ik ben bang dat we onze plannen voor vanmiddag moeten opgeven. Ik besef dat je net als ik erg teleurgesteld zult zijn, maar er is niets aan te doen. Dokter Manley staat erop dat ik rust neem, dus je zult jezelf moeten vermaken tot ik me weer een beetje beter voel. Dat vind je toch niet erg, schat?'

Uiteraard ben ik ogenschijnlijk ontsteld door het vooruitzicht dat ik niet meer al schuddend en schokkend door smerige, lawaaiige straten hoef te rijden om een halfuur naar een zogezegd interessante en belangwekkende bezienswaardigheid te staren, om vervolgens 's avonds te proberen bij de vooraanstaande dames en heren uit de Engelse society in het gevlij te komen.

Hier moet ik misschien echter een kleine bekentenis doen, opnieuw een manifestatie van mijn soms hinderlijk veerkrachtige geweten. Voelde ik het opspelen toen ik buitensporig werd verwend door de zesentwintigste barones Tansor – een van de meest bewonderde vrouwen van Londen? Wel degelijk. En bleef ik, ondanks de protesten van dat geweten, een heimelijk genoegen beleven aan de geprivilegieerde gevolgen van mijn vriendschap met deze uitzonderlijke vrouw? Natuurlijk. Welke negentienjarige jongedame met een beperkte kennis van de grote wereld zou zich door dergelijke blijken van aandacht niet gevleid en vereerd voelen? Ik was even vatbaar als elke andere jongedame voor ijdele wereldlijke genoegens en de verlokkingen van schone schijn, en even geneigd er soms sterk naar te hunkeren.

Ja, ik was zwak genoeg om mezelf te zijn als het erop aankwam verwend en vertroeteld te worden en mezelf toe te staan van de belevenis te genieten, al was het genot niet zuiver. Want de strenge schim van de plicht volgde me door de weelderige zalen als een schim die voortdurend aanmerkingen maakte, zat naast me aan de overdadige tafels en betrad heimelijk mijn dromen om mijn oppervlakkigheid en egoïsme uit te bannen en me weer in die noodzakelijke staat van vastberadenheid te brengen waarin alleen het uitvoeren van mijn voorbeschikte opdracht van belang was.

Emily ging slapen, en ik ging naar mijn kamer om te overwegen hoe ik mijn onverwachte vrijheid het beste kon benutten.

Welk besluit ik ook nam, ik wist dat ik brigadier Swann op de hoogte moest stellen. Ik was echter niet zo op mijn beschermer gesteld en meende dat ik geen gevaar liep zolang ik de drukke hoofdstraten aanhield.

Toen ik *Murray's Guide* doorbladerde, schoot me een origineel en opwindend idee te binnen.

Ik zou mijnheer John Lazarus opzoeken, als hij tenminste nog leefde.

In de greep van deze plotselinge bevlieging trok ik haastig mijn jas aan, stormde naar beneden en vroeg Charlie buiten adem een huurrijtuig te bestellen.

'Met welke bestemming, juffrouw?' vroeg hij.

'Billiter Street in de City, alsjeblieft, Charlie,' antwoordde ik.

Een knipoog, een groet, en weg was hij.

Het huis stond dicht bij de kruising met Leadenhall Street – het was een smal, deels in vakwerk uitgevoerd, wankel ogend bouwwerk. De ruitvormige vensters waren ondoorzichtig en met een dikke laag vuil bedekt, en de voordeur was voorzien van een dreigend beslag waarboven een afgebladderde voorstelling van een schip met volle tuigage hing. Daaronder stonden de woorden 'J.S. Lazarus, cargadoor' geschilderd.

Ik klopte aan, wachtte, klopte nog twee keer aan, maar er kwam niemand. Ik begon te geloven dat mijnheer Lazarus misschien toch overleden was, of dat het huis voorgoed was gesloten. Maar net toen ik op het punt stond om te vertrekken, begon de deurklink langzaam te draaien.

Voor me stond een bejaarde, broze, kromme man. Een jonge, roodwitte kat kronkelde liefdevol langs zijn benen.

'Goedemiddag, juffrouw. Kan ik u helpen?'

Onder het spreken veranderde zijn eerbiedig vragende blik opeens.

'Neemt u me niet kwalijk, juffrouw,' zei hij en hij veegde een sliert dun grijs haar weg die over zijn voorhoofd viel. 'Heb ik de eer gehad u eerder te mogen ontmoeten?'

'Ik geloof van niet, mijnheer,' antwoordde ik. 'Maar ik neem aan dat u de heer John Lazarus bent?'

'Ja, dat ben ik.'

Hij leefde! Hier stond hij voor me: de man aan wie mijn vader zijn leven dankte.

'U moet het me niet kwalijk nemen,' zei hij, 'als ik u vraag waarvoor u komt.'

'Ik ben hier omdat u mijn vader vroeger hebt gekend,' antwoordde ik. 'Ik ben Esperanza Gorst, de dochter van Edwin Gorst.'

Hij slaakte een opgetogen zucht.

'De dochter van Edwin Gorst!' riep hij uit. 'Is dat heus waar? Kom binnen, kom binnen.'

Met vele warme welkomstbetuigingen liet hij me binnen in een laag, stoffig en donker vertrek waarvan de muren van de vloer tot de zoldering waren bedekt met schilderijen van schepen, landkaarten, zeekaarten, verbleekte illustraties van exotische vogels en bloemen, en diverse topografische weergaven van de verschillende Atlantische eilanden die mijnheer Lazarus beroepshalve in de loop van zijn lange leven had bezocht.

Hij bood me thee aan, die ik accepteerde, en we spraken ruim een uur, waarin mijnheer Lazarus veel kleine, maar – voor mij – fascinerende bijzonderheden vertelde over de periode die hij met mijn vader op Madeira had doorgebracht. Zijn herinneringen aan die vervlogen dagen waren niet vervaagd, maar voegden weinig toe aan wat ik in zijn memoires had gelezen. Ik voor mij vertelde hem een deel van het mij bekende verhaal over wat mijn ouders na hun vertrek van Madeira hadden meegemaakt, en tevens dat mijn vader in 1862 in Constantinopel was overleden, wat de oude man kennelijk zeer aangreep.

Eén vraag wilde ik hem erg graag stellen.

'Mijnheer Lazarus,' vroeg ik, 'hebt u ooit geweten wat er in de kist met documenten zat die u op verzoek van mijn vader naar Engeland hebt gebracht om ze bij zijn advocaat in bewaring te geven?'

'Dat betrof een privézaak, mijn waarde,' antwoordde hij, 'en dus heb ik er natuurlijk niet naar geïnformeerd. Maar uit iets wat hij eens heeft gezegd, heb ik opgemaakt dat er een memoireachtig geschrift in die kist zat – misschien een dagboek of een journaal, of een wat ambitieuzer verhaal over zijn leven.'

Mijn hart sloeg een slag over.

'Weet u nog hoe de advocaat heette aan wie u de kist gegeven hebt?'

Mijn stem klonk rustig, maar ik voelde me in afwachting van mijnheer Lazarus' antwoord flauw worden van nervositeit.

'De heer Christopher Tredgold,' antwoordde hij zonder een moment te aarzelen. 'Ik meen dat hij de voormalige werkgever van uw vader was. Hij had een beroerte gehad en werkte niet meer voor het kantoor. Ik had echter de indruk dat hij in de hoedanigheid van vriend optrad, en niet in die van advocaat.'

'Dan mogen we ervan uitgaan,' opperde ik, 'dat de documenten bij mijnheer Tredgold in bewaring zijn gebleven.'

'Daar kan ik uiteraard niets over zeggen,' antwoordde mijnheer Lazarus.

'En nadat u hem de documenten had bezorgd, hebt u verder geen contact meer gehad met mijnheer Tredgold?'

'Helemaal niet meer, helaas. Wilt u nog wat thee, mijn waarde?'

Ik zag dat ons gesprek hem had uitgeput en dat zijn vraag alleen voortkwam uit de zorgvuldigheid van een hoffelijke natuur. Daarom wees ik zijn aanbod dankbaar van de hand en stond op.

'Ik zie nu dat u niet alleen qua uiterlijk op hem lijkt,' zei mijnheer Lazarus toen ik de koude, natte straat op stapte. 'Ik denk dat u ook iets van zijn geest hebt meegekregen – van het wezen van een hoogst opmerkelijke man. Ik beschouw het als een van de grootste voorrechten uit mijn leven dat ik hem heb gekend, al was het maar heel kort. Ik heb sindsdien nooit meer iemand zoals hij ontmoet, en ik weet zeker dat ik nooit meer zo'n man zál ontmoeten. God zij met u, mijn waarde. Komt u nog eens langs, als u wilt. Ik krijg tegenwoordig niet vaak meer bezoek.'

Ik was vast van plan om naar Billiter Street terug te gaan, niet alleen om te proberen mijnheer Lazarus meer herinneringen te ontlokken aan de man die hij als Edwin Gorst had gekend, maar ook omdat ik oprechte genegenheid had opgevat voor deze verzwakte oude heer, die mijn vader nieuwe levenskracht, nieuwe hoop en een nieuw levensdoel had gegeven. Zoals ik later ontdekte, overleed hij echter kort daarop, en ik heb hem nooit teruggezien.

II
Achtervolgd

Diep in gedachten verzonken liep ik Billiter Street uit – zo diep zelfs dat ik niet merkte dat ik gevolgd werd.

Toen ik in Fenchurch Street even omkeek om een blik te werpen op de klok van de St-Dioniskerk, zag ik hem: een gedrongen kerel van rond de veertig met een benepen gezicht. Zijn haar was al wit en hij had bijna volmaakt rechthoekige en volmaakt zwarte wenkbrauwen. Ik had hem eerder gezien. Het was Digges, de knecht van mijnheer Armitage Vyse, die hem op zijn kerstbezoek aan Evenwood had vergezeld.

Ik versnelde mijn pas, maar mijn achtervolger kwam steeds dichterbij.

Wat wilde hij? Liep ik fysiek gevaar door deze man? Vast niet – toch niet hier, in deze drukke straten?

Net als toen die schavuit me op de weg vanuit Easton had aangeklampt voelde ik een plotselinge vlaag van woede en verontwaardiging omdat ik op de openbare weg op deze manier werd achtervolgd. Hoe durfden Digges en zijn meester me zo'n angst aan te jagen! Op een stoutmoedig ogenblik overwoog ik me om te draaien en de man het hoofd te bieden – ik keek zelfs om me heen of ik iets zag wat op een wapen leek. Maar gelukkig kreeg het verstand de overhand.

Een huurrijtuig – ik moest op zoek naar een huurrijtuig.

Het was opnieuw gaan regenen, het werd snel donker, de straten waren overvol met mannen die vanuit de City naar huis gingen en er waren geen huurrijtuigen beschikbaar. Aanvankelijk dacht ik dat ik de weg kende, want ik had hem met behulp van de plattegrond in *Murray's Guide* uit mijn hoofd geleerd. Maar terwijl ik in hoog tempo door een wijk met armoedige, schamele woonkazernes liep, werd me algauw duidelijk dat ik was verdwaald.

Ik herinner me het geluid van gehamer op metaal en het scherpe gesis van ontsnappende stoom in een fabriek in de buurt, geschreeuw en gevloek bij een dranklokaal en gezichten die me dreigend aanstaarden terwijl ik haastig verder liep.

Waar was ik? Waar was het veilig? Er was niets dan het donker dat me langzaam omsloot, niets dan raamloze muren en afgrijselijke steegjes. De koude regen deed pijn aan mijn gezicht, en een wanhopig gevoel van machteloosheid maakte zich van me meester.

Ten slotte kwam ik in Fleet Street terecht en begon te rennen. Digges zat nog achter me aan, maar ik was nu dicht bij de plek waar ik me, zo bad ik, eindelijk in veiligheid kon brengen.

Nog voordat ik de standplaats voor huurrijtuigen bereikte, zag ik dat hij leeg was. Moest ik naar mijnheer Pilgrims huis in Shoe Lane toe gaan? Hij had me op het hart gedrukt dat te doen als ik zijn bescherming nog eens nodig had – en dat was nu zeer beslist het geval. Maar waar lag Shoe Lane?

Toen doken er uit de nevel twee huurrijtuigen op, die bij de standplaats tot stilstand kwamen. De koetsier van het tweede rijtuig maakte, met zijn zweep in de hand, aanstalten om van de bok te stappen.

'Alstublieft,' hijgde ik. 'Kunt u me helpen? Ik word door iemand gevolgd.'

De koetsier schoof zijn sjaal opzij.

'Nou, bent u daar weer, juffie? Wat is er aan de hand?' vroeg mijnheer Pilgrim in eigen persoon.

Opgelucht maar nog altijd bang wierp ik een angstige blik op Digges. 'De man met het witte haar.'

'U moest maar instappen,' zei mijnheer Pilgrim terwijl hij de deur van het rijtuig opende.

Ik klom naar binnen. Vlak daarna verscheen Digges, die bleef staan en mijn redder uitdagend aankeek.

'Bezet,' bromde de zwaargebouwde koetsier, en hij sloot de deur en pakte zijn zweep bijzonder dreigend vast.

Digges zei niets, maar keek opnieuw agressief en droop af. Ik stak mijn hoofd naar buiten en zag hoe hij langzaam werd overspoeld door de stroom voetgangers, totdat hij in het gedrang werd opgeslokt en ten slotte uit het zicht verdween.

'Weer het gevaar opgezocht, juffie?' vroeg mijnheer Pilgrim en hij schudde zijn grote, ronde hoofd. 'Maar zo te zien werd ú nu gevolgd.'

'Ik ken die man niet,' zei ik. Hoewel ik inwendig zat te beven, probeerde ik me goed te houden. 'En ik weet niet waarom hij me volgde. Maar ik ben blij u weer te zien, mijnheer Pilgrim, en ik ben u opnieuw dankbaar.'

'Ik sta altijd tot uw beschikking, juffie, en ik ben altijd hier te vinden, zoals ik al eerder heb verteld. Gaat u verder lopen – wat ik u niet aanraad – of mag Sol Pilgrim u ergens naartoe brengen?'

Ik dacht een ogenblik na. Niet terug naar Grosvenor Square, nog niet. 'King's Bench Walk, Temple,' zei ik. 'Nummer 14.'

III
Een gesprek in King's Bench Walk

Het was maar een korte rit naar het kantoor van mijnheer Wraxall.

Nadat ik dankbaar afscheid van mijnheer Pilgrim had genomen, zat ik al snel met mijnheer Wraxall in zijn gerieflijke, door een haardvuur verlichte studeerkamer en vertelde over mijn zojuist beleefde avontuur. Ik vermeldde echter niet waarom ik alleen van Grosvenor Square was vertrokken zonder eerst brigadier Swann op de hoogte te stellen. Ook zei ik niet dat ik dat nogmaals zou doen als de omstandigheden het vereisten.

'Ik hoop dat u het me niet kwalijk neemt, mijn beste,' zei mijnheer Wraxall nadat ik was uitgesproken, 'als ik durf te zeggen dat ik een beetje teleurgesteld ben dat u zichzelf weer in gevaar hebt gebracht. Maar goed, het kwaad is geschied, en goddank bent u nu veilig.'

Zijn toon was verzoenend, maar hij keurde mijn gedrag overduidelijk af.

'Natuurlijk kan ik niet van u eisen dat u vóór uw toekomstige uitstapjes eerst brigadier Swann waarschuwt – en ik zal dat ook niet doen. Ik smeek u alleen – nog meer voor mijn eigen gemoedsrust dan voor de uwe – om te beseffen dat dat wel zo verstandig is. Laten we nu dit kleine probleempje terzijde schuiven en ter zake komen. Ik neem tenminste aan dat er een zaak te bespreken valt?'

Opgelucht dat ik eindelijk het onderwerp kon aansnijden waarover ik het wilde hebben, vertelde ik hem dat ik graag wilde weten of Conrad Kraus nog meer aan het licht had gebracht. Voordat mijnheer Wraxall kon antwoorden, werd er echter op de deur geklopt en kwam inspecteur Gully binnen.

'Welnu, hier is uitgerekend de man die het ons kan vertellen,' zei de jurist, en hij stond op om zijn bezoeker te begroeten.

'Juffrouw Gorst,' zei mijnheer Wraxall tegen de inspecteur, 'heeft een avontuur beleefd, nietwaar, juffrouw Gorst?'

Daardoor was ik uiteraard verplicht mijnheer Gully te vertellen dat ik door de knecht van mijnheer Vyse was gevolgd.

'Arthur Digges?' informeerde de inspecteur.

Mijnheer Wraxall vroeg of hij een bekende van de recherche was.

'Enigszins,' antwoordde de inspecteur. 'Een oud-zeeman. Werkt de afgelopen drie jaar voor Vyse. Dat is het.'

'Maar waarom volgde hij mij?' vroeg ik.

'Het is nutteloos om daarover te speculeren,' zei mijnheer Wraxall, 'dus laten we daar niet aan beginnen. Ik vermoed echter dat het, net als de komst van Yapp naar Evenwood, was bedoeld om u aan het verstand te brengen dat mijnheer Vyse u scherp in het oog houdt.'

Vervolgens kwam het gesprek weer op Conrad Kraus.

'Ik geloof dat ik wat meer greep krijg op bepaalde zaken die verband houden met vroegere contacten met mevrouw Kraus,' zei mijnheer Gully. 'Misschien interesseert het u om te horen wat volgens mij de huidige stand van zaken is? Uitstekend, hier komt het, zo sluitend als voor mij mogelijk is.'

Hij haalde zijn opschrijfboek tevoorschijn, sloeg het open en schraapte zijn keel.

'*Punt*. Mejuffrouw Emily Carteret vertrekt naar het Europese vasteland – vertrekdatum: op of rond 19 januari 1855 – met volledige instemming van adellijke neef – kennis van adellijke neef beveelt Duitssprekende dienstbode en dienares, sinds kort weduwe, aan – naam van Duitstalige persoon: mevrouw Barbarina Kraus – op reis vergezeld door mevrouw Kraus' zoon Conrad, negentien jaar oud, potige jongen, maar verstandelijke vermogens schieten wat tekort.

Punt. Bestemming van mejuffrouw Emily Carteret: Carlsbad, waar mevrouw Kraus' schoonvader woont – aankomstdatum: begin februari 1855 – opgegeven reden om daarheen te gaan: de geneeskrachtige baden – ware reden: het vinden van een echtgenoot – goede partij snel gevonden in de figuur van kolonel Tadeusz Zaluski, noodlijdend Pools legerofficier b.d.

Punt. Mejuffrouw Emily Carteret en kolonel Zaluski trouwen – datum van de bruiloft: 23 maart 1855, volgens informatie verkregen uit lokale naspeuringen – verbintenis snel gezegend door blijde tijding (ongepaste vraag: gevolg van het Boheemse water?) – zoon geboren in de stad Ossegg – geboortedatum: Eerste Kerstdag 1855 – zoon wordt Perseus genoemd.

Punt. Het gezin Zaluski keert met drie maanden oude erfopvolger naar Engeland terug – wordt op 7 april door gestreelde adellijke neef op

Evenwood ontvangen – mevrouw Zaluski koestert zich in het gouden licht van adellijke neef – tweede zoon, Randolph, wordt in november van dat jaar geboren – triomf van mevrouw Zaluski is compleet – erfopvolging van de Duports eindelijk veiliggesteld.

Punt. Mejuffrouw Emily Carteret, die mevrouw Zaluski is geworden, wordt nu met koninklijke permissie mevrouw Zaluski-Duport – ze wordt de wettige erfgenaam van adellijke neef – ze laat na de dood van adellijke neef (in november 1863) de naam van haar echtgenoot vallen – de voormalige mejuffrouw Emily Carteret is nu Emily Grace Duport, de zesentwintigste barones Tansor, eigenares van Evenwood.'

'Nog meer?' vroeg mijnheer Wraxall.

'Een probleem in de stad Franzenbad,' antwoordde de inspecteur, 'waarbij Conrad en – neemt u me niet kwalijk, juffrouw Gorst – een meisje uit de plaatselijke omgeving betrokken waren. Crisistoestand. Politie erbij gehaald. Mevrouw Kraus en zoon gevlucht. Mevrouw Zaluski zonder dienaren. Dat is het alles bij elkaar, want Conrad kan of wil ons niet meer vertellen.'

'En het vel papier – Conrads kostbare vel dat naar viooltjes rook,' vroeg ik. 'Weten we daar wat meer van?'

Inspecteur Gully likte langs zijn duim en wijsvinger en bladerde zijn opschrijfboek nog eens door.

'Een brief, daar kunnen we denk ik veilig van uitgaan. Inhoud onbekend. Ontvanger? Ook onbekend, maar we kunnen ervan uitgaan dat het om de adellijke neef, lord Tansor, ging – Conrad kon de adressering natuurlijk niet lezen.'

De inspecteur zette de informatie die hij van Conrad had gekregen op een rijtje en gaf ons de volgende reconstructie van hoe hij de brief had bemachtigd.

Conrad staat kennelijk te wachten op een brief die hij naar het postkantoor moet brengen. Maar als mevrouw Zaluski de brief verzegelt gooit ze over de enveloppe een flesje parfum om, en Conrad moet wachten tot de enveloppe is gedroogd.

Uiteindelijk gaat hij naar het postkantoor. De brief wordt echter nooit verstuurd, want hij is intussen smoorverliefd geworden op de beeldschone, onbereikbare mevrouw Zaluski en in zijn kinderlijke verknochtheid besluit hij de geparfumeerde brief te houden. Hij kan hem niet lezen, maar hij is van haar en haar geur zit eraan, en meer is voor hem niet van belang.

Mevrouw Kraus en haar zoon – die als gevolg van het onaangename · voorval in Franzenbad kennelijk door hun meesteres aan hun lot zijn overgelaten – komen uiteindelijk, na veel ontberingen te hebben geleden, weer in Engeland aan. Conrad verbergt de brief op zijn kamer, maar haalt hem elke dag tevoorschijn, want de hardnekkige violengeur herinnert hem altijd aan zijn sprookjesprinses.

En zo zou het ongetwijfeld zijn gebleven als zijn moeder het door hem gekoesterde vel papier niet had ontdekt.

'Wat er, afgezien van het feit dat hij nog vaag naar viooltjes rook, in die brief heeft gestaan, moet mevrouw Kraus een machtig wapen tegen haar voormalige werkgeefster hebben verschaft,' zei mijnheer Wraxall. 'En ze koesterde duidelijk een grote wrok jegens haar. Zonder twijfel is het de sleutel tot de hele kwestie. Het verduidelijkt alles. Maar mevrouw Kraus' lot werd er ook door bezegeld. En al was ze misschien een slecht mens, dat lot verdiende ze niet. Net als de dood van Paul Carteret was dit een verdorven daad, mijn vrienden, een verdorven daad.'

Hij schudde zijn hoofd.

'Wat was mevrouw Kraus voor iemand?' vroeg ik terwijl ik aan de onaangename oude vrouw in de Duport Arms terugdacht.

'Volgens wat de inspecteur me heeft verteld,' antwoordde mijnheer Wraxall, 'wilde ze erg graag hogerop, en heiligde het doel daarbij de middelen. Ik meen dat je me hebt verteld, Gully, dat haar vader een Duitse immigrant was, een horlogemaker. Ze kreeg enige opleiding, verwierf daarbij enkele onbetekenende vaardigheden en trouwde met Manfred Kraus, die bij haar vader in de leer was. Maar na zijn dood legde ze het aan met een zekere Lemuel Burlap, een kleine crimineel en oplichter, een oude bekende van de politie.

Vervolgens kreeg ze een betrekking in het huis van de hertog van Eastcastle, en op grond daarvan werd ze door lord Tansor aan juffrouw Carteret aanbevolen om mee naar het Europese vasteland te gaan.

Toen mevrouw Kraus en haar zoon na het incident in Franzenbad uiteindelijk weer in Engeland waren teruggekeerd, woonden ze een poos bij Burlap in. Maar nadat hij gevangen was gezet – in welk jaar was dat ook weer, Gully?'

'In '67,' antwoordde de inspecteur zonder te hoeven nadenken.

'Ah, ja, in '67, ja. Toen Burlap weg was, moest mevrouw Kraus zelf op niet al te gewetensvolle wijze in haar levensonderhoud voorzien. Zo verstrijkt de tijd, en het leven wordt er niet makkelijker op. Maar dan vindt ze de brief.'

'Ah, de brief,' herhaalde de inspecteur. 'Terug bij de brief, mijnheer Wraxall.'

'Inderdaad, Gully,' zei de jurist. 'Helaas moeten we ervan uitgaan dat hij nu voorgoed verdwenen is. Maar hoewel de tekst op het vel waarschijnlijk voor ons verloren is gegaan, denk ik dat er nog een onzichtbaar residu van de waarheid bestaat, dat we nog kunnen proberen te reconstrueren of deduceren, waar we nog een slag naar kunnen slaan. Ja, naar mijn ervaring blijft er altijd nog iets bestaan – net als de zwakke, maar hardnekkige parfumgeur die Conrad zo lang in de ban hield. Wij zullen het moeten uitzoeken en benoemen. En dat zullen we zeker doen. Het is allemaal een kwestie van tijd.'

De beide mannen waren stilgevallen. Ik bespeurde echter een onuitgesproken suggestie van een door hen beiden gekoesterd, maar vooralsnog niet uitgekristalliseerd voorgevoel.

'Van tijd,' zei mijnheer Wraxall na een veelbetekenende stilte.

Hij legde zijn vingers over zijn mond en sloot zijn ogen, alsof hij zo beter bij de implicaties van het woord kon stilstaan.

'En dat is de essentie, mijnheer Wraxall?' opperde de inspecteur.

Mijnheer Wraxall antwoordde niet maar bleef met gesloten ogen zitten en liet zijn vingertoppen tegen elkaar tikken.

'Waar denkt u aan, mijnheer Wraxall?'

De jurist opent zijn ogen en kijkt de inspecteur welwillend aan.

'Ik vroeg me alleen af waarom mejuffrouw Emily Carteret zo kort na de dood van haar geliefde verloofde dolgraag een man wilde vinden. Dat is toch merkwaardig, vindt u ook niet?'

IV

Een onwelkom vooruitzicht

Tot de laatste dag was ons verdere verblijf in Londen voornamelijk saai. Emily, die op doktersadvies binnenshuis moest blijven, stond erop dat ik haar gezelschap hield. En dus was ik tot mijn ergernis verplicht op Grosvenor Square te blijven en haar urenlang voor te lezen of gesprekken te voeren over boeken, algemene kwesties en de vervelende wederwaardigheden van deze of gene lady of mejuffrouw.

Soms maakte zich echter een melancholieke en lusteloze stemming van haar meester, en dan wilde ze alleen dat ik met mijn nog onvoltooide handwerk bij haar zat terwijl zij zwijgend onder haar plaids op de sofa uit het raam naar de grauwe Londense lucht lag te staren.

Na de lunch sliep ze gewoonlijk ongeveer een uur, en dan legde ik mijn handwerk neer om haar slapende gezicht te bestuderen. Het leek soms of de dood haar al had weggenomen, zo roerloos, bleek en levenloos lag ze erbij. Op een keer boog ik me zelfs met een handspiegel over haar heen, om me ervan te vergewissen dat ze nog leefde omdat het glas door haar adem besloeg.

Ondanks de tekenen van de voortschrijdende ouderdom, die ze zeer vaardig verhulde en die buiten mij voor slechts weinigen waarneembaar waren, bleef de opmerkelijke schoonheid van haar gelaatstrekken – haar volle, als gebeeldhouwde lippen, de lange, slanke neus, de fijne, gebogen wenkbrauwen en de delicate rondingen van haar wangen – me fascineren. Naar ik nu wist, was mijn vader er net zo gefascineerd door geweest, en zijn liefde voor haar had hem in het verderf gestort.

Madame en mijnheer Thornhaugh hadden altijd gevonden dat ik tekentalent had, een gave die ik kennelijk van mijn moeder had meegekregen. Op een middag haalde ik dus mijn opschrijfboek tevoorschijn en deed een poging een portret van de slapende Emily te tekenen. Mijn schets deed het model echter zo weinig recht dat ik de bladzijde uit het boek scheurde en in het haardvuur smeet.

Je ontkwam er niet aan je af te vragen welke dromen er zich afspeelden achter die gesloten oogleden met hun lange wimpers. Tijdens haar middagdutjes maakte ze een kalme indruk en leek ze geen last te hebben van de angstdromen die haar 's nachts overvielen. Misschien zag ze de zonnige dagen weer voor zich – de tijd voordat de wereld door haar onrechtmatige daden was verduisterd en voordat ze bij verraad en moord betrokken was geraakt – toen ze nog gewoon juffrouw Emily Carteret was, de alom bewonderde dochter van mijnheer Paul Carteret in het douairièrehuis op Evenwood. Toen ze nog niet werd gemarteld door haar schuldbewuste geheugen en de dodelijke angels van haar akelige voorgevoelens.

Terwijl ik het voorafgaande overlees, alsmede wat ik elders op deze bladzijden heb geschreven, word ik opnieuw getroffen door het grillige en inconsequente karakter van mijn gevoelens voor lady Tansor. Ik wist nu dat ze een catastrofale uitwerking op het leven van mijn vader had gehad, en madame, mijn aanbeden beschermengel, had me daarom opgedragen haar te haten. Natuurlijk wilde ik dat ze rekenschap voor haar daden zou afleggen en ervoor zou worden gestraft. Ik keek naar de slapende Emily in de wetenschap dat haar verraad mijn vader tot moord had gedreven, zodat ook mij het leven was ontnomen dat ik op grond van mijn geboorte had moeten leiden, en vervolgens keerde mijn vastberadenheid terug en werd ze alleen maar sterker. Maar als Emily wakker werd en mij slaperig toelachte terwijl ze zich loom onder haar stapel plaids uitrekte, verdween al mijn gerechtvaardigde woede als sneeuw voor de zon.

Soms – bijvoorbeeld op deze middag – gebeurde het zelfs dat ik me opnieuw begon af te vragen of ik de Grote Opgave wel aankon. Ik was nog zo jong, zo onervaren en onbeproefd voor de gevaarlijke opdracht waarvoor ik naar Evenwood was gestuurd. Ik was misselijk van angst voor wat er nog in het verschiet lag en de verantwoordelijkheid die madame en mijn overleden vader me hadden opgelegd, drukte zwaar op me.

Dergelijke verontrustende gedachten gingen op onze laatste dag op Grosvenor Square door me heen. Terwijl Emily sliep, had ik met een ongeopend boek op schoot over de recente gebeurtenissen nagedacht. Verdiept als ik in mijn eigen gedachten was, had ik niet gemerkt dat ze wakker was geworden.

'Alice, schat,' zei ze slaperig en ze wierp me een loom lachje toe, 'daar ben je, zoals altijd als ik wakker word. Een toonbeeld van geduld. Wat ben je een goed meisje – wat ben je een goede vriendin.'

Er volgden nog meer complimenten, die op tedere en kennelijk oprechte toon werden uitgesproken. En hoewel ik me ertegen probeerde te verzetten, begon haar duivelse charme mijn vastberadenheid opnieuw aan te tasten. Kon ze werkelijk schuldig zijn aan de misdaden waarvan zowel madame als mijnheer Wraxall haar had beschuldigd? Was ze er niet, tegen haar wil en haar geweten in, toe aangezet – aanvankelijk door haar onvoorwaardelijke liefde voor Phoebus Daunt en later door haar wanhopige verlangen om die niet aan het licht te laten komen?

Ze had nog steeds een bezwaard geweten – dat was maar al te duidelijk door de wijze waarop haar angstdromen voortdurend haar nachtrust belaagden. Misschien pleitte dat voor een mildere beoordeling van haar karakter. Dat overwoog ik terwijl ze me slaperig en bezwerend aankeek. Maar een ogenblik later werd de betovering verbroken.

'O, trouwens,' zei ze opeens op heel terloops gebiedende toon, 'dokter

Manley heeft me aanbevolen om de rest van de winter het land te verlaten. Hij denkt dat een verandering van klimaat noodzakelijk is. Zodra we op Evenwood terug zijn, zal ik alles regelen. Zou je alsjeblieft om thee willen bellen? Ik heb een nogal droge keel.'

Daarop pakte ze, zonder nog een woord te zeggen, haar tijdschrift, sloeg het open en begon te lezen.

Ik stond perplex.

'Het land uit gaan? Voor hoe lang?'

Ze keek op en zette haar bril af.

'Daarover besluit ik, lijkt me.'

'Richt je je nu tot een vriendin of tot een betaalde gezelschapsdame?' vroeg ik zo rustig mogelijk. Op de vraag volgde onmiddellijk een reactie.

'Je gaat te ver, Alice,' snauwde ze, en haar gezicht verstrakte. 'Dit heeft niets met onze vriendschap te maken. Ik ben van plan dokter Manleys advies op te volgen, en daarmee is de kous af.'

Ik besefte dat verder protesteren zinloos was. Ze had niet overwogen mij te raadplegen, maar haar besluit alleen op grond van haar eigen verlangens genomen – weer als mijn meesteres, en niet als de oprechte vriendin die ze voorgaf te zijn. Dit was voor haar dus de betekenis van een gelijkwaardige vriendschap.

Lieve heer, wat was ik een onnozele dwaas geweest! Madame had me gewaarschuwd dat ik er niet op moest vertrouwen dat ik bij lady Tansor in de gunst zou blijven, zelfs als we eenmaal vertrouwelijk met elkaar omgingen. Want haar vriendschap zou altijd worden aangetast door hoogmoed, eigenbelang en het voortdurende verlangen haar superieure positie te handhaven.

'Je praat alsof je me niet wilt vergezellen,' zei ze en ze fixeerde me met een van haar kille blikken. 'Zit het zo?'

'Helemaal niet,' antwoordde ik, en ik dwong mezelf tot een schijnbaar oprechte en verzoenende glimlach, en pakte haar hand. 'Niets zou me beter bevallen. En als het jouw gezondheid ten goede komt, wil ik natuurlijk helemaal niets liever.'

Hoewel Emily niets zei, zag ik dat ze zich een beetje liet sussen door mijn instemmende woorden. En dus vroeg ik haar, met veel vertoon van vals enthousiasme, waar we naartoe zouden gaan.

'Ik heb nog geen echt besluit genomen,' zei ze. 'Maar dokter Manley heeft Madeira aanbevolen.'

27

De verzoeking van mijnheer Perseus

I
Mijnheer Perseus kiest partij voor mij

'Madeira!'

In één klap waren al mijn plannen door elkaar gegooid. Het land uit gaan was het allerlaatste waarop ik had gerekend, en ook het allerlaatste wat ik wilde. De Grote Opgave vereiste dat ik al mijn persoonlijke overwegingen terzijde schoof en naar een manier zocht om met mijnheer Perseus te trouwen, ook al bleef ik het gevoel houden dat zoiets mijn krachten te boven ging. Uitstel zou fataal kunnen zijn, en wel om de reden die ik nu uiteen zal zetten.

Emily had me onlangs meegedeeld dat haar oudste zoon van plan was zich binnenkort in een van de vele Londense panden van de familie te vestigen, omdat dat voor de ontwikkeling van zijn literaire carrière beter van pas kwam. Perseus Duport in Londen! De erfopvolger van de baronie Tansor – en ook nog een dichter! Wat een onweerstaanbare attractie zou hij voor iedere ongehuwde gefortuneerde jongedame van stand in Londen niet zijn – zoals zijn moeder dat voor onder anderen mijnheer Maurice FitzMaurice was.

Emily had vaak over haar aspiraties met haar lievelingszoon gesproken. De belangrijkste daarvan was dat hij jong moest trouwen om een erfopvolger van de volgende generatie voort te brengen, want als het ging om het veiligstellen van haar lijn in de erfopvolging, was ze net zo fanatiek als haar voorganger. Stel je voor dat ik na terugkeer van Madeira zou ontdekken dat hij door een sluwe schoonheid was gestrikt of – God verhoede het! – zelfs verliefd was geworden, zodat mijn vaders droom om via mij zijn geboorterecht te herstellen nooit meer zou kunnen worden verwezenlijkt? Voelde ik ook een pijnlijke persoonlijke angst dat hij – hoe zwak mijn hoop om met hem te trouwen ook was – een ander zijn liefde zou schenken? Ja, dat beken ik. Maar de voorgestelde reisbestemming verontrustte me eveneens. Had dokter Manley werkelijk uit zichzelf Madeira aanbevolen, of speelde er een onheilspellender motief mee?

Hevig verward en onzeker door deze plotselinge wending, begon ik te vermoeden dat Emily had ontdekt wie ik werkelijk was. Dat ze helemaal niet van plan was om naar Madeira te gaan, maar een subtiel spelletje met mij speelde waarin ze gebruikmaakte van haar kennis van mijn ware identiteit, eerst om me te tergen en vervolgens om me te ontmaskeren.

Toen Emily in mijn ongewilde uitroep de nervositeit bespeurde die uit deze verontrustende gedachten voortkwam, fixeerde ze me weer met een van haar raadselachtige blikken.

'Waarom ben je zo verbaasd dat ik naar Madeira wil?' vroeg ze op gemelijke toon. 'Volgens dokter Manley zou het voor mij de beste plek zijn om te herstellen, ook vanwege de gezellige Engelse gemeenschap. Veel van mijn kennissen hebben me ook verteld dat het klimaat een heilzame uitwerking heeft, maar toch lijk jij er vreemd genoeg niet naartoe te willen. Waarom is dat?'

'Ik bedoelde alleen dat ik nogal slecht tegen zeereizen kan – en ik meen dat dit een lange zeereis is.'

Ik hoopte dat ze welwillend op dat excuus zou reageren, maar in plaats daarvan groeide haar verontwaardiging.

'Werkelijk, Alice, dat is bijzonder egoïstisch van je. Is mijn gezondheid niet belangrijker dan een klein tijdelijk ongerief? Het verbaast me zeer – ja, buitengewoon – dat je zoiets zegt.'

Terwijl ze me berispend blijft toespreken, zie ik in hoe absurd mijn eerdere angsten waren en besef ik dat ze alleen maar zichzelf is – het verwende kind dat ze altijd is geweest en altijd zal blijven: ijdel, egoïstisch en onverdraagzaam tegenover het geringste beetje vrijmoedigheid van diegenen die ze als minderwaardig aan zichzelf beschouwt – zo ongeveer de meerderheid van haar medemensen. Nu mijn vertrouwen is hersteld dat ze nog geen weet van mijn geheime persoonlijkheid heeft, besluit ik schuldbewust te zwichten, in de wetenschap dat ze zich in haar huidige geprikkelde stemming niet van haar besluit om naar Madeira te gaan zal laten afbrengen.

Het heeft onmiddellijk effect. Haar uitdrukking wordt zachter. Ik bel om thee, en algauw is de rust hersteld.

'Nu, schat,' zegt ze, terwijl de dienstbode binnenkomt om de lampen aan te steken, 'we moeten een begin met onze plannen maken. Ik zal natuurlijk nieuwe kleren nodig hebben, en jij ook. We zullen onze terugkeer naar Evenwood morgen dus tot de middag uitstellen, om het beloofde uitstapje naar Regent Street te kunnen maken. Hemeltje, ik voel me nu al opgeknapt! Dokter Manley heeft gelijk. Ik heb te lang in Engeland gezeten. Verandering van omgeving en een lekker zonnetje zijn precies wat ik nodig heb om er geestelijk bovenop te komen.'

Dan vat ze het idee op om sir Marcus Leveret te schrijven met de vraag of hij passende accommodatie in Lissabon kan regelen, onze eerste aanlegplaats op doorreis naar Madeira.

'Papier, schat – vlug! – en iets om mee te schrijven!'

Opgewonden en ongeduldig gebaart ze naar de schrijftafel.

'Als we verdergaan moeten we aantekeningen maken, weet je,' zegt ze, terwijl ik met verschillende vellen papier en een potlood naar de sofa terugloop. 'We moeten zoveel onthouden.'

De rest van de middag is ze koortsachtig in de weer met het samenstellen van lijstjes van alles wat ze voor onze reis nodig heeft. Ook maakt ze aantekeningen voor zichzelf. De volgende ochtend vertrekken we met het rijtuig naar Regent Street. Emily ziet bleek, en ik merk dat ze niet goed heeft geslapen, ook al heeft ze me niet geroepen om bij haar te komen zitten. Eenmaal op onze bestemming aangekomen lijkt ze zich echter te vermannen, en we brengen drie uur door in diverse luxueuze winkels met grote etalages, waar Emily uiteraard uiterst serviel wordt behandeld. Dan heeft ze alles op haar lijstje afgestreept en is mij de maat genomen voor enkele nieuwe japonnen. Ten slotte keren we terug naar Grosvenor Square om uit te rusten tot het tijd is om de trein te nemen.

Bij ons vertrek kijk ik doelloos uit het raam van het rijtuig.

Op de hoek van North Audley Street staat een man. Een man met wit haar en zware zwarte wenkbrauwen.

De volgende avond dineerden Emily en ik met zijn tweeën in de in karmijn en goud gedecoreerde eetzaal.

Mijnheer Randolph was er niet. Hij verbleef weer in Wales bij zijn vriend mijnheer Rhys Paget, terwijl mijnheer Perseus boven in afzondering aan een nieuw gedicht werkte. Later kwam hij echter naar beneden, naar de salon waar Emily en ik bij de haard zaten te lezen.

'Perseus, schat,' kirde zijn moeder toen hij binnenkwam, 'daar ben je dan. Kom eens bij ons zitten. We hebben je bij het diner gemist.'

Perseus en ik zagen elkaar na onze terugkeer uit de hoofdstad voor het eerst, en de aanwezigheid van zijn moeder indachtig zag hij zich ongetwijfeld genoodzaakt om zich tegenover mij nadrukkelijk hoffelijk te gedragen. Terwijl hij naast zijn moeder op de sofa plaatsnam, stelde hij op mechanische toon een aantal voorspelbare vragen. Had ik van mijn verblijf in Londen genoten? Welke bezienswaardigheden had ik het interessantst gevonden? Was de Victoria Embankment niet een van de grootste wonderen van deze tijd? Op deze en andere vragen gaf ik beleefd maar kort antwoord, me welbewust van Emily's priemende blik op mij.

'En nu,' vervolgde hij op licht gepikeerde toon, 'gaat u nog verder weg, dacht ik. Naar Madeira, heb ik gehoord.'

Emily sloeg haar boek dicht en legde het terzijde. Toen Perseus dat zag, vroeg hij wat ze had gelezen.

'O,' zei ze met een air van zorgeloosheid, 'alleen Harcourts gids voor Madeira.'*

Mijnheer Perseus boog zich voorover, pakte het boek en begon het haastig door te bladeren. Toen hij op het punt stond het weer dicht te slaan, stopte hij even.

'Waar komt dit vandaan?' vroeg hij en hij sloeg snel de titelpagina weer op. 'Het komt niet uit de bibliotheek – er zit geen ex libris in.'

Tot mijn verbazing kreeg zijn moeder een kleur.

'Het is van mijnheer Shillito.'

'Van Shillito? Hoe bent u er dan aan gekomen?'

Hoewel ze zich inspande om het te verbergen, was Emily's verwarring maar al te goed zichtbaar. Ik kon me niet herinneren haar ooit zo in het nauw gebracht te hebben gezien en was vol spanning om te weten wat de oorzaak van haar verlegenheid was. Zelfs onder de onderzoekende blik van haar zoon kreeg ze haar gezicht echter snel weer in de plooi.

'Als je het dan beslist wilt weten,' zei ze, 'mijnheer Vyse heeft het voor mij van mijnheer Shillito geleend, en hij is vervolgens zo vriendelijk geweest het naar Grosvenor Square te laten sturen.'

---

* Edward Vernon Harcourt (1825-1891), natuurvorser en van 1878 tot 1885 parlementslid voor Oxford. Zijn Sketch of Madeira; containing information for the traveller, or invalid visitor was in 1851 verschenen.

Deze verklaring beviel de toekomstige lord zo te zien niet.

'Ah, mijnheer Vyse!' riep hij met een ironische glimlach uit. 'Ik had het kunnen weten. U kunt blijkbaar niet meer buiten hem, moeder.'

Emily reageerde een beetje geërgerd, maar kennelijk kon niets wat haar zoon zei haar uit haar tent lokken.

'Ik kan wel buiten hem, schat,' zei ze rustig. 'Maar zoals je zou moeten weten is mijnheer Vyse sinds de dood van je vader een goede vriend voor mij en ons gezin geweest, en ik stel nog steeds prijs op zijn advies.'

'Heeft mijnheer Vyse je geadviseerd waar je voor je herstel naartoe moet gaan?'

'Nee. Hij heeft alleen dokter Manleys aanbeveling onderschreven.'

'Zo zo. Maar is mijnheer Vyse zelf op Madeira geweest?'

'Ik geloof van niet. Maar zijn vriend mijnheer Shillito kent het eiland natuurlijk goed, want hij heeft er jaren geleden een paar maanden doorgebracht. Weet je dat niet meer, schat? Het was hoogst opmerkelijk, maar hij herinnerde zich dat hij daar iemand had ontmoet die Gorst heette. Wat een merkwaardig toeval, niet?'

'Niet zo merkwaardig,' antwoordde mijnheer Perseus. 'Er moeten veel mensen op de wereld zijn die zo heten, en het is helemaal niet onmogelijk dat een van hen Madeira in dezelfde periode als Shillito heeft aangedaan. Wat doet het er bovendien toe?'

Ik was dankbaar dat hij partij voor me koos, en hij zag het. Maar er gebeurde iets merkwaardigs. Nadat ik hem een erkentelijke blik had toegeworpen, waarop hij met een miniem hoofdknikje leek te reageren, voelde ik heel even een vonkje tussen ons overspringen. Het was meteen weer voorbij, maar desondanks wond het me op en bemoedigde het me.

'Het doet er wel degelijk toe, schat,' zei Emily nu tegen haar zoon. 'Want het is mogelijk dat de man die mijnheer Shillito op Madeira heeft ontmoet familie van Alice was.'

'Ik meen dat juffrouw Gorst heeft gezegd dat ze bij haar weten geen familie op het eiland heeft – heb ik gelijk, juffrouw Gorst?'

Ik keek op uit mijn boek, waarin ik zogenaamd met grote aandacht had zitten lezen, en bevestigde dat hij het bij het rechte eind had.

'Maar dat heeft niets te betekenen,' wierp Emily tegen. 'Madame Bertaud, je voogdes, heeft misschien nooit geweten dat bijvoorbeeld je vader het eiland weleens bezocht heeft.'

Voor de tweede keer neemt mijnheer Perseus het op zich om ten behoeve van mij te spreken.

'Heus, moeder. Juffrouw Gorst heeft ons verteld dat ze voor zover ze weet geen familie op Madeira heeft, en dat zou moeten volstaan. Zelfs als de man die Shillito daar heeft ontmoet haar vader was, vraag ik nogmaals: wat doet het ertoe?'

'Ik denk alleen dat het voor Alice interessant zou zijn iets over haar vader te weten te komen wat ze nog niet wist, juist nu ze zelf een bezoek aan Madeira gaat brengen.'

'Misschien,' antwoordt hij, en hij kijkt naar mij, 'moet juffrouw Gorst daarover beslissen.'

'Als u mij toestaat,' zeg ik, en ik voel dat hun blikken op me rusten, 'zou ik er de voorkeur aan geven als we een ander onderwerp aansnijden. Ik heb mijn vader nooit gekend en heb in mijn onwetendheid altijd een zekere troost gevonden die ik zo mogelijk zou willen behouden.'

'Ziet u, moeder?' zegt mijn nieuwe verdediger. 'Juffrouw Gorst vindt dit een onprettig onderwerp, dus laten we erover ophouden.'

'Uitstekend, schat,' antwoordt Emily met een toegeeflijk lachje. 'Je bent nogal uit je humeur, merk ik. Ik neem aan dat je te hard hebt gewerkt en te veel hebt gerookt. Maar laten we het in elk geval niet meer over Madeira hebben. Ik ben toch al een beetje moe. Ik denk dat ik vroeg naar bed ga.'

Met die woorden pakt ze het boek van mijnheer Shillito, kust haar zoon en verlaat het vertrek zonder nog een woord tot mij te richten.

II
Ik zet een nieuw masker op

Nadat Emily is weggegaan en de deur van de salon zachtjes door de dienstdoende lakei is gesloten, blijf ik alleen achter met mijnheer Perseus Duport.

Tevergeefs span ik me in om iets te bedenken wat ik kan zeggen. En dus maak ik me na een korte periode van gespannen stilzwijgen op om te vertrekken, maar onmiddellijk springt hij overeind.

'Voordat u gaat, juffrouw Gorst, wil ik u iets zeggen. Laat u me uitspreken? Het gaat over ons gesprek na uw wandeling bij het meer met mijn broer.'

Hij aarzelt een ogenblik en schraapt vervolgens zijn keel.

'Ik had toen niet zo mogen spreken,' gaat hij verder, 'en ik hoop dan ook dat u me zult vergeven. Ik beloof dat ik me voortaan beter zal gedragen.'

Hij zegt weliswaar niet veel, maar spreekt deze woorden uit op een eenvoudige, bescheiden en oprechte toon die me in het hart raakt, want ik zie hoeveel moeite hij zich met zijn trotse natuur heeft moeten getroosten om op deze voor hem ongebruikelijke wijze te praten.

Ik vertel hem dat ik het nooit zou wagen milady's oudste zoon zich te laten verontschuldigen voor iets wat hij mij wilde zeggen, en daarop geeft hij een hoofdknikje om aan te geven dat hij mijn woorden op prijs stelt. Vervolgens bedank ik hem omdat hij zo vriendelijk is geweest partij voor mij te kiezen ten aanzien van zijn moeders voorgenomen reis naar Madeira.

'Wat dat aangaat,' zegt hij, 'is het onnodig om me te bedanken. U hebt kennelijk uw redenen om er niet heen te willen gaan, en ik heb mijn redenen om liever te zien dat mijn moeder voor haar herstel ergens anders naartoe gaat.'

'Maar haar besluit staat blijkbaar vast,' antwoord ik, 'en ik moet uiteraard met haar mee, waar ze ook besluit naartoe te gaan.'

'Welnu,' zegt hij, 'laten we eens zien wat er mogelijk is. Mijn moeder moet in deze kwestie rekening met uw wensen houden, want het is zonneklaar dat u voor haar meer dan een betaalde gezelschapsdame bent geworden. Sinds mijn vaders dood is ze te veel alleen geweest en onder... laten we zeggen, ongewenste invloed geraakt. Maar u bent goed voor haar geweest, juffrouw Gorst, en daarvoor ben ik u dankbaar.'

'Ik kan u verzekeren, mijnheer, dat ik altijd mijn best zal doen om uw moeder zo goed te dienen als haar toekomt.'

Hij verzekert mij op zijn beurt dat hij daar niet aan twijfelt. Ik wens hem goedenacht en maak aanstalten om weg te gaan, maar hij doet een stap naar voren om me dat te beletten.

'Met uw permissie, juffrouw Gorst, wil ik nog één ding zeggen.'

Hij houdt zijn prachtige ogen op me gevestigd, die sterk op die van zijn moeder lijken en waarin ik de flakkerende vlammen van de haard achter me weerspiegeld zie. Ik besef opeens dat ik een droge keel heb en dat mijn hart wat sneller klopt.

'Ik herinner me dat u me tijdens ons vorige gesprek begunstigde met een confidentie over uw gevoelens voor mijn broer. Ik meen dat u me verzekerde dat u een uitzonderlijke achting voor hem koestert – hebt u dat niet gezegd?'

Ik bevestig dat zijn herinnering juist is.

'Mag ik u dan vragen, juffrouw Gorst, of u bereid bent me op de hoogte te brengen van de gevoelens die mijn broer voor ú heeft?'

'Misschien, mijnheer,' antwoord ik, een beetje onthutst, 'moet u die vraag aan mijnheer Randolph Duport stellen.'

'Mijn broer en ik hebben niet de gewoonte elkaar in vertrouwen te nemen.' De toon van zijn stem is nu een beetje harder, zijn knappe gezicht staat wat strenger. 'Zoals u zal zijn opgevallen, juffrouw Gorst, zijn Randolph en ik in alle opzichten erg anders. Als jongens leidden we ieder al ons eigen leven, en dat is zo gebleven. Ook heeft mijn positie in de familie een zekere afstand tussen ons geschapen. Mijn broer heeft een joviale manier van doen, waarmee hij mensen voor zich inneemt. Hij is een voortreffelijk schutter en heeft een grote reputatie bij de vossenjacht, en ik erken ruiterlijk dat hij me aan de biljarttafel de baas is. Het ontbreekt hem echter aan zowel ambitie als vlijt, en hij bezit niet het karakter van een echte Duport. Als mij iets zou overkomen en hij in mijn plaats moeder zou opvolgen, wat heeft hij er dan aan dat hij goed kan biljarten? De zaken die er het meest toe doen – ik doel uiteraard op de vele familiebelangen en vooral op de verplichting die we hebben jegens degenen van wie we alles hebben geërfd waarvan we nú allebei genieten – betekenen voor mijn broer niet veel. Voor mij, evenwel, zijn ze alles.'

Hij heeft zijn gebruikelijke houding teruggekregen en is weer de hoogmoedige, kille toekomstige zevenentwintigste lord Tansor.

'We zijn vreemden voor elkaar geworden, mijn broer en ik,' vervolgt hij, 'en daarom heb ik het gewaagd u, juffrouw Gorst, te vragen of u meent dat zijn achting voor u van dezelfde uitzonderlijke aard is als, naar u me verzekert, uw achting voor hem.'

Hoe moet ik hem antwoorden? Ik ben ervan overtuigd dat mijnheer Randolph van me houdt en wil dat ik zijn vrouw word. Maar al zal ik zijn eventuele aanzoek moeten afwijzen, ik schrik ervoor terug om tegen zijn broer de waarheid op te biechten, want ik ben er zeker van dat dat mijnheer Randolph noch mijzelf iets goeds zal brengen. Een beetje jaloezie bij mijnheer Perseus zou in mijn belang kunnen zijn, maar ik mag het eveneens aanwezige risico dat mijn belang er onherstelbare schade door oploopt, niet nemen.

Daarom beantwoord ik vrijmoedig zijn verwachtingsvolle blik en zeg dat ik echt niet voor mijnheer Randolph Duport kan spreken, maar dat ik geen reden zie om te geloven dat hij andere gevoelens voor mij heeft dan ik voor hem. Ik betreur de leugen, maar de dankbare uitdrukking op mijnheer Perseus' gezicht bewijst onmiddellijk de noodzaak ervan.

'Ik heb me dus vergist?' vraagt hij, na even te hebben nagedacht.

'Vergist?'

'Door te geloven dat er tussen mijn broer en u een verstandhouding van persoonlijke aard bestaat?'

'Heeft hij dat gezegd?' vraag ik, in de overtuiging dat het niet zo is.

'Zoals ik u heb verteld, hebben Randolph en ik niet de gewoonte elkaar in vertrouwen te nemen. Hij heeft niets tegen mij gezegd.'

'Mijnheer Randolph is erg aardig voor me geweest,' geef ik toe, 'maar zoals u zelf hebt opgemerkt, heeft hij een joviale manier van doen, en ik moet bekennen dat ik zijn gezelschap aangenaam vind, en hij kennelijk het mijne. Een verstandhouding echter, zoals u het noemt, dat is een heel andere zaak.'

'Ik ben blij dat te horen,' antwoordt hij. Meer zegt hij niet, maar in zijn ogen zie ik een opluchting die zelfs hij niet kan verbergen.

Hij begeleidt me naar de deur, en in stilte lopen we naar de voet van de trap in de hal, waar we voor het portret van de Turkse zeerover opnieuw blijven staan.

'U had het over een bepaalde ongewenste invloed op milady,' merk ik aarzelend op.

'Ik denk dat u de... heer op wie ik doelde wel kent.'

'Mag ik vragen of u denkt dat die persoon de hand heeft gehad in uw moeders besluit om naar Madeira te gaan?'

'Dat is mogelijk,' antwoordt hij, 'maar waarom hij dat heeft gedaan is me momenteel niet duidelijk. Het volstaat echter dat zijn betrokkenheid waarschijnlijk is. Ik zal morgen met mijn moeder over de kwestie spreken. En dus, juffrouw Gorst, ga ik u goedenacht wensen.'

Zonder te glimlachen maakt hij een buiging voor me en kijkt naar de glazen voordeur.

'Ik zie dat het is opgehouden met regenen. Ik denk dat ik nog een ommetje over het terras maak. Ik heb heel wat stof om over na te denken. Nogmaals goedenacht, juffrouw Gorst.'

III
Mijnheer Randolph komt thuis

Op weg naar boven kom ik mevrouw Battersby tegen, die mijnheer Randolphs kamer uit komt. Het is onze eerste ontmoeting in weken – ze heeft me niet meer op de thee gevraagd.

Ik zeg haar goedenavond en vraag vervolgens of mijnheer Randolph is thuisgekomen, want het verbaast me haar om tien uur 's avonds op deze plek aan te treffen. Ze zou alle taken die ze ter voorbereiding op mijnheer Randolphs thuiskomst moest verrichten toch al eerder hebben volbracht?

'Ik geloof dat hij morgenochtend samen met mijnheer Rhys Paget wordt verwacht,' luidt het antwoord. Vervolgens maakt ze een kleine reverence, werpt me een verbluffend lachje toe, alsof ze op onverklaarbare manier de overhand op me heeft behaald, en vertrekt.

Op mijn kamer aangekomen ga ik aan mijn bureau zitten en begin aan een brief aan madame, waarin ik de gebeurtenissen van de afgelopen dagen in Londen beschrijf en haar meedeel wat er deze avond met mijnheer Perseus is voorgevallen. Ik leg echter algauw de pen neer en ga naar bed.

Ik ben erg moe, maar kan met geen mogelijkheid de slaap vatten. Ik lig te woelen en te draaien totdat de klok van de kapel zes uur slaat. Met een kloppend gevoel in mijn hoofd sta ik op, kleed me aan en ga naar beneden om een portie koude ochtendlucht op te snuiven.

Ik loop enige tijd doelloos op en neer over het terras voor de bibliotheek, maar in mijn hoofd blijft het een chaotische wirwar. Over de Evenbrook hangt een wazige nevel; het belooft echter een mooie dag te worden, en hoewel het pas januari is kun je voelen dat de winter zijn greep al langzaam laat verslappen.

Na een poosje begeef ik me naar de toegangshof. Van daaruit heb ik een duidelijk uitzicht over de oprijlaan, waar iemand een wandeling maakt. Algauw herken ik de geruststellende figuur van kapitein Willoughby die zijn vaste ochtendronde doet. Als hij dichterbij komt blijft hij staan en neemt ter begroeting zijn hoed af, een gebaar dat ik met een wuivende beweging beantwoord. Dan vervolgt hij zijn weg.

Door het zien van de kapitein komen mijn overspannen hersenen enigszins tot rust. Vervolgens merk ik nog twee gestalten op die vanaf de Rise op de brug afkomen.

Terwijl ik hen gadesla, komen ze naderbij en betreden uiteindelijk de toegangshof. De een is een ascetisch uitziende jongeman met een donkere gelaatskleur, de ander is mijnheer Randolph.

'Juffrouw Gorst! Wat bent u er vroeg bij!' roept hij.

Vervolgens stelt hij me op zijn gebruikelijke hartelijke manier voor aan zijn metgezel, mijnheer Rhys Paget, en vertelt dat ik zijn moeders gezelschapsdame ben. Niets in zijn blik of houding suggereert ook maar enigszins dat ik meer voor hem beteken. Evenmin wijst iets in het gedrag van mijnheer Rhys Paget erop dat hij zich bewust is van de amoureuze gevoelens die zijn vriend voor me heeft. Natuurlijk meende ik dat mijnheer Randolph zijn beste vriend in vertrouwen had genomen, maar kennelijk had hij dat nog niet gedaan. Ik leid daaruit af dat hij daarmee heeft gewacht en mij eerst zijn ware gevoelens wil opbiechten.

'We zijn gisteravond laat teruggekomen,' vertelt mijnheer Randolph, 'en hebben in de Duport Arms gelogeerd. Maar Paget wilde beslist vroeg opstaan en hiernaartoe lopen om hier te ontbijten.'

'En blijft u lang op Evenwood, mijnheer Paget?' vraag ik.

In plaats van te antwoorden werpt hij zijn metgezel een vragende blik toe.

'Paget en ik vertrekken morgen naar de grote stad,' komt de laatste tussenbeide. 'Een klein uitstapje. We hebben voorlopig onze buik vol van ongerepte natuur. Geef ons maar baksteen, lawaai en stadslucht – in elk geval voor een poosje. Paget moet wat zaken doen, en ik ga hem de hoofdstad laten zien.'

'U begrijpt, juffrouw Gorst,' zegt mijnheer Paget met een charmant, zangerig accent. 'Ik ben maar een arme plattelandsjongen. Ik ben nooit in mijn leven in Londen geweest – het is raar, ik weet het, maar het is niet anders.'

'En wanneer komen jullie weer naar Evenwood?' vraag ik.

'We hebben nog geen vaste plannen,' antwoordt mijnheer Randolph. 'Over een paar dagen, misschien – over een week, als we de geest krijgen.'

'Bent u dan niet op de hoogte van lady Tansors voornemen om naar Madeira te gaan?'

Het nieuws verrast hem, maar merkwaardig genoeg maakt hij vooral een opgeluchte indruk.

We praten nog enkele minuten over Madeira. Mijnheer Randolph lijkt zich steeds minder op zijn gemak te voelen, terwijl zijn vriend, die hij van tijd tot tijd een veelzeggende blik toewerpt, zwijgend en bijna beschaamd naar het grind bij zijn voeten staart, zodat mijn verwarring nog groter wordt.

'Nou, komaan, Paget,' zegt mijnheer Randolph ten slotte. 'Door die wandeling heb ik honger als een wolf gekregen. Ontbijt u samen met ons, juffrouw Gorst?'

Ik weifel en zeg dat ik nog een brief moet afmaken.

Samen gaan we naar binnen.

'Daardoor,' zegt mijnheer Randolph tegen zijn vriend en hij wijst op de deur naar de ontbijtzaal. 'Ik wil even met juffrouw Gorst praten.' Terwijl mijnheer Paget weggaat, richt hij zich vervolgens tot mij.

'Welnu, Esperanza,' zegt hij, 'het lijkt erop dat de omstandigheden ons te snel af zijn geweest. Ik hoopte met je te kunnen spreken over, ach, je weet wel – over de kwestie waar we het tijdens onze wandeling over hebben gehad. Maar ik denk dat dat nu even zal moeten wachten totdat je uit Madeira terug bent. Vandaag kan er geen sprake van zijn, moet ik je tot mijn spijt zeggen. Paget en ik hebben een heleboel te doen en we overnachten in de George in Stamford – dat wordt een vroege trein, ben ik bang. Maar misschien is het zo ook het beste. Moeder zal je vast wel bezighouden. Ze is vast al lijstjes aan het maken! Madeira, hè? Volgens mijnheer Shillito is het er grandioos.'

Zijn stem sterft weg, alsof hij niet weet wat hij vervolgens moet zeggen. Dan leeft hij opeens op.

'Nu,' zegt hij, 'ik heb trek in een bord koteletten, als Paget ze nog niet allemaal heeft opgegeten.'

Met een gespannen glimlach wenst hij me een prettige ochtend toe en beent snel naar de ontbijtzaal. Ik ben verbluft door zijn nerveuze en verwarde optreden, maar voel me opgelucht omdat ons gesprek onder vier ogen tot na onze terugkeer uit Madeira is uitgesteld.

Het laatste deel van de ochtend bracht ik met Emily in haar vertrekken door. Vlak voor de lunch werd er op de deur geklopt en kwam mijnheer Perseus naar binnen gestapt.

'Juffrouw Gorst,' zei hij. 'Zou u ons willen verontschuldigen? Ik wil met mijn moeder een privékwestie bespreken.'

Pas met theetijd werd ik weer geroepen. Emily zat in haar zitkamer bij de haard met een opengeslagen atlas op schoot.

'Kom maar eens zitten, lieve Alice,' zei ze op gretige toon. 'Onze plannen zijn veranderd. We gaan toch niet naar Madeira. Perseus heeft me ervan overtuigd dat we naar Italië moeten.'

'Naar Italië?'

'Hij heeft voorgesteld dat we naar Florence gaan. Perseus zal met ons meereizen – hij heeft een plan voor een prachtig nieuw gedicht opgevat, over Dante en Beatrice. Is dat niet schitterend?'

28

Naar het zuiden

I
Een onverwachte bezoeker

Aldus werd besloten. Het werd Florence.

Mijnheer Perseus nam meteen de organisatie op zich, en eind januari 1877 vertrokken we van Evenwood en overnachtten we op Grosvenor Square; de volgende ochtend namen we de vroege boottrein. Het was voor mij een hele opluchting dat het plan om naar Madeira te gaan was afgeblazen. Dat mijnheer Perseus ons vergezelde zou me, naar ik hoopte, dagelijks de kans bieden om hem met alle mogelijke middelen tot een huwelijk te verleiden, zoals me was opgedragen.

Mijnheer Randolph en zijn vriend waren al eerder naar Grosvenor Square gegaan. Op de ochtend van ons vertrek kwamen ze allebei naar de trap bij de voordeur om afscheid te nemen. Toen mijnheer Randolph zijn moeder kuste en mijnheer Perseus koeltjes de hand schudde, maakte hij – net als mijnheer Paget – een ongewoon gereserveerde en gespannen indruk. Wij wisselden ten afscheid enkele onbeholpen, haastige woorden, waarna de twee vrienden weer naar binnen gingen.

Terwijl we wegreden, ving ik nog een glimp van het duo op, dat met de hoofden bij elkaar in de deuropening stond. Mijnheer Randolph had mij ten afscheid niet eens toegewuifd.

In stilte reden we naar het station – een allertreurigst trio. Mijnheer Perseus had een van zijn ijzige, zwijgzame buien en ik piekerde over de opvallende verandering van mijnheer Randolph, terwijl ik vermoedde dat Emily iets anders aan haar hoofd had.

Drie dagen eerder had ik om tien uur 's ochtends, net toen ik vanuit het schilderijenkabinet de trap af ging, de wielen van een rijtuig over het grind van de toegangshof horen knerpen. Enkele minuten later hoorde ik van Barrington dat we onverwachts bezoek hadden gekregen.

'Mijnheer Armitage Vyse, juffrouw. Hij wil milady zeer dringend spreken over een urgente zakelijke aangelegenheid.'

Ik rende onmiddellijk terug naar boven om de sleutel van de kast te halen van waaruit ik de beide samenzweerders eerder had bespied. Op mijn uitkijkpost haalde ik mijn opschrijfboek en een potlood tevoorschijn, om in steno vast te leggen wat er zich tussen hen afspeelde.

Door een van de ronde, gele raampjes zag ik Emily op het zitje in de vensternis zitten, met haar zwarte, ondoorgrondelijke ogen wijd opengesperd. Mijnheer Vyse liep met lange passen voor haar op en neer, met opgetrokken schouders en een woedende uitdrukking op zijn wolvenkop. Zijn lange, slungelige gestalte, die was gehuld in een donkergroene fluwelen jas en een strakke moerbeikleurige broek die boven zijn glanzende laarzen was vastgegespt, bood een wonderlijk fascinerende aanblik. Terwijl ik hem gadesloeg, kon ik alleen maar denken aan de gruwelijke prent van de grote, roodbenige man met de scharen in het prentenboek van Hoffmann* waaruit mijnheer Thornhaugh me als kind voorlas.

'Je gaat niet!' snauwt hij geërgerd. 'Je gaat niet! Terwijl ik je heb opgedragen – aangeraden, bedoel ik natuurlijk – dat je moest gaan! Hoe moeten we anders aantonen wie je nieuwe vriendin werkelijk is? Reken maar dat ze weet dat de man die Shillito heeft ontmoet en die zich Gorst noemde haar vader was, ook al ontkent ze dat. Er wonen ongetwijfeld nog mensen op het eiland die zich hem zullen herinneren – en nu zeg jij dat je niet gaat! Hoe vaak heb ik je niet verteld dat je dierbare gezelschapsdame niet is wie ze voorgeeft te zijn en dat ze hier is om ons te dwarsbomen? Maar toch blijf je haar vertrouwen! Nu hebben we een gouden kans verspeeld om de waarheid over mejuffrouw Esperanza Gorst te ontrafelen. Dit is slecht aangepakt, milady, érg slecht aangepakt.'

Om zijn ongenoegen kracht bij te zetten slaat hij angstaanjagend hard met de punt van zijn stok op de vloer.

---

* Der Struwelpeter, 'Piet de smeerpoets', door Heinrich Hoffmann (1809-1874), een prentenboek met verhalen waarin kinderen werden gewaarschuwd voor de gevolgen van wangedrag. In Duitsland voor het eerst gepubliceerd in 1845, in 1848 in een anonieme maar zeer succesvolle Engelse vertaling verschenen.

'Perseus wilde niet dat ik naar Madeira ging,' zegt Emily rustig maar uitdagend. 'En daarmee is de kous af.'

'Perseus! Volg je liever de raad op van die verwaande kwast van een zoon van je? Wat weet hij van onze zaken en hoe die het best kunnen worden aangepakt? Je had het voor hetzelfde geld aan die dwaas van een broer van hem kunnen vragen.'

De blik van beledigde minachting die Emily hem toewerpt zou een minder vastberaden man de moed in de schoenen hebben doen zinken, maar mijnheer Vyse blijft haar dreigend aankijken.

'Ik heb mijn zoon niet naar zijn mening over de kwestie gevraagd,' zegt ze, hem met bewonderenswaardige rust tegemoet tredend. 'Perseus vermoedde dat de reis naar Madeira, ook al was die oorspronkelijk door dokter Manley bepleit, voor een groot deel door jou was gedicteerd – en je weet hoe hij over jou denkt, Armitage. Hij had genoeg aan het vermoeden, en dus drong hij er in de krachtigst mogelijke bewoordingen op aan dat ik ergens anders naartoe zou gaan. Toen ik erover nadacht, zag ik in dat hij gelijk had. Ik heb nooit naar Madeira gewild. Een onaangename zeereis en dan opgesloten zitten op een eiland met zo'n kleine gemeenschap – nee, dat zou niet prettig zijn geweest. Naast warmte heb ik ruimte en vrijheid nodig. Mijn zoons aanbeveling om in plaats daarvan naar Italië te gaan, waarbij hij ons vergezelt, sloot volmaakt aan bij mijn eigen voorkeuren. En dus is alles geregeld en voorbereid. We gaan naar Florence.'

Haar koppigheid maakt mijnheer Vyse nog kwader. Hij buigt zich over haar heen en doet daarbij denken aan een groot, agressief insect.

'Jij dwaas!' sist hij en hij laat alle schijn van respect varen. 'Waarom luister je niet naar mij? Ze – is – hier – om – je – te – schaden. Waarom zie je dat niet in? Ik moet er nog achter komen waarom precies ze hier is en door wie ze is gestuurd, maar het is absurd om te geloven dat ze geen dochter van die Gorst is – het is te toevallig. Mijn hele intuïtie zegt me dat als we kunnen ontdekken wie híj was, we kunnen begrijpen wat háár geheime doel is.'

'Ik vraag je nogmaals,' zegt Emily onverzettelijk, 'wat ik je eerder heb gevraagd: waarom ben je er zo zeker van dat Alice ons misleidt? Op grond van welk gedrag verdenk je haar?'

Met een zucht neemt mijnheer Vyse naast haar plaats op het zitje in de vensternis.

'Zeg me eens, milady,' zegt hij flikflooiend terwijl hij haar hand in de zijne neemt, 'ken je een zekere heer John Lazarus?'

Ze zegt dat ze nooit in haar leven van zo iemand heeft gehoord.

'Mijnheer Lazarus was cargadoor,' vertelt mijnheer Vyse, 'in Billiter Street, in de City. Welnu: welke reden denk je dat je dierbare gezelschapsdame heeft om deze heer een bezoek te brengen?'

Wanneer Emily niets zegt, laat mijnheer Vyse haar hand los en begint op veelbetekenende wijze zijn perfect gemanicuurde nagels te bestuderen.

'Misschien had ik moeten vermelden,' zegt hij op een akelig gewiekste toon, 'dat de heer John Lazarus het grootste deel van zijn leven in de Atlantische wijnhandel werkzaam is geweest en dat hij een onderkomen op het eiland Madeira had.'

Emily's gezicht vertoont nu een trek van lichte ongerustheid, maar het is niets vergeleken met de schok die ik bij het horen van mijnheer Vyses woorden onderga. Wat was ik een dwaas geweest! Natuurlijk was hij op de hoogte van mijn bezoek aan Billiter Street – zijn knecht Digges had me daarheen gevolgd.

'Denk eens even na,' zegt mijnheer Vyse met klem. 'Hoe denk je dat juffrouw Gorst van die man heeft gehoord en wist waar ze hem moest vinden? Shillito heeft het haar niet verteld, dat staat vast. Iemand anders heeft haar op hem geattendeerd.'

'Iemand anders? Maar wie dan?'

'Als we dat wisten,' antwoordt hij, nu weer rustig, 'zouden we wellicht alles weten.'

Emily staat nu op uit het zitje in de vensternis en begint met haar handen tegen haar slapen gedrukt te ijsberen.

'Dit is te veel!' roept ze uit. 'Mijn hoofd barst uit elkaar door al jouw insinueringen. Ik moet mijn hart volgen, en mijn hart zegt me dat Alice niets te verbergen heeft en dat er een volmaakt onschuldige verklaring voor al deze zaken bestaat. Je moet met bewijs komen, Armitage – met gedegen bewijs – als je me op andere gedachten wilt brengen. Heb je dat? Nee – ik zie dat je dat niet hebt. Dit is allemaal de schuld van mijnheer Shillito. Wat heeft hij over de kwestie te zeggen? Gelooft hij nog steeds dat hij de man die hij op Madeira ontmoet heeft, eerder onder een andere naam heeft gekend?'

'Helaas,' zucht mijnheer Vyse. 'Het lijkt niet erg waarschijnlijk dat Shillito ooit in staat zal zijn om aan te tonen dat zijn overtuiging juist is.'

'Ik wist het wel!' roept Emily triomfantelijk.

'Wat weet je, milady?'

Hij komt langzaam overeind. Ze staan tegenover elkaar.

'Weet je bijvoorbeeld,' vervolgt hij, 'dat Shillito gisteravond op Finsbury Square door twee schurken is overvallen en voor dood is achtergelaten?'

Bij het incasseren van deze wrede genadeslag hapt Emily naar adem.

'Mijnheer Shillito overvallen! Wat vertel je me nu?'

'Ik vertel je, milady, dat mijn oude vriend Shillito afschuwelijke verwondingen aan zijn hoofd en gezicht heeft opgelopen en momenteel niet kan spreken en zich niet kan verroeren, en naar verwachting het eind van deze week niet zal halen. Ieder ander zou al aan dergelijke verwondingen zijn bezweken, maar Shillito was altijd al roemrucht vanwege zijn dikke schedel.'

'Maar dit kan niets met Alice te maken hebben,' houdt Emily vol. 'Ik ben natuurlijk ontsteld, maar het ging vast om een gewone overval. Is hij beroofd?'

Mijnheer Vyse is genoodzaakt om toe te geven dat de portefeuille en het gouden horloge van zijn vriend inderdaad door de overvallers zijn ontvreemd.

'Maar natuurlijk was het slim aangepakt,' voegt hij er snel aan toe, 'om het op een willekeurige overval te laten lijken. Er was een getuige, moet je weten, een man van een koffietentje, die de twee bandieten eerder op een volgens hem gemeenzame toon had zien praten met een lange, goedgebouwde, warm ingepakte heer – let wel, een heer. Ik leid daaruit af dat er geen sprake van toeval is geweest en dat roof niet het voornaamste motief was, maar dat de opbrengst alleen als betaling voor de opdracht diende.'

Hierdoor kan Emily even op adem komen. Maar terwijl ze haar zelfbeheersing enigszins hervindt, vraagt ze opnieuw wat ik met de overval op mijnheer Shillito te maken kan hebben gehad.

'Ze zal er misschien niet rechtstreeks of bewust mee te maken hebben gehad,' erkent mijnheer Vyse met tegenzin. 'Maar indirect en onbewust? Welnu, ik zou zeggen dat juffrouw Gorst er dan zeker bij betrokken is. Want net als in het geval van mijnheer John Lazarus herken ik hier de sturende hand van de Schaduw.'

'De Schaduw?' Emily laat een spottend lachje weerklinken.

'Dat is mijn benaming voor het brein dat naar mijn overtuiging leiding aan de gebeurtenissen geeft,' legt mijnheer Vyse uit. 'De persoon die, om het vlakaf te zeggen, als een tweede schaduw achter mejuffrouw Esperanza Gorst staat.'

'Nu maak je jezelf belachelijk,' repliceert Emily, en opnieuw lacht ze spottend. 'Ik heb wel genoeg wilde beschuldigingen en holle vermoedens gehoord. Om te beginnen is er een man die Shillito twintig jaar geleden beweert te hebben ontmoet en die al dan niet de vader van Alice was. En nu hebben we hier een geheimzinnige "Schaduw". Ze kunnen uiteraard niet een en dezelfde persoon zijn, want door de naspeuringen die je in Parijs hebt gedaan weten we dat de Edwin Gorst die zeker de vader van Alice was, dood is en op het St-Vincent-kerkhof begraven ligt. En als jouw "Schaduw" die Edwin Gorst niet is, wie is hij dan wel, en waarom – aangenomen dát hij bestaat – heeft hij Alice dan hierheen gestuurd? Nee, het is allemaal onzin, Armitage, en ik wil er niets meer over horen.'

Mijnheer Vyse ziet eindelijk in dat ze koppig mijn onschuld blijft verdedigen en maakt met tegenzin een klein capitulerend gebaar.

'Uitstekend, milady,' zegt hij met een verzoenende glimlach, hoewel hij duidelijk onaangenaam is getroffen door haar halsstarrigheid. 'We zullen het pas weer over de kwestie van juffrouw Gorst hebben als ik je het bewijs kan voorleggen dat je verlangt – en ik ben er zeker van dat ik daartoe in staat zal zijn. Om je verder mijn grootmoedigheid te tonen, zeg ik dat je naar Florence kunt gaan, als je dat wilt. Ik moet daaraan evenwel met klem een voorwaarde verbinden.'

Hij pakt haar op een hoogst onbeschaamde manier bij haar kin.

'Ik denk dat je haar wel kent.'

Ze staat roerloos en zwijgt hardnekkig.

'Bij je terugkeer moet ik antwoord hebben.'

Er verstrijkt een ogenblik.

'Je krijgt je antwoord, wees maar niet bang,' zegt ze en ze rukt zich los. Vervolgens keert ze terug naar het zitje in de vensternis en legt haar wang tegen het raam, zoals ik haar al zo vaak heb zien doen.

'Dan wens ik u een *bon voyage*, milady,' zegt mijnheer Vyse, met een air van gespeelde vriendelijkheid. En met die woorden pakt hij zijn hoed en stok en verlaat zachtjes voor zich uit neuriënd het vertrek.

Nadat mijnheer Vyse was vertrokken, bleef Emily peinzend uit het raam staren.

Ik liep op mijn tenen mijn schuilplaats uit, draaide de deur weer op slot en snelde naar mijn kamer.

Ik verkeerde in een hachelijke situatie: dat was overduidelijk. Emily leek op dit moment nog niet vatbaar voor de verdenkingen die mijnheer Vyse jegens mij koesterde, maar er moest twijfel bij haar zijn gezaaid, hoe gering ook, en mijnheer Vyse leek vastbesloten haar het bewijs van mijn dubbelhartigheid te bezorgen dat ze had geëist. Wat de overval op mijnheer Shillito betrof, daarmee moest mijnheer Vyse ernaast zitten. Want uiteraard was ik er zeker van dat er geen verband met mij of met de Grote Opgave kon bestaan.

Er vond die dag nog een incident plaats dat ik moet vermelden, hoe onbeduidend het destijds ook leek.

Het was een kille middag, en omdat ik het tijdens het transcriberen van mijn zojuist gemaakte stenoverslag in mijn Geheime Boek plotseling koud kreeg, wilde ik de haard aanmaken – om te ontdekken dat het haardrooster leeg was. Ik belde naar mevrouw Battersby om te vragen waarom er geen hout in de haard lag, maar Barrington reageerde op mijn oproep.

'Waar is mevrouw Battersby?' vroeg ik.

'Met uw welnemen, juffrouw,' antwoordde de lakei op zijn gebruikelijke sombere toon, 'ze heeft van milady verlof gekregen om een ziek familielid in Londen op te zoeken – een tante, naar ik meen. Ze is gisteravond vertrokken.'

Ik was een beetje gepikeerd omdat Emily dat niet tegen mij had verteld, maar het leek van zo weinig belang dat ik het algauw uit mijn hoofd zette.

Nadat een van de dienstmeisjes de haard in orde had gemaakt en het haardvuur ontstoken, bracht ik de overige tijd vóór het diner door met het schrijven van een brief aan madame, waarin ik haar verzekerde dat ik haar tijdens onze afwezigheid op Evenwood vaak zou schrijven. Ik stuurde ook een kort briefje naar North Lodge, om te regelen dat berichten van mijnheer Wraxall poste restante naar Florence zouden worden gestuurd. In een postscriptum voegde ik er enkele woorden over de overval op mijnheer Shillito aan toe. Snel kreeg ik antwoord.

Mijn waarde juffrouw Gorst,
Aan uw verzoek zal gehoor worden gegeven.
Het geval met Shillito is een vreemde, onverwachte wending & ik begrijp er niet veel van, hoewel het me buitengewoon interesseert & naar mijn idee een zeker verband met onze aangelegenheden moet

hebben. Maar bekommert u zich er niet om, en evenmin om mijnheer Vyse. In Florence zult u veilig zijn, en na uw terugkeer zal onder anderen ik over u waken.

Tot dan verblijf ik, met de meeste hoogachting,

M.R.J. Wraxall

II
Het Palazzo Riccioni

Onze reis naar Florence was saai. Mijnheer Perseus wilde niet langer dan noodzakelijk in Frankrijk blijven, want hij koesterde over het land en zijn inwoners een uitgesproken afkeurende – en in mijn ogen onverklaarbaar vooringenomen – mening. Daarom reisden we onmiddellijk en zo snel mogelijk naar het zuiden, naar Lyon en Avignon, vervolgens naar Cannes, waar we in de prachtige villa van wijlen lord Brougham* verbleven, en daarop naar Nice.

De route naar en in Italië, langs de steile, beboste Ligurische kust, was verrukkelijk, ook al kwamen vanuit de roerige wateren van de Middellandse Zee soms januariregens opzetten. Ik stoorde me daar echter nooit aan, want in mijn ogen werden de kleine vissersplaatsjes en de bossen met citroen- en pijnbomen waar we langskwamen er des te kostelijker, romantischer en schilderachtiger door.

Nu Emily uit Engeland weg was, was haar humeur snel verbeterd. Ook de stemming van haar zoon was onderweg naar het zuiden zichtbaar opgeklaard. Hoewel hij nog vaak lange tijd achtereen zwijgend in gedachten verzonken was, werd hij naarmate we onze bestemming naderden steeds voorkomender jegens mij. En op de ochtend dat we de Italiaanse grens passeerden, was zijn gedrag opvallend veranderd.

'Italië!' riep hij uit, en hij gooide het raam van het rijtuig open en snoof een teug van de heldere, warme lucht op. 'Het mooiste en edelste land ter wereld! In alle opzichten zo superieur aan Frankrijk!'

In deze absurde stelling kon ik me absoluut niet vinden, en dus vatte ik moed en zei hem dat. Daarop volgde een speels verbaal duel, waarin

* De Villa Eléonore-Louise aan de Avenue du Dr Picaud, in 1834 en 1835 gebouwd in opdracht van Henry Brougham, baron Brougham and Vaux (1778-1868).

hij de loftrompet stak over het Italiaanse landschapsschoon en de Italiaanse nationale deugden, terwijl ik het uiteraard hartstochtelijk opnam voor de kwaliteiten van mijn geboorteland. Algauw vervielen we tot een lik-op-stuk-uitwisseling van allerbespottelijkste beweringen en tegenbeweringen die uitliep op gelach en geglimlach en op een beroep op Emily om te beoordelen wie er had gewonnen.

'Ik weiger partij te kiezen,' zei ze en ze wierp ons beiden een toegeeflijk moederlijk lachje toe. 'Het zijn allebei grote naties – zij het niet zo groot als het goede oude Engeland. Maar misschien plaagt mijn zoon je, Alice, omdat hij weet dat je in Frankrijk bent grootgebracht.'

'U weet dat ik nooit plaag,' zei mijnheer Perseus. 'Ik ben altijd volkomen serieus. Daar kunt u van op aan.'

Nadat we drie aangename dagen in Pisa hadden doorgebracht, waar we zeer gerieflijk onze intrek in het Hotel Gran Bretagna hadden genomen, legden we ten slotte de korte laatste etappe van onze reis naar Florence af.

Om twee uur 's middags werden we onder klokgelui en een wolkenloze, azuurblauwe lucht afgezet voor de imposante voorgevel van het Palazzo Riccioni, in het zicht van de kerk van Santa Maria Novella.

Mijnheer Perseus was via zijn peetvader, lord Inveravon, aan het Palazzo gekomen. Hij had ook een kleiner landhuis besproken, de op een steenworp afstand van het klooster van Vallombrosa gelegen Villa Campesi.

Het Palazzo was een gebouw van aanzienlijk formaat met vier verdiepingen en meer dan dertig kamers – veel meer dan wij nodig hadden. Uiteraard werden we vergezeld door juffrouw Allardyce, Emily's nieuwe kamenier, alsmede door James Holt, een van de lakeien van Evenwood, een enthousiaste, krachtig gebouwde jongen die ongeveer even oud was als ik. Hij was door mijnheer Pocock uitverkoren boven Charlie Skinner, tot diens grote afschuw, en meegekomen als manusje-van-alles. Tezamen met een knorrige Italiaanse kok en zijn vrouw en dochter vormden zij onze kleine huishouding.

Nadat mijnheer Perseus een groot vertrek op de eerste verdieping als werkkamer had betrokken, wijdde hij zich onmiddellijk aan zijn nieuwe gedicht en aan een bundel sonnetten waaraan hij al voor zijn vertrek uit Engeland was begonnen. Aan deze literaire arbeid besteedde hij dagelijks vele uren, en tijdens de eerste twee weken van ons verblijf zag ik hem maar weinig, alleen de enkele keer dat hij met Emily en mij dineerde.

Aangezien Emily mij dolgraag alle grootse bezienswaardigheden van de stad wilde laten zien, stond ze vroeg op om een lijstje samen te stellen van de paleizen, kerken en andere monumenten die ze die ochtend wilde bekijken. Vermoeid door de inspanningen van de ochtend trok ze zich dan 's middags op haar kamer terug en liet mij aan mijn lot over.

Dan hadden we natuurlijk onze sociale verplichtingen: saaie diners met de meest vooraanstaande Italiaanse en Engelse inwoners van de stad, recepties, een gemaskerd bal, en opera- en theatervoorstellingen. Wanneer zelfs Emily deze verzetjes moe werd gingen we een paar dagen naar de Villa Campesi om van de buitenlucht te genieten en op ons gemak door de bomenrijke dalen te kuieren. Soms reden we naar het gehucht Tosi, waar zich een stenen kruis bevond en je een schitterend uitzicht had over bergen, kolkende stroompjes en diepe, donkere ravijnen, dichtbegroeid met cascades van duistere pijnwouden en uitgestrekte beuken- en kastanjebossen. Al stonden ze nog niet in blad, in hun dichtheid lieten ze zien hoe raak Miltons prachtige vergelijking met de eindeloze massa opstandige engelen was.*

Het is niet mijn bedoeling om van dag tot dag te verslaan wat zich tijdens ons verblijf in Florence afspeelde. Ik moet u echter drie gebeurtenissen beschrijven, en ik zal dat nu zo beknopt mogelijk doen door te putten uit uittreksels – die indien nodig zijn uitgebreid – uit mijn Geheime Boek, dat uiteraard naar Italië was meegegaan.

Laten we beginnen.

---

* Milton, *Paradise Lost* (i. 302): 'Dicht als herfstbladeren langs de beken / In Vallombrosa...'

29

Een Italiaanse lente

Florence: februari-april 1877

I

San Miniato

14 februari 1877

In de vroege middag van Valentijnsdag kwam mijnheer Perseus thuis nadat hij de Ponte Vecchio ter plaatse had beschreven voor zijn nieuwe gedicht over Dante en Beatrice. Gewoonlijk sloot hij zich na zulke uitstapjes in zijn werkkamer op, maar vandaag verklaarde hij het werken moe te zijn. Zou ik, nadat hij een late lunch had gebruikt, met hem een wandeling naar San Miniato al Monte willen maken? Gestreeld door dit verzoek en de warme toon waarop het was uitgesproken aanvaardde ik het met graagte, want het bood me sinds onze aankomst in Florence de eerste kans om alleen met hem te zijn.

Hier volgt het verslag van de eerste van drie gebeurtenissen die ik later in mijn Geheime Boek heb beschreven.

Onze eerste wandeling

We lopen door de Porta San Miniato de stad uit. Langs een steile, met cipressen omzoomde helling ga je omhoog naar de kerk van San Salvatore al Monte: die is prachtig gelegen en biedt een schitterend uitzicht over de stad – een volgens mijnheer P. door Michelangelo zeer bewonderd panorama.

Voordat we naar huis teruggaan praten we rustig over koetjes en kalfjes.

Mijnheer P. (abrupt een ander onderwerp aansnijdend): *Bent u in uw huidige situatie gelukkig, juffrouw Gorst?*

E.G. (enigszins verbluft): *Volmaakt gelukkig, dank u.*

Mijnheer P.: *Hebt u geen enkele ambitie om meer te worden dan u nu bent?*

E.G. (niet wetend waar dit naartoe gaat): *Waarom zou ik iets willen veranderen wat me uitstekend bevalt?*

Mijnheer P.: *Iedereen zou ernaar moeten streven om meer te bereiken.*

E.G.: *De meeste mensen op de wereld beschouwen zo'n ambitie wellicht als een luxe die ze zich niet kunnen veroorloven. Ze worden te zeer door hun huidige problemen in beslag genomen.*

Hij lijkt door mijn jacobijnse toon een beetje van zijn stuk te zijn gebracht. Er valt een stilte. Vervolgens vraagt hij of ik niet uit mijn afhankelijke, onderworpen positie zou willen ontsnappen – want daarin verkeer ik naar zijn mening toch, alle prettige kanten ten spijt.

Ik vraag hoe ik eraan zou moeten ontsnappen, als ik dat zou willen, want voor mij ligt geen ander levenspad open. Buiten mijn schamele talenten bezit ik niets, en ik heb geen verwachtingen of vooruitzichten: ik zal het zelf moeten doen.

Mijnheer P. (na even te hebben nagedacht): *Er zijn andere, betere vormen van afhankelijkheid dan die waar u zich momenteel naar moet schikken. Hebt u nooit bedacht dat u op een dag zou kunnen trouwen?*

Uiteraard slaat mijn hart bij die vraag een slag over, ook al is hij ogenschijnlijk zonder enige interesse gesteld.

Ik vraag (met een air van lichte verontwaardiging) hoe iemand in mijn positie zou kunnen denken aan de mogelijkheid van een huwelijk dat de noodzaak wegneemt om voor jezelf te zorgen. Het is geen geringe hint, maar hij pakt hem niet op, knikt alleen en zegt dat ik waarschijnlijk gelijk heb.

We komen weer bij de Porta San Miniato en belanden in een grote mensenmenigte. In het gedrang raken we even van elkaar gescheiden.

Als we weer bij elkaar zijn, vraagt mijnheer P. of ik ooit naar Frankrijk terug zou willen, of dat ik Engeland nu als mijn thuis beschouw.

Ik vertel hem dat ik altijd met de grootst mogelijke warmte en dankbaarheid aan mijn vroegere leven zal terugdenken, maar dat ik nu geen reden kan bedenken om ooit nog uit Engeland weg te gaan. Dat doet hem kennelijk genoegen, al zegt hij alleen 'schitterend!' gevolgd door de mededeling dat we ons moesten haasten om niet te laat te zijn voor de thee.

Bij onze terugkeer in het Palazzo R. bedankt hij me voor mijn plezierige gezelschap. Niets in zijn toon of houding verraadt meer dan alleen beleefdheid, maar toch meen ik beslist een gespannen blik in zijn ogen te zien, alsof hij het idee heeft in de greep van een steeds sterker wordende emotie te verkeren waaraan hij niet gewend is en die hij kan beheersen noch overwinnen. Maar misschien gaat mijn verbeelding met me op de loop.

Hij loopt de trap op naar zijn werkkamer. Bovenaan draait hij zich even om en kijkt omlaag naar mij. Op dat moment ben ik er zeker van dat ik mezelf niet voor de gek houd. In het hart van mijnheer Perseus Duport roert zich iets, net als in het mijne.

Zo ontstond de bijna dagelijkse gewoonte om een middagwandeling met Perseus te maken. Door de stad – waarvan hij, omdat hij er enkele keren eerder was geweest, veel wist – of in de omgeving van de Villa Campesi, wanneer we daar verbleven.

Naarmate de dagen verstreken ging ik steeds meer plezier aan zijn gezelschap beleven, ook al bleef hij een hardnekkige en uitdagende afstandelijkheid vertonen en blijk geven van een karakter dat instinctief geneigd leek te zijn de dingen vanuit zijn eigen voorname en uitzonderlijke positie te bezien. De vlam van oprechte genegenheid, zij het nog niet van liefde, was ontstoken – daarvan raakte ik door allerlei kleine tekenen in zijn gedrag jegens mij steeds meer overtuigd, ook al stond zijn zwijgzame temperament elk uiterlijk vertoon van gevoelens in de weg. Aangezien ik intussen echter volleerd was in de studie van de wisselvallige stemmingen van zijn moeder en had geleerd alle subtiele middelen te interpreteren waarmee zij haar ware gevoelens verhulde, begon ik mijn vaardigheden toe te passen op de soortgelijke gewoonten die zij kennelijk aan haar oudste zoon had doorgegeven.

Omdat hij zo gauw in zijn trots en eigendunk gekrenkt was, nam ik tegenover hem dezelfde ootmoedige en meegaande houding aan als tegenover zijn moeder. Ondanks het feit dat hij veelvuldig tot nors stilzwijgen verviel, ontdekte ik algauw dat hij over bepaalde onderwerpen zeer enthousiast en spraakzaam kon zijn: over de poëzie van Milton en Dante, over de theorieën van Darwin, over Boccaccio, de orgelmuziek van de oudere Bach (een passie die hij vreemd genoeg met mijnheer Thornhaugh gemeen had) en vooral over alles wat verband hield met het oude geslacht waarvan hij de erfopvolger was en waarvan ook ik deel uitmaakte – al wist hij dat nog niet. Als ik hem ertoe verleidde om over een van zijn favoriete thema's uit te weiden – hij deed dat op een tamelijk schoolmeesterachtige manier, alsof hij college gaf – speelde ik de rol van bewonderende en waarderende leerlinge, die dorstte naar zijn superieure kennis. Dat is natuurlijk een oude truc, maar hij werkt: ik ontdekte algauw dat een man niets zo prettig vindt als zich geestelijk de meerdere van een vrouw te wanen. Zijn specifieke en algemene kennis was niet te vergelijken met die van mijnheer Thornhaugh, maar naast zijn stokpaardjes was hij van een aantal interessante onderwerpen uitzonderlijk goed op de hoogte, en ik was een geoefend en gretig luisteraar. Ik zag welke voldoening mijn gespeelde intellectuele onderdanigheid hem verschafte, en dankzij deze valse vleierij gingen we ons in elkaars gezelschap steeds meer op ons gemak voelen.

II
Een brief uit Engeland

Sinds ons vertrek uit Engeland waren er ruim twee maanden verstreken. Emily verkeerde al enige tijd in een goede stemming, en haar gezondheid leek door de heilzame werking van het Florentijnse klimaat en de verandering van omgeving sterk te zijn verbeterd – ik was er zeker van dat de tijdelijke bevrijding van de bemoeienissen van mijnheer Vyse er nog bijkwam, alsmede een afname van de vreselijke angsten die haar in Engeland voortdurend hadden gekweld.

Toen, in de eerste weken van april, begon ze tekenen van achteruitgang te vertonen. Ze kreeg een verontrustende, geteisterde uitdrukking op haar gezicht, haar haar, dat ik nog weleens borstelde, werd dun en levenloos, de natuurlijke, marmerachtige bleekheid van haar huid was een ziekelijke bleekheid geworden en zelfs haar ogen – die vroeger door hun ongewone grootte en stralende schoonheid zo fascinerend waren geweest – waren hol en waterig.

Ze stond 's ochtends laat op, ontbeet heel licht en zat vervolgens tot de lunch in de salon, vaak met een ongelezen boek op schoot. Daarna ging ze tot theetijd naar haar kamer. Aan onze tochtjes door de stad kwam een einde, de afspraken voor 's avonds werden afgezegd en ik hoefde haar nog maar zelden gezelschap te houden. Op een ochtend werd ik evenwel op haar kamer ontboden.

Ik klopte aan en ging naar binnen; ze lag met gesloten ogen en een plaid over zich heen op een chaise longue. Enige tijd zei ze niets. Toen opende ze haar ogen en keek me aan met een blik van verbijsterde nieuwsgierigheid, bijna alsof ik een vreemde was die er niet hoorde te zijn. In haar rechterhand hield ze een deels verfrommelde brief.

Hier volgt wat ik later in mijn Geheime Boek noteerde:

Gesprek met lady Tansor

Ik ga naast haar zitten en pak haar linkerhand. Ze glimlacht zwakjes, kucht en zegt dat ze me iets moet vertellen: we moeten naar Engeland terug, sneller dan verwacht. Tot mijn verbazing bekent ze dat zich in haar aangelegenheden een crisis heeft voorgedaan, maar meer zegt ze er niet over. Door even omlaag te blikken laat ik blijken dat ik de brief heb gezien die ze in haar andere hand houdt, en vrijmoedig vraag ik wie de afzender is.

Lady T.: *Hij is van mijnheer Vyse. Je herinnert je vast mijnheer Roderick Shillito nog wel, die met Kerstmis samen met mijnheer Vyse op Evenwood te gast was. Tot mijn spijt moet ik zeggen dat mijnheer Vyse me heeft meegedeeld dat hij dood is.*

Natuurlijk doe ik alsof dit vreselijke nieuws me schokt. Was hij ziek? vraag ik.

Lady T.: *Nee. Hij was het slachtoffer van een laaghartige overval, en men dacht dat hij geen week meer te leven had. Hoewel hij niet meer kon spreken en zich niet meer kon bewegen, is hij nog bijna twee maanden in leven gebleven.*

E.G.: *En moeten we daarom naar Engeland terug?*

Lady T.: *Nee. Daar zijn andere redenen voor – zaken die aandacht vragen. Ik ben te lang weg geweest. De tijd vliegt.*

Ze doet verder geen poging om uit te leggen waarom ze uit Florence wil vertrekken. Onze blikken ontmoeten elkaar: haar ogen staan vermoeid en angstig. Ik zie dat ze me iets wil zeggen wat haar pijn doet. Met enige moeite laat ze mijn hand los en gaat rechtop zitten.

Lady T.: *Het is tijd om eerlijk tegenover elkaar te zijn, Alice. Dat zijn we elkaar als vriendinnen verschuldigd. Ik moet je vertellen dat mijnheer Vyse je ervan verdenkt dat je mij hebt misleid. Hij gelooft dat je niet bent wie je voorgeeft te zijn, en dat je naar Evenwood bent gekomen om mij te schaden. Wil je me nogmaals bezweren, liefste Alice, dat hij ongelijk heeft?*

Ik geef haar de verzekering waarom ze heeft gevraagd, met veel omhaal van woorden en met al het mogelijke hartstochtelijke vertoon van gekrenktheid. Steeds weer vertel ik haar dat ik haar eeuwig dankbaar ben om wat ze voor me heeft gedaan, omdat ze mij, een arme wees, van kamenier tot gezelschapsdame heeft gepromoveerd en me heeft gemaakt tot wat ik nu ben: haar liefhebbende en uiterst toegewijde vriendin. Tot mijn verbazing weet ik zelfs wat tranen te produceren, en ik doe geen poging om ze weg te wissen. Mijn vurige protesten stellen haar kennelijk tevreden. Ze gaat achteroverliggen en trekt de plaid op tot over haar borst met de woorden dat ze het koud heeft, hoewel het een mooie, warme dag is.

Vervolgens zegt ze dat ze me nog iets moet vragen.

Lady T.: *Het gaat om een bezoek dat je, toen we in Londen waren, aan een zekere mijnheer John Lazarus hebt gebracht. Wil je me vertellen hoe je die heer kent en waarom je hem thuis hebt opgezocht?*

E.G. (met gespeelde onnozele verbazing): *Als ik het mag vragen – hoe weet je dat ik mijnheer Lazarus heb opgezocht?*

Lady T.: *Wees alsjeblieft niet boos, schat. Iemand heeft je gezien – een vriend van mijnheer Vyse.*

E.G.: *Een vriend van mijnheer Vyse? O. Wat toevallig! Natuurlijk heb ik er geen enkel bezwaar tegen om je te vertellen waarom ik mijnheer Lazarus heb opgezocht, want ik heb niets voor je te verbergen. Ik wilde me er alleen maar van vergewissen dat mijnheer Shillito ongelijk had ten aanzien van de identiteit van de man die hij op Madeira had ontmoet. En dus heb ik mijnheer Thornhaugh geschreven om hem te vragen of hij namens mij navraag kon doen. Via een wederzijdse kennis ontdekte hij dat mijnheer Lazarus jarenlang op Madeira had verbleven en dat hij bij de Engelse eilandbewoners welbekend was. Dus ik ben naar die heer toe gegaan om hem te vragen of hij iemand had gekend die Gorst heette.*

Lady T.: *En wat heb je ontdekt?*

E.G.: *Dat de man die mijnheer Shillito kende mijn vader niet kan zijn geweest. Die had toentertijd al veel ouder moeten zijn en leek, afgaand op wat mij over zijn uiterlijke verschijning is verteld, niet in het minst op de man die mijnheer Shillito had ontmoet.*

Bij het horen van dit spontane verzinsel glimlacht Emily opgelucht. Ze vlijt haar hoofd weer op het kussen neer en sluit haar ogen.

Ik denk enkele minuten zwijgend na, in de veronderstelling dat ze in slaap is gevallen. Maar dan doet ze me schrikken door plotseling haar ogen op te slaan en me verwilderd aan te staren.

Over haar magere, gerimpelde gezicht beginnen tranen te stromen, en ze brengt in wanhoop een diep, dierlijk gekerm voort. Ik pak haar hand en vraag wat haar dwarszit, maar ze schudt alleen haar hoofd. Ik zeg haar dat ze moet rusten, maar ze antwoordt dat ze dat niet kan en al drie nachten niet heeft geslapen.

E.G.: *Waarom heb je mij niet geroepen? Ik had je misschien kunnen voorlezen.*

Als ze niet antwoordt, stel ik haar voor een geringe dosis Battley's te nemen.

Lady T. (gretig): *Heb je dan wat bij je?*

Ik pak het flesje en dien haar een dosering toe. Met een zucht van opluchting laat ze zich op de chaise longue terugzakken.

'Ga nu maar rusten, schat,' zeg ik tegen haar. 'Ik zal ervoor zorgen dat je niet wordt gestoord.'

Binnen vijf minuten is ze diep in slaap. Ik trek de brief voorzichtig uit haar koude hand. Tot mijn teleurstelling staat er, afgezien van het bericht van mijnheer Shillito's dood, niet veel van belang in. Ik leg de brief weer in haar hand, loop zachtjes de kamer uit en laat Emily opgaan in haar opiumdromen.

III
Op de Ponte Vecchio
27 april 1877

We begonnen alles voor onze terugkeer naar Engeland te regelen. Maar op aanraden van haar Italiaanse arts werd ons vertrek uitgesteld totdat Emily voldoende op krachten was gekomen voor de lange thuisreis. Als gevolg van dit oponthoud greep mijnheer Perseus de gelegenheid aan om in Rome professor Stefano Lombardi op te zoeken, een vooraanstaand Dante-kenner met wie hij zijn gedicht besprak. De middag na zijn terugkeer naar Florence maakten wij weer een wandeling. Het zou de laatste worden.

Hij vertelde enthousiast over de plezierige gesprekken die hij met professor Lombardi had gevoerd en over de voortreffelijke wijze waarop zijn gedicht vorderde. We hadden het ook over ons ophanden zijnde vertrek uit Italië en gaven allebei uiting aan onze spijt dat het klimaat niet de verhoopte verbetering van Emily's gezondheid had gebracht.

Toen we vanuit het Belvedere terugliepen en onze wederzijdse bezorgdheid om Emily bespraken, vroeg hij of ik hem naar de Ponte Vecchio wilde vergezellen, voordat ik naar het Palazzo Riccioni zou terugkeren.

Net als de Rialto in Venetië is de Ponte Vecchio een brug vol winkeltjes, voornamelijk van juweliers, goudsmeden en andere edelsmeden. Voor een van die zaakjes bleven we staan.

Door het raam zag ik de eigenaar, volgens het uithangbord boven de deur signor Silvaggio geheten, vol verwachting naar buiten kijken bij het zien van mijnheer Perseus' opvallende verschijning.

Gesprek met mijnheer P.
Mijnheer P.: *Wilt u me een ogenblik verontschuldigen? Ik moet hier iets ophalen.*

Ik loop enkele minuten op en neer, totdat hij het winkeltje uit komt met een met fluweel bekleed doosje in zijn hand.

Mijnheer P.: *Dit is voor u.*

Ik neem het doosje aan en maak het open.

Er zit een prachtige ring met diamanten en robijnen in. De stenen schitteren in de stralen van de langzaam ondergaande zon die de Arno in een gouden gloed hullen en door de bogen van de oude brug vallen.

E.G.: *O, maar hij is prachtig! Ik begrijp het alleen niet. Zo'n geschenk kan ik onmogelijk aannemen.*

Mijnheer P.: *Het is geen geschenk, juffrouw Gorst – Esperanza. Het is veel meer. Heb je het niet geraden?*

Hij haalt de ring uit het doosje. Vervolgens pakt hij mijn hand en schuift de ring om mijn vinger.

Ik ben ontsteld en bezwijm bijna van ongeloof.

Mijnheer P.: *Ik heb u gechoqueerd, zie ik. Maar u moet het toch weten?*

E.G. (in een staat van verrukkelijke verwarring): *Wat moet ik weten?*

Mijnheer P. (nu met een glimlach): *Dat dit uitdrukking geeft*

aan wat ik voor u voel en aan wat ik graag wil dat wij voor elkaar
zullen betekenen. Neemt u hem aan?

Deze verbazingwekkende verklaring wordt uitgesproken op een stijve, prozaïsche toon, alsof hij me een glas wijn aanbiedt. Maar in zijn ogen zie ik heel duidelijk dat zijn woorden vurig en van ganser harte gemeend zijn, en dat hij oprecht hoopt dat ik het onuitgesproken aanzoek zal aanvaarden. Tegen elke verwachting en tegen alle hoop in is de vlam inderdaad opgelaaid en lijkt nu niet meer te kunnen worden gedoofd. Ik ben overmand door de onbedwingbare vreugde omdat het ogenschijnlijk onmogelijke doel dat madame me had gesteld kennelijk zo gemakkelijk en in zo'n korte tijdspanne is bereikt. Ik ga trouwen met Perseus Duport, de toekomstige lord Tansor, en door onze verbintenis zal de bloedlijn van mijn vader in ere worden hersteld en de Grote Opgave volbracht. Het dankbare gevoel een heilige plicht te hebben vervuld zinkt echter in het niet bij de veel grotere vreugde die mijn hart nu overspoelt. Terwijl ik voel hoe de ring mijn vinger omsluit, weet ik dat ik oprecht van Perseus Duport houd, dat ik nooit van een andere man zal houden en dat hij – al heeft hij de woorden die ik zo graag wil horen nog niet gesproken – ook van mij houdt.

Hij vertelt dat hij zich niet kan voorstellen dat een leven zonder mij enige zin of waarde heeft. Voor hem is alles veranderd. Door mijn komst naar Evenwood is de wereld herschapen, en niets zal ooit nog hetzelfde zijn. Hij is niet meer de Perseus Duport die hij slechts een halfjaar geleden nog was. Hij is volkomen in mijn ban geraakt, met hart en ziel. Sinds de dag van onze eerste ontmoeting heeft hij in voortdurende innerlijke beroering verkeerd, al zijn oude zekerheden verbrokkelden, en elke dag – elk uur – was hij ten prooi aan hevige onzekerheid, twijfel aan zichzelf en bittere jaloezie omdat mijn genegenheid naar zijn broer leek uit te gaan. Zijn werk was zijn enige troost, zijn enige toevluchtsoord voor de storm die in hem woedde – hij spreekt van een niet-aflatende aanval op zijn gemoedsrust. Maar zijn werk volstaat niet langer. Niets volstaat nog, alleen de onvoorwaardelijke verzekering dat onze levens voortaan onlosmakelijk verbonden zullen zijn.

Dit – dit prachtige, onverwachte relaas en nog heel veel meer, biecht hij nu op, en al zijn bekentenissen en blijken van achting voor mij komen er bijna verontrustend onverbloemd uit, alsof het stuk voor stuk de meest alledaagse en onweerlegbare feiten zijn. Maar ik stoor me niet aan de onverstoorbare zelfbeheersing die hij aan de dag legt, het stoort me niet dat hij niet als een smoorverliefde romantische minnaar op zijn knieën is gevallen, want ik heb altijd van alledaagse en simpele feiten genoten en zou haast mijn opschrijfboek tevoorschijn willen halen om ze allemaal op te schrijven, zodat ik ze mijn hele verdere leven voortdurend kan opslaan, net als Walkers *Pronouncing Dictionary.*

Zo hoor ik minstens vijf magnifieke minuten lang in een staat van gelukzalig ongeloof en met de namiddagzon in mijn ogen zwijgend de verklaring van mijnheer Perseus Duport aan.

Wat er is gebeurd is volkomen onvoorzien maar stemt, al heb ik voor mezelf amper mijn ware gevoelens voor hem erkend, toch zo volledig overeen met alle geneigdheden van mijn hart dat ik aanvankelijk geen woord kan uitbrengen. Ten slotte ben ik weer tot spreken in staat en geef blijk van weerstand, zoals het een dame die het hof gemaakt wordt betaamt – in elk geval in de romans die ik heb gelezen. Ik buig mijn hoofd, ik bloos, ik wend mijn blik af, ik doe de ring af en geef hem aan hem terug, maar hij schuift hem vasthoudend weer om mijn vinger. Om zijn vastberadenheid op de proef te stellen breng ik vervolgens alle voor de hand liggende bezwaren naar voren. Wat zal lady Tansor ervan zeggen? Ze zal het huwelijk toch vast verbieden? Wat zal de wereld ervan zeggen? Denk aan het schandaal! De roddel! De schande! Hoe moet ik geloven dat hij met de voormalige kamenier van zijn moeder wil trouwen? Ik heb hem niets te bieden: geen fortuin, geen vooruitzichten, geen familiebetrekkingen. Zo'n huwelijk is voor de toekomstige lord Tansor toch onmogelijk?

Dan maak ik de opmerking dat zijn gevoelens voor mij kennelijk een hoogst opmerkelijke verandering hebben ondergaan.

E.G.: *Niet zo lang geleden leek u niet op mij gesteld, toen u nog dacht dat uw broer mij beter beviel.*

Mijnheer P. (heftig): *Nee! Integendeel, dat verzeker ik je. Ik handelde uit genegenheid en bezorgdheid. Vanaf het eerste moment dat ik je zag wist ik zeker waar het toe zou leiden, als mijn verlangen met succes kon worden bekroond. Maar ik bezit geen extravert karakter en kon niet gemakkelijk uitspreken wat ik in mijn hart voelde. Jij*

vond me daarom vast onaardig, en dat spijt me oprecht. Maar ik heb
me voorgenomen anders te worden – ik bén veranderd, dat moet je
toch zien. Ik heb me te lang achter een façade van onverschilligheid
verscholen. Dat zal ik niet meer doen. Je ziet hoe welsprekend ik door
mijn gevoelens voor jou ben geworden!

Ik herinner hem eraan dat hij eens heeft gezegd dat een Duport de plicht heeft op stand te trouwen. Hij schuift het terzijde, met de woorden dat hij zich scherp bewust is van alle bezwaren die tegen onze verbintenis kunnen worden ingebracht, maar dat ze hem niet kunnen schelen. Dat hij zich vroeger niet had kunnen voorstellen dat hij ooit in zijn huidige positie zou verkeren, maar dat hij meerderjarig is en zelf over zijn toekomst kan beslissen.

Mijnheer P.: *Jij bent een wees, en je bent als dienares naar Evenwood gekomen. Maar daarvoor ben je niet in de wieg gelegd. Iedereen kan zien dat je van geboorte een dame bent. Ik weet het, mijn moeder weet het en binnenkort zal de hele wereld het weten. Je bent arm, dat is waar, maar ik heb geld genoeg, en in ieder ander opzicht, mijn liefste Esperanza, ben je een geschikte echtgenote voor de volgende lord Tansor. Niemand zal kunnen ontkennen dat ik wel degelijk een goed huwelijk heb gesloten.*

Hij zegt nog meer – nog veel meer – in deze trant. Steeds opnieuw vertelt hij me dat hij door mij een ander mens is geworden. Maar dat is niet zo. Hij is dezelfde Perseus Duport die op mijn eerste ochtend op Evenwood mijn kennis van het labyrint van Kreta peilde, alleen heeft de liefde nu de aspecten van zijn karakter aan het licht gebracht die hij door zijn opvoeding heeft leren verhullen. Ik weet dat hij altijd trots zal zijn, en zich altijd halsstarrig bewust zal zijn van zijn superieure positie op de wereld. Hij zal nooit gemakkelijk dwazen kunnen verdragen of spontaan zijn diepste gedachten en gevoelens openbaren, en hij zal zich nooit volledig bevrijden uit de kerker van zijn eigendunk. Toch voel ik geen afkeer van deze zichtbare uitingen van zijn instinct tot zelfbescherming, zoals dat vroeger het geval was, want ze zijn niet representatief voor zijn persoonlijkheid. Door zijn tekortkomingen heeft hij niet kunnen onthullen hoe mooi zijn karakter eigenlijk is. Dat weet ik door de tijd die ik de afgelopen maanden samen met hem heb doorgebracht – door onze wandelingen en gesprekken, doordat we samen hebben geglimlacht en gelachen en door de prettige stiltes die er zijn gevallen. Daardoor is voor mij ontsloten wat, en dat weet ik zeker, verder geen mens ooit heeft gezien: de geheime inborst van Perseus Duport.

Ten slotte neemt hij mijn beide handen in de zijne en op lieve, maar formeel hoffelijke toon stelt hij de vraag waarvan ik nauwelijks had durven hopen dat ik hem ooit te horen zou krijgen. Mijn verbazing is compleet wanneer hij mijn hand pakt, hem kust, me vervolgens diep in de ogen kijkt en (ik heb het later geverifieerd) langzaam de woorden spreekt die Dante tot Beatrice richtte toen hij haar voor het eerst ontmoette: *Ecce deus fortior me, qui veniens dominabitur mihi.**

We lopen de brug af en staan gearmd voor het Palazzo Pitti. Boven ons zwenken en buitelen de zwaluwen. Overal in de stad luiden de klokken.

Ik geef hem zijn antwoord.

Op Perseus' verzoek moest onze verloving geheim blijven totdat we in Engeland terug waren en hij zijn moeder er onder de, in zijn woorden, 'gepaste omstandigheden' van op de hoogte kon brengen. Ook moesten er veel juridische regelingen worden getroffen. Ten slotte vroeg hij een beetje beschaamd of ik hem toestond de ring terug te nemen totdat deze zaken zouden zijn geregeld. Omdat ik in die regelingen geen kwaad zag en ook mijn eigen redenen had om voorlopig geen ruchtbaarheid aan onze verloving te geven, stemde ik er graag mee in en ik schreef madame onmiddellijk om haar het grote nieuws mee te delen.

Begin mei vertrokken we uit het Palazzo Riccioni. De terugreis verliep langzaam, want we moesten onderweg veel extra stops inlassen zodat Emily kon rusten.

Perseus en ik gedroegen ons steeds gepast neutraal en wisselden alleen van tijd tot tijd een korte blik van verstandhouding uit of een teder, suggestief lachje, zoals van gelieven in onze situatie te verwachten viel. Soms, als we wachtten tot het rijtuig werd voorgereden en hij er zeker van was dat we niet werden gadegeslagen, raakte hij zachtjes mijn hand aan, woordeloos en dikwijls met de blik op oneindig, alsof hij zich niet

---

* 'Ziehier een god sterker dan ik, die komende mij zal overheersen.' Dante, *Vita Nuova* (I, ii).

van mijn aanwezigheid naast hem bewust was. Wat mij betreft, ik bleef tijdens deze kleine pantomime-opvoeringen stilzwijgend ontvankelijk voor hem, al probeerde ik hem zo goed mogelijk over te brengen dat ik precies hetzelfde wilde als hij.

Hij reisde vanuit Londen niet met ons mee terug naar Evenwood, maar bleef nog enkele dagen op Grosvenor Square, zogenaamd – en ook werkelijk –om mijnheer Freeth over de voortgang van zijn nieuwe gedicht te informeren en hem om zijn deskundige mening te vragen over de zes zangen die hij in Italië had geschreven. Zijn voornaamste doel was evenwel het inwinnen van advies over verschillende juridische kwesties in verband met ons ophanden zijnde huwelijk.

Ongeveer een uur voordat Emily en ik aan de terugreis naar North-amptonshire begonnen, kwam hij naar mijn kamer. Hij zei te hopen dat hij over niet al te lange tijd zijn moeder om een onderhoud zou kunnen vragen en voegde daaraan toe dat we dan de officiële bekendmaking konden voorbereiden. Ik gaf uiteraard graag alle geëigende antwoorden, en kreeg als beloning een teder kusje op mijn wang. Zo gingen we uiteen.

Op een allesbehalve voorjaarsachtige dag, met een hevige wind en felle regenbuien kwam ons rijtuig ten langen leste weer tot stilstand voor de voordeuren van het grote Evenwood landhuis, dat ik nu met andere ogen bezag. Terwijl Emily door James Holt uit het rijtuig werd geholpen, die heldhaftig een paraplu boven haar hoofd trachtte te houden, blies een plotselinge rukwind een tuiltje fletse papieren bloemen van haar hoed en joeg ze in een snelle werveling omhoog naar de bekoepelde torens en de voortjagende zwarte wolken hoog daarboven.

Ze slaakte een kreetje, haast alsof ze pijn had, en keek even toe hoe de fragiele blaadjes in het niets verdwenen, alsof elk blaadje een triest zinnebeeld van vergeefse hoop was.

'Ze waren nog van mijn moeder,' verzuchtte ze. 'En nu zie ik ze nooit meer terug.'

Vervolgens wendde ze zich met een treurige, berustende glimlach tot mij.

'Kom, schat. Volgens mij is het theetijd.'

EINDE VAN HET VIERDE BEDRIJF

De wraak van de tijd

En zo brengt de draaitol van de tijd zijn eigen wraak.

William Shakespeare, *Twelfth Night* (1601)

30

De zwarte doos van mijnheer Barley

I
Sukies geheim

De gebeurtenissen volgden elkaar nu in een duizelingwekkend tempo op.

Ongeveer een dag nadat milady en ik weer op Evenwood waren aangekomen, bracht Sukie me een brief van madame. Toen ze weg wilde gaan was het kleine dienstmeisje aarzelend bij de deur blijven staan, om zich vervolgens met blozende wangen weer naar mij toe te keren.

'Alstublieft, juffrouw Alice,' zei ze op treurige toon, 'zou u me iets kunnen zeggen?'

'Natuurlijk, als ik dat kan,' antwoordde ik, plotseling verontrust over haar bedroefde uitdrukking, want ze was zo'n opgewekt type. 'Wat is er in 's hemelsnaam aan de hand? Kom eens terug, schat, en vertel het me.'

'Ik wil weten of ik er verkeerd aan heb gedaan om dit te houden.'

Ze tastte in de zak van haar schort en haalde een groezelig velletje papier tevoorschijn, dat ze vervolgens aan mij overhandigde.

'Ik vond dit in een japon die ik van milady moest opruimen,' legde ze uit, 'samen met de andere japonnen die we uit de oude klerenkast in de zuidvleugel hebben gehaald toen het dak lekte. Het was een prachtige japon en nog heel nieuw, maar milady zei dat de kleur haar niet stond en dat ze hem nooit meer wilde dragen. Daarom bracht ik hem weg, maar er viel een kam uit een van de zakken – een prachtige schildpadkam, ingelegd met paarlemoer. Natuurlijk dacht ik dat ik dus in de andere zakken moest kijken of daar ook nog iets in was achtergelaten.

En toen vond ik het vel papier. O, juffrouw Alice, ik heb het gelezen, maar ik weet dat ik dat niet had moeten doen. Het was verkeerd van me, want ik zag meteen dat het aan milady gericht was. Maar toen ik was begonnen, kon ik niet meer ophouden. Het was zo'n vreemd verhaal, al begreep ik het niet.

Maar toen Alf Gully hier rond kerst was – ook al is hij nu een hoge ome bij de recherche, voor mij blijft hij altijd Alf Gully, want we zijn samen opgegroeid –, nou, toen zei hij dat we moesten opletten of we onbekenden zagen, en toen herinnerde ik me dat Charlie Skinner me had verteld dat hij op een avond een onbekende oude vrouw met milady over het terras bij de bibliotheek op en neer had zien lopen.

Toen ik dat hoorde, dacht ik meteen dat zij degeen moest zijn geweest die de brief had geschreven. Waarom weet ik niet, maar ik heb niks tegen Alf Gully gezegd. Ik wilde geen problemen krijgen omdat ik de brief had gehouden, en dus heb ik hem weer onder mijn matras gelegd. Maar ik prakkiseer er vreselijk over, juffrouw Alice, dus toen ik het uiteindelijk niet meer uithield heb ik het aan moeder verteld. En zij zei dat ik de brief aan u moest geven, want u zou wel weten wat het beste is om te doen. Hier is hij dus. Heb ik iets verkeerd gedaan? Zegt u me dat alstublieft.'

'Nee, Sukie,' zei ik en ter geruststelling pakte ik haar hand vast. 'Je hebt niets verkeerd gedaan. En als dat al zo was, is het maar een kleinigheid en heb je het nu weer goedgemaakt. Dus ga nu maar, schat, en maak je geen zorgen meer. Ik zal besluiten wat er het beste kan worden gedaan.'

Ze bedankte me op een lieve, roerende manier en vertrok. Ik bleef achter met het smoezelige, verkreukelde en hier en daar gescheurde vel papier, waarop in een lelijk, grof handschrift, vol spelfouten en dik onderstreepte woorden in de bespottelijke stijl van een nauwelijks ontwikkeld mens de volgende opmerkelijke boodschap stond:

Milady,
Er zijn veel jaren verstreken & er is – om zo maar te zeggen – een hele massa water onder veel bruggen doorgestroomd sinds ik de eer had u, milady, te schrijven – dat ben u nu maar toen nog niet. Maar ik vlij mezelf met de gedachte dat u me nog niet ben vergeten – en ook niet dat ik u goed heb gediend.

We zijn in Franzenbad op een erg onprettige manier uit elkaar gegaan. Het heeft me lelijk opgebroken & heeft – wat u misschien niet weet – mij & mijn arme schat van een jongen veel pijn en moeilijkheden bezorgd.

Misschien hebt u die tijd uit uw hoofd gezet – al denk ik van niet – & ik verzeker u dat ik dat niet heb gedaan. Maar nu krijg u eindelijk de kans om goed te maken dat u mij & mijn jongen zo wreed heb afgedankt.

Nu heb ik – behalve wat over die tijd nog in mijn hoofd zit waarvan ik niet kan bewijzen dat het altijd in mijn hoofd zal blijven zitten – iets wat de oorzaak van alles zal bewijzen. Ik weet heel zeker dat u dat de rest van uw leven bij u zal willen houden.

Om het maar es heel duidelijk te zeggen vertel ik u dit milady: het is een brief aan wijlen iemand van adel waarin alles zo klaar als een klondje staat – en dat was achteloos van u milady maar mij kwam het goed uit zoals nu is bewezen. Zoals u zich misschien herinnert is hij geschreven op een bepaalde dag die voor u veel betekende – & ik denk dat u door uw gevoelens was overmand. U heb er parfum op gemorsd – weet u nog? Maar hij is niet gepost zoals u dacht maar mijn jongen heeft hem gehouden omdat hij daar zo zijn redenen voor had en het mij niet gezegd. Maar nu is hij weer terecht & heb ik hem in handen.

Ik wil graag dat u uw brief terugkrijgt – dat is terecht want het is uw eigendom – & ik ben een eerlijke vrouw. Maar ik moet wel leven & dus ben ik graag berijd hem aan u te geven – tegen een vergoeding voor mijn leed van de afgelopen twintig jaar – want dat is heel lang milady.

Ik wil u graag weer zien & wat frisse buitenlucht opsnuiven – & dus wil ik vragen dat u zo snel mogelijk bericht stuurt per adres mevrouw J. Turripper... [papier gescheurd en verkreukeld] dan zal ik de [onleesbaar door scheur: 'brief om te laten zien dat hij'?] echt i[s]. Maar u mag hem niet houden zolang u of iemand namens u mij niet heeft betaald waar ik recht op heb – als ik u in uw landhuis bezoek zal ik u zeggen hoeveel.

Schrijf snel milady – in het belang van de goede oude tijd. Geen kunstjes.

Hoogachtend,
B.K.

Ik legde de brief neer. Gevoegd bij mijn eigen getuigenis over mijn ontmoeting met de schrijfster ervan in de Duport Arms vormde hij een sterke bevestiging van het feit dat Emily wijlen mevrouw Barbarina

Kraus hier op Evenwood had ontmoet, even voordat het lichaam van de onfortuinlijke vrouw bij Nicholson's Wharf uit de Theems was opgedregd.

Ik zag het voor me: de oude vrouw die op haar vuile, versleten schoenen over het terras sjokte, een kromme lelijke kobold naast de lange, nobele gestalte van haar slachtoffer, en die nauwelijks haar boosaardige vreugde kon onderdrukken omdat ze eindelijk de hooghartige lady Tansor in haar macht had vanwege een onrecht dat haar volgens haar was aangedaan, terwijl milady tegenover haar kwelgeest haar waardigheid en zelfbeheersing probeerde te behouden.

Vervolgens dacht ik me in wat een beklemmende angst Emily moest hebben gevoeld toen haar de brief was getoond waarin, naar zou blijken, achteloos een groot geheim was vastgelegd – ze moest tot elke prijs verhinderen dat die brief wereldkundig werd gemaakt.

Inspecteur Gully had gelijk gehad. Het was overduidelijk een geval van chantage. Mevrouw Kraus was voortijdig aan haar einde gekomen vanwege een vergeten brief met een vage geur van dode viooltjes eraan waarbij haar arme, verliefde zoon ruim twintig jaar was weggedroomd.

Had Emily al meteen uitdrukkelijk overwogen mevrouw Kraus te laten vermoorden? Kon ik dat wel geloven, zelfs al wist ik dat ze mijn vader had verraden? Misschien was mijnheer Vyse – al dan niet opzettelijk – verder gegaan dan zij hem had opgedragen, zoals men ook te ver was gegaan toen haar vader in opdracht van Phoebus Daunt was overvallen. Toen zag ik opeens de wrede blik van mijnheer Vyse voor me terwijl hij naar haar luisterde. Ik kon me zelfs voorstellen wat hij haar had geantwoord: *In zulke gevallen geen halve maatregelen nemen, milady, geen halve maatregelen...* Gevolgd door allerlei insinueringen en wijdlopige redeneringen, op heel geruststellende en kalmerende toon gebracht. De gewiekste blikken, waarna niets meer hoefde te worden gezegd en alles volmaakt duidelijk was. *Maakt u zich geen zorgen, milady. Alles komt in orde, als u de zaak maar in mijn capabele handen legt...*

Het was nu duidelijk waaruit zijn macht over haar voortkwam. Ze was door de gebeurtenissen zo in de war gebracht dat ze niet meer had ingezien hoe dwaas het was om zo'n man in vertrouwen te nemen. Toen ze zichzelf uit de greep van mevrouw Kraus bevrijdde, was ze in de valstrik van een nog gevaarlijker persoon gelopen.

Ik stak de brief van mevrouw Kraus in mijn zak en richtte me op het bericht van madame.

Ze feliciteerde me om te beginnen allerhartelijkst en met veel omhaal van woorden met het succes dat ik met mijnheer Perseus had behaald en bekende dat ze er zelf aan had getwijfeld of dit absoluut noodzakelijke resultaat wel haalbaar was. Ze had ook overwogen of het voor onze onderneming gevaar opleverde om mijnheer Wraxall in vertrouwen te nemen. Tot mijn opluchting zag ze daartegen geen bezwaar en liet ze het graag aan mijn beoordeling over hoeveel ik hem zou onthullen over het doel van mijn komst naar Evenwood en wanneer dat het beste kon gebeuren. Wel verbood ze me tegenover hem en anderen mijn ware identiteit bekend te maken. Alleen aan lady Tansor, en aan niemand anders, mocht de waarheid worden geopenbaard nadat het bewijs van haar misdaden uiteindelijk was vergaard.

Ze had een brief van mijnheer Thornhaugh bijgesloten.

Koninginnetje,
Het einde van je Grote Opgave is nu in zicht. Blijf koelbloedig, dan komt alles goed.

Wat betreft Wraxall ben ik het volkomen met madame eens. Ik ken zijn reputatie als een uiterst integer & discreet man, die tevens een uitzonderlijk scherp & verfijnd verstand bezit. Een betere bondgenoot kun je je niet wensen.

Madame en ik zijn geweldig trots op je, koninginnetje, en we weten dat je vader dat ook zou zijn geweest. Je verricht iets groots, hoe zwaar het ook is. Je hebt – in alle mogelijke opzichten – getoond zowel de Grote Opgave als het oude bloed van de Duports dat door je aderen stroomt waardig te zijn. Geloof me: voor alles wat je hebt bereikt en nog moet verwezenlijken, zul je ruimschoots worden beloond.

Je zeer genegen oude leraar,
B. Thornhaugh

P.S. Madame en ik waren diep geschokt door het bericht van de onfortuinlijke dood van R. Shillito. Zelfs in deze moderne tijd is Londen een gevaarlijk oord & het zou op zijn zachtst gezegd onaangenaam zijn geweest als R.S. uiteindelijk de ware identiteit van Edwin Gorst had opgerakeld. Er waait, zeg ik tot mijn spijt, geen wind of hij is wel iemand gedienstig...

Aangezien ik heb vastgesteld dat mijnheer Wraxall een paar dagen geleden naar North Lodge is teruggekeerd, schrijf ik hem een briefje met de vraag of het hem schikt als ik snel bij hem langskom.

Dan bedenk ik dat ik Charlie Skinner moet vinden, om te horen wat hij te vertellen heeft over het rendez-vous van Emily en mevrouw Kraus waarvan hij getuige is geweest. Dus ik loop via de kleine trap en de witgeschilderde gang naar de bediendenkamer. Tot mijn verbazing tref ik daar mijnheer Randolph aan.

Terwijl hij door de gang op me afloopt, wordt de deur van de bediendenkamer door een onzichtbare persoon zachtjes van binnenuit dichtgetrokken. Ik sla daar echter weinig acht op, want mijnheer Randolph vraagt me hoe het met me gaat, hoe Florence me bevallen is, en wat ik er heb gezien en gedaan. Ook vertelt hij me dat ik er fantastisch uitzie, enzovoort, enzovoort – als een ware spraakwaterval laat hij de ene snelle vraag op de andere vlotte opmerking volgen, en voordat ik heb kunnen antwoorden komt er alweer een nieuwe op me af. Dan pakt hij me opeens bij de arm en leidt me tamelijk onhoffelijk weer in de richting van de kleine trap.

Het is een mooie, warme dag. Op voorstel van mijnheer Randolph gaan we naar buiten. Algauw zitten we samen op een stenen bank met uitzicht op het diepe, donkere water van de door hoge, grijze muren omsloten visvijver.

'En hoe heeft mijn dierbare broer zich in Florence gedragen?' vraagt hij. 'Was hij prettig gezelschap? Ik hoop maar van wel.'

Aangezien ik hem de waarheid niet kan vertellen, zeg ik dat mijnheer Perseus sterk door zijn nieuwe gedicht in beslag werd genomen en dat we elkaar als gevolg daarvan weinig hebben gezien.

'Ah, het grote nieuwe dichtwerk!' roept hij met een nogal geforceerd lachje uit. 'Wat is mijn broer toch een wonderbaarlijk mens!'

Hij valt stil en kijkt verstrooid naar een school grote zilver- en goudkleurige vissen en hun nageslacht, die traag naar een zonbeschenen plek in het water toe glijden.

'Ik hoop dat je beseft, Esperanza,' zegt hij plotseling, en hij haalt zenuwachtig zijn hand door zijn haar, een vaste gewoonte van hem als hij met een belangwekkende kwestie overhoop ligt, 'hoe ik je bewonder.'

'Hoe u me bewondert?'

'Inderdaad. Ik vind het in alle opzichten bewonderenswaardig hoe jij als wees, zonder de troost en de steun van vrienden en vriendinnen, hier bent gekomen en deel van onze familie bent gaan uitmaken – en, zoals ik terdege besef, voor mijn moeder onmisbaar bent geworden. Ik hoop dat je gelukkig bent. Ik neem aan dat je inderdaad gelukkig bent, toch? Ik – we – zouden het vreselijk vinden om je kwijt te raken, weet je.'

Ik antwoord dat ik, zolang ik zijn moeder van dienst kan zijn, niet van plan ben Evenwood te verlaten.

'Ik denk dat je bijzonder gezegend bent,' merkt hij vervolgens na een korte stilte op afwezige, peinzende toon op, bijna alsof hij hardop nadenkt, 'als je weet wat je gelukkig maakt – oprecht gelukkig – en vervolgens de mogelijkheid krijgt om het te worden.'

'En weet u wat ú gelukkig maakt?' vraag ik.

'O ja,' antwoordt hij in een plotselinge vlaag van hartstocht. 'Absoluut. Zonder de minste twijfel.'

Een ogenblik denk ik dat hij op het punt staat eindelijk zijn gevoelens voor mij op te biechten. Maar wanneer de klokken op Evenwood elf uur slaan, springt hij overeind en verklaart dat hij in Easton een zaak moet afhandelen.

'Ik ben ons laatste gesprek niet vergeten, weet u,' verzekert hij me terwijl we afscheid van elkaar nemen. 'Ik heb voortdurend in mijn hoofd dat ik u heb beloofd met u te spreken over een kwestie die voor mij van het allergrootste belang is. Maar om bepaalde redenen heb ik u niet kunnen zeggen wat ik u moet zeggen en nog zal zeggen, dus ik hoop dat u nog even geduld met me kunt hebben. Mag ik u daarom smeken?'

Hevig opgelucht dat me – in elk geval voor een poosje – het moment bespaard is gebleven waarop ik zijn aanzoek moet afwijzen en moet opbiechten dat ik met Perseus ga trouwen, vertel ik hem dat ik met genoegen zal aanhoren wat hij me te zeggen heeft als hij zo ver is.

Hij werpt me een dankbare glimlach toe en loopt snel weg, door het knarsende ijzeren hek in de muur aan de andere kant van de vijver en over het grindpad naar de stal. Mij laat hij achter in de heldere meizon, terwijl ik me afvraag hoe ik hem moet vertellen dat ik nooit zijn vrouw zal kunnen worden.

II
Terug naar North Lodge

Mijnheer Wraxall had me onmiddellijk een antwoord op mijn briefje gestuurd, waarin hij meedeelde dat hij me de eerstkomende zondagmiddag dolgraag op North Lodge wilde ontvangen.

'Kom binnen, kom binnen, mijn beste,' zei hij opgewekt, terwijl hij op mijn kloppen opendeed. 'U bent precies op tijd. Hebt u zin in thee? En in een plak van mevrouw Wapshotts beroemde cake?'

'Graag,' antwoordde ik en ik stapte het donkere halletje in. Algauw zat ik, met een kop thee in mijn handen, weer in de krappe knusse zitkamer, met uitzicht op het bos in het westen.

'Welnu, mijn beste,' begon mijnheer Wraxall. 'Ik moet u mijn verontschuldigingen aanbieden. U bent vast boos op me omdat ik u in Florence niet heb geschreven.'

'Nee, heus niet,' zei ik met klem. 'Ik wist dat u me alles zou berichten wat ik volgens u moest weten.'

'Nu ja,' antwoordde hij, 'zulke berichten waren er wel – dat kan ik wel toegeven. Het leek me, nu onze zaken in deze kritieke fase verkeren, echter verstandig niets op papier te zetten. Maar nu bent u hier en kan ik u vertellen wat er in uw afwezigheid allemaal is gebeurd. We hebben grote vooruitgang geboekt, mijn beste, grote vooruitgang!'

Terwijl we over koetjes en kalfjes praatten, vroeg ik of inspecteur Gully nog jeuk aan zijn voeten had gehad. Mijnheer Wraxall lachte.

'O ja! O ja! En met reden. Dus, mijn beste, als u uw thee op hebt en genoeg van mevrouw Wapshotts voortreffelijke kruidencake hebt gegeten, zal ik beginnen.'

Samengevat vertelde hij me het volgende.

In 1851 was mijnheer Armitage Vyse door een wederzijdse vriend voorgesteld aan de jonge aankomende dichter Phoebus Rainsford Daunt.

De wederzijdse vriend was niemand anders dan mijnheer Roderick Shillito, Daunts oude schoolmaat van Eton. Vyse en Daunt hadden het meteen goed kunnen vinden en waren algauw gezworen kameraden. Hun band was nog versterkt toen ze ontdekten dat ze allebei dol waren op de paardenrennen en een neiging vertoonden tot wat mijnheer Wraxall omschreef als 'activiteiten met een uitgesproken criminele inslag'.

Mijnheer Vyse was kort voordien advocaat geworden, en zijn juridische kennis bleek voor Daunt van onschatbare waarde toen hij werd vervolgd voor verschillende financiële fraudezaken, waarvan zijn nieuwe vriend de voornaamste aanstichter was geweest. Als gevolg van deze samenwerking verwierven de beide heren een aanzienlijke hoeveelheid geld; de buitenwereld had echter geen enkel vermoeden van hun dubbelleven.

Deze buitengewone onthulling – waaraan ik, moet ik bekennen, amper geloof had gehecht als ze niet van de onberispelijke mijnheer Montagu Wraxall afkomstig was geweest – had inspecteur Gully ontlokt aan een zekere Lewis Pettingale, ook een oud-jurist en een minder belangrijke medeplichtige van Daunt. Hij was onlangs teruggekeerd van een langdurig verblijf in Australië, en mijnheer Wraxall en de inspecteur waren op hem geattendeerd in een brief die door iemand persoonlijk op King's Bench Walk was bezorgd en was ondertekend door 'iemand die het beste met u voorheeft'.

'God zegene die persoon,' zei mijnheer Wraxall. 'We vragen ons nog steeds af wie het is. Hoe dan ook heeft hij – of misschien zij – ons uiterst nuttige informatie over zowel Vyse als Daunt verstrekt – met name zijn of haar kennis van Vyse is grondig en uitgebreid. Maar om op hem terug te komen:

hij bleef zijn advocatenpraktijk uitoefenen vanuit zijn kantoor op Old Square, en na verloop van tijd stelde Daunt hem voor aan zijn beschermheer, wijlen lord Tansor, en aan mejuffrouw Emily Carteret. De lord was onder de indruk van de sluwe, ambitieuze jonge advocaat, en de Tredgolds, de raadslieden van lord Tansor, gaven mijnheer Vyse algauw opdracht om namens de lord op te treden in een aantal activiteiten die uit zijn vele zakelijke belangen voortvloeiden. Later, na de dood van Daunt, was hij ook betrokken bij de juridische afwikkeling van de toekenning van de naam Duport aan mejuffrouw Carteret en van haar benoeming tot opvolgster van de lord.

Zoals we al weten, vertrok mejufrouw Carteret begin januari 1855 met volledige instemming en steun van lord Tansor naar het Europese vasteland. Haar bedoeling was destijds onduidelijk en werd voorwerp van veel speculaties en roddelpraatjes.'

Hier zweeg mijnheer Wraxall even, terwijl er een uitdrukking van diepe ernst op zijn gezicht verscheen.

'Wat ik u zo meteen ga vertellen,' zei hij, 'is van zo groot gewicht dat ik u moet verzoeken te zweren dat u er met geen woord tegen iemand over zult spreken – en er zelfs niet op zult zinspelen. Kunt u me dat plechtig beloven, mijn beste, met de hand op uw hart?'

Uiteraard verzekerde ik hem dat ik dat zou zweren, en dat ik alle informatie die hij zich verwaardigde mij toe te vertrouwen absoluut geheim zou houden. Ik deed mijn geweten daarbij enig geweld aan, want uiteraard besefte ik dat ik mijn woord moest breken en madame moest meedelen wat ik direct te horen zou krijgen.

'Dank u, mijn beste,' zei mijnheer Wraxall, en alvorens zijn relaas te hervatten streelde hij dankbaar over mijn hand.

Om het risico te verkleinen, zo niet geheel te elimineren, dat de correspondentie van mejuffrouw Carteret en lord Tansor tijdens haar afwezigheid werd geopend en gelezen, regelde men dat al hun brieven in eerste instantie naar mijnheer Vyse op Old Square werden gestuurd. Hij zou elke brief vervolgens ongeopend in een nieuwe enveloppe steken en naar de geadresseerde doorsturen.

'Waarom waren er zulke uitgebreide voorzorgsmaatregelen nodig?' vroeg ik.

'Alles op zijn tijd, mijn beste,' antwoordde mijnheer Wraxall alvorens zijn verhaal voort te zetten.

Nadat deze regelingen waren getroffen, bracht de door hen in vertrouwen genomen tussenpersoon, mijnheer Vyse, zijn eigen plannen ten uitvoer. Gebruikmakend van de praktische vaardigheden die hij in de loop van zijn criminele loopbaan had verworven, verwijderde hij vakkundig de zegels van de brieven die op Old Square binnenkwamen, kopieerde ze en voorzag ze van een replica van het oorspronkelijke zegel. In zijn gewiekstheid ging hij zelfs nog verder: hij liet de oorspronkelijke brieven niet alleen met de hand overschrijven, maar ook fotograferen, en voorzag zichzelf zodoende van onweerlegbaar bewijs van de nauwkeurigheid en authenticiteit van de kopieën.

Na de dood van Phoebus Daunt begon mijnheer Vyse zich – kalm maar vastberaden – bij de verloofde van zijn overleden vriend geliefd te maken. Hij was erop uit dat de toekomstige zesentwintigste barones Tansor een hoge dunk van hem zou krijgen en hem dankbaar zou zijn. Hij beschikte nu over een machtig wapen dat hij bij wijze van dwangmiddel tegen haar in stelling kon brengen. Want zoals ik spoedig zou vernemen, werd in verschillende brieven van Emily aan lord Tansor de ware reden onthuld van haar vertrek uit Engeland op een moment dat ze nog volop rouwde om Phoebus Daunt. Ook werd duidelijk waarom geheimhouding noodzakelijk was.

Mijnheer Wraxall zweeg weer even.

'En zo komen we er dan eindelijk aan toe,' zei hij. 'Maar wilt u, voordat ik verderga, misschien nog wat thee?'

'Nee, dank u,' antwoordde ik, want ik kon niet zeggen hoe graag ik wilde dat hij verderging. 'Ik ben welvoorzien. Gaat u alstublieft door.'

'Uitstekend. U vraagt zich misschien af hoe we zoveel over mijnheer Armitage Vyse en zijn snode plannen te weten zijn gekomen. Alles zal nu duidelijk worden. Als u dus zeker weet dat u niets meer nodig hebt, lijkt me dat de tijd is gekomen om u voor te stellen aan mijnheer Titus Barley.'

III
Wat mijnheer Barley wist

Mijnheer Wraxall stond uit zijn stoel op en liep naar een deur die toegang tot de achterkamer gaf. Terwijl hij hem opende richtte hij enkele woorden tot iemand die zich daar bevond. Een ogenblik later verscheen er een man met een zwarte blikken doos in de deuropening – een heel kleine man van niet meer dan ongeveer één meter dertig lang, en een jaar of vijftig oud. Hij was echter recht van lijf en leden, en op zijn manier tamelijk knap van uiterlijk. Hij had een groot hoofd met een dichte, sneeuwwitte haardos en brede, rechte schouders.

Hij was een hoogst opvallende verschijning, gekleed in een nauwsluitend, donkerblauw jacquet met glimmende koperen knopen en een opstaande fluwelen kraag, een bijpassende ouderwetse kniebroek, donkere kousen en een paar hooggehakte schoenen met gespen. Door deze uitdossing leek hij zojuist van het hof van de elfenkoningin te zijn weggelopen.

'Mag ik u voorstellen aan mejuffrouw Esperanza Gorst?' zei mijnheer Wraxall tegen de kleine man, die meteen met een strak gezicht een kleine buiging voor me maakte, maar geen antwoord gaf en me zelfs geen hand toestak ter begroeting.

'Mijnheer Barley is vroeger de klerk van mijnheer Armitage Vyse geweest,' legde mijnheer Wraxall uit, die zich kennelijk niet in het minst verbaasde over diens weinig vormelijke gedrag. 'Hij is jarenlang bij hem in dienst geweest...'

'Als man en jongen,' viel mijnheer Barley hem op gemelijke toon in de rede, met een diepe bariton die zelfs nog indrukwekkender klonk dan Perseus' stem en bijna komisch afstak tegen zijn minuscule gestalte.

'Zoals u zegt, mijnheer,' glimlachte mijnheer Wraxall, 'als man en jongen. En, zoals ík wilde zeggen, is meneer Barley als gevolg van zijn langdurige dienstverband veel over de persoon en de zaken van zijn werkgever te weten gekomen – zowel beroepsmatig als privé. Wilt u iets zeggen, mijnheer Barley?'

'Ik niet,' antwoordde hij uiterst nadrukkelijk. 'Maar als u het goedvindt neem ik wat thee – en een stuk van die kruidencake.'

Mijnheer Barley zette de zwarte doos naast zich op de grond en ging zitten om zijn thee en cake te gebruiken, terwijl mijnheer Wraxall, die zijn excentrieke gast nog steeds welwillend toelachte, het woord weer nam.

'U zult zich nog wel herinneren, juffrouw Gorst,' zei hij en hij wendde zich tot mij, 'dat u tijdens het vorige krijgsberaad van ons triumviraat vroeg waarom we een zeker adellijk personage verdachten van betrokkenheid bij de moord op de ongelukkige mevrouw Barbarina Kraus. Ik gaf toen aan dat we die informatie van een anonieme informant hadden gekregen. Mijnheer Barley is zo vriendelijk geweest om mij toe te staan u vandaag mede te delen dat hij die informant was.'

Bij deze uitspraak knikte mijnheer Barley bevestigend, met zijn mond vol cake.

'Uiteraard heeft mijnheer Barley in de loop der jaren de discretie steeds hoog in het vaandel gevoerd,' vervolgde mijnheer Wraxall. 'Er hebben zich nu echter omstandigheden voorgedaan die hem – als ik het zo mag uitdrukken – ertoe hebben gestimuleerd om de autoriteiten bepaalde documenten en andere stukken voor te leggen die tot de kern van het onderzoek naar de dood van mevrouw Kraus gaan. Vertel ik het tot nu toe goed, mijnheer Barley?'

Er werd nogmaals geknikt.

'Mag ik verdergaan? Uitstekend. Mijnheer Barley is ongehuwd. Hij heeft zijn hele leven in Somers Town bij zijn moeder gewoond, een achtenswaardige dame aan wie hij zijn leven heeft gewijd. Tot mijn grote verdriet moet ik u echter mededelen, juffrouw Gorst, dat mevrouw Barley onlangs is overleden.'

Bij deze woorden zette mijnheer Barley zijn bord op het deksel van de zwarte doos en haalde een grote zakdoek uit zijn zak waarmee hij de tranen wegwiste die als gevolg van mijnheer Wraxalls verklaring waren opgeweld. Intussen bleef hij zwijgen.

'Toen zijn moeder – die al jong weduwe werd – nog leefde,' vervolgde mijnheer Wraxall, 'deed mijnheer Barley zijn uiterste best om haar voor alle pijn en ongerief van zowel geestelijke als lichamelijke aard te behoeden, zoals het een goede zoon betaamt. Helaas raakte hij enkele jaren geleden buiten zijn schuld, naar mij is verzekerd, betrokken...'

'Verstrikt,' verbeterde mijnheer Barley.

'Verstrikt, moet ik zeggen, in een tamelijk netelige – om niet te zeggen gevaarlijke – episode, die als ze algemeen bekend was geworden, voor hem en zijn familie zeer vernederend zou zijn geweest, en erger nog. Deze afschuwelijke kwestie moest tot elke prijs voor mevrouw Barley verborgen worden gehouden.'

Mijnheer Wraxall hield zijn hoofd schuin en keek mijnheer Barley met vragend opgetrokken wenkbrauwen aan. Zijn gast knikte hem opnieuw toe, en verleende hem daarmee toestemming om verder te gaan.

'Ik wil niet uitweiden over de aard van deze – ahum – episode. Het volstaat om te zeggen dat mijnheer Vyse er via een van zijn vele Londense informanten mee bekend werd.

Nu is mijnheer Barley, zoals ik al zei, een uiterst discreet en rechtschapen man. Ook heb ik aangestipt dat hij, in de loop van zijn dienstverband, op de hoogte was geraakt van bepaalde onregelmatigheden in het beheer van de zaken van mijnheer Vyse. Omdat hij in zijn werk zeer grondig en uiterst loyaal is, kon hij het aanvankelijk niet over zich verkrijgen ze aan de kaak te stellen. Maar toen de onrechtmatigheden verstrekkender en ernstiger werden, overwon hij zijn aarzelingen. Ten slotte verklaarde hij tegenover mijnheer Vyse dat hij het voor zijn geweten niet langer kon verantwoorden om bij hem in dienst te blijven en dat hij met onmiddellijke ingang zijn ontslag wilde indienen en zich direct tot de bevoegde autoriteiten wilde wenden om hen in te lichten over de verschillende misdadige plannen waarbij mijnheer Vyse, naar hij wist, betrokken was geweest. Is het tot zover juist, mijnheer Barley?'

'Redelijk juist,' antwoordde deze. Vervolgens keek hij naar zijn lege bord en vroeg: 'Is er nog cake?'

Meteen werd mevrouw Wapshott uit een achterkamer ontboden, en algauw verscheen er een tweede cake, waarvan mijnheer Barley voor zichzelf een fors stuk afsneed.

'Ik verzoek u verder te gaan, mijnheer,' zei hij op een koninklijk hooghartig toontje tegen mijnheer Wraxall.

De reactie van mijnheer Vyse op de verklaring van zijn klerk was wellicht te voorzien. Hij vroeg mijnheer Barley te gaan zitten en vertelde hem, ongetwijfeld met zijn sinistere glimlach, dat hij zich in het belang van zijn dierbare moeder misschien nog eens op zijn standpunt moest beraden.

Toen besefte mijnheer Barley dat zijn werkgever bekend was met de 'episode' waarop mijnheer Wraxall zojuist had gezinspeeld en dat hij alle vereiste voorbereidingen had getroffen om die onder mevrouw Barleys aandacht te brengen en wereldkundig te maken wanneer de klerk zijn dreigement zou uitvoeren – en dat kon deze niet dulden.

Nadat ze de zaak nader hadden besproken, had mijnheer Barley zich laten overreden terug te komen op zijn besluit om bij mijnheer Vyse weg te gaan. En dus had hij met opperste tegenzin nog jarenlang zijn werk gedaan, totdat hij met het verstrijken van de tijd en de dood van zijn moeder in de gelegenheid werd gesteld zich aan de macht van zijn werkgever te onttrekken.

Nu mijnheer Barley vrij was om zijn zo lang onderdrukte geweten te volgen, zette hij een plan in gang dat hij al geruime tijd koesterde.

Heimelijk verzamelde hij de kopieën van de brieven die de toenmalige mejuffrouw Emily Carteret tijdens haar verblijf op het Europese vasteland in 1855 en 1856 naar lord Tansor had gestuurd, alsmede de foto's van de originelen. Samen met enkele andere stukken deed hij ze in een zwarte blikken doos – dezelfde doos die hij naar North Lodge had meegebracht en die hij terwijl hij zijn thee met cake gebruikte naast zich op de vloer had gezet.

'Ik was van plan de inhoud van die brieven voor u samen te vatten,' zei mijnheer Wraxall tegen mij. 'Bij nader inzien lijkt het me evenwel het beste dat u ze zelf doorleest – als u daar geen bezwaar tegen hebt, mijnheer Barley? Goed dan.

Welnu, laat ik voordat u daaraan begint snel doorgaan naar het heden. Nadat mijnheer Barley de doos van Old Square had weggehaald en hem op een veilige plaats ondergebracht, legde hij zijn betrekking bij mijnheer Armitage Vyse neer en verhuisde vanuit zijn woning in Somers Town zelf ook naar een veilige plek, en wel naar een kleine maar gerieflijke zolderkamer boven mijn kantoor op Kings' Bench Walk.

Wat nog? Ah, ja, de jongeheer Yapp. Hij is intussen opgepakt en heeft een belastende verklaring tegen mijnheer Vyse afgelegd. We wisten zeker dat Yapp mevrouw Kraus had vermoord – Gully had twee straatventers achter de hand die onder ede wilden verklaren dat ze Yapp in de Antigallican had ontmoet. Vyse heeft hem er ongetwijfeld op uitgestuurd om de brief te bemachtigen die zij in Conrads kamer had gevonden en de vrouw zogenaamd zwijggeld te betalen. De venters hebben gezien dat Yapp haar vervolgens in Dark House Lane naar de rivier is gevolgd. Wat er daarna is gebeurd kunnen we wel raden.

Dit alles was echter bijkomend bewijs. We hadden harde bewijzen van Yapps schuld nodig. En dat hebben we nu.

Gully had iemand op Yapp gezet, maar Yapp is vervolgens kennelijk uit Londen vertrokken, en een tijdlang hoorden we niets van hem. Maar ongeveer een week geleden kreeg Gully bericht dat Yapp weer op een van zijn vaste Londense plekken was gesignaleerd, en dus heeft de inspecteur uw capabele vriend brigadier Swann opgedragen om een oogje op hem te houden.

Donderdagmiddag jongstleden volgde Swann Yapp naar Deptford, waar hij een horloge probeerde te verpanden waarin de naam van mevrouw Kraus' vader gegraveerd stond. Onze twee getuigen kunnen onder ede verklaren dat ze dat horloge tevoorschijn haalde op de dag dat ze Yapp in de Antigallican ontmoette. Het was haar enige kostbare bezit, waarop de ongelukkige stakker kennelijk buitengewoon trots was.

Toen Yapp het pandjeshuis uit kwam, heeft Swann hem onmiddellijk opgepakt – geen moment te vroeg. Hij stond op het punt om naar Liverpool te gaan en zich in te schepen met bestemming Amerika. Hij was kennelijk naar Londen teruggekomen om het weinige te regelen dat hij nog te regelen had en bij mijnheer Vyse geld voor zijn overtocht op te eisen – alsmede nog een vergoeding om te blijven zwijgen over de moord op mevrouw Kraus. Er is moed voor nodig om Billy Yapp te trotseren. Maar mijnheer Vyse is niet voor Yapps dreigementen gezwicht en heeft hem een keihard nee verkocht, waarna er een onprettige ruzie heeft plaatsgevonden. Het gevolg was dat Yapp de politie zonder aarzelen alles vertelde wat die moest weten over het aandeel van zijn voormalige opdrachtgever in de moord op mevrouw Kraus. Inspecteur Gully wil nu met Yapps bekentenis zogezegd op zak bij mijnheer Vyse langsgaan, om hem de groeten te doen en hem te verzoeken naar de recherche toe te komen. Welnu, mijn beste, hebt u nog vragen?'

'Eén maar,' antwoordde ik. 'U zei dat mijnheer Barley de anonieme briefschrijver was die u van informatie over mijnheer Vyse heeft voorzien. Maar was hij ook degeen die ondertekende als "iemand die het beste met u voorheeft"?'

'Voortreffelijk!' riep mijnheer Wraxall. 'Het antwoord is: nee, dat was hij niet. We hebben bij deze zaak kennelijk nóg een onzichtbare helper. We weten niet of we van die persoon nog meer informatie zullen krijgen, maar we hebben nu voldoende bewijsmateriaal in handen om Billy Yapp, mijnheer Armitage Vyse en natuurlijk lady Tansor in staat van beschuldiging te stellen vanwege de moord op mevrouw Barbarina Kraus.'

Ik was geschokt door de stelligheid van mijnheer Wraxalls bewering. Ik gaf niets om mijnheer Vyse en Billy Yapp, maar ik raakte vreselijk van streek toen ik Emily's naam in zulk verdorven gezelschap genoemd hoorde worden. Ik nam het mezelf kwalijk dat ik zo zwak was geweest om sympathie voor haar op te vatten en aarzelde even voordat ik onthulde wat ik mijnheer Wraxall zo-even had willen vertellen. Maar ten slotte opende ik mijn mond en haalde tegelijk de brief van mevrouw Kraus uit mijn zak die ik van Sukie had gekregen.

'Nou, nou,' zei mijnheer Wraxall nadat hij hem had gelezen. 'Ik denk dat dit de doorslag geeft. De hele zaak is nu glashelder. Chantage en moord. Chantage en moord. Precies wat we dachten.'

'En hebt u, naast Yapps bekentenis, nog ander bewijs tegen mijnheer Vyse waaruit zijn aandeel in de moord blijkt?'

'Zeker wel,' antwoordde mijnheer Wraxall.

'Zeker wel,' herhaalde mijnheer Barley tamelijk geërgerd. Vervolgens begon hij, plotseling spraakzaam: 'Ik heb ogen om te zien en oren om te horen. Ik heb gehoord wat ik heb gehoord toen een zekere adellijke dame op een regenachtige middag op Old Square had afgesproken. Mijnheer Vyse stuurde me naar Blackett, onze kantoorboekhandel, maar ik ben niet meteen gegaan, zoals hij dacht. *Ik heb getreuzeld.*'

Hij keek eerst mij en vervolgens mijnheer Wraxall aan. Toen boog hij zich met een soort krijgshaftige nadrukkelijkheid naar voren en zei: '*Ik heb mijn oren gebruikt.* Ik heb het allemaal opgeschreven in steno. Woord voor woord. Ik heb het meteen getranscribeerd, ondertekend en gedateerd. Toen – de inkt was amper droog – ben ik direct de hoek om gegaan naar Blacketts, om het aan een getuige te laten zien. Misschien is het als bewijs toelaatbaar, misschien niet. Maar het geeft allemaal extra gewicht, weet u, en daarvoor is een jury gevoelig.'

Na deze orakelachtige taal sneed hij nog een stuk kruidencake voor zichzelf af.

'En lady Tansor?' vroeg ik vervolgens aan mijnheer Wraxall. 'U hebt het bewijsmateriaal dat u nodig hebt om... om...'

'Betrokkenheid aan te tonen? Zeker. Voor een veroordeling? Ik denk van wel. Zal ik de voornaamste punten opnoemen?

Punt. Brief, in een van lady Tansors japonnen gevonden door Sukie Prout, dienstmeisje, door het slachtoffer geschreven aan lady Tansor met het verzoek om geld voor de teruggave van een brief die milady twintig jaar geleden heeft geschreven. Hierin zijn bepaalde zaken uiteengezet die schadelijk waren en zijn voor de belangen van milady. De brief bevat ook de onmiddellijke eis om een onderhoud waarin het voornoemde verzoek om geld ongetwijfeld nader werd toegelicht.

Punt. De getuigenis van mejuffrouw Esperanza Gorst, destijds kamenier van lady Tansor, dat zij op 6 september jongstleden van milady opdracht kreeg om een brief naar de Duport Arms in Easton te brengen ter attentie van B.K., die geen ander kan zijn geweest dan Barbarina Kraus, volgens afspraak met lady Tansor naar Northamptonshire gekomen – *zie* vorig punt.

Punt. De ondertekende getuigenverklaring van de weledele T. Barley, klerk bij een advocatenkantoor op Old Square, Lincoln's Inn, behelzende dat hij op dezelfde dag, 6 september jongstleden, een gesprek heeft gehoord en gelijktijdig in steno heeft genoteerd tussen lady Tansor en zijn werkgever, de heer Armitage Vyse, in de loop waarvan uitdrukkelijk werd vastgesteld dat mevrouw Barbarina Kraus, als men haar zou laten leven, een blijvende bedreiging voor de belangen van milady zou vormen. Tot besluit van het gesprek stemde lady Tansor in met de inzet van "alle noodzakelijke middelen" (haar exacte bewoordingen) om, in haar woorden "deze vreselijke schaduw die over mijn leven is gevallen" weg te nemen. De laatste woorden van mijnheer Vyse luidden: "Dan laat je de zaak dus aan mij over?" Waarop milady antwoordde: "Ja. Graag." Mijnheer Barley zal tevens onder ede verklaren dat hij mijnheer Vyse duidelijk de naam Yapp hoorde gebruiken als iemand die "voor de klus geschikt" was.

Mijnheer Barley zal tevens getuigen dat lady Tansor kort na de moord op mevrouw Kraus opnieuw een bezoek aan Old Square bracht. Hoewel hij niet in staat was zich volledig op de hoogte te stellen van de bijzonderheden van haar gesprek met mijnheer Vyse, hoorde hij deze laatste op sarcastische toon verwijzen naar "wijlen de betreurde mevrouw Kraus", waarop milady antwoordde: "Goddank!"

Punt. De getuigenis van mevrouw Jessie Turripper, hospita in Chalmers Street, Borough, dat op de ochtend van de vijftiende september jongstleden een heer die voldeed aan de beschrijving van mijnheer Armitage Vyse mevrouw Kraus heeft bezocht en dat ze, toen ze tien minuten later toevallig langs de deur van haar huurster liep, deze heer duidelijk de woorden "namens lady Tansor" hoorde uitspreken.

Tezamen met Yapps bekentenis vormt dit het voornaamste bewijsmateriaal waarop inspecteur Gully zijn aanklacht tegen lady Tansor zal baseren. Ik denk dat het daarvoor ruimschoots toereikend is.'

'Wat zal er met haar gebeuren?' vroeg ik, de akelige stilte verbrekend die in het vertrek was gevallen.

'Daarover zal de jury beslissen,' luidde het strenge antwoord van de jurist. Vervolgens viel hij weer stil.

'En wie zal er als aanklager optreden?' vroeg ik.

'Sir Patrick Davenport. Een zeer deskundig aanklager. Een betere is er niet. Hij zal ervoor zorgen dat er recht wordt gedaan.'

Toen wist ik dat er geen hoop voor Emily was, en ik huiverde bij de gedachte aan de verschrikkelijke prijs die ze voor haar vreselijke stommiteit zou moeten betalen.

'Maar mijn beste,' zei mijnheer Wraxall nu, en zijn grijze ogen twinkelden vriendelijk, 'u weet nog steeds niet wat lady Tansor zo graag verborgen wilde houden – de reden dat mevrouw Kraus is vermoord. U bent toch wel een beetje nieuwsgierig?'

Het was waar. Mijn verbeelding verkeerde zo in de greep van een vreselijk visioen van de veroordeling die Emily te wachten stond dat ik helemaal was vergeten te vragen wat haar tot haar treurige daden had aangezet.

'Mijnheer Barley, als u zo vriendelijk wilt zijn,' zei de jurist en hij knikte de kabouterachtige klerk toe die op zijn stoel gezeten onbezorgd de cakekruimels van zijn vingertoppen likte.

Mijnheer Barley zette zijn bord op tafel, boog zich voorover om de blikken doos te pakken en overhandigde hem aan zijn gastheer.

'Ik stel voor, mijn beste,' zei mijnheer Wraxall, 'dat u in de achterkamer op uw gemak de inhoud van mijnheer Barleys doos doorneemt. U zult er niet worden gestoord, en u hebt er een fraai uitzicht op het huis.'

31

Een noodlottige briefwisseling

I

Brieven van mejuffrouw Emily Carteret aan wijlen lord Tansor
januari-maart 1855

Ik zet de zwarte doos van mijnheer Barley op een tafel voor het raam van de achterkamer en maak hem open.

Er zitten twee bundels dichtgevouwen brieven in, die beide met een stukje vuil, gerafeld touw zijn samengebonden. Bij elke gekopieerde brief zit een foto van het in Emily's sierlijke handschrift geschreven origineel, en op de bodem van de doos liggen drie afzonderlijke documenten.

In de brieven uit de eerste bundel staat weinig belangwekkends – voornamelijk korte beschrijvingen van uitstapjes, plaatsen die Emily heeft bezocht, mensen die ze onderweg heeft ontmoet, de omstandigheden en voorzieningen in hotels, enzovoort. Ik leg ze terzijde en richt mijn aandacht op de kleinere tweede bundel.

Hiermee, met dit stapeltje van zo'n tien vellen papier, moet het lot worden bezegeld van de vrouw onder wier dak ik de afgelopen maanden heb gewoond. Die me, in weerwil van haar grillige humeur, welgemeende vriendelijkheid en aandacht heeft betoond en die me – zo roerend oprecht – heeft gesmeekt haar vriendin te worden. Maar ik was gestuurd om haar te gronde te richten, in het belang van mijn overleden vader.

Enkele minuten lang kijk ik over het met bomen bezaaide landgoed, dat ligt te glanzen onder een dun laagje regenwater, naar het grote landhuis met zijn gekanteelde torens en fijne torenspitsen. Ten slotte schuif ik aan tafel aan, haal diep adem, strijk de eerste brief glad en begin te lezen.

Dit zijn de tien brieven die mejuffrouw Emily Carteret in 1855 en 1856 vanaf het Europese vasteland heeft geschreven aan haar achterneef, weldoener en beschermer, lord Tansor. Hierin ligt het duistere, gevaarlijke geheim besloten dat ze zo wanhopig heeft getracht te verbergen en dat nu eindelijk aan het licht zal worden gebracht, wat voor mijn leven consequenties met zich meebrengt die ik me nooit had kunnen indenken.

Mijnheer Vyse heeft haar gewaarschuwd dat woorden op papier noodlottig kunnen zijn. Hij had gelijk. Hoe anders had alles voor haar en voor mij kunnen zijn als ze zijn raad ter harte had genomen.

Leest u dus nu samen met mij deze brieven en ontdek wat ik ontdekte op die druilerige, grijze middag terwijl de regen tegen het raam van de achterkamer van North Lodge tikte.

BRIEF 1

Grillon's Hotel
Albemarle Street
Londen

18 januari 1855
Milord,
Sinds ik hier gisteren vanuit Evenwood ben aangekomen, denk ik onophoudelijk aan de grote vriendelijkheid & het medeleven & begrip dat u me hebt betoond – ja, ik pleng er ook tranen van vreugde om! Ik vreesde – o, ik vreesde met grote vreze! – dat u me zou veroordelen toen ik u alles opbiechtte, want een minder grootmoedig man zou dat wellicht hebben gedaan. U echter niet! U zag in dat het, onder de vreselijke omstandigheden van die laatste dagen, noodzakelijk was onbeduidende conventies terzijde te schuiven ter wille van een veel grotere zaak. Dat heb ik gedaan – & hoogst bereidwillig, zonder begunstiging of een vergoeding uwerzijds te verwachten, alleen een streng afkeurend oordeel. Toch was uw compassie voor mij heerlijk, want ik had er hevig naar verlangd & ik heb geen idee hoe ik die ooit kan vergoeden. Een eeuwigdurende liefde – voor mijn lieve overleden Phoebus, de stralende hoop van milord – en een in mijn ogen heilige verplichting jegens de adellijke tak waartoe ik tot mijn trots en eer word gerekend, verbindt me nu onlosmakelijk met de belan-

gen van u, milord, en met die van onze familie.

Die vrouw, Kraus, heeft me vanmiddag samen met haar zoon opgezocht. Ik denk dat ze heel goed zal voldoen & haar grondige kennis van het Duits zal zeer van pas komen. Ik moet toegeven dat ik van de zoon minder zeker ben, maar zijn liefhebbende moeder beweert stellig dat ze zonder hem niet gaat. Hij zei geen woord & keek me nooit aan, maar ofschoon een simpele ziel is hij een lange, gespierde vent & dat is met het oog op mijn bescherming op reis het voornaamste.

De trein vertrekt morgen om elf uur. Ik zal – via het afgesproken kanaal – bericht sturen als we veilig in Frankrijk zijn aangekomen & laten weten waar we vervolgens naartoe reizen.

Ik beschouw mezelf als uw liefhebbende dochter, milord – & ik hoop dat u zich kunt vinden in dit woord dat uit het diepst van mijn hart komt – & verblijf vol dankbaarheid en vertrouwen,

E. Carteret

BRIEF 2

Hotel Baltazar
Carlsbad

3 februari 1855
Milord,
We zijn hier gisteravond aangekomen & ik heb nu gerieflijk mijn intrek genomen in een achtenswaardig onderkomen, dat is verworven door Herr Kraus, een uiterst hoffelijk man die kennelijk grote achting voor zijn schoondochter koestert.

Ik moet tot mijn spijt mededelen dat zij geen bron van onverdeeld genoegen is. Haar vermogen om vloeiend Duits te spreken is van tijd tot tijd zeker van nut geweest (aangezien mijn eigen beheersing van die taal enigszins beperkt is) en ze verricht haar taken heel bewonderenswaardig. Vaak gedraagt ze zich echter overdreven welgemanierd, want kennelijk gelooft ze dat ze zichzelf als een welopgevoed mens mag beschouwen! Hoewel ze zich enkele oppervlakkige vaardigheden heeft eigen gemaakt, is ze dat zeer beslist niét; want in werkelijkheid is ze slecht opgevoed en vaak lomp. Omdat ze klein van stuk is en een donkere gelaatskleur en een lage haarinplant heeft, ben ik haar gaan beschouwen als een soort aap met mooie kleren aan (mijn mooie kle-

ren, moet ik daarbij zeggen, maar voor haar vermaakt).

Om u een voorbeeld van haar aanmatiging te geven: in Baden-Baden hoorde ik haar tegen de kamenier van een Russische dame zeggen dat ze mijn gezelschapsdame was! Ik zag me genoodzaakt haar streng te berispen vanwege dit staaltje van volstrekt ongerechtvaardigde vermetelheid, en dat resulteerde onmiddellijk in een nogal dreigende en chagrijnige blik! Zoiets kan & wil ik van een dienares niet toleceren. Dus volgden er van mijn kant meer harde woorden, die behelsden dat ze onmiddellijk haar gedrag moest aanpassen of naar huis zou worden gestuurd. Jongeheer Kraus was intussen steeds op de achtergond aanwezig en zweeg zoals gebruikelijk. Het zou me verbazen als hij op de hele reis van Baden naar hier tien woorden heeft gezegd.

Vandaag is mevrouw Kraus echter een en al glimlach, en het opstandige lichtje is uit haar ogen verdwenen. Ze heeft zich hoogst berouwvol verontschuldigd omdat ze haar boekje zozeer te buiten was gegaan & beloofd dat ze voortaan haar positie meer indachtig zal zijn, en dat hoorde ik graag.

Vanavond zullen we een voorstelling bijwonen, en er zijn ons vuurvreters, een buikspreker & Tiroler minstrelen beloofd! Iets heel anders dan wat u vanavond op ons dierbare, vredige Evenwood te wachten staat, veronderstel ik!

Alles verloopt dus naar verwachting. Ik zit hier gezond en wel & vertrek pas als onze zaken met succes zijn geregeld.

Ik verblijf, mijnheer, uw toegenegen,

E.G.C.

P.S. Ik heb in Baden mijn rouwkleed afgelegd. Hoewel me dat zeer aan het hart ging, leek het me toch het beste. Het medaillon dat u me in uw goedheid hebt geschonken en dat het haar van mijn dierbare geliefde bevat, zal ik echter altijd op mijn hart dragen, zelfs als ik in mijn graf lig.

Hotel Baltazar
Carlsbad

10 februari 1855
Milord,

Ik heb hem gevonden. Ik weet het zeker. Zijn naam is Tadeusz Zaluski en hij is een voormalig kolonel in het Pruisische leger, hoewel hij de jongste zoon van een Poolse edelman uit Lodz is. Hij is een paar dagen geleden aangekomen uit Gräfenberg, waar hij de waterkuur had willen doen; sinds de dood van Herr Priessnitz* is het daar echter sterk achteruitgegaan & daarom is hij hierheen gekomen.

Hij spreekt voortreffelijk Engels, is veertig jaar oud, verkeert in vrij slechte gezondheid en is enkele jaren geleden door zijn vader onterfd. De redenen hiervoor zijn mij vooralsnog niet duidelijk, maar het contact is kennelijk voorgoed verbroken & daardoor is zijn financiële positie steeds hachelijker geworden. Dit alles heb ik vernomen binnen een kwartier nadat ik aan hem was voorgesteld.

Mevrouw Kraus heeft in gesprekken met het personeel tevens ontdekt dat hij voortdurend op reis is om zijn schuldeisers te ontlopen. Naar alle waarschijnlijkheid zal hij hier dan ook niet lang blijven, want hij heeft ongetwijfeld al nieuwe schulden gemaakt. Dit alles bemoedigt me zeer, want het laat zien dat hij in grote nood verkeert – & naar zo iemand zijn wij op zoek. Daarnaast is hij ontwikkeld, behoorlijk knap en – zijn problemen ten spijt – opgewekt. Al met al denk ik dus dat hij, als ik hem kan krijgen, uitstekend zal voldoen.

Zoals u al zult hebben begrepen, is mevrouw Kraus nog steeds gedwee. Zoals u voorstelde, heb ik haar beloning verhoogd & tezamen met een nieuwe japon die ik haar heb geschonken (ze is buitensporig trots op haar uiterlijk & doet tot in het bespottelijke haar best om er modieus uit te zien) heeft dit haar loyaliteit volgens mij nieuw leven ingeblazen. Natuurlijk lopen we met haar een risico, maar ik weet

---

* Vincenz Priessnitz (1799-1851) was een boerenzoon die de hydrotherapie ontwikkelde. Het centrum van deze kuur was de 'wateruniversiteit' van Gräfenberg in Oostenrijks Silezië (thans Lázně Jeseník in de Tsjechische Republiek).

dat ik deze taak niet alleen kan vervullen & uw oordeel over haar be-
trouwbaarheid moet de twijfel die ik op dat punt heb tenietdoen.

Kolonel Zaluski gaat morgenavond naar het grote bal, waarvoor
ook ik ben uitgenodigd door een aardige Franse diplomaat en zijn
vrouw, met wie ik onlangs verschillende middagen heb geflaneerd. Ik
hoop u zeer spoedig nader bericht te sturen.

Tot dan verblijf ik, waarde heer, met hoogachting en vervuld van
dochterliefde,
E. Carteret

BRIEF 4

Hotel Baltazar
Carlsbad

12 februari 1855
Milord,
De Poolse kolonel heeft me gisternacht na het grote bal terug naar
mijn hotel begeleid, en ik maakte meteen van de gelegenheid gebruik
om hem, in zeer algemene bewoordingen, mijn voorstel te doen. Ik
geef ronduit toe dat mijn hart in mijn keel klopte, want ik was bang
dat hij gechoqueerd zou zijn door mijn enorme voortvarendheid en
de vermetelheid van de hele onderneming. Maar mijn angst bleek
niet gerechtvaardigd, en mijn eerste intuïtie dat hij geschikt was voor
de rol die ik hem had toegedacht, was juist.

We spraken af dat hij me vanochtend hier in het hotel weer zou
bezoeken. Hij is zojuist na twee uur hier te zijn geweest vertrokken,
en ik schrijf u dit inderhaast, zodat u zo snel mogelijk samen met mij
voldaan kunt zijn in de wetenschap dat we in het eerste en wezenlijk-
ste onderdeel van ons plan zijn geslaagd – en dat al zo kort na mijn
aankomst alhier.

Hij was voortdurend uiterst innemend, had geen overbodige uit-
leg over onze onderneming nodig en sprak als man van hoge geboorte
zijn oprechte – ja, diepe en roerende – waardering uit voor de grote
zaak die u en ik zijn toegedaan. Hij stond onverschillig tegenover de
financiële kant, wat de voortreffelijke indruk die ik me van hem had
gevormd alleen maar versterkte, en zei dat zulke kwesties te zijner
tijd konden worden besproken. Hij komt morgen terug en neemt dan

een kamer in het hotel.
    Het is dus geregeld. De erfopvolger krijgt een vader.
    Ik verblijf, waarde heer, uw liefhebbende
    E. Carteret

Hotel Baltazar
Carlsbad

8 maart 1855
Milord,
Ik schrijf dit in grote haast.
    Morgenochtend vroeg vertrekken kolonel Zaluski en ik van hier-
uit naar Franzenbad. Mevrouw Kraus heeft gehoord dat daar een
advocaat zit die de vereiste documenten betreffende de positie van
kolonel Zaluski kan opstellen. Hij zal ons ook adviseren over de ver-
dere regelingen die te zijner tijd moeten worden getroffen. Volgens
mevrouw Kraus oefent hij zijn beroep niet meer uit, aangezien hij
enkele jaren geleden in zijn woonplaats bij een financieel schandaal
betrokken was (waarvoor hij evenwel niet is veroordeeld). Ze heeft
ons echter verzekerd dat hij ons heel goed kan helpen – tegen een re-
delijke vergoeding, uiteraard. Ik maak uit haar verhaal op dat hij,
ook vóór het schandaal, in zijn werkzaamheden nooit door overdre-
ven scrupules is gehinderd en dat een misstapje meer of minder zijn
geweten volstrekt niet zal bezwaren.
    Uw altijd toegenegen,
    E.

Hotel Adler
Franzenbad

18 maart 1855
Milord,
Er heeft zich een afschuwelijke wending voorgedaan.
    Gisterochtend, toen wij ten huize van de advocaat, Herr Drexler,

met hem in bespreking waren, werd de zoon van mevrouw K. aangehouden terwijl hij (naar verluidt) een meisje uit de stad lastigviel.
Hij wist echter te ontsnappen & heeft de benen genomen naar het
stadje Egra, en we denken dat zijn moeder hem daar is gaan zoeken.

Nadat we het huis van de advocaat hadden verlaten en van het
incident op de hoogte waren gesteld, gingen we terug naar het hotel
om de verdere ontwikkelingen af te wachten. Rond etenstijd hadden
we taal noch teken van Conrad vernomen. Van de hotelhouder, Herr
Adler, hoorden we dat het meisje geen ernstig letsel had opgelopen &
dat haar niets onuitsprekelijks was aangedaan. Daar waren we erg
dankbaar voor. De vader van het meisje is echter een belangrijk man
in deze stad en hij wil beslist dat Conrad opgespoord en vervolgd
wordt. Tot ons geluk heeft nog niemand geconstateerd dat Conrad bij
ons gezelschap hoort – mevrouw K. en hij logeerden samen in een
huis op enige afstand van het hotel & sinds onze aankomst zijn we
slechts zelden met hem gesignaleerd.

Mevrouw K. heeft de hele stad afgezocht naar haar zoon & kwam
pas na elven weer naar het hotel. Ze smeekte ons de zaak mild op te
nemen, en hield vol dat Conrad in zijn hart een goede jongen was en
de jonge vrouw geen leed had willen berokkenen. Ook beloofde ze dat
zoiets niet nog eens zou gebeuren, want ze zou hem nooit meer alleen
laten & verzekerde ons dat ze wist dat hij berouw over zijn daad zou
hebben.

Ik zei haar dat ik haar verklaringen onmogelijk kon accepteren,
aangezien ik hevig verontrust was door de onverwachte ontwikkeling die al onze zorgvuldig voorbereide plannen in gevaar kon brengen. Precies op dat moment arriveerde er een bode met een briefje
voor mevrouw K. Het was opgesteld uit naam van Conrad, die zelf
niet kan schrijven, en bevatte drie woorden: 'Moeder. Egra. Conrad.'
Zo wilde hij zijn moeder van zijn huidige toevluchtsoord op de hoogte brengen.

De kolonel was het met me eens dat we direct de autoriteiten op de
hoogte moesten stellen. Toen mevrouw K. echter hoorde wat we van
plan waren, slaakte ze een gil en vloog met een woedende trek op
haar gezicht naar de deur, trok de sleutel eruit, verliet het vertrek en
sloeg de deur achter zich dicht. Een ogenblik later hoorden we dat de
sleutel in het slot werd omgedraaid! Pas ruim vijf minuten later
kwam er iemand & vervolgens moest men een andere sleutel zoeken

om ons te bevrijden, zodat mevrouw K. nog meer tijd kreeg om te ontkomen.

Vanochtend hebben we vernomen dat de autoriteiten huiszoeking zijn gaan doen in de pensions in Egra, maar men heeft weinig hoop een van de voortvluchtigen te zullen vinden. En dus moeten kolonel Zaluski en ik ons zo goed mogelijk zien te redden zonder de hulp van mevrouw K., die tot dusver niet geheel onwelkom was. Gelukkig spreekt de kolonel voortreffelijk Duits & hebben we al kennisgemaakt met Herr Drexler die, ofschoon hij wat ongemanierd is & duidelijk te veel van een glaasje houdt, tevens een man is die weet hoe de zaken hier worden aangepakt & bereid is ze voor ons te behartigen.

Laat u door dit nieuws niet verontrusten, waarde heer. De toestand is beslist enige tijd ernstig geweest, maar we zijn er zeker van dat het gevaar is geweken & zijn vastbesloten ons door niets van de voltooiing van de volgende fase van onze onderneming te laten afbrengen.

We vertrekken hier morgen, keren terug naar Carlsbad en reizen dan door naar Toeplitz. Zaterdag over een week zal daar de plechtigheid plaatsvinden. Herr Drexler heeft er alle vertrouwen in dat het geld dat we hebben betaald zal garanderen dat alles overeenkomstig onze wensen zal verlopen.

Met het oog op de andere ophanden zijnde gebeurtenis overwegen we tot het einde van de zomer een huis in Ossegg te nemen, vervolgens naar een andere plaats door te reizen en dan naar Praag te gaan, waar een welwillende oom van de kolonel woont.

Het is een somber vooruitzicht om zo lang weg te moeten zijn van mijn dierbare Evenwood en van u, milord, maar de bittere pil moet worden geslikt & in uw belang & dat van de zaak waaraan ik me heb verbonden, onderga ik graag alle mogelijke ontberingen en beproevingen.

Uw liefhebbende,
E. Carteret

II
Brieven van kolonel en mevrouw Zaluski aan wijlen lord Tansor
maart 1855 - maart 1856

BRIEF 7
Mevrouw Emily Zaluski aan lord Tansor

Hotel de la Poste
Langestrasse
Toeplitz

24 maart 1855
Milord,
Alles is voor elkaar, gisteren ben ik getrouwd.

Herr Drexler heeft zijn woord gestand gedaan. De documenten waren precies volgens de regels opgesteld, de functionarissen tevredengesteld en de priester (of beter, pastoor) wachtte ons op de afgesproken tijd op de afgesproken plaats op.

De ring die ik had meegebracht zag er prachtig uit & werd zeer bewonderd door de spontaan te hoop gelopen toeschouwers uit het dorp. Na afloop vierden we de bruiloft met een dinertje in het hotel; daarvoor hadden we de priester en een Belgische stoffenhandelaar & zijn vrouw uitgenodigd, die we eerder als getuigen hadden geronseld. (Ik had een mooi verhaal verzonnen dat ik Engeland & mijn zeer onaangename, vooringenomen vader was ontvlucht om met mijn onstuimige kolonel te kunnen trouwen – die gelukkig nog wel iets onstuimigs over zich heeft. Madame Stoffenhandelaar bezwijmde bijna omdat het zo gedurfd en romantisch was.)

Alles gaat dus goed, en we kunnen opgewekt beginnen aan het volgende – en belangrijkste – onderdeel van ons avontuur.

Slechts één gebeurtenis heeft een domper op mijn opgeluchte stemming gezet, en wel deze: voordat we, na de verdwijning van Conrad en zijn afschuwelijke moeder, uit Franzenbad vertrokken, ontvingen we het volgende epistel, dat ik hier in zijn volle literaire glorie weergeef:

Mevrouw,

Nou u heb u wel laten kennen door de ondergang te willen bewer-
ken van iemand die u sinds u vertrek uit Engeland niks dan goeds
heeft gedaan & u trauw heeft gediend. Het meisje heeft er niks aan
overgehouden en Conrad heeft zoals ik u al zei oprecht berauw
van zijn daad – maar ik snap dat dat u niks zegt want u heb Con-
rad nooit gemogen en mij ook nooit gegeven wat me toekwam
voor wat ik voor u heb gedaan.

Het was helemaal niet erg geweest om Conrad te laten voor wat
hij was en niks te zeggen – ik zou hebben gezorgd dat er niet nog
eens zoiets zou zijn gebeurt terwijl we bij u in dienst waren – maar
u wilde alleen maar van ons afkomen – en daar moest u een ex-
cuus voor hebben – en dus was u berijd mijn arme jochie aan te
geven. Hij verdient uw medelijden en niet wat u hem in uw hoog-
moed wil geven, namenlijk minachting.

Nou mevrouw, de politie zal hem niet krijgen – ik verzeker u
dat ik hem eerder zal vinden – en morgen zijn we buiten hun be-
reik en ook buiten dat van u.

Maar denk niet mevrouw dat ik iets zal vergeten – ik ken u ge-
heimen & heb ze goed opgeborgen in mijn hoofd. U denkt dat u
voorgoed van me af ben, maar dat ben u niet. De tijd werkt in
mijn voordeel. Let op mij.

Tot de volgende keer,
B.K.

Een innemende boodschap, dat bent u vast met me eens. Ik heb mevrouw K. nooit vertrouwd en ze heeft zich zowel ontrouw als verdorven betoond. Het spijt me vreselijk dat de taxatie van de adellijke
vriend die u haar heeft aanbevolen, ten aanzien van haar karakter
zo volledig onjuist is gebleken, al treft u, milord, uiteraard geen enkele blaam voor de schandelijke wijze waarop deze vrouw zich tegen
ons heeft gedragen.

Het zo duidelijk in mevrouw K.'s brief vervatte dreigement baart
me echter grote zorgen. Ik ben zo voorzichtig mogelijk geweest en heb
geprobeerd haar niet te veel over onze onderneming te onthullen. Ze
weet intussen echter zoveel (en kan misschien nog meer raden) dat
haar dreigement serieus moet worden genomen. Milord weet waarschijnlijk beter dan ik welke voorzorgen we tegen haar moeten tref-

*fen. Misschien kunnen we het vertrouwelijke advies van mijnheer
A.V. inwinnen, die zich bij onze huidige onderneming al uiterst behulpzaam heeft betoond.*

*Om een ander onderwerp aan te snijden, mijn man – zo! voor de
eerste keer heb ik het opgeschreven – heeft gehoord dat er in Ossegg
een huis is dat voor onze doeleinden zeer geschikt lijkt te zijn. We hopen het een halfjaar te kunnen betrekken, om vervolgens naar Dux
door te reizen. Met de kerst gaan we dan naar Praag. Ik beken dat ik
gelukkig ben met de gedachte weer ergens een thuis te hebben, al is
het maar voor korte tijd & kan het nooit een thuis in de ware zin des
woords zijn, want dat is en blijft Evenwood, dat eeuwig gezegende
toevluchtsoord.*

*Onze eerste taak is nu het vinden van nieuw personeel – Tadeusz
is daar zojuist voor op uitgegaan. Zodra ik ons nieuwe adres ken, zal
ik u weer schrijven.*

*Tot dan verblijf ik vol genegenheid & teken voor het eerst met
E. Zaluski*

BRIEF 8
Kolonel Tadeusz Zaluski aan lord Tansor

[*Poststempel: Ossegg, 16 september 1855*]

*Milord,
Met de innigste voldoening schrijf ik u, milord, om u mede te delen
dat mijn lieve vrouw gisteren even over halfvijf in de ochtend, toen
de zon net begon op te komen, het leven heeft geschonken aan een
prachtige, gezonde zoon. We willen hem Perseus Verney noemen en
hopen dat u, milord, daarmee instemt.*

*Mijn vrouw geniet nu op doktersadvies van een welverdiende rust,
en ik ben op haar dringende verzoek naar beneden gegaan om u, milord, deze brief te schrijven zodat hij met de eerstvolgende koets kan
worden verzonden.*

*Haar zoon – ik moet zeggen: onze zoon – is toevertrouwd aan de
vakkundige zorg van Frau Steinmann, die ons sinds ons vertrek uit
Toeplitz vergezelt. Ze is een weduwe van rond de zestig die nauwelijks Engels spreekt, zodat we in haar aanwezigheid vrijuit hebben*

kunnen converseren. Ook hebben we een min gevonden die geen Engels spreekt, alsmede een heel bekwame jongeman, Gerhart geheten, die veel sympathie voor ons beiden heeft opgevat, maar in het bijzonder voor mijn vrouw, en die zich tot dusver een ijverig dienaar heeft betoond en ons vertrouwen verdient. Omdat hij een poosje in een hotel in Marienbad heeft gewerkt, spreekt hij een beetje Engels, en dus letten we in zijn tegenwoordigheid goed op onze woorden. We zorgen ervoor dat we vertrouwelijke zaken altijd alleen buitenshuis in de openlucht bespreken, want na de kwestie met mevrouw Kraus zijn mijn vrouw en ik extra voorzichtig geworden. We hebben echter wel personeel nodig, en deze twee mensen zijn – naar mijn weloverwogen oordeel – precies wat we nodig hebben; betere bedienden zijn niet gemakkelijk te vinden.

De doop zal maandag over een week plaatsvinden. Evenals voorheen heeft Drexler alles geregeld, al moet ik u, milord, tot mijn spijt mededelen dat mijn vrouw genoodzaakt is geweest onze reserves aan te spreken om Drexler 'onvoorziene uitgaven' met betrekking tot de plechtigheid te vergoeden.

Dit huis ligt een eind buiten de stad, en sinds onze aankomst alhier zijn we nauwelijks weg geweest. We vertrouwen erop dat naast dokter Weiss (die door Drexler uit een op zo'n vijftig kilometer hiervandaan gelegen stadje is ontboden – eveneens een aanzienlijke kostenpost), een handjevol neringdoenden en uiteraard Frau Steinmann en Gerhart, niet meer dan vijf mensen weten dat we hier zijn en dat ónze zoon is geboren.

Ik hoef hier eigenlijk niet aan toe te voegen dat ik me ook scherp bewust ben van mijn verplichtingen jegens u, milord, en u kunt erop vertrouwen dat ik die – zoals ik dat als militair altijd gewoon ben geweest – naar de letter zal vervullen.

Mijn vrouw hoopt u morgen, als ze voldoende is aangesterkt, zelf te kunnen schrijven.

Ik ben, milord, tot uw orders,

T. Zaluski (kolonel)

P.S. Vlak nadat ik deze brief had voltooid, riep mijn vrouw me. Ze stond erop dat ik de brief naar boven zou brengen opdat zij mijn Engels kon verbeteren en u weet dat hij zowel van haar als van mij af-

komstig is. Daarom was ik genoodzaakt hem opnieuw in het net te schrijven! T.Z.

BRIEF 9
Mevrouw Zaluski aan lord Tansor

[*Poststempel: Dux, 25 september 1855*]

Milord,
We zijn in Dux aangekomen. Mijn zoon is sterk en gezond! En ik ook.

De vereiste documenten zijn zoals afgesproken door Drexler verzorgd, met de vereiste datering – Tadeusz heeft ze in veilige bewaring. We hebben nu tot taak om ons, totdat we naar Engeland kunnen terugkeren, zo goed mogelijk voor nieuwsgierige blikken te verschuilen.

Wat een saaie periode ligt er in het verschiet! Maar Tadeusz is voortreffelijk gezelschap, en we hebben een flinke voorraad boeken (waaronder uiteraard verschillende delen met de poëzie van die lieve Phoebus, waarvan ik nooit genoeg krijg). Het huis is prachtig gelegen, met uitzicht op een paleis in de verte, en ik verheug me op heel wat gezonde lichaamsbeweging, alsmede op opbeurende panorama's van bergen en bossen.

Het kleine jochie is verrukkelijk – hij is gelijkmoediger dan alle baby's die ik heb gekend. En zo jong als hij is, zie ik al een grote gelijkenis met zijn vader! Het doet me soms naar adem snakken. Tadeusz is een rots in de branding, en ik moet bekennen dat ik erg op hem gesteld ben geraakt, al zal ik voor hem uiteraard nooit zelfs maar een fractie van mijn verknochtheid aan mijn liefste Phoebus voelen, die gedurende al deze weken en maanden onophoudelijk in mijn gedachten is en aan wie ik zal blijven denken zolang ik leef.

Ik maak me nu zorgen over de vraag hoe minder welwillende geesten in de society tegen mijn huwelijk en de geboorte van Perseus zullen aankijken. Ik verwacht dat men in bepaalde kringen schande zal spreken van mijn ogenschijnlijk onbezonnen gedrag zo kort na de dood van Phoebus Rainsford Daunt. Maar waarom zou ik me om zulke mensen bekommeren? Ik heb het bloed van de Duports in mijn aderen, en hoef geen acht te slaan op kleinzielig geklets.

Naar ik hoop zullen anderen vinden dat men zich niet tegen een onverwachte verbintenis hoeft te verzetten, ook al komt die kort na een verlies zoals ik heb geleden. Dat zal men toch niet veroordelen? Men zal inzien dat Tadeusz en ik gelukkig zijn, want we zíjn oprecht gelukkig, en mijn vrienden en vriendinnen – mijn échte vrienden en vriendinnen – zullen opgetogen zijn wanneer ik als moeder naar Engeland terugkeer en een prachtige zoon meebreng die ik aan zijn adellijke familielid kan tonen.

Ziet u, nu heb ik mijn angsten van me af geschreven – want ik durf alleen tegen u toe te geven dat ik deze laatste dagen, waarin alles – of bijna alles – is verwezenlijkt, banger ben geweest dan ooit tevoren dat we uiteindelijk tegen de lamp zullen lopen.

Maar nu moet ik met mijn kleine jochie gaan wandelen – onder een stralende zon die, naar ik hoop, ook boven Evenwood schijnt, de plek waar ik zo graag weer wil zijn.

Uw liefhebbende,

E. Zaluski

BRIEF 10

[Poststempel: Carlsbad, 11 maart 1856]

Milord,

Gisteravond laat zijn we vanuit Praag hier aangekomen.

We denken dat het moment is aangebroken om het nieuws van onze terugkeer naar buiten te brengen. Ik meen dat u van plan bent bekendmakingen in The Times en de Illustrated London News te plaatsen, en dat zou moeten volstaan. Het nieuws zal zich wel verder praten.

We vertrekken hier op vrijdag. Er staan nog een paar dagen in Parijs op het programma, en vervolgens gaan we eindelijk naar huis.

Wat verlang ik ernaar Evenwood weer te zien – en vooral de prachtige erfopvolger in uw armen te leggen!

Met hartelijke groeten,

E.

32

De gevolgen van een leugen

I
Het grote geheim wordt onthuld

Rustig vouw ik de laatste brief dicht, leun achterover in de stoel en kijk door een dicht gordijn van regen naar de oprijlaan, die zich naar het massieve grijze landhuis kronkelt, dat als een fantastisch sprookjespaleis in zijn ondiepe bekken van nevelig groen is neergeplant.

Om beurten herlees ik de tien brieven en stel vast dat de gebeurtenissen zich in deze volgorde hebben afgespeeld:

1. De tien brieven bevestigen wat inspecteur Gully moeizaam uit Conrads mond te weten is gekomen: dat mejuffrouw Emily Carteret, ondanks haar verdriet en mét lord Tansors zegen, in januari 1855 naar Bohemen is gegaan, met als enige maar geheime bedoeling het vinden van een echtgenoot. Ze heeft het geluk aan haar kant, en kort na aankomst in Carlsbad vindt ze een geschikte kandidaat in de armlastige figuur van kolonel Zaluski.
2. Er worden bepaalde regelingen getroffen, en mejuffrouw Carteret treedt snel in het huwelijk met haar Poolse kolonel, blijkbaar al eind maart.
3. In september 1855 brengt mevrouw Zaluski, zoals ze nu heet, een zoon ter wereld, die Perseus Verney Zaluski wordt gedoopt.
4. In april 1856, vijftien maanden na haar vertrek uit Engeland, keert Emily met man en zoon triomfantelijk naar Evenwood terug.

Oppervlakkig beschouwd maken deze feiten een nogal onbeduidende indruk, maar eronder ligt een heel wat minder onschuldige waarheid verborgen.

Mijnheer Wraxall heeft gezegd dat tijd van wezenlijk belang is voor onze pogingen om het geheim te ontraadselen dat lady Tansor met zo vreselijk veel moeite verborgen heeft gehouden. Terwijl ik naar de onder de regen zuchtende bomen in het verwaarloosde tuintje van de jurist kijk, begrijp ik eindelijk wat hij bedoelde.

Woorden op papier. Dodelijke woorden. Maar getallen kunnen ook dodelijk zijn – getallen in de vorm van data.

Mejuffrouw Emily Carteret komt op 2 februari 1855 in Carlsbad aan. Op 9 februari, slechts een week later, ontmoet ze kolonel Zaluski. Op 11 en 12 februari worden er snel regelingen met hem getroffen – die niet nader zijn gespecificeerd maar waarbij een financiële overweging zeker in het spel is.

Op 23 maart 1855 treden mejuffrouw Carteret en kolonel Zaluski in Toeplitz in het huwelijk. Hun eerste zoon, Perseus, wordt – de datum laat zich afleiden van het poststempel op Brief 8 – op 15 september in Ossegg geboren. Het echtpaar had zich zes maanden eerder vanuit Toeplitz in dat stadje gevestigd.

Op 10 maart 1856 keren kolonel Zaluski en zijn vrouw vanuit Praag naar Carlsbad terug. Vier dagen later vertrekken ze uit deze stad en komen ten slotte op 7 april 1856 weer op Evenwood aan – wat wordt bevestigd door het bericht in de *Illustrated London News* dat door mijnheer Lazarus in zijn memoires werd beschreven.

De waarheid van de hele geschiedenis ligt hierin besloten, in een raadselachtige chronologische tegenstrijdigheid. Waarom is Perseus' eenentwintigste verjaardag enige tijd geleden op Eerste Kerstdag gevierd, terwijl uit de brieven duidelijk wordt dat hij in september is geboren?

Dan denk ik aan de middag dat ik bij Sukie en haar moeder op de thee ben geweest, en aan wat mevrouw Prout vertelde over de vreemde neiging van de toenmalige mevrouw Zaluski om op aanraden van haar buitenlandse arts haar zoontje steeds uit de buurt van mensen te houden en hem zelfs 's zomers stevig in te bakeren. Ook herinner ik me weer dat volgens mevrouw Prout professor Slake een glimp van de jonge toekomstige lord had opgevangen en had gegrapt dat hij de verkeerde naam had gekregen: 'Hij had Nimrod moeten heten.' Nimrod: een geweldig jager voor het aangezicht des Heren, krachtig van lijf en leden. Hoe had mevrouw Prout het kind zelf ook weer beschreven? 'Het flinkste kind van drie maanden dat ik ooit heb gezien.' Ik had indertijd weinig acht op haar woorden geslagen, maar nu leken ze onbedoeld grote betekenis te hebben.

Tijd. Data.

Nu begrijp ik het. Nu is het me duidelijk.

Perseus was geen drie maanden oud toen kolonel Zaluski en zijn vrouw in april 1856 naar Evenwood terugkeerden om de toekomstige lord in de uitnodigende armen van de trotse lord Tansor te leggen. Hij was iets meer dan een halfjaar oud. Hij moet inderdaad een erg flinke baby van drie maanden hebben geleken. Geen wonder dat zijn moeder een verhaaltje moest verzinnen om hem uit het zicht te houden en hem net zo lang in verhullende omslagdoeken inbakerde tegen nieuwsgierige blikken, tot het ongewoon grote en robuuste kind veilig naar buiten kon en zonder argwaan op te wekken door kritische blikken kon worden aanschouwd.

Ook is nu duidelijk welke bijdrage Herr Drexler, de gewetenloze Duitse advocaat, aan het complot heeft geleverd: hij moet tegen betaling de vereiste documenten hebben opgesteld, waarin hij de fictieve datum 25 december als geboortedag voor de erfopvolger heeft ingevuld. Alle latere officiële berekeningen van de leeftijd van het kind zijn dan ook op die vervalste geboortedatum gebaseerd. Met een zuinig lachje bedenk ik hoe brutaal de keuze van die geboortedag is geweest: de dag waarop zowel de zoon van God als de toekomstige lord ter wereld zou zijn gekomen.

Ik kan voorlopig slechts één slotconclusie trekken.

Mejuffrouw Emily Carteret was in verwachting toen ze in januari 1855 ongehuwd en rouwend om haar kort voordien vermoorde verloofde uit Engeland vertrok. Er was een echtgenoot nodig die moest optreden als vader van de baby waarvan zij in het geheim zwanger was. Die echtgenoot was kolonel Tadeusz Zaluski. Het kind was Perseus Duport, de huidige erfopvolger, de auteur van *Merlijn en Nimue*, die mij onlangs op de Ponte Vecchio een huwelijksaanzoek had gedaan. De man van wie ik hield.

Maar wie was zijn echte vader?

Wie anders dan de man die door zijn moeder lord Tansors 'stralende hoop' was genoemd, de liefde van haar leven, de man die samen met haar mijn vader had verraden?

Wie anders dan Phoebus Rainsford Daunt?

Madame had een enorme en gevaarlijke fout gemaakt. Ik had geen opdracht moeten krijgen tot een huwelijk met Perseus om terug te krijgen wat mijn vader was afgenomen. Perseus was niet de wettige erfgenaam, zoals hij en iedereen meende. Hij kon het ook nooit worden, want zijn onwettige status zou hem van de erfopvolging uitsluiten. Mijnheer Randolph, de versmade jongste zoon, de vrucht van de wettige verbintenis tussen lord Tansors nicht, mejuffrouw Emily Carteret, en kolonel Tadeusz Zaluski was de ware erfgenaam. En ik moest met mijnheer Randolph trouwen.

Hoe moet ik beschrijven wat ik onderga wanneer dit besef me in een plotselinge golf van wanhoop overspoelt? Dat mijn ware liefde van me wordt weggerukt – zo wreed en zonder voorafgaande waarschuwing, zodat al mijn hoop op een toekomst als vrouw van Perseus de bodem wordt ingeslagen – is de bitterste tegenslag die zich denken laat, en ik moet tegen mijn tranen vechten om mijn onderzoek van mijnheer Barleys zwarte doos te kunnen voortzetten.

De drie resterende documenten zijn afzonderlijke vellen papier, waarop de klerk korte getuigenverklaringen heeft geschreven over de bezoekjes die lady Tansor op Old Square aan mijnheer Vyse heeft gebracht, alsmede transcripten van de gesprekken die hij bij die gelegenheden heeft gehoord.

Het derde en laatste stuk is weer een brief, een oorspronkelijke brief in Emily's handschrift, die nog in de enveloppe zit. Aangezien het licht zwakker wordt, houd ik de brief dicht bij mijn gezicht om hem beter te kunnen lezen.

Dan deins ik terug. Wat is dit?

Een zwak residu van een geur, bijna onwaarneembaar, maar toch onmiskenbaar aanwezig: de kwijnende geur van lang vervlogen jaren.

De geur van violen.

Uit mijnheer Barleys zwarte doos heb ik de brief gehaald die Conrad Kraus ruim twintig jaar verborgen heeft gehouden, de kostbare relikwie van de beeldschone dame met wie hij in zijn jeugd naar Bohemen was gereisd en die hij sindsdien op zijn treurige, stakkerige manier was blijven aanbidden – en misschien zelfs beminnen. De brief waarmee zijn wraakzuchtige moeder het voorwerp van de vergeefse verliefdheid van haar zwakbegaafde zoon had willen chanteren, maar die juist tot haar ondergang had geleid.

De schrijfster had zelf gedacht dat de brief was vernietigd, maar toen ze hem uiteindelijk weer in handen kreeg had de man door wie ze zich in haar onbezonnenheid liet beschermen de waarde ervan onmiddellijk ingezien, net als de ten dode opgeschreven mevrouw Kraus.

Wilt u nu eindelijk weten wat er in dat dodelijke epistel stond, dat mejuffrouw Emily Carteret twaalf dagen voordat ze met kolonel Tadeusz Zaluski trouwde in Franzenbad aan lord Tansor schreef?

Hier komt hij dan, nauwgezet door mij overgeschreven in mijn opschrijfboek – dat me sinds de dag waarop ik als kamenier voor de zesentwintigste barones Tansor werd aangesteld, voortdurend heeft vergezeld.

II
De geparfumeerde brief
Mejuffrouw Emily Carteret aan wijlen lord Tansor
11 maart 1855

Hotel Adler
Franzenbad

Milord,
Het was niet mijn bedoeling u, milord, vandaag te schrijven, want ik heb geen nieuws van betekenis. Toen ik vanochtend in de kille, grauwe vroegte opstond, voelde ik me zo bedrukt dat ik niet wist hoe ik mijn pijn & wanhoop anders kon verlichten dan door op deze dag, waarop ik een allervreselijkste gebeurtenis herdenk, de pen op te nemen & in ontoereikende bewoordingen mijn gedachten vast te leggen & ze de enige persoon op de wereld toe te sturen die kan begrijpen hoe ik me voel.

Vandaag drie maanden geleden! Drie korte maanden maar hoe lang, hoe eindeloos lang duurde & duurt elke week, elke dag, elk uur, elke seconde zonder zijn dierbare, aanbeden aanwezigheid op aarde! En nog altijd bloedt de wonde van mijn onuitsprekelijke verdriet dag & nacht & ik geloof dat het bloeden nooit zal stelpen.

Voortdurend zie ik hem in mijn dromen: zijn arme, bleke gezicht ligt in de nauwelijks wittere sneeuw, zijn geopende, nietsziende ogen staren omhoog naar de kille sterren en zijn kostbare levensbloed stroomt alle kanten uit, maar nog altijd – zelfs in de dood – is hij mooi en is hij mijn aanbeden Phoebus!

Vervolgens zie ik, vastgeklemd in zijn verstijfde hand, het vel waarop zijn moordenaar die prachtige regels heeft overgeschreven waarmee de naam van Phoebus Rainsford Daunt eeuwig verbonden zal blijven.

Het gruwelijkst en ondraaglijkst – u zult dat vreemd en onver-klaarbaar vinden – is echter de herinnering aan de laatste sigaar die hij heeft gerookt, waarop de naam van zijn lievelingsmerk Ramón Allones prijkte en waarvan de punt nog in de ijzige duisternis na-gloeide, want toevallig was hij vanuit zijn lippen op een muurtje ge-vallen waarop een minder dikke laag sneeuw lag. Zoiets onbenulligs en onbetekenends, maar ik kan me er niet van bevrijden.

Het pijnigt mijn ziel dat ík wist dat het zover zou komen – ik wíst dat hij door toedoen van die bezeten gek van een Glyver zou sterven & dat ik om hem zou treuren tot de dood ook mij zal wegnemen.

Toen ik op een ochtend ontwaakte uit een van die vreselijke visioe-nen van dreigende, noodlottige rampspoed die me indertijd elke nacht in mijn slaap overvielen & die – naar mijn oprechte overtui-ging – door niets konden worden afgewend, bedacht ik plotseling hoe wij – u & ik, milord – als overlevenden van de catastrofe te werk moeten gaan om ons lot indien mogelijk draaglijk te maken.

Omdat ik er zeker van was dat Glyver, die maniak, pas zou rusten als hij zich moorddadig op zijn rivaal had gewroken voor de kwetsu-ren die hij door diens toedoen meende te hebben opgelopen, ging ik de dag na ons diner in Londen bij lord & lady Cotterstock – weet u het nog? – naar die lieve Phoebus toe. Phoebus lachte uiteraard om mijn angsten & zei dat Glyver niet bij machte was om hem te kren-ken – want dat hij alle macht in handen had. Maar mijn dierbare geliefde – die zijn vijand onderschatte in diens moordzuchtige & teugelloze vastbeslotenheid om zijn valse aanspraak te bewijzen dat hij de zoon & erfgenaam van u, milord, was – maakte daarmee een rampzalige vergissing. De waarheid was heel anders – zoals u & ik nu tot ons eeuwigdurende verdriet weten.

Nadat ik hem had gesmeekt de grootst mogelijke voorzorgen te ne-men om zichzelf te beschermen, wat hij beloofde te zullen doen, drong ik erop aan dat we ons tegen het allerergste zouden wapenen door een methode te bedenken om de bedrieger te dwarsbomen &

hem de illusie van een overwinning te ontzeggen.

Hij hoorde mijn plan aan, zei aanvankelijk niets & probeerde me toen van mijn voorgenomen pad af te brengen. Zijn bezwaren waren van velerlei aard – zowel van morele (zoals van hem te verwachten viel) als van praktische aard – & hij uitte ze in grote ernst.

Zijn voornaamste bezwaren betroffen uw positie, milord, die hij uiteraard steeds vurig voor een publiek schandaal wilde vrijwaren. Ik kon toen nog niet zeggen hoe u, milord, de vooralsnog onoverzienbare gevolgen van mijn plan zou beoordelen, al hoopte & geloofde ik met heel mijn hart dat we uiteindelijk uw steun & instemming zouden kunnen winnen.

Ten slotte zag hij in dat ik gelijk had. Met welk een moed erkende hij dat de gek, hoewel alle mogelijke voorzorgen waren getroffen, erin zou kunnen slagen hem dodelijk letsel toe te brengen. Maar hij deinsde niet terug voor dit vreselijke vooruitzicht en ging er ook niet voor op de vlucht. Ja, hij was een man!

En dus waren wij, zoals u nu weet, vanaf die dag tot de laatste noodlottige avond man & vrouw, alleen niet in naam en voor de wet. Toen, met een mengeling van vreugde en verdriet, ontdekte ik dat ik in verwachting was! Van zijn kind! – van de zoon of dochter van de uitverkoren erfopvolger van u, milord, in wie, zelfs als mijn angsten ongegrond zouden zijn, mijn lieve jongen voor altijd in de herinnering zou voortleven.

Het allerergste was gebeurd. De waanzinnige was erin geslaagd zijn brute plan ten uitvoer te brengen, zoals ik had voorzien. Maar toch had een welwillend lot snel (en, kan ik nu bekennen, mijn meest rooskleurige verwachtingen overtreffend) de middelen voor de verlossing geschonken.

Ik ben me bewust dat ik in mijn schrijven aan u, milord, niet zo openhartig moet zijn. Terecht zult u zeggen dat ik een gevaarlijke onbezonnenheid aan de dag heb gelegd, aangezien ik u al enkele van deze zaken heb voorgelegd en heb beloofd in onze corrrespondentie zo voorzichtig mogelijk te zullen zijn. Maar ik kan er niets aan doen. Ik moet uiting geven aan mijn innerlijke verwarring – & instinctief wend ik me tot u, milord. Bovendien weet ik dat u deze brief, nadat u hem via onze vertrouwde tussenpersoon hebt ontvangen, volgens afspraak zult vernietigen, zoals u vast ook mijn andere brieven hebt vernietigd.

Ik denk dat de dag, die vervloekte elfde van de maand, deze ver-
warring in me teweegbrengt. Ik kan niet beschrijven hoe angstig ik
ben als de elfde weer nadert & hoe verlaten ik me voel als ik op die
dag ontwaak, zoals vanochtend. Het overspoelt me volkomen en ver-
drijft alle andere gedachten en gewaarwordingen. Toch is het ook een
plechtige, heilige dag, waarop ik voortaan altijd, elke maand weer &
in het bijzonder op die éne dag, de nagedachtenis moet eren van hem
aan wie ik voorgoed mijn hart heb verpand & die het mij onmogelijk
heeft gemaakt ooit nog van een andere man te houden.

Mevrouw Kraus is zojuist verschenen om me te kleden & dus moet
ik besluiten & opnieuw de kracht vinden – in het belang van mijn
lief & in het uwe, mijn waarde heer – om onze onderneming succes-
vol ten einde te brengen.

Ik zal Conrad, die me terwijl ik dit schrijf bij de deur op zijn ty-
pisch afwezige manier nors staat aan te kijken, erop uitsturen om te
zorgen dat deze brief met de eerstvolgende postkoets meegaat.

Tot mijn volgende brief – ik vertrouw erop dat ik dan mezelf weer
zal zijn – verblijf ik, milord, uw liefhebbende & dankbare dochter, in
genegenheid door u geadopteerd.
E. Carteret

III

Het portret

'Nu, mijn beste,' zei mijnheer Wraxall toen ik de zitkamer weer in kwam
met mijnheer Barleys zwarte doos bij me. 'Is alles u nu duidelijk?'

'Waar is mijnheer Barley?' vroeg ik, bij het zien van de lege stoel.

'Hij moest vanavond terug naar Londen,' antwoordde mijnheer
Wraxall. 'De zoon van mevrouw Wapshott heeft hem zojuist met het
rijtuigje naar Easton gebracht. Welnu, is het u nu duidelijk?'

Hij keek me vol verwachting aan.

'Het is me duidelijk.'

Ik ging zitten. Hij schoof zijn stoel dicht naar de mijne toe, en we begonnen een gesprek dat bijna een uur duurde, tot de duisternis inviel en
mevrouw Wapshott bij de deur verscheen om de lampen aan te steken.
We praatten dus zo lang mogelijk door.

Een poosje luisterden we zwijgend naar het onheilspellende gerommel van een nog ver verwijderd onweer. Toen hoorden we het rijtuigje uit Easton terugkeren.

'Wanneer zal ze...'

Mijnheer Wraxall stak zijn hand op om te beletten dat ik nog meer zou zeggen.

'Genoeg, mijn beste,' zei hij kalm. 'Dat ligt in Gully's handen, maar ik denk niet dat het nog lang zal duren. Welnu, laat ik John roepen om u thuis te brengen.'

Bij mijn terugkeer was het diner al achter de rug. Toen ik de salon binnenkwam, zag ik dat Emily, die somber alleen bij de haard zat, boos was.

'Waar ben je geweest?' vroeg ze korzelig.

Er was geen reden om haar te misleiden. Wetende wat ik nu wist voelde ik zelfs dat ik, toen ik antwoordde, een soort vrijpostige, tergende houding aannam.

'Naar North Lodge.'

Ze kon niet voorkomen dat een lichte blos van ongerustheid haar vale wangen kleurde, maar zoals gewoonlijk kreeg ze snel weer een air van geveinsde zorgeloosheid over zich.

'En hoe gaat het met de briljante heer Montagu Wraxall?' vroeg ze op gemaakt sarcastische toon. 'Hij zal vast gauw klaar zijn met zijn bezigheden hier? Lancing heeft een nieuwe huurder voor North Lodge gevonden, en het komt ons tamelijk slecht uit als mijnheer Wraxall hier langer verblijft dan strikt noodzakelijk is. We zijn meer dan grootmoedig geweest door hem toe te staan hier zo lang te blijven en hem de vrijheid te geven om te gaan en staan waar hij wil, alsof het huis werkelijk van hem is.'

'Ik geloof dat hij nog wat werk aan de paperassen van wijlen zijn oom heeft,' antwoordde ik. 'Maar het gaat hem goed, dank je, en ik moet je zijn groeten doen.'

'Nu,' zei ze met een geringschattend snuifje, 'dat is aardig van hem. Maar ik vraag me af, liefje, wat voor gespreksstof jullie samen hebben. Ik denk dat je moet toegeven dat er een groot leeftijdsverschil en verschil in levenservaring tussen jullie bestaat, wat – oppervlakkig beschouwd – niet de indruk wekt dat jullie qua meningen en interesses een vanzelfsprekende affiniteit met elkaar hebben.'

'O,' antwoordde ik, en ik keek haar strak aan, 'mijnheer Wraxall is in zijn opvattingen heel ruimdenkend. Ik denk dat het je zou verbazen hoeveel gezamenlijke interesses wij hebben.'

Ze antwoordde niet, maar streek overdreven nonchalant haar jurk glad, pakte vervolgens met een nadrukkelijk gebaar haar koffiekopje en nipte eraan.

Ik ging tegenover haar zitten, pakte op net zo'n onverschillige wijze als zij een nummer van *The Times* van de salontafel tussen ons in, en begon er doelloos in te bladeren.

Na een stilte van enkele minuten vroeg ik of mijnheer Perseus al uit Londen was teruggekomen.

'Ja,' antwoordde ze afwezig, terwijl ze opnieuw naar het haardvuur staarde. 'Vanmiddag.'

'En wat vond mijnheer Freeth van het nieuwe werk? Hij was er vast heel positief over.'

Ze slaakte een vermoeide zucht.

'Ik geloof van wel.'

Haar kribbigheid was helemaal verdwenen en had plaatsgemaakt voor een vreemde, afwezige geslotenheid.

'Voel je je wel goed, schat?' vroeg ik en ik legde de krant neer.

'Wat zei je?'

'Ik vroeg of je je wel goed voelt.'

'O ja, heel goed,' antwoordde ze, nog altijd naar de uitdovende vlammen turend.

'Misschien moet je naar bed,' stelde ik voor terwijl ik opkeek naar de klok. 'De inspanningen van de terugreis eisen nog altijd hun tol, weet je, en je moet al het mogelijke doen om niet verder te verzwakken. Kom, laat ik je naar boven brengen.'

Lusteloos stemde ze daarmee in en nam de hand aan die ik haar toestak. Gearmd liepen we langzaam de hal in.

We bleven even onder aan de trap staan, zodat ze op adem kon komen – ik had bemerkt dat dat de laatste tijd steeds vaker noodzakelijk was, zelfs na de geringste inspanning.

'Wat lijkt het toch wonderbaarlijk goed,' merkte ze op, toen ze zag dat ik een blik op het portret van de Turkse zeerover sloeg.

'Hoezo?' vroeg ik. 'Op wie dan?'

Ze lachte ongelovig.

'Nou, op Phoebus, natuurlijk, domme gans die je bent! Dat weet iedereen in huis toch. Wie zou het anders moeten zijn?'

Ik voelde me een dwaas van jewelste dat ik me dat niet eerder had gerealiseerd, zeker nadat ik de foto van Daunt in de geheime kast had aangetroffen. Emily vertelde me nu dat het portret in de zomer van 1853 was geschilderd, kort na de publicatie van de tragedie *Penelope*, toen Daunt op het toppunt van zijn roem verkeerde. Lord Tansor had het na Daunts dood zijn huidige plaats gegeven, bij wijze van gedenkteken voor zijn uitverkoren erfopvolger. De geportretteerde had ongetwijfeld deze welbewust naar Byron verwijzende pose ingenomen om aan te duiden dat hij qua talent de opvolger van deze nobele dichter was.

Zonder erbij na te denken vertelde ik haar dat ik er altijd een gelijkenis met mijnheer Perseus in had gezien en me afvroeg of dat anderen ook was opgevallen.

Haar mond verstrakte. Ik had haar van haar stuk gebracht, maar zoals altijd wist ze zichzelf weer snel in de hand te krijgen.

'Ja, ik geef toe dat er sprake is van een oppervlakkige gelijkenis,' zei ze. 'Door die baard denk ik, en ik erken onmiddellijk dat Perseus van nature een zekere onstuimigheid over zich heeft die sterk overeenkomt met die van de geportretteerde. Maar weet je, als je goed kijkt lijken ze niet zo heel erg op elkaar. Kom, liefje, wil je me de trap op helpen? Je hebt nu een oude dame als vriendin.'

Omdat ze juffrouw Allardyce niet wilde laten komen, stond ik haar bij het uitkleden terzijde, net als in de dagen die nog niet zo ver achter ons lagen, en hielp haar vervolgens in bed.

'Wil je wat druppels?' vroeg ik. 'Een paar maar, om rustig te worden?'

'Ja,' zei ze, en ze liet haar hoofd op het kussen zakken en sloot haar ogen. 'Ik denk dat ik dat maar doe. Ik wil niet...'

Ze maakte haar zin echter niet af, en ik draaide me om en opende het nachtkastje, waar het flesje met tinctuur nu werd bewaard.

Nadat ik haar de druppels had toegediend, vroeg ze me haar voor te lezen totdat de slaap over haar kwam. Toen het zover was legde ik het boek – natuurlijk een van de werken van haar overleden geliefde – op de plank terug, sloot zachtjes de slaapkamerdeur en begaf me naar de tweede verdieping van de zuidvleugel; mijn hart bonsde bij de gedachte aan wat ik nu moest gaan doen.

33

Waarin bepaalde waarheden eindelijk onder ogen worden gezien

I
Versmade liefde

Terwijl ik voor Perseus' studeerkamer sta, begin ik me af te vragen of ik niet eerst madame had moeten vragen wat ik gezien de ingrijpend veranderde omstandigheden moet doen. Ik neem evenwel snel een besluit. Ik weet wat ik in het belang van de Grote Opgave moet doen, en ik weet dat ik dat zo snel mogelijk moet doen, anders zal ik er zeker de moed niet meer toe kunnen opbrengen.

Ik moet tranen wegwissen. Wanneer ik vervolgens diep ademhaal en op de deur wil kloppen, gaat hij plotseling open.

'Esperanza!'

Met een boek in zijn hand staat hij voor me, gekleed in een donkerrode, tot op de grond vallende kamerjas. Op zijn lange haar draagt hij een zwart, fluwelen kalotje, zijn hemd staat open bij de hals en hij heeft een brandende sigaar tussen zijn tanden geklemd. Een ogenblik smelten het schilderij van Phoebus Daunt als Turkse zeerover en zijn foto samen met het gezicht van zijn levende zoon, en ronduit gefascineerd staar ik naar de lange, door de deuropening omlijste gestalte.

'Ik was op weg naar de bibliotheek,' deelt hij me mee en hij werpt me ter begroeting een warme glimlach toe. 'Waarom heb je niet met ons gedineerd?'

Ik vertel hem dat ik op North Lodge ben geweest.

'Bij Wraxall?'

'Ja. Ik hoop dat hij je goedkeuring kan wegdragen?'

'Wraxall? Ja, die kan mijn goedkeuring zeker wegdragen. We hebben maar weinig met elkaar te maken gehad, maar ik heb niets dan goeds over hem gehoord, en natuurlijk heeft hij in zijn beroep een grote reputatie opgebouwd. Ik ben blij dat hij jou kennelijk onder zijn hoede heeft genomen.'

Plotseling maakt zich het verlangen van me meester om te vluchten, om niet te hoeven doen waarvoor ik hiernaartoe ben gekomen. Ik verontschuldig me omdat ik hem heb gestoord en verzin een uitvlucht om te kunnen gaan, maar hij pakt zachtjes mijn hand.

'Nee, nee,' dringt hij aan. 'Kom vooral binnen. Ik heb vanavond genoeg gewerkt.'

Op het haardrooster brandt een houtblok, maar volgens Perseus is donkerte bevorderlijk voor het schrijven van gedichten. De enige andere lichtbronnen in het gewelfde stenen vertrek zijn daarom een kaars op zijn bureau en een klein lampje op een tafel bij de haard.

Aangezien ik aanvankelijk niet goed weet wat ik ter voorbereiding op mijn taak moet zeggen, verklaar ik enigszins hakkelend te hopen dat zijn zaken in Londen naar voldoening zijn afgewikkeld.

'Zeer naar voldoening,' antwoordt hij en hij leidt me naar een stoel bij de haard. 'Volgens mijnheer Orr is er juridisch geen enkel probleem.'

'En mijnheer Freeth?' informeer ik vervolgens, en ik doe mijn uiterste best om opgewekt te klinken. 'Kom, vertel me wat hij van *Dante en Beatrice* vond. Ik wil het dolgraag weten.'

'O, heeft moeder je dat niet gezegd? Hij vond dat het tot dusver in poëtisch opzicht blijk geeft van een opmerkelijke vooruitgang vergeleken met mijn vorige werk. Naar zijn weloverwogen professionele mening zal het gedicht het heel goed doen.'

Ik vertel hem dat ik geweldig blij ben om dat te horen. Vervolgens zwijg ik even om mezelf op te maken voor mijn volgende vraag.

'En – als ik het mag vragen – wanneer ga je met lady Tansor over onze verloving spreken?'

'Je bent dus eigenlijk gekomen om me dát te vragen?' zegt hij. Zijn glimlach is teruggekeerd, maar hij is nu plagerig, op een heel lieve, geruststellende manier. Hij wacht mijn antwoord niet af.

'Morgen,' zegt hij. 'Ik vertel het haar morgen, na de lunch.'

Hij buigt zich naar me toe en pakt opnieuw mijn hand.

'Maak je alsjeblieft geen zorgen,' zegt hij en hij kijkt me heel teder aan. 'Moeder zal geen bezwaar maken. Daar ben ik zeker van. Op alle bezwaren die ze kan inbrengen heb ik een antwoord. Mijn geluk is alles voor haar, en niemand kan me gelukkiger maken dan jij. Zij weet wat het betekent om van iemand te houden.'

Hij verduidelijkt deze opmerking niet, maar natuurlijk zinspeelt hij op zijn moeders liefde voor Phoebus Daunt, niet op die voor kolonel Zaluski, de man die naar hij meent zijn vader was.

'En hou jij van mij?' vraag ik.

Hij staart me ongelovig aan.

'Heb ik je dat niet gezegd?' Hij klinkt bijna beledigd.

'Je hebt ten aanzien van je gevoelens voor mij heel veel gezegd,' antwoord ik terwijl ik terugdenk aan die zo gedenkwaardige middag op de Ponte Vecchio. 'Maar je hebt niet gezegd dat je van me houdt – alleen dat je met me wilt trouwen. Dat komt niet noodzakelijkerwijs op hetzelfde neer.'

'Dus je wilt dat ik je onverbloemd zeg dat ik van je hou? Gaat het daarom?' Zijn toon is speels, maar de blik in zijn ogen is een beetje angstig.

'Alleen als jij het wilt en als het waar is.'

'Je weet intussen vast wel dat de rol van minnaar me niet zo ligt,' zegt hij, niet geringschattend of pocherig, maar met een zekere spijt. Dan vervolgt hij, op peinzende toon: 'Het is merkwaardig. Ik kan over liefde schrijven, en ik geloof dat ik dat ook goed kan. Maar ik ben gestraft met een gesloten karakter, wat ik betreur, en ik ben bang dat ik het niet kan veranderen. Van mij zul je dus geen lieve briefjes krijgen, geen uitbundig geplengde tranen en geen heftige gevoelsuitstortingen. Vind je dat erg, mijn lieve Esperanza? Vind je het erg dat je als man een dichter hebt, die je niet kan vertellen dat hij elk uur van de dag van je houdt, tenzij je het hem vraagt?'

Hij laat mijn hand los en haalt uit de mand een blok hout dat hij op het vuur gooit.

'Nee,' antwoord ik. 'Dat vind ik niet erg. Natuurlijk gaat het om de oprechtheid van de gevoelens. Je zou me kunnen zeggen dat je van me houdt, zonder het te menen. Ik hecht niet veel waarde aan de woorden op zich, alleen aan wat eraan ten grondslag ligt.'

Hij pakt mijn hand weer beet en mijn hart begint sneller te kloppen vanwege de angst voor wat ik nu moet zeggen.

'En daar heb je gelijk in,' zegt hij zacht. 'Op zichzelf betekenen woorden niets, en daarom zijn ze verraderlijk – gevaarlijk.'

'Zelfs de woorden "liefde" en "houden van"?'

'Juist die woorden,' antwoordt hij, 'want ze zijn even zwanger van gevaar en bedrog als de hartstocht die ze beschrijven.'

'Je beschouwt liefde dus als een gevaarlijke hartstocht?'

'Zeer zeker. Daar ontkomt geen dichter aan.'

'Maar het kan ook anders zijn. Als dichter weet je vast dat ook dat waar is?'

'Zeker – over zulke liefde gaat mijn nieuwe gedicht juist. Maar het feit blijft dat woorden leugenachtig en huichelachtig kunnen zijn, en ook waarachtig. Liefde kan het hart heiligen, liefde kan teder en louterend zijn, maar ook verderfelijk en vernietigend.'

Terwijl het houtblok dat hij op het vuur heeft gegooid knetterend ontbrandt, vallen we allebei stil. Dan raakt hij mijn wang aan.

'Maar ik zeg die woorden graag, mijn liefste, en dan meen ik ze ook,' zegt hij. 'Hier komen ze: ik...'

'Nee!' roep ik, en ik buig me naar voren en leg mijn vinger op zijn lippen. 'Alsjeblieft, zeg het niet. Het was verkeerd om je te vragen me iets te zeggen waarvan ik in mijn hart al weet dat het waar is, alleen omdat het prettig is om het te horen zeggen. Maar je hoeft het van mij niet te zeggen, echt niet.'

'Ik weet het!' roept hij uit. 'Ik verwerk het allemaal in een gedicht. Wat zeg je daarvan?'

Ik vertel hem dat een gedicht uitstekend zal voldoen.

'Dat is dan afgesproken. Zodra je weg bent neem ik de pen op en morgen bezorg ik je persoonlijk het resultaat – misschien in sonnetvorm.'

Terwijl hij zijn zin afmaakt, voel ik zo'n hevige smart en wanhoop vanwege wat ik direct zal gaan doen dat ik mijn hoofd moet afwenden en mijn blik fixeer op het houtblok dat nu vlammend op het haardrooster ligt.

'Is er iets gebeurd?' vraagt hij, als hij ziet dat ik me niet op mijn gemak voel.

Het is aangebroken: het ogenblik waarop ik een mes diep in het edele hart van Perseus Duport – en in mijn eigen hart – moet drijven.

Wanneer ik nog altijd niet antwoord, vraagt hij op dringender toon of er iets mis is.

'Maak je je nog steeds zorgen over hoe mijn moeder op het nieuws van onze verloving zal reageren?' vraagt hij als ik blijf zwijgen. 'Wees gerust...'

'Nee,' val ik hem in de rede, vastbesloten om de koe bij de horens te vatten, wat er ook van komen zal. 'Daar gaat het niet om.'

'Waarom dan wel?'

'Ik kan niet met je trouwen.'

Mijn woorden lijken in de lucht te blijven hangen als de echo's van een beierende klok. Ik wacht tot hij wat zegt, maar er komt niets. Het brandende houtblok werpt een spookachtig oranje licht door het vertrek. Buiten huilt de wind langs het huis met zijn vele torens, en nog altijd zegt hij niets.

Ten slotte staat hij uit zijn stoel op, pakt zijn sigaar, die hij op de tafel naast hem heeft gelegd, en neemt een lange trek. Vervolgens fixeert hij zijn grote donkere ogen op de mijne.

'Ik veronderstel dat je daar een reden voor hebt?'

Zijn stem klinkt nu kil, hard en dreigend, alle zachtheid van zo-even is verdwenen.

'Ik hou niet van je, Perseus, ik heb nooit van je gehouden en ik zal nooit van je houden.'

Bij elk woord wordt mijn hart verscheurd. Iets moeilijkers zal ik in mijn leven nooit hoeven te doen: ik moet de man van wie ik meer hou dan wie ook vertellen dat ik niet om hem geef.

Hij neemt nog een lange trek van zijn sigaar.

'Neem me niet kwalijk dat ik erover begin,' zegt hij na kort over zijn antwoord te hebben nagedacht, 'maar in Florence wekte je, bij meer dan één gelegenheid, een nogal tegengestelde indruk. Maar nu lijkt het erop dat je... hoe formuleer ik dat het best? Wat is het goede woord? Ach ja, daar heb ik het! Je lóóg.'

Ik voel zijn bijtende sarcasme en doe een zwakke poging om mijn uitspraak van zojuist met nog meer onwaarheden af te zwakken.

'Hopelijk herinner je je dat ik nooit heb gezegd dat ik van je hield. Ik heb een diepe genegenheid voor je opgevat, en natuurlijk moet ik wel dankbaar zijn – intens dankbaar – voor de uitzonderlijke eer die je me hebt bewezen door me te vragen...'

'Eer! Dat kun je wel zeggen! Eer! Een huwelijksaanzoek van de erfopvolger van een van de oudste en aanzienlijkste families van Engeland! Inderdaad een eer, voor een wees van onduidelijke afkomst.'

Zijn woede heeft nu de vrije loop gekregen. Ik weet echter dat hij deze kwetsende woorden uitspreekt omdat hij pijnlijk – en misschien zelfs fataal – is gekrenkt in de trots die hem zo lang overeind heeft gehouden.

'Welnu, mejuffrouw Gorst,' vervolgt hij, al zijn onaangename karaktertrekken botvierend, 'ik besef dat u me aardig voor de gek hebt gehouden. U hebt werkelijk geen enkele ambitie, dat u een aanzoek afwijst waardoor u een van de meest benijde vrouwen van dit land zou zijn geworden. Ik zag het blijkbaar verkeerd. U bent wel degelijk voor kamenier in de wieg gelegd, meer zit er niet in.'

Wat kan ik tegen hem zeggen? Hij heeft het volste recht zich gekwetst en gekrenkt te voelen door mijn klaarblijkelijke afwijzing van wat hij me oprecht en onvoorwaardelijk heeft aangeboden. Ten slotte zeg ik met gebogen hoofd, niet in staat hem in de ogen te kijken, dat ik hem niet kwalijk kan nemen dat hij zo spreekt en dat ik erken dat ik hem groot onrecht heb gedaan.

'Ik zal je altijd hoogachten, maar ik hou niet van je,' zeg ik nogmaals en ik voel me bij die leugen ten diepste ellendig. 'En het is het beste dat ik dat nu beken. Zonder liefde kan ik me niet aan jou – of aan wie dan ook – binden, ook al zal iedereen me vanwege mijn afwijzing voor krankzinnig houden.'

'Maar zou je niet van me kunnen leren houden?'

Zijn gezicht staat onbeweeglijk, maar de vraag is op bijna smekende toon gesteld. Nu ik echter zover ben gekomen, pantser ik mezelf om niet te verslappen.

'Ik denk van niet.'

Hij zegt niets, maar laat alleen zijn nog brandende sigaar in een tot de nok toe met peuken en koude as gevulde metalen kom vallen. Enkele ogenblikken lang tikt hij, terwijl hij over zijn antwoord nadenkt, met zijn vingers op de armleuning van zijn stoel; hij is nu sprekend zijn moeder.

'Je beweert dat je niet met me kunt trouwen,' zegt hij ten slotte, 'omdat je niet van me houdt. Ik merk nu dat ik niet van iemand kan houden die mijn liefde niet beantwoordt. Wie is er dus superieur aan de ander?'

Op een wat verzoenender toon voegt hij daar snel aan toe: 'Nu, daar hoef je geen antwoord op te geven. Het lijkt me dat we ons treurig in elkaar hebben vergist.'

Ik antwoord niet – dat kan ik niet – maar blijf met gebogen hoofd zitten terwijl hij uit zijn stoel opstaat en naar zijn bureau toe loopt. Hij opent een van de laden, haalt er een klein voorwerp uit, loopt terug en blijft voor de haard staan.

In zijn hand heeft hij het met fluweel beklede doosje met de ring die hij in het winkeltje van signor Silvaggio op de Ponte Vecchio heeft gekocht.

'Brengt dat nog herinneringen boven?' vraagt hij op snijdende toon.

'Natuurlijk,' antwoord ik. 'Heel fijne herinneringen ook.'

Hij maakt het doosje open. De prachtige edelstenen schitteren en glinsteren in het licht van de haard.

'Hmm. Een mooi ding. Een van signor Silvaggio's fraaiste ringen. Maar omdat je er kennelijk geen behoefte meer aan hebt...'

Hij draait zich om en gooit het doosje met ring en al in de haard.

'De ring verbrandt niet,' zegt hij terwijl hij toekijkt hoe de vlammen het fluwelen doosje aanvreten. 'Want daarvoor wordt het vuur niet heet genoeg. Ik zal echter opdracht geven hem nooit weg te laten halen. Hij moet daar in de as blijven liggen om mij aan deze bekoorlijke episode in mijn leven te herinneren en me te waarschuwen dat ik nooit meer een vrouw moet vertrouwen.'

Ik ben ontsteld en bedroefd door wat hij zojuist heeft gedaan, maar toch blijf ik in sprakeloze wanhoop zitten terwijl hij weer op zijn stoel plaatsneemt en een volgende sigaar opsteekt.

'Ik begrijp natuurlijk wel hoe het zit,' vervolgt hij. 'Ook al verzeker jij me dat dat niet zo is, er is een andere partij in het spel. Dit keer heeft mijn dierbare broer de overhand op me behaald. Maar ik heb geen zin om nog verder op de kwestie in te gaan. Je hebt genoeg gezegd en gedaan.'

Hij neemt nog een lange trek van zijn sigaar.

Opnieuw heb ik zelfs niet de kracht om te ontkennen dat ik van Randolph houd, want ik weet dat het geen zin zou hebben.

'Uiteraard zal ik hierover niets aan moeder vertellen,' gaat hij verder. 'Ik zal echter onvoorwaardelijk eisen dat jij Evenwood verlaat zodra dat kan worden geregeld.'

Ik probeer een onbezorgde indruk te maken, maar vraag hem wel welke reden hij lady Tansor zal geven om haar iemand te ontnemen van wier gezelschap ze afhankelijk is geworden.

'O, ik verzin wel iets, wees maar niet bang,' antwoordt hij zelfverzekerd. 'En als dat me niet lukt, nu, dan zeg ik eenvoudigweg dat je moet gaan zonder een reden te noemen. Moeder kan mij niets weigeren, weet je. Het is een groot voordeel om de begunstigde oudste zoon te zijn.'

Met enige moeite overreed ik hem mij toe te staan zijn moeder op een voor mij gelegen tijdstip te vertellen dat ik zelf heb besloten Evenwood te verlaten om in Frankrijk een nieuw bestaan op te bouwen. Uiteindelijk stemt hij schoorvoetend in met deze inderhaast verzonnen list.

Enkele ogenblikken luisteren we naar de wind en staren naar het haardvuur. We zeggen niets, want er valt niets meer te zeggen. Hij houdt van mij, en ik houd van hem, maar ik ben hem voorgoed kwijt. De Grote Opgave heeft geprevaleerd.

II
De rollen worden omgekeerd

Ik sliep die nacht slecht en stond op met hartzeer en een hoofdpijn die daar niet voor onderdeed. Er lag een uiterst belangrijke dag voor me, want ik had besloten dat ik niet kon wachten totdat het mijnheer Randolph zou uitkomen om mij een aanzoek te doen. Ik moest zo snel mogelijk naar hem toe gaan en de zaak vlug afhandelen. Het vooruitzicht om met hem te moeten trouwen was niet uitsluitend onaangenaam; er waren vast veel gelukkige huwelijken gesloten waarin heel wat minder wederzijdse sympathie in het spel was dan er tussen ons bestond. Ik was er zeker van dat hij van me hield. Wat mezelf betrof, ik was genoeg op hem gesteld om me aan hem te kunnen geven als dat in het belang van de grote zaak van mijn vader was. Niets van dit alles verschafte me echter enige troost, want het offer dat ik had moeten brengen had mijn hart gebroken. Als echtgenote van Randolph Duport – de toekomstige lord Tansor, al wist hij dat zelf nog niet – zou ik een benijdenswaardig gemakkelijk en gerieflijk leven kunnen leiden. Dat was evenwel een schrale troost voor wat ik was kwijtgeraakt.

Toen ik het ontbijt gebruikte, kwam Barrington binnen met een briefje van mijnheer Wraxall, die vroeg of het me schikte om later die ochtend naar North Lodge te komen.

'Ik verwacht inspecteur G.,' schreef hij. 'Hij heeft nieuws dat voor u belangrijk is. Ik hoop dus dat het u vrijstaat om bij ons aanwezig te zijn op een nieuwe bijeenkomst van ons triumviraat.'

Emily moest die dag op advies van dokter Pordage het bed houden en had mijn gezelschap niet nodig. En dus begaf ik me na een snelle kop koffie naar de salon om mijn antwoord te schrijven en ontbood vervolgens een lakei om het naar North Lodge te brengen.

Toen ik weer naar boven ging, liep ik Charlie Skinner tegen het lijf, die een blad met koffie en kleine gerechten bij zich had. Een gelukkig toeval wilde dat hij op het punt stond dat naar mijnheer Randolph toe te brengen. Die had geklaagd over hoofdpijn en het personeel laten weten dat hij zijn ontbijt op zijn kamer wilde gebruiken.

'Als je mij dat blad geeft, Charlie,' zei ik, 'breng ik het wel naar mijnheer Randolph.'

'Nou, juffrouw, als u het zeker weet,' antwoordde Charlie en hij grijnsde goedkeurend om deze schaamteloze overtreding van de huiselijke etiquette.

'Voordat je teruggaat, Charlie,' zei ik, 'weet je nog dat lady Tansor afgelopen september, kort na mijn komst hier op Evenwood, bezoek heeft gehad van een oude vrouw?'

Hij krabde zijn hoofd.

'Oude vrouw,' antwoordde hij en hij tuitte zijn lippen in een zichtbare poging om zich te concentreren. 'Ah!' riep hij plotseling uit. 'De heks! Klein, lelijk mensje. Dubbel, dubbel, smart en smet...'

Hij grinnikte schor om dit blijk van zijn Shakespeare-kennis.

'Je hebt haar dus gezien?' vroeg ik.

'O ja, juffrouw. Ik heb het een en ander gezien én gehoord. Daarna heb ik het aan Sukie Prout verteld.'

'Je hebt iets gehoord, zeg je?'

'Alleen maar een naam,' zei hij. 'De naam van een heer.'

'Welke naam, Charlie?'

'Van de kerstgast, juffrouw. Mijnheer Vyse.'

'Nog meer?'

'Iets over een brief die ze bij zich had, de heks bedoel ik dus, en die ze milady steeds onder de neus hield. Ze zei dat het een waardevol iets was... wat was het woord ook weer...'

Hij tuitte nogmaals zijn lippen en krabde als een razende over zijn grote ronde hoofd met de kroon van stekelig stroblond haar.

'Object! Dat was het. Een uiterst waardevol object.'

'Dank je, Charlie,' zei ik en ik nam het blad van hem over.

'Tot uw dienst, zoals altijd, juffrouw,' zei hij en hij deed een stap terug, knipoogde en bewees me eer door strak naar me te salueren.

Ik zet het blad voor Randolphs kamer neer en klop voorzichtig op de deur.

'Wie is daar?'

Ik breng mijn gezicht dicht bij de deur en noem zachtjes mijn naam. 'Esperanza! Wat? Ogenblikje.'

Na een poosje gaat de deur eindelijk open en staat hij voor me – niet, zoals ik had verwacht, in nachtgoed en kamerjas, maar volledig gekleed in colbert, geitenleren broek en rijlaarzen, ogenschijnlijk klaar voor de dag.

'Ik hoop dat ik niet stoor,' zeg ik. 'Mag ik binnenkomen – je bent toch niet onwel?'

'Onwel?'

'Charlie Skinner zei dat je had gevraagd of je op je kamer kon ontbijten omdat je hoofdpijn had – kijk, ik heb het blad meegebracht.'

'Hoofdpijn? O ja, natuurlijk,' antwoordt hij, maar hij maakt een onverklaarbaar zenuwachtige indruk. 'Toen ik wakker werd was het heel erg, maar nu gaat het veel beter, dank je. En je hebt mijn blad dus meegebracht? Dat had je niet moeten doen, weet je. Dat behoor jij helemaal niet te doen. Daar had Skinner voor moeten zorgen.'

'O, dat vind ik helemaal niet erg,' antwoord ik. 'Ik kwam Charlie toevallig op de trap tegen, meer heeft het niet te betekenen. Zal ik het blad naar binnen brengen?'

'Nee, nee!' roept hij. 'Geen sprake van. Wil je het daar laten staan? Weet je, ik merk opeens dat ik helemaal geen honger heb. Ik denk dat ik later wat zal eten.'

Enkele seconden lachen we elkaar in de deuropening gegeneerd toe, totdat hij opzij stapt om me binnen te laten – met enige tegenzin, lijkt me, maar opgewekt zegt hij: 'Kom binnen, kom binnen!'

Ik stap een klein, spaarzaam gemeubileerd voorvertrek binnen, waar de vloer bezaaid ligt met visgerei en oude nummers van de *Sporting Times*. Door een open deur vang ik een glimp op van de al even rommelige slaapkamer. Mijnheer Randolph voelt zich kennelijk nog steeds erg slecht op zijn gemak en lijkt alleen in de stemming voor onbetekenende kletspraat die nergens over gaat, terwijl ik uiteraard hoop dat hij van de gelegenheid gebruik zal maken om zijn aanzoek te doen, zodat de zaak zo snel mogelijk kan worden afgehandeld. Maar na alle mogelijke saaie onderwerpen van algemeen belang te hebben aangesneden en een korte blik uit het open raam te hebben geworpen, merkt hij alleen op: 'Eindelijk weer een mooie dag, zie ik. Ik denk dat ik maar een uurtje ga wandelen.'

Wat is hier nu aan de hand! Waar is het verwachtingsvolle lichtje in zijn ogen gebleven? Waar is de opluchting omdat hij me nu zijn lang uitgestelde aanzoek kan doen? Waar is de vurige hoop dat het zal worden geaccepteerd? Heeft hij niet door waarom ik ben gekomen?

Een ogenblik vraag ik me af of ik ten onrechte geloof dat wat hij op de dag van onze wandeling naar de Tempel der Winden heeft gezegd, voor slechts één interpretatie vatbaar was. Zijn bedoeling was toch ondubbelzinnig geweest? Ik had bovendien zo veel meer van zijn gezicht afgelezen dan zijn ontoereikende woorden hadden kunnen overbrengen. Ik stel mezelf gerust met de gedachte dat alles in orde moet zijn en schrijf zijn aarzeling opnieuw aan nervositeit en onervarenheid toe. Ik besluit hem indien mogelijk een handje te helpen, om hem te laten zien dat hij niet bang hoeft te zijn dat zijn aanzoek wordt afgewezen.

'Ik dacht,' begin ik, 'dat je misschien iets tegen mij wilde zeggen, want je hebt me verteld dat je dat wilde doen. Wat het ook is, ik kan je verzekeren dat ik het dolgraag wil horen. Echt dolgraag.'

'Drommels!' barst hij opeens los. 'Wat ben ik een domkop! Ik heb de afgelopen weken voortdurend naar een geschikt moment gezocht om jou iets te zeggen – ik bedoel, jou iets van persoonlijke aard te vertellen – en nu jíj míj de kans geeft waarnaar ik heb gezocht, sta ik te stuntelen en te aarzelen als een botte pummel en blaas ik het allemaal weer af in de gedachte dat ik het je een andere keer wel zal vragen. Maar ik zal niet laf meer zijn.'

Ik werp hem nog een warm en bemoedigend lachje toe en vertel hem dat ik dat graag hoor.

'En dus,' ga ik verder, gesterkt door zijn erkenning, 'moest je me je vraag maar stellen, voordat je van gedachte verandert – en ik van gedachte verander.'

'O, dat zal ik niet doen,' antwoordt hij. 'Je hebt er geen idee van hoe ik ernaar heb verlangd mijn hart te luchten en me tegenover jou uit te spreken – en tegen jou alleen, lieve Esperanza, want er is hier verder niemand die – nu, laat maar. Het was zo'n kwelling om mijn geheim voor me te moeten houden en er met niemand over te kunnen spreken.'

'Vertel het me dan nu,' dring ik opnieuw aan, nog wat nadrukkelijker, want hoewel zijn toon warm is, heeft hij iets over zich wat me zorgen baart en wat ik moeilijk kan verklaren. Misschien heeft hij nog een beetje meer aanmoediging nodig. En dus neem ik zijn beide handen in de mijne en trek hem naar me toe, zonder me erom te bekommeren dat ik iets ongepasts doe.

Mijnheer Randolph lijkt door mijn handeling vreemd genoeg echter ontzet en gegeneerd te zijn. Hij maakt zich snel los en deinst een stap terug.

'Nee, nee!' roept hij uit terwijl hij een kleur krijgt. 'Dat moet je niet doen, echt niet!'

'Maar wat is er aan de hand?' vraag ik en ik zoek op zijn gezicht naar iets wat deze onverwachte reactie kan verklaren. Vervolgens probeer ik hem opnieuw te bemoedigen om zijn hart te luchten. Als het hem helpt om te zeggen wat hij wil zeggen, vertel ik hem, dan ben ik ook bereid iets op te biechten, net als hij op onze eerste gezamenlijke wandeling vanuit Easton.

Hij reageert door onzeker zijn voorhoofd te fronsen.

'Iets op te biechten?'

'Ja. En wel dit: ik weet – ik heb geraden – wat je me wil vragen.'

Afgrijzen maakt zich meester van zijn gezicht.

'Weet je het?'

'Natuurlijk,' verklaar ik met een tamelijk geforceerd lachje.

'Maar hoe?'

'Hoe zou ik het niet kunnen weten?' antwoord ik, en ik werp hem nog een geruststellend lachje toe, maar voel nu dat het hol en ongepast is. 'Toen we langs het meer liepen heb je het volmaakt duidelijk gemaakt.'

Hij haalt zijn vingers door zijn haar en begint verward te ijsberen, alsof hij een plotselinge, onverklaarbare schok heeft ondergaan.

'Wat dénk je te weten?' De vraag wordt op bijna geprikkelde toon gesteld. 'Voordat je me dat vertelt kan en zal ik niets meer zeggen.'

'Omdat je me dwingt,' antwoord ik, door verwarring overmand, 'denk ik dat ik wel zal moeten. Ik geloof dat je me een bepaald voorstel wilde doen – een voorstel, zoals je het zelf omschreef, van persoonlijke aard, dat ik zou hebben geaccepteerd. Ik verwachtte dat je me, om het zo duidelijk mogelijk uit te drukken, een vraag zou stellen waarop ik alleen met het woordje "ja" zou hebben geantwoord. Zo. Ben je nu tevreden?'

Met stomheid geslagen kijkt hij me enkele ogenblikken aan. Dan gaat hem een licht op.

'Bedoel je een huwelijksaanzoek?'

'Natuurlijk,' antwoord ik, zijn trage begrip moe. 'Wat zou ik anders kunnen bedoelen?'

'Maar mijn lieve juffrouw Gorst – Esperanza – je hebt me verkeerd begrepen – helemaal verkeerd. Ik was niet van plan – ik bedoel, ik kon niet...'

Op dat ogenblik weerklinkt er een geluid in de aangrenzende kleedkamer en hoor ik een deur opengaan.

Ik draai mijn hoofd om en zie dat mevrouw Battersby het voorvertrek in stapt. Zonder een woord te zeggen gaat mijnheer Randolph onmiddellijk naast haar staan.

'O, Esperanza,' zegt hij bijna op fluistertoon, en ik krimp ineen door het onverhulde medelijden in zijn stem. 'Ik kan je niet vragen om met me te trouwen – dat zou ik nooit kunnen. Ik zou zoiets op die wandeling ook nooit hebben kunnen voorstellen. Ik bén namelijk al getrouwd, moet je weten.'

Hij draait zich om en neemt mevrouw Battersby's hand teder in de zijne.

'Met mijn liefste Jane.'

Ik ben niet in staat te beschrijven wat ik bij het aanhoren van deze woorden voel. Wat moet ik doen? De Grote Opgave ligt in puin, maar dat kan me nu niets schelen. Wat valt er nog te winnen nu ik alles heb verloren wat me het dierbaarst is? Ik heb de liefde van mijn allerliefste Perseus, de voormalige erfopvolger, afgewezen om zelf te worden afgewezen door zijn broer, die spoedig zijn plaats zal innemen. Tenzij ik kan bewijzen dat ik het ontvreemde geboorterecht van mijn vader heb geërfd, zal mijnheer Randolph zijn moeder opvolgen en zal mevrouw Battersby – uitgerekend mevrouw Battersby! – de volgende lady Tansor worden, een even verbluffende als onvoorziene wending.

Hoe was dit gebeurd? Die vreselijke ochtend vernam ik het volgende over de jongste Duport en het hoofd van de huishouding.

Ik begin met de eeuwig glimlachende mevrouw Jane Battersby.

Net als ik was ze een verzinsel, een bedenksel: ze was niemand minder dan de zus van mijnheer Rhys Paget, de beste vriend en kameraad van mijnheer Randolph. Op zijn zeventiende was Randolph naar Suffolk gestuurd, naar de academie van dr. Lancelot Savage. Het was de bedoeling dat hij onder leiding van mijnheer Savage zijn opleiding zou afmaken, want lady Tansor beschouwde deze instelling als een soort plaatsvervanger voor de universiteit.

Op zijn eerste dag bij dr. Savage had Randolph Rhys Paget ontmoet, de zoon van een Welshe predikant die zijn vrouw had verloren. Hij werd uitgenodigd om een deel van de zomervakantie bij zijn nieuwe vriend in Llanberis door te brengen en maakte daar kennis met mejuffrouw Paget, de oudere halfzus van zijn vriend – ze was mooi, begaafd, had een uitgesproken scherp verstand en verfijnde manieren, en bezat tevens in uitzonderlijke mate de praktische vaardigheden om in het bestieren van het huishouden een kundig remplaçante voor haar overleden stiefmoeder te zijn.

Al heel spoedig ontstond er tussen de jongeman en de domineesdochter een sterke genegenheid. Ondanks het leeftijdsverschil en hun ongelijke afkomst groeide hun wederzijdse achting al snel uit tot oprechte liefde.

Na de dood van mijnheer Herbert Paget erfden de kinderen het huis in Llanberis, maar niet veel meer, want mijnheer Paget had enkele jaren eerder zijn aanzienlijke legaat grotendeels verloren door het beruchte faillissement van de Overend Gurney Bank.* Als gevolg daarvan was zijn dochter genoodzaakt werk te zoeken om het huis te kunnen behouden waaraan zij en haar broer zeer gehecht waren.

Ze nam de meisjesnaam van haar moeder aan, Battersby, en kreeg eerst een betrekking als gouvernante in de buurt van Shrewsbury en vervolgens een functie als onderhoofd van een huishouding in Londen. Nadat ze zo de juiste ervaring had opgedaan, werd ze hoofd van de huishouding bij een baronet die op een paar kilometer afstand van Bury St Edmunds woonde, niet zo ver van de school van dr. Savage.

Toen dr. Savage via een anonieme brief te weten kwam dat zijn leerling een verhouding met een dienares had – al werd zij niet met name genoemd – voelde hij zich verplicht om lady Tansor onmiddellijk te informeren. Omdat mijnheer Randolph weliswaar ook weigerde de naam van de dame te noemen maar niet ontkende dat de aantijging waar was, verzocht zijn moeder – als altijd onwankelbaar in haar vastberaden streven om elke mogelijkheid uit te sluiten dat de illustere naam Duport iets scandaleus zou aankleven – haar verwant majoor Hunt-Graham, die in de buurt van de school van dr. Savage woonde, haar zondige

---

* Het in mei 1866 omvallen van de discontobank Overend Gurney, die een schuld van ongeveer elf miljoen pond naliet, was in zijn soort het spectaculairste financiële drama van de negentiende eeuw.

zoon uit Suffolk weg te halen en hem naar Evenwood terug te brengen, waar hij haar woede over zijn gevaarlijke, onverantwoordelijke dwaasheid in alle hevigheid moest ondergaan.

Zo kwam er een abrupt einde aan mijnheer Randolphs verblijf bij dr. Savage, echter niet aan zijn liefde voor mejuffrouw Paget, die zich mettertijd had verdiept en volledig werd beantwoord.

Een tijdlang leden de geliefden onder hun scheiding, maar toen lachte het lot hun toe.

Na de dood van de bejaarde dame die jarenlang hoofd van de huishouding was geweest ontstond op Evenwood plotseling een vacature voor deze functie. Mijnheer Randolph haalde zijn moeder over tot een onderhoud met een zekere Jane Battersby, die volgens hem ten zeerste was aanbevolen door een vriend van mijnheer Rhys Paget. Gelukkig werden de andere kandidaten voor de betrekking in verschillende opzichten ongeschikt bevonden. En omdat 'mevrouw Battersby' direct indruk op lady Tansor maakte door blijk te geven van haar meer dan voortreffelijke karakter en haar niet geringe capaciteiten, en tevens verschillende uitstekende referenties kon overleggen, werd ze snel aangenomen. Algauw had 'mevrouw Battersby' een vooraanstaande plaats in de huiselijke hiërarchie van Evenwood veroverd.

Vervolgens verneem ik dat de twee geliefden tijdens de laatste kerstviering de eerste plannen voor hun huwelijk hadden gesmeed. Omdat ze steeds banger werden dat hun geheim zou worden onthuld, besloten ze deze definitieve, onherroepelijke stap te zetten voordat Randolph meerderjarig werd, en niet daarna, zoals ze oorspronkelijk van plan waren geweest. De plechtigheid vond uiteindelijk plaats in Londen, kort nadat Emily, Perseus en ik naar Italië waren vertrokken. Dit verklaarde uiteraard waarom het hoofd van de huishouding van Evenwood weg was geweest, zogenaamd om een ziek familielid op te zoeken, en waarom zich de door mij waargenomen veranderingen in mijnheer Randolphs gedrag hadden voorgedaan.

Dit alles verhelderde veel zaken die tot dusver duister en verwarrend waren geweest. Maar hoe had ik mijnheer Randolphs bedoelingen met mij zo verkeerd kunnen uitleggen?

Het was maar al te eenvoudig. Hij had mij alleen tot een begripvol deelgenoot van zijn grote geheim willen maken, en had gehoopt zodoende de intieme band die ik met zijn moeder had gekregen te kunnen benutten om haar ertoe te bewegen hun verbintenis te accepteren. Het voorstel dat hij me had willen doen was geen huwelijksaanzoek, maar eenvoudigweg een verzoek om een vertrouwde vriendin van hem te worden. Wanneer ik dit hoor en aan zijn woorden van destijds terugdenk, besef ik pijnlijk duidelijk dat ik hem een bedoeling heb toegeschreven die hij nooit heeft gehad.

'Ik wou zo graag dat je een vriendin van ons zou worden,' zegt mijnheer Randolph, 'een echte vriendin, op wie we konden vertrouwen en op wie we absoluut konden bouwen. Je hebt geen idee hoe vreselijk het was om ons geheim voor ons te moeten houden – uiteraard met uitzondering van die goeie ouwe Paget.'

'Als dat de waarheid is,' antwoord ik, een tikje bitter, 'waarom heeft mevrouw – je vrouw, moet ik zeggen – dan vanaf het begin laten blijken dat ze me niet mocht?'

'Misschien, liefste,' zegt mijnheer Randolph tegen degene die ik voorlopig mevrouw Battersby zal blijven noemen, 'moet je ons nu alleen laten.'

Terwijl Randolph het verhaal vertelde dat ik zojuist heb weergegeven heeft ze niets gezegd, maar ze is zwijgend naast hem blijven staan en heeft zo nu en dan bemoedigend in zijn hand geknepen.

'Uitstekend,' zegt ze. Dan richt ze haar ergerlijke glimlach op mij: 'Dit moet moeilijk voor u zijn, juffrouw Gorst. Ik voel met u mee, gelooft u me. Ik hoop echter dat Randolph en ik op uw discretie mogen vertrouwen? Het zou voor ons allemaal het beste zijn als deze kwestie voorlopig vertrouwelijk blijft en lady Tansor niet ter ore komt. U bent het vast met me eens dat we alle nodeloze onaangenaamheden moeten vermijden?'

O, die tweesnijdende glimlach! Zie je hoe we erop vertrouwen dat je ons geheim bewaart, lijkt hij te zeggen. Maar als je dat niet doet, zijn de gevolgen niet alleen voor ons, maar ook voor jou. Ik zie en begrijp de dreiging in die glimlach: dat ze indien nodig niet zal aarzelen mij ten onrechte medeplichtigheid aan hun spel aan te wrijven.

Zonder mijn antwoord af te wachten werpt het hoofd van de huishouding me nog een laatdunkend lachje toe, dat mijn bloed doet koken, en verlaat het vertrek.

'Het leek me het beste,' zegt mijnheer Randolph als ze weg is, 'om je vraag in afwezigheid van mijn vrouw te beantwoorden. De zaak ligt enigszins gevoelig, snap je.'

'Gevoelig?' zeg ik smalend. 'Kiest u uw woorden dan met zorg, mijnheer. Ik word niet graag beledigd, weet u.'

'Je bent boos,' antwoordt hij. 'Natuurlijk ben je dat. Je bent geschokt, en het spijt me oprecht dat ik je in mijn domheid op een gedachte heb gebracht die nooit bij je had mogen opkomen. Nou, zie je? Nu doe ik het weer. Je weet dat ik niet het dichterlijke taalvermogen van mijn broer bezit – bij God, bezat ik dat maar, dan was dit alles nooit gebeurd. Maar het is gebeurd, en nu moet ik...'

'Stop!' val ik hem boos in de rede. 'Ik heb voor vandaag wel genoeg verklaringen aangehoord, alleen weet ik nog niet waarom uw vrouw me blijkbaar zo haat terwijl u zegt dat u wilde dat ik met u beiden bevriend zou raken en uw geheim zou delen. Vertelt u me dat nu dus gauw.'

'Ah,' zegt hij, 'ik vrees dat het van haar kant allemaal simpelweg een kwestie van jaloezie is.'

'Jaloezie?'

'Ja. Je moet weten dat ze zich vanaf het moment van jouw komst in haar hoofd heeft gehaald dat jij... iets met mij van plan was. Vraag me niet hoe zulke dingen gebeuren, maar zo gaat het en zo ging het. En het werd snel erger toen men zag hoe wij vanuit Easton samen naar huis kwamen lopen. Dan had je mijn verjaardag, en andere gelegenheden waarbij ze ons samen zag. Ze kon het ongegronde vermoeden niet uit haar hoofd zetten dat jij – wij – weleens, nou ja, je weet wel wat ik wil zeggen. Natuurlijk geloofde ik oprecht dat ik Jane kon geruststellen dat onze relatie volkomen onschuldig was en dat jij niet het geringste blijk van ongepaste genegenheid of ongepaste bedoelingen had gegeven, dat er niets meer was dan je tussen ons mocht verwachten. Maar zij wilde er niet van horen en bleef geloven dat jij – *excusez le mot* – je zinnen op mij had gezet.

En ze had gelijk, nietwaar, lieve Esperanza? Ik mag je toch wel Esperanza blijven noemen, want ik wil zo graag dat we vrienden blijven, als jij je daar nog toe in staat voelt? Kennelijk hád jij een affectie voor mij opgevat die – nou ja, je weet wel. Had ik maar beseft wat jij eigenlijk voelde! Maar ik ben een kluns in dit soort zaken, zoals in zoveel. Ik heb je de verkeerde dingen op een verkeerde manier verteld, en daarmee is alles gezegd.'

Ik sta op het punt hem uit de droom te helpen en hem te vertellen dat hij terecht heeft gedacht dat ik er geen amoureuze gevoelens voor hem op na heb gehouden, maar ik bind in. Ik voel me uitgeput en wanhopig en heb geen zin om uit te leggen hoe de zaken werkelijk in elkaar steken.

Hij neemt me op met een treurige blik in zijn ogen, maar ik kan geen woorden meer vinden – ik weet niets meer te zeggen. Dus zeg ik hem goedemorgen en voeg eraan toe dat ik blij ben dat het beter gaat met zijn hoofdpijn. Vervolgens draai ik me om en verlaat het vertrek bij het geluid van lieflijke, heldere vogelzang, dat op de wind het open raam binnenkomt.

34

Vergelding

I
Het triumviraat komt opnieuw bijeen

Ik ging naar mijn kamer terug en viel in een staat van volkomen vertwijfeling op bed neer, niet in staat om ook maar één heldere gedachte te vormen.

De Grote Opgave was mislukt. Perseus was toch niet de wettige erfopvolger, terwijl mijnheer Randolph, de echte erfopvolger, met een ander was getrouwd. Dat Emily's aandeel in de moord op zowel mevrouw Kraus als haar vader aan het licht werd gebracht zou het belang van de gerechtigheid dienen, maar hoe zou het mijn eigen doelen dienen en het verraad jegens mijn vader goedmaken? Mijnheer Randolph zou met de vroegere 'mevrouw Battersby' als echtgenote zijn moeder opvolgen, en ik zou met lege handen achterblijven. Hoe moest ik madame vertellen dat het grootse plan van mijn vader in duigen lag?

Ik ging aan mijn bureau zitten en probeerde een brief naar de Avenue d'Uhrich te schrijven, maar de woorden wilden niet komen. Na verschillende pogingen gaf ik het op, liet mezelf in een aanval van woede en razernij weer op bed vallen en sloeg op het kussen tot mijn hete tranen uiteindelijk ophielden te stromen.

Terwijl ik lag te kijken hoe de schaduwen die het zonlicht naar binnen wierp over het plafond dansten, herinnerde het slaan van de klok van elven me aan mijn afspraak met mijnheer Wraxall, waarvoor ik nu een halfuur te laat was.

Toen ik op North Lodge aankwam wist ik nauwelijks waar ik was, in zo'n verbijsterde en verwarde geestestoestand verkeerde ik.

'Meisje toch!' riep mijnheer Wraxall toen hij opendeed. 'Wat is er in 's hemelsnaam aan de hand?'

Zijn woorden hoorde ik nog, maar verder niets meer. Toen ik het kale hoofd en de ongeruste blik van de advocaat weer kon zien, lag ik met een deken over me heen en met een in koud water gedrenkte lap op mijn voorhoofd op de sofa in zijn zitkamer.

'Godzijdank!' zei mijnheer Wraxall toen ik mijn ogen opsloeg en mijn blik door de kamer liet gaan, die nu niet de gebruikelijke woestenij van paperassen vertoonde maar er juist netjes en ordelijk uitzag.

'U bent flauwgevallen, mijn beste, maar u bent weer onder de mensen. Ik vertrouw erop dat u zich nu een beetje beter voelt? Heel goed. En kijk eens – daar is inspecteur Gully, zoals altijd precies op tijd.'

De jonge rechercheur, die nadat hij vroeg op North Lodge was aangekomen in de tuin had gewandeld, zette een kruk naast de sofa en informeerde net als mijnheer Wraxall bezorgd naar mijn toestand. Nadat ze zich ervan hadden vergewist dat ik voldoende was hersteld om tot de orde van de dag over te gaan, haalde de inspecteur zijn opschrijfboek tevoorschijn en keek mijnheer Wraxall aan, die met een knikje aangaf dat hij de tweede vergadering van ons speurderstriumviraat kon openen.

'Welnu, juffrouw Gorst,' begon de inspecteur, 'eerst en vooral wil ik verslag uitbrengen van een hoogst opmerkelijke ontwikkeling. Mijnheer Wraxall is al op de hoogte, maar hij wilde dat ik het u persoonlijk zou vertellen.'

Nadat hij ons een uiterst veelbetekenende blik had toegeworpen, keek hij even in zijn opschrijfboek en schraapte zijn keel.

'Twee dagen geleden werd er een lichaam – het lichaam van een man – uit het Regent's Canal gehaald. Voordat hij in het water werd gegooid, was hem hoofdletsel toegebracht. Aan de hand van bepaalde voorwerpen die hij nog op zijn lichaam droeg werd het slachtoffer snel geïdentificeerd als de heer Armitage Vyse, strafpleiter gevestigd aan Old Square, Lincoln's Inn, en Regent's Park Terrace.'

'Mijnheer Vyse!'

Zo onverwachts als deze buitengewone mededeling was, zo spontaan kwam mijn uitroep van afgrijzen. Mijnheer Vyse was vermoord! De boze wolf was dood!

'Maar wie kan dat hebben gedaan?' vroeg ik, en geschokt maar nieuwsgierig keek ik achtereenvolgens de inspecteur en mijnheer Wraxall aan.

'Aanvankelijk dachten we dat het het werk van Yapp moest zijn,' antwoordde de inspecteur, 'maar naar de mening van mijn dierbare echtgenote, die ik volledig onderschrijf, was het Conrad Kraus. Ziet u wel!'

Hij stak zijn hand omlaag en begon in zijn linkerschoen te krabben.

'Iemand die aan Conrads signalement voldeed,' vervolgde hij, na zijn rechtervoet dezelfde behandeling te hebben gegeven, 'is verschillende malen in de buurt van mijnheer Vyses woning op Regent's Park Terrace waargenomen. Bovendien is Conrad al een paar dagen niet meer op zijn huurkamer geweest, en het is waarschijnlijk – ja, zelfs bijna zeker – dat hij uit Londen is vertrokken, misschien wel voorgoed.

Het slachtoffer stond zelf op het punt het land te verlaten – zijn bagage en papieren lagen al klaar. Volgens de vrouw die hem bediende had hij vroeg het avondmaal gebruikt en was hij een ommetje gaan maken. Het zou een halfuurtje duren, daarna moest een rijtuig hem naar het stationshotel brengen, waar hij de nacht wilde doorbrengen om de volgende ochtend de eerste trein naar de kanaalboot te nemen. We hadden een mannetje op hem gezet, maar juist die avond verscheen de agent in kwestie te laat op zijn post en zag mijnheer Vyse niet vertrekken.'

Conrad, die simpele ziel. De conclusie leek mij niet onwaarschijnlijk. Ik kon me goed voorstellen hoe de arme kerel eraan toe was, moederziel alleen, voor de rest van zijn leven overgeleverd aan een harteloze wereld. Uiteindelijk was hij tot een wanhoopsdaad gebracht door een knagend besef van wat de man met de stok zijn moeder, van wie hij zo lang afhankelijk was geweest, had laten aandoen. Ook was hij blijven treuren (dit woord was helemaal niet misplaatst) om het verlies van de brief die de rechtstreekse aanleiding tot haar dood was geweest – die eindeloos kostbare, naar violen geurende brief, die zoveel voor hem had betekend, maar die hij net als zijn liefhebbende moeder nooit meer zou terugzien.

Ik vroeg of lady Tansor van de dood van mijnheer Vyse op de hoogte was gebracht.

'Niet door ons,' antwoordde de inspecteur, 'maar de kranten zullen er vandaag wel over berichten.'

Ik wist maar al te goed dat het nieuws Emily een zeer zware slag zou toebrengen. Ondanks haar afkeer van mijnheer Vyse en haar verzet tegen zijn pogingen haar tot een huwelijk te dwingen, was hij deelgenoot van haar geheimen geweest. Ik twijfelde er niet aan dat ze hem was gaan beschouwen als haar enige beschermer tegen de storm die langzaam maar gestaag rondom haar opstak. Al werd ze dan door nietsontziend eigenbelang gedreven, ze had nu niemand meer die haar verdedigde, en de storm kon elk ogenblik in alle hevigheid losbarsten.

'Al valt de wijze waarop uiteraard te betreuren,' merkte mijnheer Wraxall peinzend op, 'is er gerechtigheid geschied, zij het in de rauwst mogelijke vorm.'

Hij zuchtte.

'Ik betreur het ten zeerste dat mijnheer Armitage Vyse zich nu niet voor een rechtbank voor zijn misdaden hoeft te verantwoorden,' vervolgde hij. 'Ik beken dat ik vroeger zou hebben genoten van de kans om dat heerschap onder ede te horen. Ik denk dat het een van de interessantste kruisverhoren uit mijn loopbaan was geworden.'

'En nu,' zei inspecteur Gully terwijl hij een volgende bladzijde in zijn opschrijfboek opsloeg, 'in het kort een paar woorden over Arthur Digges, die intussen over wijlen zijn werkgever is verhoord.

Hij is onlangs op staande voet door mijnheer Vyse ontslagen, zonder voor zijn diensten de vergoeding te ontvangen die hem naar zijn mening toekwam. Net als Yapp heeft hij zich nu tegen zijn voormalige meester gekeerd. We verdenken hem niet van rechtstreekse betrokkenheid bij de zaak-Kraus, maar – zoals u weet, mijnheer Wraxall – hij heeft ons al een hoop ondersteunend bewijsmateriaal verschaft en hij zal een heel nuttige getuige blijken te zijn.'

Toen ik herinnerde aan de onprettige wijze waarop ik door Digges was achtervolgd, wierp mijnheer Wraxall, die in zijn stoel achteroverleunde en zijn gekromde vingers tegen zijn lippen drukte, me een hoogst nieuwsgierige blik toe. Uiteraard besefte ik toen dat hij dankzij mijnheer Gully's verhoor van Digges moest weten dat ik voor een onderhoud met mijnheer Lazarus naar Billiter Street was gegaan. Maar wist hij ook waarom?

'Ten derde en tot besluit,' zei mijnheer Gully nu, 'betreffende de zaak van lady Tansor...'

'Is ze dan aangehouden?' viel ik hem in de rede.

De inspecteur schudde zijn hoofd.

'Nog niet. Maar er komen vanavond agenten in Easton aan. We zijn van plan morgenochtend bij milady langs te gaan.'

'Morgen?'

'Stipt om negen uur,' zei inspecteur Gully en hij sloeg zijn opschrijfboek dicht.

Stipt om negen uur. Dezelfde nadrukkelijke formulering die Emily op mijn eerste dag op Evenwood zelf had gebruikt om mij in te prenten dat ik onmiddellijk tot haar beschikking moest staan. De herinneringen aan die dag overspoelden me – mijn eerste verkenningen van het grote huis en zijn schatten, mijn ontmoetingen met Perseus en mijnheer Randolph, hoe ik voor de eerste keer Emily's haar had opgemaakt en het zilveren medaillon met de haarlok van de vermoorde Phoebus Daunt had gezien. Het leek al zo ver weg, maar het was nog maar een paar maanden geleden.

Morgen. Stípt om negen uur. Dan kwamen ze haar halen.

We bleven praten totdat inspecteur Gully terug moest naar Easton.

'Wel, mijn beste,' zei mijnheer Wraxall toen hij weg was, 'het lijkt erop dat nu ten minste een van de doelen van ons triumviraat is bereikt. Lady Tansor zal zich voor de rechter moeten verantwoorden voor haar aandeel in de moord op mevrouw Kraus.'

Hij zuchtte en schudde zijn hoofd.

'Het zal voor de familie verschrikkelijke consequenties met zich meebrengen – natuurlijk in het bijzonder voor mijnheer Perseus Duport. Hij is een sterke, trotse figuur, maar juist vanwege die eigenschappen ben ik erg bang voor de uitwerking die het bekend worden van de ware omstandigheden van zijn geboorte op hem zal hebben. Het zal hem zwaar vallen, dat is zeker. Ik moet toegeven dat hij niet sympathiek is, maar hij zou bewonderenswaardig zijn omgegaan met het erfgoed dat hem naar zijn vaste overtuiging op grond van zijn geboorterecht toekwam. En dan het ironische feit dat zijn broer al die tijd de wettige erfopvolger is geweest! Dat zal nog extra pijn doen.'

Hij slaakte nog een zucht. Ik wendde mijn blik af en voelde tranen opkomen.

'Is er iets, mijn beste?' vroeg hij.

Ik vermande me en bedankte hem voor zijn bezorgdheid, maar verzekerde hem dat het uitstekend met me ging, al was dat ver bezijden de waarheid.

'Ik had echter graag gezien,' vervolgde hij, 'dat we onszelf hadden kunnen feliciteren met eenzelfde voortgang ten aanzien van de andere kwestie.'

'De andere kwestie?' vroeg ik.

'De kwestie rond de dood van de heer Paul Carteret.'

Ik pakte mijn opschrijfboek uit mijn zak en haalde er een vel papier uit waarop ik de brief van Phoebus Daunt aan Emily had overgeschreven die ik in de kast achter het portret van Anthony Duport had gevonden.

'Misschien hebt u hier wat aan,' zei ik en ik overhandigde hem het vel. Hij nam het aan, las het zwijgend en stak het vervolgens met mijn toestemming in zijn notitieboek.

'Mijn liefste meisje,' zei hij en ik zag dat hem onder het spreken tranen in de ogen sprongen, al wiste hij ze snel weg. 'Wat bent u toch een wonder!' ging hij verder, terwijl hij naar het raam toe liep. Met zijn rug naar me toegekeerd bleef hij daar enkele minuten staan kijken naar de bosrand waar mijnheer Paul Carteret de dood had gevonden.

'Dorre beenderen! Dorre beenderen!' hoorde ik hem zachtjes bij zichzelf zeggen. Vervolgens richtte hij zich tot mij: 'Ik moet het hier met Gully over hebben. Maar merkwaardig is het wel. Ik ben er altijd van uitgegaan dat Daunt de aanstichter van de overval op die arme Carteret is geweest, maar nu lijkt het erop dat het hele idee van lady Tansor afkomstig was. Daunt regelde alleen de uitvoering – ik denk dat de voorletter P. verwijst naar Josiah Pluckrose, die we als trawant van Daunt kennen, een uiterst gevaarlijk en gewetenloos sujet. Haar eigen vader! Wat een verdorvenheid!'

Ongelovig schudde hij zijn hoofd.

'En u zegt dat er nog meer brieven zijn die u nog niet hebt kunnen bekijken? Misschien – nee, dat is te veel gevraagd.'

'Wilt u dat ik u morgen de andere brieven breng?' vroeg ik.

'Denkt u dat u dat kunt doen zonder te worden ontdekt? Het is natuurlijk wellicht al te laat – misschien zijn ze vernietigd.'

'Nee,' zei ik. 'Daarvoor zijn ze voor haar te waardevol. Ik twijfel er niet aan dat ze nog steeds gelooft dat niemand ze zal vinden.'

En dus spraken we af dat ik die avond zou proberen de brieven weg te halen en ze bij de eerstkomende gelegenheid aan mijnheer Wraxall te overhandigen.

'Was mijn goede oude oom er nog maar!' zuchtte mijnheer Wraxall. 'Wat zou hij opgetogen zijn als hij wist dat hij het altijd bij het rechte eind heeft gehad. Het ging om de opvolging, zoals we al dachten. Het is allemaal gebeurd om Phoebus Daunt en juffrouw Carteret in weelde te laten leven. Maar nu, mijn beste, moeten we zorgen dat u thuiskomt.'

Hij streelde op zijn prettige, vaderlijke manier over mijn hand en liep vervolgens naar de deur om John Wapshott op te dragen dat hij het rijtuigje moest voorrijden.

Mijnheer Wraxall hielp me het rijtuigje in en legde de plaid over mijn knieën.

'Bent u er bij – morgen, stípt om negen uur?' vroeg ik, maar ik had meteen spijt van mijn luchthartige toon, want in werkelijkheid voelde ik me ellendig bij de gedachte aan wat er in het verschiet lag.

'Nee,' antwoordde hij. 'Officieel heb ik geen rol in de zaak gespeeld, en het zou misschien een beetje... ongepast zijn als ik aanwezig was. Ik wacht hier op North Lodge af tot Gully me verslag van de gebeurtenissen komt uitbrengen. Misschien wilt u me gezelschap houden?'

Ik schudde mijn hoofd.

'Dat kan ik niet. Ze verwacht dat ik voor haar klaarsta.'

'Natuurlijk,' zei mijnheer Wraxall. 'Natuurlijk. Welnu, we zullen elkaar spoedig zien. Als Gully zijn werk heeft gedaan, hoop ik. Ben je zover, John?'

Toen John Wapshott een slag met zijn zweep gaf en het rijtuigje al hobbelend de bochtige oprijlaan naar het grote huis op reed, hoorde ik mijnheer Wraxall roepen: 'Tot weerziens, juffrouw Esperanza Gorst.'

II
Een klop op de deur

Ik ging die avond niet beneden dineren. Dat was immers onmogelijk. Tussen mijn verloren geliefde Perseus en zijn broer in te moeten zitten, in het gezelschap van hun moeder, die rampspoed boven het hoofd hing, en beleefd te moeten converseren na alles wat er onlangs tussen ons was voorgevallen! Het was te vreselijk voor woorden, en dus wendde ik een ongesteldheid voor, wat bepaald niet op onwaarheid berustte, en belde naar beneden met het verzoek om een kom lichte bouillon en wat koude aardappels (waar ik altijd verzot op ben geweest) naar mijn kamer te brengen.

Mijn avondmaal werd door Barrington gebracht. Aanvankelijk leek hij, terwijl hij met het blad in de hand geluidloos door de kamer liep, zijn gewone gesloten zelf. Maar toen hij dichterbij kwam, zag ik dat hij me met een merkwaardig aandachtige blik aankeek, die sterk verschilde van zijn gebruikelijke wezenloze uitdrukking.

'Mag ik vragen of u zich ziek voelt, juffrouw?' vroeg hij op zachte, gedempte toon terwijl hij het blad neerzette. 'U ziet nogal bleek, als ik zo vrij mag zijn.'

Zijn bezorgdheid bevreemdde me, want meestal was hij een man van erg weinig woorden – de meest gesloten man die ik ooit heb gekend. Sinds mijn komst op Evenwood hadden we nauwelijks een woord gewisseld, en hij had nooit eerder enige interesse in mijn welzijn getoond.

Ik verzekerde hem dat ik me heel goed voelde. Hij maakte een buiging en wilde vertrekken, maar bij de deur draaide hij zich om en zei: 'Hebt u vanavond nog iets anders nodig, juffrouw? Wilt u dan alstublieft meteen bellen?'

Ik zei dat ik verder niets nodig had. Daarop maakte hij nog een buiging en vertrok. Ik zat ontroostbaar voor het raam en nuttigde afwezig mijn karige maal.

Hoe moe en bedrukt ik ook was, voordat ik kon gaan slapen moest ik nog een taak verrichten nu de gelegenheid zich voordeed. Ik haalde een kleine reistas uit mijn klerenkast, ging naar beneden, naar Emily's vertrekken, en liep recht op het portret van Anthony Duport af.

Alles was nog net zo als ik het de eerste keer had aangetroffen. Snel pakte ik de zes bundels met brieven en deed ze in de tas die ik had meegenomen. Ik liet alleen de onprettige foto van Phoebus Daunt in de donkere holte achter.

Toen ik weer boven was en even voor tienen mijn Geheime Boek bijwerkte en moed verzamelde voor een nieuwe poging om madame te schrijven, werd er weer op mijn deur geklopt, en tot mijn verbazing kwam Emily binnen.

Haar onaangekondigde aanwezigheid en haar gespannen, verwarde uitdrukking brachten me meteen tot angstige speculaties. Had ze ontdekt dat de brieven waren weggenomen?

'Alice, liefje,' zei ze met een vreemde, geforceerde glimlach en ze kuste me vervolgens zacht op mijn wang. 'Hoe gaat het met je? Perseus en Randolph hebben bij het diner allebei naar je gevraagd. Voel je je weer beter?'

'Een beetje – dank je.'

Toen ze zich terugtrok zag ik haar naar de tafel kijken, waar mijn Geheime Boek, dat ik nog niet had kunnen verbergen, nog opengeslagen op lag. Terwijl ze zich omdraaide en naar het bed toe liep, maakte ze er echter geen opmerking over. Ze ging zitten en klopte op de sprei, om aan te geven dat ze wilde dat ik naast haar plaatsnam.

'Is er iets?' vroeg ik, en mijn angst groeide dat ze op het punt stond over de ontbrekende brieven te beginnen. Maar ik hoefde me geen zorgen te maken.

'Ik weet het niet,' luidde het aarzelende antwoord. 'Dat wil zeggen, ik weet niet wat het voor mij betekent – of kan betekenen.'

Ze staarde nu naar de vloer, en haar lichaam wiegde langzaam heen en weer.

'Liefste Emily,' zei ik troostend, en mijn angst nam nu af. 'Als je wilt dat ik je help, moet je duidelijk zijn.'

'O!' riep ze, alsof ze op dat ogenblik opschrok uit een mijmering die haar volledig in beslag had genomen. 'Heb ik dat niet gezegd? Wat dom van me! Mijnheer Donald Orr heeft me getelegrafeerd dat mijnheer Vyse dood is.'

Ze stootte een macaber lachje uit.

'Iemand heeft hem vermoord en in het Regent's Canal gegooid. Wel! Wat zeg je daarvan?'

'Dat is verschrikkelijk nieuws,' zei ik, veinzend dat ik volkomen verrast en verbijsterd was, 'al geloof ik niet dat je zo dol op mijnheer Vyse was.'

'Nee,' antwoordde ze en ze staarde opnieuw naar de vloer. 'Niet in het minst, maar ik wenste hem niet dood. Dat heb ik nooit gewild. Hij was een oprechte vriend van Phoebus en verdedigde zijn nagedachtenis onwankelbaar tegen lieden die zijn reputatie probeerden te besmeuren. Daarvoor moet ik hem altijd dankbaar blijven.'

Ze had haar gezicht nu naar me toegewend. De vernietigende uitwerking van de recente gebeurtenissen was maar al te zichtbaar. Ook haar verslechterende gezondheid sprak uit al haar trekken, zodat ze er plotseling veel ouder en onherstelbaar verzwakt uitzag. Haar vroegere kracht was helemaal uit haar verdwenen.

'O, Alice,' zei ze op een allermeelijwekkendste fluistertoon. 'Ik ben zo bang. Wat zal ik doen?'

'Bang?' vroeg ik. 'Waarvoor zou je bang moeten zijn?'

Ze schudde haar hoofd en wendde zich toen weer van me af. Ze zat in haar gedachten kennelijk gevangen in een stil, duister oord vol wanhoop en verschrikkingen, in de hel op aarde die ze voor zichzelf had geschapen en waaruit nu geen ontsnapping mogelijk was.

'Kun je het mij niet vertellen?' drong ik aan. Ik voelde dat ik macht over haar had, maar putte daar merkwaardig genoeg weinig voldoening uit.

Opnieuw schudde ze alleen haar hoofd. Vervolgens keek ze echter plotseling op en glimlachte.

'Wil je mijn haar borstelen, zoals je dat altijd deed?' vroeg ze. 'Allardyce trekt er altijd zo aan, maar jij hebt zo'n zachte hand. Wil je dat voor me doen, liefje?'

Ik pakte mijn borstel en maakte de lange, zwarte haarstrengen los, zodat ze over haar schouders en haar rug vielen.

Door het halfopen raam weerklonken het zachte ruisen van een nachtelijk briesje en de roep van een uil in de verte. Terwijl Emily met gesloten ogen en haar handen ineengeslagen op haar schoot naast me zat, begon ik met lange, vegende bewegingen te borstelen.

Ten slotte opende ze haar ogen en keek me recht aan. Ik beantwoordde haar onverschrokken blik, en een moment leken we een stilzwijgende strijd te zijn aangegaan wie de sterkste wil had. Alsof alle schone schijn opeens weg was, en we allebei de geheime persoonlijkheid van de ander kenden. Maar het ogenblik verstreek even plotseling als het was aangebroken. Ze wierp me een flauw lachje toe, liet haar vingers door mijn haar gaan en zei dat ze blij was dat ik me beter voelde en dat ze nu naar bed wilde.

'Laat me mee naar beneden gaan,' drong ik aan. 'Je bent niet in orde.'

'O, ik ben volmaakt in orde,' antwoordde ze bijna vrolijk. 'Maar als je erop staat...'

In haar vertrekken ontbood ze Allardyce om haar uit te kleden en in bed te helpen. Toen de kamenier was weggestuurd, ging ik bij Emily zitten en hield haar hand vast. We spraken niet.

Ze lag met gesloten ogen in bed, al was ze nog wakker. Na een poosje opende ze haar ogen, keek omlaag en fluisterde: 'Wat een prachtige handen! Dat was het eerste wat me aan je opviel.'

Ze glimlachte bij zichzelf en streelde met haar lange nagels zachtjes mijn handpalm, precies zoals madame had gedaan wanneer ik na een van mijn nachtmerries wakker was geworden. Ik wilde mijn hand terugtrekken, maar merkte dat ik het niet kon. Zo beleefden we daar samen enkele ogenblikken van stille intimiteit.

Toen de klokken het halve uur sloegen, maakte ik voorzichtig mijn hand van de hare los en veegde een haarlok van haar klamme voorhoofd.

'Esperanza,' zei ze zacht en monotoon. 'Dat betekent toch "hoop"? Je ouders hebben je een goede naam gegeven, want ze moeten inderdaad hun hoop in jou hebben gesteld. Weet je, liefje, hoe meer ik die naam zeg, des te beter bevalt hij me. Ik wou nu dat ik je niet met alle geweld

"Alice" had willen noemen. Maar ja – nu is het te laat. Het is al met al te laat.'

'Ik laat je nu met rust,' zei ik. 'Moet ik je druppels halen?'

'Mijn druppels?' riep ze uit, opeens onrustig. 'Nee, nee, vannacht niet. In geen geval. Vannacht heb ik geen druppels nodig.'

III
De studeerkamer

Emily had me 's nachts weliswaar vaak laten komen – door middel van een bel die in haar opdracht op mijn kamer was geïnstalleerd – om haar te kalmeren als ze door haar nachtelijke angstaanvallen werd getroffen, maar míjn slaap was al geruime tijd niet meer door boze dromen verstoord. Die nacht kreeg ik echter een hoogst eigenaardige en verontrustende nachtmerrie. Hij heeft daarna nog menigmaal mijn nachtrust verstoord.

Met een kaars in mijn hand sta ik in een groot, leeg, raamloos vertrek waarvan de muren, het plafond en de vloer volledig met glad, wit zand zijn bepleisterd. Er waait een zwak briesje, waardoor hier en daar zandhoosjes van de vloer opwervelen.

Rond de kamer bevinden zich een stuk of tien gesloten deuren. Voor een van die deuren ligt op de met zand bedekte vloer een gouden sleuteltje. Ik raap het sleuteltje op en draai de deur van het slot.

Een plotselinge zilte windvlaag dooft de kaars terwijl ik een grote zeegrot in loop, een lage, brede grot, waarvan de enorme, gapende monding in de verte uitziet op een oppervlak met beukende golven, waarachter een sprankelend turkooisblauwe oceaan zichtbaar is.

Ik sta nu op een smalle richel van zwart, onregelmatig gesteente, waar de golven tegenaan slaan en langs likken. Door de monding van de grot stroomt het parelende zonlicht van de vroege ochtend, dat een groot aantal identieke stenen gedaanten verlicht die uit de massieve rots oprijzen – rij na rij van langharige zeemeerminnen, die hun vliesachtige handen naar de opkomende zon uitstrekken. Hun hoofd en schouders zijn met kransen levend zeewier bedekt, en allemaal staren ze naar de open zee terwijl hun kleverige blauwzwarte draperieën glinsteren in het bleke licht. De golven slaan over hen heen en stromen weer terug, en zeewater stroomt langs de plooien van hun gewaden, die zo verfijnd zijn weergegeven, voor eeuwig verstild.

Ik wend me af, ga terug naar de kamer vanwaaruit ik de grot ben binnengegaan en sluit de deur achter me. Maar terwijl ik dat doe, beginnen de met zand bedekte muren te bezwijken, en een ogenblik later word ik overspoeld.

In doodsangst probeer ik me al worstelend uit de verstikkende massa te bevrijden, maar het neerstortende zand stroomt in zo'n onweerstaanbaar tempo mijn ogen, mijn neus en mijn mond in dat ik algauw geen adem meer krijg en me dankbaar overgeef aan de dood.

Ik gooide de lakens van me af en schoot overeind; het zweet stroomde langs mijn gezicht, en mijn hart ging wild tekeer.

Toen ik een beetje van mijn droom was bekomen, stak ik de kaars naast mijn bed aan. De klok stond op tien voor halfvijf.

Het raam stond nog open, maar de wind was gaan liggen en het was doodstil. Plotseling voelde ik behoefte aan frisse lucht, dus kleedde ik me ondanks het vroege uur aan en ging naar het terras voor de bibliotheek. Terwijl aan de oostelijke hemel zwakjes een wit licht doorbrak, liep ik heen en weer totdat de beroering in mijn hoofd was afgenomen.

Toen ik, terug op mijn kamer, overdacht waarvan mijn vreemde droom een voorteken kon zijn, werd de stilte verbroken doordat op de verdieping onder me een deur werd gesloten.

Ik kende het geluid van die deur goed – het opvallende geknars van de scharnieren (veelvuldig smeren ten spijt) en de holle toon die hij voortbracht als hij werd dichtgetrokken. Ik wist ook dat deze geluiden, door de eigenaardige akoestische eigenschappen van de trap en de gang, op mijn kamer hoorbaar waren.

Aangespoord door een plotselinge instinctieve zekerheid dat ik een onderzoek moest instellen liep ik de overloop op, ging naar de eerste verdieping en belandde algauw voor Emily's privévertrekken. Ik ging echter niet naar binnen, want een zwak licht dat via het trappenhuis vanuit de hal beneden opflikkerde, had mijn aandacht getrokken.

Ik liep naar beneden, en toen zag ik haar.

Het was een griezelig schouwspel. Ze droeg het lange witte nachtgewaad dat eens aan Phoebus Daunt had toebehoord en dat, nu het in het halfduister achter haar aan sleepte, deed denken aan het doodshemd van een arme schim die zojuist uit het graf was verrezen.

Ik bevond me ongeveer een meter achter haar en drukte mezelf dicht tegen de diep beschaduwde muur van het trappenhuis om te voorkomen dat ik zou worden ontdekt.

Ze hield een kaars omhoog, haar lange haren golfden over haar rug en haar gepantoffelde voeten trippelden zachtjes over de stenen tegels. Zo passeerde ze het portret van de Turkse zeerover en sloeg vlug een lange, gewelfde gang in waarin aan weerskanten verschoten vaandels, schilden, gekruiste wapens en andere uitrustingsstukken voor de strijd hingen.

Ze ging verder, bleef zo nu en dan even staan om op adem te komen en hield ten slotte halt voor het enige vertrek in huis waar ik op mijn zwerftochten nooit een voet had gezet: de studeerkamer van wijlen lord Tansor, tegenwoordig Emily's eigen onschendbare heiligdom, waarvan de deur altijd op slot zat.

Vanuit een beschaduwde, smalle vensteropening die op de rozentuin uitzag, sloeg ik gade hoe ze een sleutel uit de zak van het nachthemd haalde en de deur van de studeerkamer ontsloot en zachtjes achter zich dichttrok.

Ik spitste mijn oren, maar hoorde niet dat de sleutel nog eens werd omgedraaid. En dus liep ik op mijn tenen naar de deur toe, knielde neer en hield mijn oog bij het lege sleutelgat.

Ze stond met haar rug naar me toe en zette de kaars op een zwaar, mahoniehouten bureau dat aan de andere kant van het vertrek voor het raam stond. Terwijl ik haar gadesloeg, draaide ze zich plotseling om, alsof ze iets had gehoord, pakte de kaars en liep snel terug naar de deur. Ik had maar een paar tellen om naar mijn vorige schuilplaats te rennen; toen ging de deur van de studeerkamer open, en kwam Emily nerveus om zich heen kijkend de gang in. Na enkele ogenblikken ging ze weer naar binnen, er kennelijk van overtuigd dat ze niet was gadegeslagen. Dit keer sloot de deur niet goed, en toen ik terugliep zag ik dat ik hem nog een stukje verder kon duwen om een beter zicht op het interieur van de studeerkamer te krijgen.

De hoge, smalle ruimte had één raam, dat over de toegangshof uitzag, en was met inbegrip van het plafond met donker hout gelambriseerd. De rechtermuur werd bedekt door boekenkasten met glazen deuren, aan de linkermuur hing een rij portretten.

Nadat Emily een olielampje op het bureau had aangestoken, liep ze naar een van de portretten toe. Er stond een gezette heer in achttiende-eeuws kostuum op afgebeeld, met zijn vrouw en zijn hond aan zijn zijde. Ik dacht aanvankelijk dat ze op het punt stond het schilderij van de muur te halen, misschien om een geheime ruimte te onthullen, zoals de holte achter het portret van Anthony Duport. In plaats daarvan begon ze, zo te zien in een doelgerichte opeenvolgende reeks handelingen, tegen de onderste rand van de barok vergulde lijst van het schilderij te drukken. Vervolgens zwaaide het naburige portret, dat een streng uitziende dame van gevorderde leeftijd voorstelde, opeens met een zacht klikje open en onthulde een donkere holte. Daaruit haalde ze een leren tas tevoorschijn en iets wat ik algauw als een sleutel herkende; vervolgens sloot ze de geheime deur. Daarna opende ze met de sleutel een van de bureauladen en haalde er twee enveloppen uit, die ze in de tas deed.

Nadat ze enkele ogenblikken zwaar ademend had zitten nadenken, stond ze weer op, opende de in de lambrisering geplaatste deur van een smalle muurkast en haalde er een lange mantel met kap en een uitgelezen paar duifgrijze, met zwarte kralen versierde pumps voor bij een avondtoilet uit. Ze sloeg de mantel over haar schouders, wisselde haar pantoffels voor de pumps, gespte de leren tas om, doofde de lamp en liep met de kaars in haar hand naar de deur toe, zodat ik me weer naar mijn schuilplaats moest spoeden.

Ik hoorde hoe de sleutel in het slot van de deur van de studeerkamer werd omgedraaid. Een ogenblik later fladderde Emily voorbij, gehuld in de mantel en met de kap op het hoofd.

Ik telde langzaam tot vijf en ging achter haar aan.

35

De laatste zonsopgang

I
De Evenbrook
29 mei 1877

Emily bleef staan bij de deur naar de hal en keek om zich heen om zich ervan te vergewissen dat er niemand in de buurt was. Ze stopte ook nog even om een blik te werpen op het portret van mijn grootouders, lord Tansor en zijn beeldschone eerste vrouw – die mijn vaders broer in haar armen hield – liep toen snel de grote, galmende ruimte door en naar een lage, groengeschilderde deur die in een hoek aan de andere kant van de hal verscholen lag.

Zodra ze uit het zicht was verdwenen, ging ik haar achterna de groengeschilderde deur door, een korte trap af en via een reeks gangen en kleine, donkere vertrekken die uiteindelijk uitkwamen op een weinig gebruikte hal aan de zuidkant van het huis. Ik kwam tegenover een geopende, deels glazen deur te staan die de kille ochtendlucht binnenliet.

Ik moet bekennen dat het me duizelde. Waar kon ze op dit uur naartoe gaan, alleen gekleed in nachtgewaad en op sierlijke pumps? Wilde ik haar echter bijhouden, dan had ik geen tijd om daarover te speculeren. En dus ging ik de deur uit.

Aan mijn linkerhand lag het grindpad dat mijnheer Randolph had genomen op de dag dat we samen bij de visvijver hadden gezeten, en dat langs de hoog oprijzende zuidgevel naar de stallen toe liep. Aan mijn rechterhand verwijderde dit pad zich al kronkelend van het huis, voerde vlak langs de hoge muren bij de vijver en kwam via een met hoge, oude bomen omzoomd laantje op de grote oprijlaan uit. Het was duidelijk dat Emily deze omweg naar het landgoed nam om niet te worden gezien. Ik begreep er niets meer van en liep het pad op.

Het prille ochtendlicht won langzaam aan kracht, zodat ik haar donkere gestalte kon onderscheiden die zich naar de andere kant van de muur rond de visvijver spoedde. Daar maakte het pad een scherpe bocht naar het met bomen omzoomde laantje.

Terwijl ik haar zo dicht op de hielen zat als ik durfde, liep ze het laantje af, de oprijlaan op en de lange helling van de Rise op. Haar tred was snel en vastberaden, alsof ze absoluut een dringende afspraak moest nakomen, en niet één keer keek ze om of bleef ze staan om op adem te komen.

Om niet te worden gezien liep ik tussen de eiken, die met kleine tussenruimten aan weerszijden van de oprijlaan stonden. Het gras was echter lang en nog nat van de zware dauw en de recente regenval, en daardoor kwam ik traag en moeizaam vooruit. Zodra Emily de helling over was, liet ik de veilige beschutting van de bomen achter me en rende zo snel als mijn benen me konden dragen naar de top van de Rise. In het geleidelijk toenemende licht zag ik onder me de donkere omtrekken van het kasteelachtige poortgebouw, en aan mijn rechterhand, boven de tussenliggende bomen uit, de schoorstenen van het douairièrehuis en de hoge toren van de St Michael and All Angels zich tegen de bleke oostelijke hemel aftekenen. Maar waar was Emily?

Enkele seconden zocht ik met mijn blik de oprijlaan af. Toen zag ik haar: ze snelde een pad over dat dicht langs de omheining van het douairièrehuis naar de Evenbrook liep.

Ik tilde mijn natte rokken weer op, bereikte algauw het pad, en bevond me een minuut later aan de rand van een open plek in het dichte wilgen- en zilverberkenbos dat langs de rivier lag.

Daar moest ik blijven staan, want Emily had nog maar enkele meters voorsprong op me. Ze stond roerloos op de modderige rivieroever, ze hijgde, haar haar was door haar inspanningen in de war geraakt, en haar mooie geitenleren pumps waren doornat, smerig en zo stukgelopen dat geen kamenier ze nog zou kunnen herstellen.

Ik stond op het punt me tussen de bomen terug te trekken, want ik was bang dat ze zich zou omdraaien en mij zou zien. Ze was zich kennelijk echter niet van mijn aanwezigheid bewust en werd blijkbaar zo volkomen door haar eigen gedachten in beslag genomen dat het voorlopig niet nodig was om me te verstoppen.

Terwijl de minuten verstreken stond Emily afwezig naar het snelstromende riviertje te kijken, dat door de recente regenval was gezwollen.

Toen keken we allebei op vanwege een plotseling rumoer.

Vanuit een wiegende rietkraag aan de andere oever steeg langzaam een zwaan op; de slag van zijn helderwitte vleugels weerklonk luid in de vroege ochtendstilte.

Emily schrikte door het geluid op uit haar mijmeringen, deed de leren tas af en liet hem naast zich op het gras vallen. Vervolgens liep ze langzaam de modderige oever af, de rivier in.

Van afgrijzen stond ik als aan de grond genageld, mijn hart klopte in mijn keel.

Lieve God! Ze was toch niet van plan hier een einde aan haar leven te maken en haar lichaam moedwillig aan de onverzoenlijke Evenbrook prijs te geven? Maar toen het water zich rond haar nog steeds in de verfijnde grijze pumps gestoken voeten sloot, besefte ik dat er geen andere conclusie kon worden getrokken. Ze was op dit vroege uur slechts met één verschrikkelijk doel naar deze verlaten plek gekomen.

Ze moest dus weten dat het moment was aangebroken waarop ze volledige rekenschap voor haar misdaden moest afleggen. Maar ze was de trotse lady Tansor. Ze zou zich de wet niet laten voorschrijven – niet door het noodlot, en zelfs niet door inspecteur Gully van de recherche. Maar milady, hoe zul je je voor dit laatste, zeer zware misdrijf verantwoorden wanneer je voor de Allerlaatste Rechter staat?

Het lag helemaal in de lijn van het leven dat ze nu leek te willen beeindigen. Haar wil was alles. Haar trotse, egocentrische aard was haar enige morele richtsnoer – haar maatstaf, haar vaste toetssteen waardoor ze al haar daden liet leiden. Ik hoefde haar niet te gronde te richten: ze had zichzelf te gronde gericht.

U vindt het misschien verachtelijk van me, en zelf vind ik dat nu ook, maar toen ik haar van tussen de bomen gadesloeg kon ik een onmiskenbaar gevoel van opluchting niet onderdrukken vanwege deze eigenhandig toegebrachte nederlaag van de vrouw die ik op gezag van madame als mijn vijand beschouwde. Inderdaad, het was niet het triomfantelijke besluit van de Grote Opgave waarop mijn voogdes had gehoopt, maar een gruwelijke vorm van gerechtigheid voor het verraad van mijn lieve vader en de als gevolg daarvan gepleegde misdaden.

Ik moest aan hém denken, aan mijn arme overleden vader, en aan het leed dat hij vanwege haar had ondergaan. Hij moest míjn maatstaf, míjn toetssteen zijn. Vanwege hem moest ik haar laten sterven. Waartoe ze ook besloot, haar lot was in elk geval bezegeld. En was het misschien niet beter dat haar leven op deze manier zou eindigen, op deze rustige plek aan het water, tussen de bladeren en het ruisende gras, onder een opklarende ochtendhemel, dan dat ze de onverbiddelijke uitkomst van een doodvonnis zou moeten ondergaan?

Haar wil mocht dus geschieden. Ik zou geen hand uitsteken om het te voorkomen. Waarom zou ik me erom bekommeren hoe de zesentwintigste barones Tansor aan haar einde kwam? Ook al stroomde bij ons beiden het bloed van de Duports door de aderen, was ze aardig voor me geweest en had ze zich mijn vriendin genoemd, ze betekende niets voor me – niets meer. Een vriendin? Hoe had ze ooit een oprechte vriendin van mij kunnen zijn? En hoe had ík met haar bevriend kunnen zijn? Het was allemaal komedie geweest, van beide kanten. Allebei waren we met onze geheime doelen bezig geweest, ook als we samen lachten, praatten, om mijnheer Maurice FitzMaurice zaten te giechelen of op een regenachtige middag als schoolmeisjes samen platen van de laatste Parijse mode bekeken.

De dagen van het bedrog waren eindelijk voorbij, en ik hoefde niet meer te doen alsof. Ik kon naar de Avenue d'Uhrich terugkeren om een nieuw bestaan te beginnen en mijn geheime leven onder de torens van Evenwood naar de kluizen van het geheugen te verwijzen.

Ze waadt nu steeds dieper de rivier in. Haar lange mantel spreidt zich in een donkere, golvende boog achter haar uit, doet haar op een vreemde meerminnensoort lijken en herinnert mij allerakeligst aan de stenen zeemeerminnen uit mijn droom van vannacht.

In de tuin van de pastorie, een stukje achter de bomen, begint een hond opgewonden te blaffen, waarna een kreet weerklinkt. Dominee Thripp pleegt vroeg op te staan en maakt zich ongetwijfeld op voor een wandeling met zijn vaste kameraad, een uitgelaten kleine terriër. Het beeld dat zich voor mijn geestesoog vormt van de predikant – hoe dwaas en ergerlijk hij ook is – die over het met bomen omzoomde laantje op weg is naar de kerk, terwijl zijn hond ongericht en hijgend van puur instinctief plezier voor hem uit rent, zoals het een terriër betaamt, lijkt thuis te horen in een andere wereld, die ver is verwijderd van deze plek des doods. Terwijl het geluid wegsterft, wordt mijn geweten weer wakker.

Kan ik werkelijk rustig toekijken hoe deze vrouw sterft en niets doen om haar te redden? Ik probeer mezelf nogmaals te overtuigen dat het móét: ik moet de taak verrichten waaraan ik me met hart en ziel heb verbonden. Ik moet even streng en onbuigzaam zijn als een rechter die een schuldig bevonden misdadiger vonnist, en alleen aan haar misdrijven denken.

Maar terwijl ik haar gadesla, begint mijn vastberadenheid te wankelen om haar haar gang te laten gaan bij wat ze hier vrijwillig doet. Vervolgens maakt een nieuwe, verbijsterende gedachte zich van me meester.

Is nietsdoen niet een vorm van moord, en zal het mij niet tot moordenares maken? Ik heb geen mes of pistool om haar te doden, geen gif dat ik haar heimelijk kan toedienen. Ik zou haar nooit eigenhandig kunnen wurgen. Maar als ik niets doe, ben ik stilzwijgend medeplichtig aan haar dood. Het is een absurde gedachte, die echter een priemend schuldgevoel veroorzaakt dat langzaam mijn vroegere vastberadenheid aantast om zwijgend getuige te zijn van wat zich voor mijn ogen afspeelt.

Mijn hart zou intussen niet meer vatbaar mogen zijn voor gevoelens van medelijden of compassie met mijn vroegere meesteres. Toch voel ik een onweerstaanbare opwelling van eenvoudig menselijk medeleven, en de tranen beginnen over mijn wangen te stromen.

Zelfs nu kan ik haar nog redden, zelfs nu nog. Ik ben jong en sterk, zij is door ziekte verzwakt en door zorgen en schuldgevoelens gesloopt. Ik zou naar haar toe kunnen rennen, haar op de oever kunnen trekken en haar kunnen aansporen om te vluchten, ongeacht waarheen, voor wat haar onvermijdelijk te wachten staat nadat inspecteur Gully stipt om negen uur zijn beleefdheidsbezoekje is komen brengen. Er is nog tijd. Het is nog niet te laat.

Ik kan niet geloven dat madame, of zelfs mijn overleden vader, heeft voorzien of gewild dat alles zo'n vreselijke afloop zou krijgen. Ze wilden Emily alleen straffen door haar en haar zonen hun onwettige erfenis af te nemen. Waarom zou ik haar dus niet redden – haar beschermen tegen zichzelf en tegen de wet in al zijn meedogenloosheid? Als ze net als mijn vader zou ontsnappen, zou ze evengoed alles verliezen wat ze door middel van listen en lagen heeft willen behouden.

Ik kan haar nooit vergeven dat ze mijn vader heeft verraden en hem bijna tot waanzin heeft gedreven. Ik weet echter dat ze heeft gehandeld in de ban van haar buitengewone liefde voor Phoebus Daunt, die vervolgens met zijn leven voor hun beider schuld heeft moeten boeten.

Weet ik zeker dat ik voor Perseus niet hetzelfde zou hebben gedaan?

Ik ben doodziek van de intriges, de geheimen en het bedrog, van het doen alsof ik een ander ben. De Grote Opgave is verleden tijd. Alles is verloren, en ik ben er bijna blij om. Ik heb er ook genoeg van instructies te moeten opvolgen, ook van die lieve madame. Ik heb een eigen wil. Ik moet – en zal – hem laten gelden. Ik zal eindelijk mezelf zijn.

Pijnlijk traag, want ze moet het gewicht van haar doornatte mantel met zich meeslepen, is Emily nu via het ondiepe water in het midden van de rivier aangekomen.

In een ogenblik is alle verwarring opgelost, als een nevel voor de opgaande zon. Ik heb mijn besluit genomen.

Ik zal haar niet laten sterven.

Terwijl de klokken van St Michaels beginnen te luiden, breekt boven de oostelijke horizon een steeds bredere baan van heel bleek en zuiver licht door. Ik hoor het gebeier, maar heb geen idee welk uur of halve uur ze slaan. Het is bijna alsof de tijd is stilgezet en er een eeuwig heden voor in de plaats is gekomen dat balanceert op de rand van leven en dood.

Emily waadt steeds verder de Evenbrook in, en het water reikt nu bijna tot haar middel. Ik kom in beweging en ga op de oever staan om haar te roepen. Maar nog voordat ik mijn mond kan openen, draait zij zich om en kijkt me aan. Haar borstkas gaat in ademnood op en neer, haar lichaam wiegt zachtjes op de stroming heen en weer.

Voor het eerst zie ik nu dat ze het zwarte fluwelen bandje draagt met het medaillon waarin de haarlokken zitten die ze van Phoebus Daunts hoofd heeft afgeknipt toen hij, na door mijn vader te zijn vermoord, in de besneeuwde tuin van lord Tansors Londense huis lag. Als Emily ziet dat ik iets wil zeggen, legt ze een vinger tegen haar bloedeloze lippen om aan te duiden dat ik moet zwijgen. Vervolgens steekt ze haar andere hand uit, met de palm naar mij toegekeerd. Ik begrijp dat ze met dit gebaar wil zeggen dat ik moet blijven waar ik ben, en natuurlijk geef ik aan deze woordeloze bevelen gehoor. Ze is immers nog altijd mijn meesteres.

Het is onmogelijk haar weer opgeleefde wil te weerstaan. Ik besef dat ik haar niet kan redden, want ze wil niet worden gered.

Zo gehavend en ontluisterend als ze is, is ze magnifiek – inderdaad een koningin, ongenaakbaar en onaantastbaar, en haar schoonheid heeft een wonderlijk en bovenaards karakter gekregen. Ik vraag me af hoe ik ooit heb kunnen geloven dat ik haar kon overwinnen. Het is maar al te duidelijk. Zij heeft míj overwonnen, ondanks alle listen en lagen die ik in opdracht van madame heb bedacht om haar klein te krijgen.

Maar in de glimlach die ze me nu toewerpt – een treurige, tedere glimlach waarin een mysterieus weten doorschemert – ligt even onbetwistbaar nog iets meer; het brengt me van mijn stuk, want het lijkt alsof ze alles heeft ontraadseld wat ik heb gepoogd voor haar geheim te houden. Dat lijkt onmogelijk, maar alleen al de gedachte vergroot haar overwicht op mij.

Zo staan we elkaar als zwijgende medeplichtigen aan te kijken, terwijl de nieuwe dag wordt onthaald op een aanzwellend refrein van vogelzang, en een mild briesje een rimpeling door de pluizige zaadpluimen van de hoge grassen tussen het pad en de waterkant laat gaan, en de overhangende wilgen doet fluisteren en zuchten.

Ze glimlacht opnieuw, maar dat verontrustende air van weten is verdwenen, en weer gaat mijn hart ongevraagd naar haar uit.

De tijd verstrijkt, en we zeggen en doen niets. Emily blijft tot haar middel in het water staan en kijkt soms verwachtingsvol stroomopwaarts naar de pastorie, alsof er iets belangrijks staat te gebeuren.

Dan stijgt de ochtendzon in een glorieuze vloed van pril licht eindelijk boven de beboste einder uit en legt een glinsterend tapijt van oogverblindende, dansende sterren over het oppervlak van de Evenbrook. Emily keert zich naar de opgaande zon toe en haalt iets uit de zak van haar nachtgewaad. Aanvankelijk zie ik niet wat het is. Vervolgens begint mijn hart verontrust te bonzen.

Het is de foto van Phoebus Daunt in zijn zwarte lijst, die nog op de plaats zou moeten liggen waar ik hem zo kortgeleden heb achtergelaten – achter slot en grendel in de holte achter het portret van Anthony Duport.

Ze weet dus dat de brieven van haar geliefde zijn weggehaald, maar weet ze – of heeft ze geraden – door wie?

Terwijl haar gezicht nu in het licht baadt, brengt ze de foto naar haar lippen en kust hem, waarna ze hem vol hartstochtelijke tederheid tegen haar borst drukt. Ze sluit haar ogen, en met de foto nog in haar handen geklemd valt ze langzaam voorover.

Een ogenblik blijft ze met haar gezicht omlaag zachtjes op het sprankelende wateroppervlak drijven, met haar losse haren achter zich aan. Vervolgens trekt het gewicht van haar mantel haar naar beneden en geeft ze zich definitief over aan de koude omhelzing van de Evenbrook.

Ik kan het niet meer aanzien en wend huilend mijn blik af. Als ik moed vat en weer durf te kijken, is ze verdwenen – meegevoerd door de snelle stroming.

Zo stierf Emily Grace Duport, de zesentwintigste barones Tansor.

Mijn vijand.

Mijn vriendin.

II
De tas van de jachtopziener

Sinds mijn terugkeer naar huis is er een halfuur verstreken – ik ben er zeker van dat niemand me heeft gezien. Ik heb de gehavende leren tas meegenomen die Emily in het gras bij de Evenbrook heeft laten liggen.

Ik heb besloten de inhoud van de tas pas in de veiligheid van mijn kamer te bekijken. Daar aangekomen zet ik, na de deur op slot te hebben gedraaid, de tas op de tafel onder mijn raam en maak hem open – intussen sta ik nog van top tot teen te beven door het schokkende voorval waarvan ik zojuist getuige ben geweest.

Ik haal twee verzegelde enveloppen uit de tas: een ervan is aan inspecteur Gully gericht, de andere aan mij. De inhoud van de laatste geef ik hier volledig weer.

Evenwood Park
Easton, Northamptonshire

28 mei 1877

Mijn liefste Esperanza (niet langer Alice),
Als je dit leest, zul je weten wat ik me heb voorgenomen.

Mij is meegedeeld dat inspecteur Gully met verschillende agenten uit Londen is overgekomen & nu in Easton is. Ik weet maar al te goed waarom ze hier zijn & zal dus ten uitvoer brengen wat ik de afgelopen weken heb voorbereid.

Niets kan me van mijn voorgenomen koers afbrengen, maar voor-

dat ik deze laatste, onherroepelijke stap zet, moeten er nog enkele za-
ken worden geregeld. Een aparte brief, bestemd voor mijn geliefde
oudste zoon, is bij de heer Donald Orr in bewaring gegeven, met de
instructie dat die aan hem moet worden gegeven als ik kom te over-
lijden.

Ik wist meteen wie je was, mijn liefste meisje, toen je voor ons eer-
ste onderhoud voor me stond. Zodra je de kamer betrad, ging ik terug
naar de dag, ruim twintig jaar geleden, waarop ik in de hal van het
douairièrehuis een zekere heer ontmoette. Je weet misschien niet hoe
sterk je op die heer lijkt, maar ik zag het meteen – niet alleen door de
gelijkenis in gelaatstrekken & houding, hoe treffend die in sommige
opzichten ook was, maar vooral door minder tastbare, nog sterkere
indrukken. Toen ik jou voor het eerst zag, zag – en voelde – ik hém
voor me staan, ook al keek ik naar de gestalte van een meisje van ne-
gentien.

Mijn instinctieve zekerheid over wie je was verklaarde zoveel: de
sterke affiniteit die ik onmiddellijk tussen ons bespeurde & de vraag
waarom iemand met zo'n overvloed aan vaardigheden, die zo mooi,
zo ontwikkeld en ondanks je geveinsde dociliteit zo zelfverzekerd
was, naar de betrekking van kamenier solliciteerde. Vond je het niet
vreemd dat je de functie zo gemakkelijk kreeg, terwijl andere solli-
citanten veel betere kwalificaties hadden?

Het verhaal dat je me vertelde was plausibel, en later onderzoek
leek het te bevestigen, maar het was maar een verhaal, nietwaar?

Hoewel ik geen absolute zekerheid had, wist ik in mijn hart dan
ook wie je was: de dochter van Edward Glyver, de man die nu de zes-
entwintigste lord Tansor had moeten zijn. Zo – ik heb zijn naam op-
geschreven, of moet ik zeggen: een van zijn namen? Hoe zullen we
hem noemen? Edward Duport? Edward Glyver? Edward Glapthorn?
Of misschien Edwin Gorst? Alleen Edward is misschien het beste,
want zo noem ik hem in gedachten. Laat het dus Edward zijn.

Wat de naam betreft waaronder jíj momenteel bekend bent: zowel
mijnheer Vyse als mijnheer Shillito verdenkt je er ernstig van dat je je
ware identiteit verborgen houdt, hoewel geen van hen beiden heeft
ontdekt dat Esperanza Gorst in werkelijkheid de dochter van de
moordenaar van mijn geliefde is.

Ik twijfel er niet aan dat mijnheer Vyse je mettertijd zou hebben
ontmaskerd. Tot zijn eigen voldoening had hij al vastgesteld dat de

man die mijnheer Shillito op Madeira had ontmoet inderdaad jouw overleden vader was. Ongetwijfeld zou mijnheer Shillito zich uiteindelijk ook hebben herinnerd waar hij Edwin Gorst nog van kende – van school, zoals je al dan niet weet – en onder welke naam hij hem had gekend. Is het echter niet vreemd en ironisch dat uitgerekend ik besloot om je geheim tegenover mijnheer Vyse te bewaren en je tegen hem te beschermen door zijn vermoedens tegen te spreken – in de wetenschap waartoe hij in staat is?

Waarom ben je hierheen gekomen? Die vraag heb ik mezelf voortdurend gesteld. Om mij te vermoorden, of om een ander middel te vinden waarmee je mij kon straffen voor wat ik je vader heb aangedaan? Ik wist alleen zeker dat je aanwezigheid op Evenwood niet op toeval berustte & voor mij weinig goeds voorspelde.

Vervolgens vroeg ik me af door wie je was gestuurd, want evenals mijnheer Vyse was ik er zeker van dat je niet uit eigen wil was gekomen. Je vader kon het uiteraard niet zijn, want ik wist dat hij dood was. Ik dacht dat het misschien een mij onbekende oude vriend of compagnon van hem was, die door hem in vertrouwen was genomen. Later was ik er zeker van dat je samenspande met mijnheer Wraxall, die al lang verdenkingen jegens mij koestert. De tijd zou het leren & dus besloot ik je aan te nemen en te wachten tot je je zou blootgeven.

Vervolgens vielen er bepaalde zaken voor die mij in zeer groot gevaar brachten en waaraan ik nu niet meer kan ontsnappen. Ik weet niet of je er, in het kader van je plan, bij betrokken bent dat inspecteur Gully & zijn agenten naar Evenwood komen. Het is voor mij echter niet meer van belang waarom of op wiens of wier instigatie je hierheen bent gekomen. Ik ben zelfs blij dat dat het geval is & dat ik zonder van deze zaken te weten uit deze wereld vertrek, want in mijn laatste uren wil ik het idee hebben dat je niet geheel onverschillig tegenover mij en mijn welzijn staat.

Wat wijlen mijnheer Vyse betreft, zijn trouw aan de nagedachtenis van mijn lieve Phoebus bezorgde mij een diepe, zij het onwelkome verplichting. Hij bezat echter bepaalde brieven van mijn hand met informatie die ik tot elke prijs vertrouwelijk wilde laten blijven. Daardoor kreeg hij nog meer macht over me & en met gebruikmaking van die brieven trachtte hij me te dwingen om met hem in het huwelijk te treden.

Met name één brief, de bron van mijn huidige problemen, zou door hem zijn vernietigd. Hij heeft me echter verraden door die te behouden, in de hoop het mij onmogelijk te maken zijn avances af te wijzen. Kennelijk is hij nu echter ook verraden & is de brief – tezamen met de andere – in handen van de politie gevallen. In mijn dwaasheid vertrouwde ik volledig op mijnheer Vyse, en nu ben ik absoluut verloren.

Ik vermoed dat jij en je vriend mijnheer Wraxall enige kennis van deze zaken bezitten. Heb je ook mede de hand in de dood van mijnheer Vyse & mijnheer Shillito gehad? Dat kan ik niet geloven. Maar wat maakt het nog uit? Ze zijn allebei dood & ik bekommer me nergens meer om.

Ik heb je vader verraden en hem voorgoed beroofd van wat hem krachtens zijn geboorterecht toekwam – ik beken het nogmaals. En zodoende stuurde ik mijn liefste naar het graf. Kun je je indenken wat voor folteringen mijn geest en ziel als gevolg daarvan hebben moeten ondergaan?

Er is nog maar weinig tijd & ik wil je alleen nog enkele woorden zeggen voordat ik besluit met het werkelijke doel van deze brief – de eerste en laatste die ik je ooit heb geschreven.

Omdat ik meen te weten wie je werkelijk bent, vind je het natuurlijk moeilijk te begrijpen waarom ik met je bevriend wilde raken. Je moet geloven, lieve Esperanza, dat ik dat oprecht wilde – en wel om deze uiterst belangrijke reden.

Vanaf dat eerste ogenblik in de hal van het douairièrehuis heb ik van je vader gehouden – zij het niet zo als van Phoebus. Niéts is te vergelijken met de band die vanaf onze gezamenlijke jeugd tussen mijn liefste Phoebus en mij heeft bestaan.

Toch verklaar & zweer ik dat ik van Edward Glyver hield, & ik geloof dat hij van mij hield, hoewel ik me aanvankelijk – ik dacht immers altijd aan het belang van mijn schat – verzette tegen het idee dat ik zelfs maar de geringste genegenheid voor je vader kon voelen, terwijl diepere achting mij volkomen ongerijmd leek.

Desondanks veroverde hij op die noodlottige middag van onze eerste ontmoeting een plekje in mijn hart, & zijn aanwezigheid daar bleek zowel onweerstaanbaar als onuitroeibaar. In strijd met ieder natuurlijk instinct heeft hij dat plekje sindsdien altijd behouden.

In het openbaar heb ik – vooral tegenover wijlen lord Tansor – de nagedachtenis van je vader altijd vervloekt. Privé heb ik voortdurend gepoogd hem los te scheuren uit het plekje dat hij in mijn hart had veroverd, maar ik was er nooit toe in staat. Daarom noem ik dit hoogst ongewenste en onwelkome gevoel 'liefde', want een ander woord heb ik er niet voor, ook al zijn mijn eeuwige verdriet & schuldbesef er met de dag ondraaglijker door geworden.

Is het dus, aangezien ik zo van de vader hield, heel vreemd dat ik ook spontane genegenheid heb opgevat voor de dochter en heb gewild dat ze mijn vriendin werd?

Hoewel die genegenheid van een andere aard was, is ze de afgelopen maanden in kracht & waarde gegroeid en kan ze zich nu meten met mijn gevoelens voor mijn lieve vriendin mejuffrouw Buisson, over wie ik vaak heb verteld; ik had niet gedacht dat daarvoor ooit een nieuwe vriendschap in de plaats kon komen. Maar ik had ongelijk. Je was een echte vriendin & ik geloof dat jij van jouw kant, in weerwil van je bedrog & misleiding, ook genegenheid voor mij hebt gevoeld, & dat verschaft me in mijn laatste uren heel diepe troost.

Het is bijna afgelopen met mij. Er rest nog slechts één ding & dat is van het allergrootste belang.

De documenten die aantoonden dat Edward de wettige zoon en erfopvolger van lord Tansor was, zijn niet vernietigd, zoals hij – en mijn liefste Phoebus – geloofden. Tezamen met andere persoonlijke documenten hebben ze jarenlang bij mijn Londense bankiers achter slot & grendel gelegen. Toen ik mijn neef opvolgde, heb ik ze naar Evenwood meegenomen en in het geheim in mijn studeerkamer opgeborgen.

Ik geef ze nu terug aan hun rechtmatige eigenares – aan jou, Edwards dochter. Je kunt ze in mijn vertrekken vinden, op een plek die je naar ik meen al hebt ontdekt. Ik hoef je niet te vertellen waar de sleutel ligt.

Waarom heb ik deze legaten aan jou niet volledig onbereikbaar gemaakt, aangezien het voortbestaan van deze documenten alles bedreigde waarvoor Phoebus & ik zoveel hebben geriskeerd en waarvoor ik al zo'n vreselijke prijs heb betaald? Ik kon het toen niet verklaren & nu ook niet. Wil je er een reden voor weten, houd het er dan op dat mijn daad simpelweg door mijn geweten is ingegeven & door de bittere en niet-aflatende wroeging over wat ik heb gedaan. Voor je vader waren de documenten voorgoed verloren & dat volstond voor ons doel. Het was de enige keer dat ik Phoebus ooit heb misleid & ik heb erg geleden onder mijn schuldbesef daarover. Maar toen ik het besluit eenmaal had genomen, vond ik niet dat ik er nog op kon terugkomen. Misschien wist ik dat ik het op een dag moest goedmaken, & die dag is nu aangebroken.

Door jou aldus de middelen tot herstel van je positie aan te reiken hoop ik – uit de grond van mijn hart – enige vergiffenis te krijgen voor de schade die ik Edward, jou & anderen heb berokkend. Als ik rechtstreeks uit jouw mond absolutie zou kunnen krijgen, zou dat mijn laatste reis vergemakkelijken. Maar dat is niet mogelijk, want het is al laat & ik moet nog veel doen.

Desondanks gebiedt de eerlijkheid me het volgende te zeggen. Ik lijd elke dag onder het kwaad dat ik heb aangericht, maar als mijn aanbeden Phoebus het van me verlangde, zou ik mijn ziel graag met verse zonden besmeuren.

Dit wilde ik je zeggen voordat jij en ik voorgoed uiteengaan. In de tas – die toebehoort aan John Earl, ten tijde van lord Tansor jachtopziener van dit landgoed, en die mijn arme vader op de dag van zijn dood bij zich had – vind je een brief aan inspecteur Gully waarin ik vrijwillig een volledige bekentenis afleg. Ik wil je vragen ervoor te zorgen dat hij die krijgt als hij hier aankomt – wat hij ongetwijfeld zal doen.

Ik heb nog één laatste wens, en wel deze: zou jij het over je hart kunnen verkrijgen mijn lieve zoon Perseus tot echtgenoot te nemen & zodoende ten langen leste een einde te maken aan de vijandschap die tussen jullie vaders bestond en die ons allemaal zoveel leed heeft berokkend. Hij is door mijn toedoen alles kwijtgeraakt en heeft geen enkele rol gespeeld in de gebeurtenissen die mij tot het einde hebben gebracht dat ik nu overweeg. Ik hoop & geloof dat jij hem ook een zekere welwillendheid & genegenheid toedraagt die mettertijd tot meer kan uitgroeien. Ik zou ook willen dat je, indien mogelijk, aardig voor Randolph bent. Hij draagt evenmin schuld voor mijn zonden.

Vaarwel dus, mijn lieve Esperanza. Ik ga me nu bij mijn liefste Phoebus voegen, de altijd stralende zon in mijn armzalige, mislukte leven, op de plaats die voor ons is ingericht.

Je toegenegen vriendin,
E.G. Duport

36

Naspel

I
Waarin ik een beeld van mijn toekomst krijg

'U bent vroeg op, juffrouw,' zegt Charlie Skinner met een rood hoofd boven zijn strakke kraag. Ik kom hem tegen voor Emily's vertrekken terwijl hij met een blad koffie puffend naar de kamer van mijnheer Perseus onderweg is.

Ik vertel Charlie dat ik niet kon slapen en daarom ben opgestaan om een wandelingetje in de rozentuin te maken en naar de zonsopgang te kijken.

'Milady was ook vroeg uit de veren,' merkt hij vervolgens op en hij geeft een knikje naar Emily's deur. Hij maakt voor zijn doen een erg gelaten indruk, en ik besef dat hij, anders dan gebruikelijk, niet naar me heeft gesalueerd.

'Juffrouw Allardyce heeft helemaal de zenuwen,' vertrouwt hij me toe. 'Ze zegt dat ze er niets van begrijpt. Het bed is beslapen, maar er is geen spoor van milady en van haar nachtgewaad.'

'Van haar nachtgewaad?' vraag ik, zogenaamd bevreemd.

'Nou,' legt Charlie op fluistertoon uit, 'juffrouw Allardyce is de mening toegedaan dat lady Tansor, in het onwaarschijnlijke geval dat ze zichzelf heeft gekleed, uiteraard haar nachtgewaad zou hebben uitgetrokken. Maar het is nergens te vinden.'

Dan neemt hij me van top tot teen op, en zijn blik blijft met name even rusten op mijn natte jurk en vervolgens op mijn laarsjes, waar nog aangekoekte modder en grashalmen aan zitten.

'Gaat het wel goed met u, juffrouw?' vraagt hij. 'U ziet er wat opgevlogen uit. Kan ik iets voor u doen?'

Ik verzeker de beste jongen – want ik ben erg op Sukie Prouts excentrieke jonge neef gesteld geraakt – dat er niets mis met me is, ook al sta ik te trillen van ingehouden opwinding, vermengd met afgrijzen over wat ik zojuist aan de Evenbrook heb aanschouwd.

Als Charlie weg is, duw ik, terwijl alles in mij van gespannen verwachting op knappen staat, wild de deur van Emily's vertrekken open. Ik haal het sleuteltje uit het juwelenkistje en ren naar het portret van de kleine Anthony Duport.

De foto van Phoebus Daunt is uiteraard verdwenen. Maar in plaats daarvan vind ik een plat houten kistje met het wapen van de Duports erop. Ik haal het meteen uit de holte en open het met trillende handen.

Mijn gretige blik stuit op verschillende documenten.

Allereerst is er een los vel papier met het opschrift 'Lectori Salutem', gevolgd door een beknopt geformuleerde bekentenis van de samenzwering om mijn vader de hem toekomende erfenis te onthouden, ondertekend door Emily en twee dagen geleden gedagtekend.

Onder deze verklaring liggen twee in een prachtig handschrift op dun, broos papier geschreven brieven van mijn grootmoeder aan haar zoon, mijn vader.

Dan volgt een beëdigde verklaring, eveneens in het handschrift van mijn grootmoeder, die is gedagtekend op 5 juni 1820 en in aanwezigheid van een notaris in de Franse stad Rennes is ondertekend. Ze verklaart erin dat mijn vader de wettige zoon was van Julius Verney Duport, de vijfentwintigste baron Tansor uit Evenwood in het graafschap Northampton. Bijgevoegd is een andere, door twee getuigen ondertekende beëdigde verklaring dat Edward Charles Duport op 19 maart 1820 in de kerk van St-Sauveur in Rennes is gedoopt.

In de eerste verklaring gaat mijn aandacht onmiddellijk uit naar de volgende woorden:

Ik, Laura Rose Duport, verklaar en zweer hierbij tevens dat voornoemd kind, Edward Charles Duport, is geboren zonder dat zijn vader, de voornoemde lord Tansor, daarvan op de hoogte was, en is toevertrouwd aan de zorg van mijn beste vriendin, mevrouw Simona Glyver, echtgenote van Edward Glyver, voormalig kapitein bij het elfde regiment der lichte dragonders, te Sandchurch in het graafschap Dorset, op uitdrukkelijk verlangen van mijzelf, Laura Rose Duport, gezond van geest en lichaam, opdat hij door Simona Glyver als haar eigen zoon wordt grootgebracht.

Eindelijk kon mijn vaders geboortejaar in de met mos begroeide granieten zerk in de zonloze hoek van het kerkhof van St-Vincent worden gegraveerd. Hij was ten tijde van zijn overlijden tweeënveertig jaar geweest. Ik kan niet zeggen waarom dat eenvoudige gegeven me zo aangreep, maar enkele minuten verborg ik mijn gezicht in mijn handen en was ik niet bij machte mijn tranen te bedwingen.

Ten slotte ligt onder in het kistje een bundel brieven van mijn grootmoeder aan haar beste vriendin, mevrouw Simona Glyver. Ik begrijp snel dat daarin duidelijk het hele plan wordt uiteengezet om de geboorte van mijn vader geheim te houden en hem vervolgens aan de zorg van mevrouw Glyver toe te vertrouwen. Ook deze brieven zijn voorzien van een verklaring van Emily:

> *Dit zijn de documenten die mijn vader, de heer Paul Carteret, ter bewaring bij de bank in Stamford had gedeponeerd, omdat hij wist dat ze belangrijk waren en de verwachtingen van de heer Phoebus Daunt teniet zouden doen. Lady Laura Tansor vertelt hierin in haar eigen woorden hoe ze samen met haar vriendin Simona Glyver, voorheen mejuffrouw More, het plan smeedde om haar echtgenoot, wijlen mijn neef, alle kennis van de geboorte van zijn zoon te onthouden – de zoon die hem in mijn plaats had moeten opvolgen. Mijn vader had de brieven ontdekt tijdens zijn onderzoek naar de geschiedenis van onze familie, waarbij ik hem terzijde stond en waardoor ik van hun bestaan op de hoogte raakte. Hij bracht ze in de tas van jachtopziener Earl terug naar Evenwood op de dag dat hij werd overvallen en vermoord door Josiah Pluckrose, die door de heer Daunt was geïnstrueerd om hem de brieven af te nemen – alleen de brieven afnemen, en niet meer dan dat, daarvan is God mijn getuige. Pluckrose hield zich echter niet aan zijn opdracht, zoals de heer Daunt al had gevreesd.*
>
> *Moge God mij mijn daden vergeven. Ik heb zijn dood nooit gewild.*
>
> *E.G.D.*

Als juridisch niet onderlegde leek het mij dat met deze brieven, de beëdigde verklaringen en het bewijsmateriaal dat de politie al over de geboorte van Perseus bezat, onweerlegbaar mijn recht was aangetoond om Emily op te volgen als zevenentwintigste barones Tansor. De Grote Opgave zou worden volbracht. Evenwood zou van mij zijn, met alles erop en eraan – alle met schatten gevulde kamers waar ik doorheen had gedwaald, de weergaloze bibliotheek, alle gangen en trappenhuizen, alle torens en torenspitsen, het uitgestrekte landgoed waarover de ochtendzon nu zijn gezegende licht liet stralen – alles wat zicht- en tastbaar was, zou van mij zijn en aan mijn nog ongeboren kinderen worden nagelaten.

Veel belangrijker dan deze verbijsterende materiële erfenis was echter het feit dat ik nu zeker wist wie ik echt was. Overal om me heen bevonden zich mijn voorouders – mijn eeuwenoude familie. Elke dag zag ik hun geschilderde, verstarde gezichten op de portretten die aan de muren van zoveel kamers en gangen hingen: trotse dames en zelfgenoegzame heren in hun uiteenlopende ouderwetse opschik, schattige kinderen op de schoot van hun moeders, geharnaste militairen en ingetogen advocaten, weldoorvoede, pruikdragende prelaten en behoedzame zakenlieden – allemaal keken ze vanuit hun lijsten met dezelfde blik waarmee ze voor hun portret hadden geposeerd, allemaal waren het levende mensen van vlees en bloed geweest, bloed dat ook door mijn aderen stroomde.

Dit huis was dan ook mijn ware thuis, en niet het huis aan de Avenue d'Uhrich. Toch had ik besloten om zodra de omstandigheden het toelieten onaangekondigd naar mijn geliefde vroegere thuis terug te keren, om madame persoonlijk van onze onverwachte triomf op de hoogte te brengen.

Ik legde de brief die Emily aan inspecteur Gully had gericht op een prominente plaats op haar secretaire, waar hij makkelijk te vinden was, nam het kistje met zijn kostbare inhoud mee naar mijn kamer, trok een andere jurk en andere laarsjes aan en ging naar beneden om het ontbijt te gebruiken – in de zekere verwachting dat ik daar spoedig als de volgende lady Tansor zou zitten.

Om kwart voor negen is het huis in rep en roer. In ijltempo doen allerlei vragen de ronde.

Waar is lady Tansor? Heeft iemand haar gezien? Wie heeft haar als laatste gezien? Heeft ze iemand verteld dat ze vroeg zou opstaan? Waarom ontbreekt niet een van haar kledingstukken voor buitenshuis? (Juffrouw Allardyce houdt in tranen vol dat dit het geval is.) En het allerverwarrendst: waar is haar nachtgewaad? Ze is toch niet in haar nachtgewaad de deur uitgegaan?

Perseus, die het grootste deel van de nacht aan zijn gedicht heeft gewerkt, loopt te ijsberen en zegt geen woord, zijn donkere gezicht staat strak van de spanning. Zijn broer bevindt zich onder de menigte bedienden die zich in de hal heeft verzameld, en praat op zachte, vragende toon met iedereen. Van zijn vrouw is echter geen spoor, en daar ben ik blij om.

Te midden van alle rumoer sta ik alleen naast het portret van de Turkse zeerover. Hoewel er soms een blik in mijn richting wordt geworpen, lijkt geen van beide broers genegen tot een gesprek met mij.

Stipt om negen uur weerklinkt de bel van de voordeur. Er wordt opengedaan voor inspecteur Gully, die wordt vergezeld door vier agenten, onder meer een bars ogende brigadier Swann. De inspecteur vraagt of het lady Tansor gelegen komt om een onderhoud met hem te hebben.

'Nee, mijnheer,' zegt Barrington. 'Tot mijn spijt moet ik zeggen dat milady momenteel niet aanwezig is.'

Als er wordt aangedrongen, geeft Barrington met tegenzin toe dat niemand lady Tansor heeft gezien sinds mejuffrouw Gorst de vorige avond om halfelf bij haar is weggegaan; ze lag toen in bed.

De inspecteur is eerst verbluft, vervolgens ontriefd en daarna uitgesproken slechtgehumeurd. De zekerheid dat deze wending niets goeds voorspelt, is van zijn gezicht af te lezen. Er is iets gebeurd wat zelfs hij niet heeft voorzien, en dat bevalt hem niet. Niet in het minst. Vervolgens verzoekt hij nogal resoluut om een onderhoud met mijnheer Perseus Duport en wordt hij door een meesmuilende Barrington naar de bibliotheek gebracht, waarna de lakei Perseus uit de kleine zitkamer gaat halen.

Het daaropvolgende gesprek laat Perseus niet onberoerd, hoor ik later van de inspecteur. Als hij ongeveer een kwartier later de bibliotheek uit komt, waar inspecteur Gully hem heeft verteld dat hij milady wil verhoren over de moord op een zekere mevrouw Barbarina Kraus, vertoont zijn gezicht onmiskenbaar een diepgeschokte uitdrukking.

Hij stormt de grote trap op, snijdt opzettelijk en opvallend zijn broer, die hij daar tegenkomt, de pas af en slaat de deur van zijn studeerkamer dicht na Barrington, die vanochtend overal lijkt te zijn, nog te hebben toegeschreeuwd dat hij onder geen enkele voorwaarde wenst te worden gestoord, tenzij er nieuws over de verblijfplaats van zijn moeder is.

Wanneer inspecteur Gully de bibliotheek uit komt, sta ik bij de voordeur.

'Mag ik even met u praten, juffrouw Gorst?' vraagt hij zacht. 'Onder vier ogen.'

We trekken ons terug in de kleine zitkamer, waar Perseus zo-even is weggegaan, en de inspecteur sluit zachtjes de deur achter zich.

'Nou,' begint hij, en hij wrijft in zijn handen en werpt mij een even grimmige als verwachtingsvolle blik toe, 'we hebben een probleem. Waar kan ze gebleven zijn?'

Mijn eerder zo innemende medelid van het triumviraat heeft nu iets onbuigzaams over zich, en zijn intense blik geeft me het gevoel dat zijn reputatie gegrond is.

'Dat zou ik niet kunnen zeggen,' luidt mijn instinctief ontwijkende antwoord, want ik wil – op dit moment – nog niet dat hij weet dat ik niets heb gedaan om te voorkomen dat Emily zich het leven benam en zodoende heb toegestaan dat ze aan strafrechtelijke vervolging is ontkomen. Ik zeg hem dat ik haar sinds gisteravond niet meer heb gezien.

'Juist, juist,' knikt de inspecteur, die desondanks weet te suggereren dat hij sterk betwijfelt of ik de waarheid vertel. 'Evengoed een ernstige zaak,' merkt hij vervolgens op, 'als ze is ontsnapt – misschien met hulp van anderen. Er moeten veel vragen worden beantwoord.'

'Inderdaad,' is het enige wat ik onder zijn blik, die me een ongemakkelijk gevoel bezorgt, weet uit te brengen.

Er valt een korte stilte. De inspecteur tikt met zijn rechterschoen op de vloer, tuit zijn lippen en fluit geluidloos.

'Is er verder nog iets wat u me wilt vertellen, juffrouw?' vraagt hij ten slotte.

'Wat zou ik u verder nog moeten vertellen?'

'Neem me niet kwalijk, juffrouw. Over lady Tansor en haar huidige verblijfplaats.'

'Zoals ik al heb verklaard,' repliceer ik, terwijl ik de smaak van het liegen te pakken krijg en besef dat hij maar al te gauw de waarheid over Emily's lot zal achterhalen, 'heb ik haar gisteravond om halfelf voor het laatst gezien.'

'U was zelf vanmorgen vroeg op, begrijp ik?'

'Ik sta vaak vroeg op.'

'Natuurlijk. Waarom niet? Heel begrijpelijk. Ik sta zelf ook vroeg op.'

Opnieuw valt er een geladen stilte.

'Maar u hebt geen spoor van milady gezien? Excuses dat ik zo aandring.'

'Ik heb niemand gezien.'

De inspecteur neemt me nu op met een blik vol nauw verholen argwaan. Ik zie dat hij weet dat ik lieg, maar hij weet niet wat ik voor hem verzwijg, en beseft ook dat hij niets meer van me te weten zal komen. Ik voel me schuldig vanwege mijn leugen, maar onder de huidige omstandigheden is dit het beste.

'Nou dan, juffrouw,' zegt hij, en hij wrijft nu met de zool van zijn linkerschoen over het tapijt, ongetwijfeld tegen de jeuk, 'er valt kennelijk niets meer te vertellen – voorlopig. En dus zeg ik u goedendag.'

Ik blijf enkele minuten alleen in de kleine zitkamer achter en overweeg wat ik vervolgens moet doen. Het duizelt me nog doordat ik de sleutels tot mijn verloren erfgoed heb ontdekt, en met tussenpozen word ik besprongen door de misselijkmakende herinnering aan Emily's lichaam dat wegzinkt in het snelstromende water van de Evenbrook. Uiteindelijk ga ik naar mijn kamer om het nieuws af te wachten dat spoedig moet komen.

De klokken van het grote huis slaan tien uur.

Inspecteur Gully heeft lang genoeg gewacht. Hij roept mijnheer Pocock bij zich en verzoekt hem om – met toestemming van mijnheer Perseus Duport – het landgoed door zoveel mogelijk mensen te laten uitkammen. Vervolgens wordt brigadier Swann naar Emily's vertrekken gestuurd, in gezelschap van juffrouw Allardyce en de nimmer rustende Barrington, die door de aanwezigheid van inspecteur Gully en zijn agenten ongewoon in beslag lijkt te worden genomen.

Een poosje later komt de brigadier terug met een brief die Barrington op milady's secretaire heeft aangetroffen. De enveloppe is in haar handschrift beschreven en gericht aan inspecteur Alfred Gully, die zich meteen afwendt om de brief te lezen. Als hij daarmee klaar is, steekt hij hem in zijn jaszak en wenkt brigadier Swann.

Ze verwijderen zich van de verschillende groepjes nerveus pratende bedienden en lopen naar het portret van mijn grootouders in zijn door kaarsen omgeven alkoof. Ik ben zojuist mijn kamer uit gekomen en sta boven aan de trap, waar ik net kan verstaan wat ze zeggen.

'Alles is voor elkaar, brigadier,' zegt de inspecteur en hij tikt tegen zijn jaszak. 'Volledige bekentenis. Alles tot in de puntjes – de delicate kwestie van het geheim rond de geboorte van de oudste zoon, mevrouw Kraus, zelfs de zaak-Carteret. Mijnheer Wraxall en zijn oom hadden het bij het rechte eind – en mevrouw Gully ook, God zegene haar! Het heeft van het begin af aan om de opvolging gedraaid. Alles is aanvankelijk met het oog op mijnheer Daunts rooskleurige vooruitzichten gebeurd, en later met het oog op die van jongeheer Perseus. De rest weten we al. Die arme oude Carteret had ontdekt wie de echte erfopvolger was en bezat documenten waarmee hij dat kon bewijzen. Dat heeft hem de kop gekost, al ben ik bereid te geloven dat het niet hun bedoeling was hem te doden. En wie dacht je dat de bedrogen erfopvolger was, brigadier?'

Brigadier Swann haalt zijn schouders op, alsof het antwoord hem niet in het minst interesseert.

'Dan zal ik het je vertellen,' zegt de inspecteur met een wrang glimlachje. 'Edward Glyver. Dat is, dacht ik, een bekende naam voor ons tweeën, brigadier, en voor de hele recherche. Edward Charles Glyver. Nog altijd gezocht voor de moord op de heer Phoebus Daunt. Het zit ingewikkeld in elkaar, dat is een ding dat zeker is, maar we krijgen er nu greep op. Hier staat het allemaal. Door milady eigenhandig ondertekend en gedagtekend. Nu moeten we haar alleen nog vinden.'

Ze gaan de alkoof uit, en ik loop de trap verder af. Dan duikt Barrington, gesloten als altijd, op vanachter de kleine, groengeschilderde deur waar Emily eerder die ochtend op haar laatste tocht naar de Evenbrook doorheen is gegaan.

'Ah, Barrington,' zegt de inspecteur tegen de hoofdlakei. 'Ik zou, als ik zo vrij mag zijn, graag nog een paar woorden met mijnheer Perseus Duport wisselen.'

'Mijnheer Duport is naar buiten gegaan, mijnheer,' zegt Barrington tegen hem. 'Hij moest een luchtje scheppen. Hij komt zo weer terug.'

'Misschien kunt u me laten weten wanneer hij er weer is,' suggereert de inspecteur.

De lakei maakt een minieme buiging en maakt zich stilletjes uit de voeten.

Tegen elven, precies wanneer mijnheer Wraxall arriveert en naar mejuffrouw Gorst vraagt, rent een van de jongens van mijnheer Maggs hijgend, bezweet en helemaal over zijn toeren de trap naar de voordeur op en stormt de hal binnen.

'Nou, nou, Harry Bloomfield,' zegt mijnheer Maggs op strenge toon. 'Wat heeft dit allemaal te betekenen?'

'Ze hebben haar gevonden!' brengt de jongen naar adem snakkend uit. 'Bij de brug. Verdronken, in haar nachtgewaad!'

Een hoorbare golf van afgrijzen en verbijstering trekt door de hal. Verschillende vrouwen beginnen te huilen, en mijnheer Pocock is zo van slag dat hij op een roodpluchen stoel gaat zitten en zijn handen voor zijn gezicht slaat.

Mijnheer Maggs fluit zachtjes, schudt zijn hoofd, wendt zich af en zegt op fluistertoon: 'Verdronken. Net als haar zus.'

II
De wraak van de tijd

Gewikkeld in een haastig bemachtigde deken en met bedekt gezicht wordt ze binnengebracht en op haar nog onopgemaakte bed gelegd. Terwijl men deze trieste last door de hal draagt, tot afgrijzen van de daar nog verzamelde toeschouwers, glijdt een blauwwitte, geringde hand onder het voorlopige lijkkleed uit, waarna een van de dienstmeisjes flauwvalt.

Dokter Pordage is ontboden om een eerste mening over de doodsoorzaak te geven, al is voor iedereen overduidelijk hoe milady aan haar einde is gekomen. Vervolgens arriveert dominee Thripp, legt zijn jankende terriër bij de voordeur vast en begeeft zich hijgend naar boven om op dit onthutsende moment de langdradige vertroostingen van het geloof te brengen.

De aanblik van Emily's lichaam, dat onder de doorweekte, smerige deken op het grote, fraai bewerkte bed ligt waar ze zoveel getourmenteerde nachten heeft doorgebracht, is allervreselijkst. Ik hoef niet te doen alsof, want de tranen die beginnen te stromen zijn echt, en ik probeer ze niet te verbergen; toch word ik door niemand getroost. Nu de beschermende band met mijn vroegere meesteres is doorgesneden, geniet ik kennelijk geen enkele status meer in dit huis, en ik word genegeerd door het groepje dat zich rond het bed heeft verzameld en dat bestaat uit Perseus en zijn broer, inspecteur Gully en brigadier Swann, de dokter, de dominee en mijnheer Baverstock, milady's secretaris. Met uitzondering van Perseus voeren zij op gedempte toon hun ernstige gesprekken; hij staat iets van de anderen gescheiden en kijkt strak naar het intussen niet meer bedekte gezicht van zijn moeder.

Wat lijkt hij op haar, zelfs nu! Haar prachtige haar, dat ik bij haar leven zo vaak heb geborsteld en opgemaakt, zit door de war en is met rivierslib samengeklit. Een van haar wangen is besmeurd met een grillige reep zwarte modder, als een dichttrekkende wond, en op haar voorhoofd prijkt een lelijke, roodzwarte kneuzing. Merkwaardig genoeg heeft de dood echter ook de jaren uitgewist en onder deze tijdelijke misvormingen oogt haar gezicht weer bijna jeugdig. Haar huid is glad en strak, de eerder zo zichtbare sporen van haar beproevingen zijn helemaal verdwenen. Ze heeft geen lotions en poeder meer nodig om te verhullen wat de tijd en de schuld bij haar hadden aangericht, want in de dood is ze beeldschoon – nog altijd.

Haar oudste zoon kijkt me niet aan, laat niet eens blijken dat hij weet dat ik er ben, maar blijft haar aanstaren; hij verkeert kennelijk in de greep van een soort verlamming. Elk spoor van leven is van zijn gezicht geweken, dat even bleek en roerloos is als dat van zijn dode moeder. Dan pakt hij een van haar koude, verstijfde handen onder de deken vandaan, bukt zich en kust hem zo aandoenlijk teder dat de tranen opnieuw bij me opkomen.

Deze simpele daad grijpt me meer aan dan ik kan zeggen. Als hij voorzichtig haar hand heeft losgelaten, zie ik dat ook zijn ogen vol tranen staan en hoe hij lijdt onder het verlies van zijn geliefde moeder, dat zich op zo'n afschuwelijke wijze heeft voltrokken. En hij moet nog een slag verwerken. Want dankzij inspecteur Gully beseft hij als enige onder de hier aanwezige heren de omvang van de tragedie en van de schande en de smaad die binnenkort over het huis Duport zullen komen.

Ik kijk naar mijnheer Randolph, die met dokter Pordage praat. Hij is zich blijkbaar niet van het lijden van zijn broer bewust, maar dan loopt hij naar hem toe en legt een troostende hand op zijn schouder. Perseus trekt hem geërgerd weg en valt vervolgens op de sofa neer, waar hij in het zwarte gat van de lege haard blijft staren.

Nog altijd schenkt niemand enige aandacht aan mij. Alleen juffrouw Allardyce laat even blijken te weten dat ik er ben, al is ze te zeer van haar stuk gebracht om meer te kunnen zeggen dan: 'O, juffrouw Gorst!' Daarna moet ze zich van het afschuwelijke toneel verwijderen. Terwijl ze de kamer uit gaat, komt mijnheer Randolph naar mij toe.

'Misschien moet jij ook gaan, Esperanza,' zegt hij rustig. 'Ik denk dat dat het beste is.'

Zoals altijd is zijn toon vriendelijk, warm en zorgzaam, maar zo gedraagt hij zich tegenover iedereen – zelfs tegenover het personeel. Ik weet nu dat er niets bijzonders in zijn vroegere gedrag jegens mij school, alleen onbeholpenheid en onzekerheid die voortkwamen uit zijn onhandige poging om mij in vertrouwen te nemen over zijn gevoelens voor Jane Paget – een poging die ik in mijn onbezonnenheid verkeerd heb uitgelegd. Hij heeft altijd van een ander gehouden, en dat was mij volkomen ontgaan.

Hij pakt me bij de hand en leidt me naar de deur. Hij opent hem voor me en glimlacht. Geen van de anderen draait zich om en ziet dat ik vertrek.

Mijnheer Wraxall heeft in de bibliotheek op me gewacht, waar hij een oud document in een glazen uitstalkastje bestudeert.

Hij begroet me door mijn hand in de zijne te nemen en hem zacht te drukken, maar zegt niets. Vervolgens begeleidt hij me naar een aangrenzend vertrek met een merkwaardige vorm: het was de werkkamer van professor Slake, en voordien van mijnheer Paul Carteret.

'Dit is een kwalijke zaak, mijn beste,' begint hij. 'Ik moet bekennen dat ik niet voorzag dat het zo zou aflopen, maar misschien had ik beter moeten weten. Een vrouw met een onwankelbare trots. Ja, ik had de mogelijkheid moeten overwegen dat ze, toen alles verloren was, de hand aan zichzelf zou slaan en zodoende aan strafrechtelijke vervolging zou ontsnappen.

Maar we kunnen – en moeten – daar nader op ingaan wanneer we meer weten over wat er is gebeurd – en waarom het is gebeurd. Wat ik hier eigenlijk wil zeggen gaat over u, mijn beste.'

'Over mij? Wat bedoelt u daarmee?'

'Ik denk dat u wel weet wat ik bedoel,' antwoordt hij, en even toont hij een glimp van de geduchte aanklager die hij vroeger was.

'Uitstekend,' gaat hij verder, als ik blijf zwijgen. 'U herinnert zich ongetwijfeld nog hoe u in Londen werd gevolgd door mijnheer Vyses knecht, Arthur Digges. U weet echter niet dat ik zelf, aangezien ik me grote zorgen om uw veiligheid maakte, Jobson, die bij mij in dienst is, had opgedragen bij u in de buurt te blijven als u Grosvenor Square verliet.

Jobson bleef tot in Billiter Street dicht bij u. Daar zag hij hoe u het huis van een zekere heer John Lazarus, een gepensioneerd cargadoor, binnenging. Toen u weer vertrok verloor Jobson u helaas in het gedrang uit het oog, en ik dank de hemel dat u uiteindelijk uw vriend mijnheer Pilgrim wist te vinden. Ik ben er nu niet meer zo zeker van dat Digges u daadwerkelijk iets wilde aandoen, maar het was evengoed een gevaarlijke situatie.

De volgende dag bracht ik een bezoek aan mijnheer Lazarus – een kostelijke en interessante man, die heel graag over zijn leven vertelde, in het bijzonder over de periode die hij zo'n twintig jaar geleden op Madeira doorbracht in het gezelschap van een zekere Edwin Gorst.'

Hij ziet dat ik een kleur krijg, drukt me nogmaals de hand en verontschuldigt zich voor alle ongerief dat zijn woorden veroorzaken.

'O, helemaal niet,' zeg ik zo luchtig mogelijk. 'Gaat u alstublieft verder.'

'Mijnheer Lazarus had kennelijk grote sympathie opgevat voor deze heer, die dezelfde naam droeg als jij, en die hij voor het eerst op Lanzarote had ontmoet, waar hij onder jammerlijke omstandigheden leefde. Mijnheer Gorst verzocht hem toen kennelijk documenten naar een advocaat in Engeland te brengen, waartoe hij graag bereid was. Omdat hij vreesde voor de snel verslechterende gezondheid van zijn nieuwe kennis, overreedde hij mijnheer Gorst om Lanzarote te verruilen voor het heilzamere klimaat van Madeira, waar mijnheer Lazarus een huis had. Maar natuurlijk weet u dit allemaal,' merkte mijnheer Wraxall vervolgens op, en hij keek me nog eens doordringend aan. 'Laat me u dus iets vertellen wat u vermoedelijk niet weet over die man, van wie we nu allebei weten dat hij uw vader was.

Mijnheer Lazarus vertelde over een schandaal – een schaking, om precies te zijn. Het kwam erop neer dat mijnheer Gorst en een zekere mejuffrouw Marguerite Blantyre, de dochter van een bekende Edinburghse wijnkoper, heimelijk en hals-over-kop van Madeira vertrokken en daar nooit zijn teruggekeerd. Tot zover bent u ongetwijfeld ook op de hoogte.

Mijnheer Lazarus heeft Edwin Gorst nooit meer teruggezien, en hij vond het erg jammer dat hij maar één klein aandenken aan zijn vroegere vriend bezat. Wat denkt u dat dat was?'

Nogmaals voelde ik de onderzoekende blik van de jurist op me rusten terwijl ik met weinig succes een schijn van zorgeloosheid probeerde op te houden.

'Maar daar ga ik weer,' zei mijnheer Wraxall, en opnieuw glimlachte hij verontschuldigend. 'Dit is geen kruisverhoor, mijn beste, en als het daar wel op lijkt dan spijt me dat. Oude gewoontes slijten maar langzaam, ben ik bang. Laat ik u dus, als vrienden onder elkaar, vertellen dat mijnheer Lazarus' enige aandenken aan Edwin Gorst de eerste, in 1634 in Cambridge gedrukte editie van de *Six Sermons* van John Donne was. Het boek was achter mijnheer Gorsts bed op de grond gevallen, en werd daar pas een tijd na voornoemd schandaal aangetroffen. Mijnheer Lazarus heeft het me laten zien – het is een fraai, gaaf exemplaar. Er stond in geschreven: "Edward Charles Glyver. Eton College, mei 1834".'

Het was me duidelijk waar dit alles heen ging, en dat mijnheer Wraxall terecht had geconcludeerd dat ik de dochter was van de man die Phoebus Daunt had vermoord. Ik besloot hem dan ook onmiddellijk en eindelijk volledig in vertrouwen te nemen, want met instinctieve zekerheid wist ik dat hij net als madame alleen het allerbeste met mij voor had en dat ik zijn raad en hulp de komende dagen en weken nog nodig zou hebben.

En dus vertelde ik mijnheer Montagu Wraxall naar waarheid wie ik was en waarom ik naar Evenwood was gestuurd.

Even voor het middaguur liepen we de bibliotheek weer in, die grote, verrukkelijke ruimte die nu in een oogverblindend zonlicht baadde.

'Het geeft altijd voldoening wanneer je vermoedens worden bevestigd,' merkte mijnheer Wraxall op terwijl we uitkeken over het terras waar Emily zo vaak had gewandeld.

Ik had hem alles verteld en tot besluit de documenten beschreven die ik nu bezat en waarmee ik hopelijk mijn recht kon doen gelden om als kleindochter van wijlen lord Tansor de baronie Tansor te erven. Ik biechtte zelfs op wat ik eerder niet aan inspecteur Gully had willen vertellen: dat ik aanwezig was geweest toen Emily zich in de Evenbrook het leven benam.

'Misschien is het zo uiteindelijk het beste,' zei mijnheer Wraxall, en hij zuchtte en schudde treurig zijn hoofd.

'Denkt u dat echt?' vroeg ik gretig, want ik had gevreesd dat hij kwaad zou zijn omdat ik er niet in was geslaagd Emily van haar zelfmoord te weerhouden.

'Niet met absolute zekerheid,' gaf hij toe, 'misschien vooral omdat ze zich nu nooit – in elk geval niet in deze wereld – zal hoeven verantwoorden voor het aanstichten tot de overval op haar vader, een dierbare vriend van mijn oom. Maar gedane zaken nemen geen keer, en we moeten nu de gevolgen onder ogen zien – vooral u, mijn beste. Wat gaat u doen?'

Ik vertelde hem dat ik onmiddellijk naar Parijs zou vertrekken om mijn voogdes mee te delen dat lady Tansor dood was en dat wij nu de middelen bezaten om via mij de bloedlijn van mijn vader in ere te herstellen.

'En u hebt ook aangetoond dat mijn dierbare oom gelijk had in zijn opvattingen over de dood van mijnheer Carteret,' zei mijnheer Wraxall geëmotioneerd. 'Net als ik wist hij dat de overval niet zomaar een beroving was. Het ging om de erfopvolging, wat we altijd hebben vermoed. God zegene u dus, mijn beste. U hebt geen idee hoeveel dit voor me betekent.'

Slechts één ding onthulde ik pas na een aanvankelijke aarzeling. Maar uiteindelijk vertelde ik het, en daarna voelde ik me beter.

'Randolph Duport is getrouwd! Met mevrouw Battersby!'

Ik had mijnheer Wraxall nog nooit zo verbluft gezien, en enkele ogenblikken leek hij niet in staat verder nog een woord uit te brengen.

'Weet zijn broer daarvan?' vroeg hij toen hij zichzelf weer in de hand had.

'Ik geloof van niet.'

Zonder toe te geven dat ik van Perseus hield vertelde ik mijnheer Wraxall vervolgens dat ik zijn huwelijksaanzoek had afgewezen in de overtuiging dat mijnheer Randolph de wettige erfopvolger was met wie ik moest trouwen. Mijnheer Wraxall dacht een ogenblik na.

'De arme kerel,' zei hij na een poosje. 'Weet u, ik heb erg met mijnheer Perseus Duport te doen. Hij heeft tenslotte aan dit alles geen enkele schuld, maar moet nu een zware tol betalen voor de misdaden van zijn moeder. Toch is daar nu niets aan te doen. U bezit zeker de middelen om uw aanspraak te doen gelden en op die manier mijnheer Perseus en zijn broer hun bezittingen te ontnemen – tenzij u natuurlijk kinderloos zou sterven, wat naar ik hoop en vertrouw, niet het geval zal zijn. U zult een goede partij zijn, mijn beste, een geweldige partij.'

Hij grinnikte zachtjes.

'Wat is er?' vroeg ik.

'Neemt u me niet kwalijk dat ik op een moment als dit zo frivool ben,' zei hij. 'Ik bedacht alleen dat u, als u lady Tansor wordt, zult moeten oppassen voor mijnheer Maurice FitzMaurice.'

Ik beantwoordde zijn glimlach. Vervolgens wierp hij me een wonderlijke blik toe.

'Ach,' zei hij zachtjes, 'ik snap het. U hield van mijnheer Perseus, maar moest hem in het belang van uw zaak laten schieten. Arm, lief meisje toch.'

Door de nog steeds pijnlijke herinnering aan mijn verlies en uit dankbaarheid omdat mijnheer Wraxall zo roerend bezorgd was, kwamen de tranen weer terug. Ook raakte ik opeens in de greep van de gedachte aan wat er nu voor me in het verschiet lag, maar mijnheer Wraxall stelde me algauw gerust.

'U moet zoveel mogelijk aan mij overlaten, mijn beste,' zei hij, 'als u zich daar tenminste prettig bij voelt.'

'Erg prettig,' antwoordde ik.

We spraken daarom af dat mijnheer Wraxall zich zou bezighouden met de brieven en de beëdigde verklaringen van mijn grootmoeder, alsmede met Daunts brieven aan Emily die ik uit de geheime kast had gehaald. Verder spraken we af dat hij tijdens mijn verblijf in Frankrijk deskundig advies zou inwinnen over de juridische procedures die in gang moesten worden gezet om mijn aanspraak te doen gelden.

Terwijl we deze kwesties bespraken, verscheen Barrington om mijnheer Wraxall mee te delen dat inspecteur Gully naar hem vroeg.

'Laat de inspecteur hier maar binnen, als je wilt, Barrington,' zei mijnheer Wraxall. 'Vertelt u hem ook wat u mij hebt verteld?' vroeg hij vervolgens aan mij. 'Dat kunt u maar beter doen, weet u, voordat hij het zelf ontdekt.'

De inspecteur verschijnt en in een ernstige, ingetogen stemming lopen we gedrieën het zonnige terras op. Een poosje kijken we uit over de tuinen in hun prille zomertooi.

'Er was nog wat tumult,' zegt de inspecteur op geheimzinnige toon. 'De broers zijn stevig tekeergegaan.'

Het blijkt dat de inspecteur, na Perseus' thuiskomst, naar zijn studeerkamer is gegaan om hem de bekentenis van zijn moeder voor te leggen en de broers heftig ruziënd heeft aangetroffen. Toen hij op het punt stond om aan te kloppen, heeft hij Perseus duidelijk op verontwaardigde toon de naam 'Battersby' horen schreeuwen. Ik leid daar uiteraard uit af dat mijnheer Randolph eindelijk zijn geheim tegen zijn broer heeft opgebiecht en het mijnheer Gully ook heeft verteld.

'Ja, ja,' zegt deze, 'dat was me een verrassing. Dit is een dag van bekentenissen, dat is wel zeker.'

'Ik heb ook nog wat op te biechten, mijnheer Gully,' zeg ik een beetje beschaamd tegen hem.

Hij werpt me een vriendelijke, tevreden grijns toe, steekt zijn hand in zijn schoen en krabt over zijn voet.

'Dacht ik al, juffrouw,' zegt hij en hij recht zijn rug. 'Dacht ik al.'

Het regelen van de vele zaken die dringend aandacht vereisten werd in de bekwame handen van mijnheer Baverstock gelegd, want nog geen uur na hun ruzie waren de beide broers Duport van huis gegaan – Perseus was in wanhoop en woede naar Londen vertrokken, mijnheer Randolph en zijn vrouw naar Wales, al gaf Randolph te kennen dat hij wilde terugkomen voor het onderzoek naar de dood van zijn moeder.

Het kleine wereldje van Evenwood was door deze buitengewone gebeurtenissen natuurlijk ten diepste geschokt en verbijsterd. Lady Tansor was dood, en niet alleen betrokken bij de moord op een vroegere dienares, maar ook bij de moord op haar eigen vader! Mijnheer Perseus Duport was geen zoon van kolonel Zaluski! Mijnheer Randolph Duport was in het geheim getrouwd met het hoofd van de huishouding! Zelfs de meest verstokte roddelaars onder het personeel stonden sprakeloos van verbazing. Waar draaide dit allemaal op uit? En wat betekende het voor hen dat de machtige Duports nu kennelijk van hun voetstuk waren gestoten?

Mijnheer Pocock en mijnheer Applegate, de hofmeester, probeerden iedereen tot bedaren te brengen.

'Alles valt nu aan mijnheer Randolph toe,' zei de hofmeester tegen zijn medebedienden, want hij wist nog niet dat ik nu de wettige erfgenaam was. 'En dat zal voor ons zo verkeerd niet zijn, aangezien hij een goed en vriendelijk mens is. Hij zal voor ons zorgen, maak je maar niet ongerust.'

Ik vertrok de volgende dag van Evenwood en reisde samen met mijnheer Wraxall naar Londen. Hij had gewild dat ik, alvorens naar Frankrijk door te reizen, nog een paar dagen bij hem zou blijven. Ik was echter onvermurwbaar en vond dat ik met grote spoed naar de Avenue d'Uhrich toe moest. Hij stemde daar met tegenzin mee in, maar wilde beslist alles regelen en mij wat geld voor onvoorziene uitgaven voorschieten.

Ik bracht de nacht door in een donker, stoffig hotel in een troosteloze straat dicht bij het station vanwaar ik de volgende ochtend zou vertrekken – een hele verandering na de pracht en praal van Evenwood. Ook was ik voor het eerst echt alleen en volledig op mezelf teruggeworpen in de grote, rokerige, drukke hoofdstad.

Terwijl ik in de eetzaal eenzaam het avondmaal gebruikte en allerlei tegenstrijdige emoties me nog overspoelden, werd ik me ervan bewust dat er iemand bij me stond.

'Is alles lekker mals, juffrouw?'

Deze vraag werd – zonder het minste spoor van hartelijkheid of oprechte belangstelling – uitgesproken door een magere kelner met sluik haar en het gezicht van een ontgoochelde begrafenisondernemer. Tot besluit slaakte hij de naargeestigste zucht die ik ooit heb gehoord.

Ik zei hem dat alles geheel naar wens was.

De kelner maakte een buiging en bewoog zich oneindig traag naar de volgende tafel om hetzelfde te vragen aan een omvangrijke heer die juist bezig was een buitensporige portie druipend rundvlees in zijn mond te steken; hij kreeg alleen een onverstaanbare grom ten antwoord. Het treurige ritueel werd vervolgens tafel na tafel herhaald, en na de hele zaal door te zijn geweest posteerde de droefgeestige vragensteller zich ten slotte bij de deur, legde zijn servet op zijn rechterarm en hield die vervolgens stijf voor zijn buik. Daarna leek hij opeens tot een staat van starre bewegingloosheid te vervallen, als een levensgrote mechanische pop waarvan de veer was afgelopen en nu weer moest worden opgewonden.

Ik weet niet waarom ik dit onbeduidende en niet ter zake doende voorval vermeld. Alleen was het voor mij bepalend voor de herinnering aan die dag en voor de troosteloze atmosfeer van die halfdonkere, stoffige eetzaal, bevolkt door vreemden op doorreis die ieder hun eigen redenen hadden om daar aanwezig te zijn en ongetwijfeld net als ik ieder hun eigen geheimen hadden.

37

De erfenis

I
De vier geheimen
1 juni 1877

Nadat ik heb overnacht in het Hôtel des Bains in Boulogne, waar ik ook voor mijn vertrek naar Engeland had verbleven, kom ik eindelijk weer in de Avenue d'Uhrich aan.

Madame zit alleen en met haar rug naar de deur in de hoge salon op de eerste verdieping van het Maison de l'Orme en kijkt afwezig naar de kastanjeboom waaronder ik als kind heb gespeeld.

Enkele ogenblikken merkt ze niet op dat ik ben binnengekomen en nu vlak achter haar sta. Dan draait ze opeens haar hoofd een stukje om, snakt even naar adem als ze mij ziet en slaat van schrik en verbazing haar hand voor haar mond.

'Esperanza! Mijn lieve kind! Wat doe jíj hier?'

Terwijl ze dat zegt, onderga ook ik een plotselinge en intense schok, al probeer ik het te verbergen.

Ze is vreselijk veranderd. Het meisjesachtige gezicht dat ik me zo goed herinner en waarvan ik gedurende mijn maanden op Evenwood vaak heb gedroomd, is ingevallen en door zorgen getekend. Haar schitterende lichtblonde haar is dof en dun geworden. En verbijsterd zie ik dat haar zachte, tere handen bijna broodmager zijn, als die van een oude dame, en onbeheersbaar trillen. Mijn beeldschone, eeuwig jonge beschermengel! Wat is er met u gebeurd?

Toen ik eindelijk weer een woord kon uitbrengen, begroette ik haar, bukte me en drukte een kus op haar doorgroefde voorhoofd. Ze pakte mijn hand en ik ging naast haar op de met tapisserieën gestoffeerde sofa zitten waarop we samen plachten te lezen als we vanwege het weer niet in het Bois konden wandelen.

'Waarom heb je me niet laten weten dat je kwam?' vroeg ze.

Haar stemgeluid vertoonde een aanhoudende, verontruste trilling, alsof mijn terugkeer op de een of andere manier niet welkom was.

'Omdat ik u en mijnheer Thornhaugh wilde verrassen, natuurlijk,' antwoordde ik op mijn vrolijkste toon. 'Is hij thuis? Zal ik Jean vragen hem hier beneden te ontbieden, zodat ik mijn nieuws aan jullie beiden kan vertellen? Nee – laat ik hem zelf maar gaan zoeken. Ik neem aan dat hij zoals gewoonlijk tussen de boeken zit...'

'Mijnheer Thornhaugh is er niet,' viel madame me in de rede, liet mijn hand los en wendde even haar blik af. 'Hij is weg.'

'Weg? Wat bedoelt u daarmee? Waar is hij dan naartoe? Komt hij gauw weer terug?'

'Hij komt nooit meer terug. Ik verwacht niet dat ik hem in deze wereld nog terug zal zien, alleen in mijn herinneringen, en ook ik zal deze wereld spoedig verlaten. Mijn lieve kind, ik ben stervende.'

De herinnering aan wat op deze woorden van madame volgde ettert voor altijd in me door, als een wond die nooit meer geneest.

Terwijl de namiddag in de avond overging en de regen hard tegen de hoge ramen sloeg, rolden de geheimen eruit.

Geheimen! Was het daar nooit mee afgelopen? Was er nog eerlijkheid en openheid tussen mensen die beweerden dat ze van elkaar hielden? Er was zoveel weggestopt en in donkere hoekjes bijgezet. Waarom hadden ze nooit iets aan mij verteld? Ik had al mijn vertrouwen in hen gesteld, en ze hadden me bedrogen. Een pijl die uit mijn levende vlees werd getrokken had nooit de subtiele en aanhoudende pijn kunnen veroorzaken die ik onderging toen de waarheid me uiteindelijk werd geopenbaard door degene die ik meer dan wie ook had vertrouwd en geacht.

Ik zal niet proberen – ik ben er niet toe in staat – woordelijk weer te geven wat madame me vertelde. Laat ik daarentegen, nu mijn verhaal ten einde loopt, de hulp inroepen van het beknopte verslag van die afschuwelijke dag dat ik in mijn Geheime Boek heb opgetekend – dat reservoir vol verborgen zaken dat ik in opdracht van madame zo plichtsgetrouw had bijgehouden.

Madames bekentenis
Maison de l'Orme, 24 mei 1877

Deze vier geheimen vernam ik vandaag van madame:

1. Na de dood van mijn moeder ging Edwin Gorst vanuit het Maison de l'Orme op reis naar het Nabije Oosten. Dat was nog waar.

Vervolgens werd het bericht uitgevaardigd dat hij in Constantinopel was overleden en dat zijn lichaam naar Parijs was teruggebracht. Dat was een leugen.

Hij is helemaal niet overleden. De kist die onder de granieten zerk op het kerkhof van St-Vincent ligt te vergaan, bevatte enkel stenen en modder. Hij is helemaal niet in 1862 op tweeënveertigjarige leeftijd overleden, zoals op zijn grafsteen staat vermeld. Hij leeft nog. Mijn vader leeft.

Dat was het eerste geheim.

2. Een jaar na de zogenaamde dood van Edwin Gorst kwam mijnheer Basil Thornhaugh in het Maison de l'Orme wonen om mijn opvoeding ter hand te nemen.

Drie weken daarvoor waren Basil Thornhaugh en de weduwe madame de l'Orme in een dorp bij Fontainebleau in het geheim getrouwd. Sindsdien leefden ze heimelijk samen als man en vrouw.

Dat was het tweede geheim.

3. Leg me dit eens uit.

Men dacht dat de besnorde 'Edwin Gorst' dood en begraven was – maar hij was nog in leven. De gladgeschoren Basil Thornhaugh was springlevend – maar heeft nooit bestaan.

Het antwoord is heel eenvoudig.

Basil Thornhaugh was – en is – mijn vader. Basil Thornhaugh was – en is – Edward Glyver, die Phoebus Daunt heeft vermoord.

Duport – Glyver – Glapthorn – Gorst – Thornhaugh. Vijf namen. Eén man. Een man die nog leeft. Een vader die leeft.

Dat was het derde geheim.

4. Madame was, sinds ze mijn vader jaren geleden voor het eerst had ontmoet, van hem gaan houden, maar hij was al aan een an-

der gebonden, aan haar allerbeste vriendin. Maar die vriendin had, samen met de man van wie zij écht hield, geprobeerd hem te gronde te richten om zich toe te eigenen wat hem rechtens toekwam.

Moet ik nog meer vertellen?

De vriendin was de voormalige mejuffrouw Emily Carteret.

Haar geliefde was Phoebus Daunt.

De meisjesnaam van madame de l'Orme was Marie-Madeleine Buisson.

Dat was het vierde geheim.

Hier werd mijn verslag afgebroken, hoewel er nog enkele minder belangwekkende geheimen moesten worden onthuld.

Tijdens haar bekentenis had madame zo nu en dan moeten pauzeren om te hoesten in een grote linnen zakdoek die ze bij zich had. Ze probeerde hem te verbergen, maar ik zag duidelijk dat de witte stof met onheilspellende bloedvlekken was bezoedeld en besefte meteen hun noodlottige betekenis.

'Volgens de dokter zal ik de bladeren niet meer zien vallen,' zei ze en ze keek naar de zwaaiende takken van de kastanje, die in de steeds diepere duisternis nog amper zichtbaar waren.

Ook al had ze me bedrogen, ik hield nog altijd van haar, en de prognose van de dokter sneed me door de ziel.

'Nu, u moet zijn ongelijk aantonen,' zei ik opgewekt en ik probeerde er een glimlachje uit te persen. 'Ik neem u mee – naar Italië. Naar Florence. En daarna komt u genezen en opgewekt weer thuis en kunt u de bladeren zien vallen tot de boom helemaal kaal is, en in de lente zult u de nieuwe blaadjes zien verschijnen, en daarna zult u nog heel wat lentes beleven.'

Ze wierp me een treurig, toegeeflijk lachje toe, maar antwoordde niet.

Ik stond op van de sofa, keek naar de door de wind geteisterde tuin en dacht terug aan de schitterende dagen uit mijn jeugd en aan de kleine Amélie Verron, die onschuldig was tot in het diepst van haar ziel – het leek er nu op dat ze mijn oprechtste en trouwste vriendin was geweest.

Allemaal waren we verraden door de liefde en de geheimen die daaruit voortkwamen – madame, Emily en ik. Door madames liefde voor mijn vader was ze zijn gewillige slavin geworden, bereid om alles te doen wat hij van haar verlangde. Als gevolg van Emily Carterets liefde voor Phoebus Daunt was ze, ondanks de genegenheid die ze mijn vader betuigde, uiteindelijk gedreven tot aanstichting tot moord en zelfmoord. En ik, ik had gehouden van madame en de man die ik als Basil Thornhaugh kende en hen volledig vertrouwd, en er alleen leugens en bedrog voor teruggekregen.

Ik kon madame nu melden dat het me ten langen leste hoogstwaarschijnlijk zou lukken om de erfenis te krijgen waarop ik recht had, maar dat vooruitzicht schonk me geen vreugde. Mijn God, wat was ik een misleide dwaas geweest! Met een zekere schaamte dacht ik terug aan de bittere tranen die ik bij het lezen van mijnheer Lazarus' herinneringen aan mijn vader had geplengd, en aan het diepe verdriet dat ik had gehad omdat ik hem nooit had gekend. De inscriptie op die beschaduwde granieten zerk had me verteld dat hij dood was. Ook toen was ik verraden. Ook toen was ik voorgelogen. Zonder dat ik het wist was hij in mijn jeugd steeds bij me geweest en had hij dag in dag uit voor me gezorgd zoals het een vader betaamt – hij had zich uitgegeven voor mijn huisleraar en zijn ware identiteit nooit aan mij bekendgemaakt.

Madame verzekerde me dat hij van me had gehouden. Waarom had hij zijn vermomming dan nooit afgelegd? Waarom had hij me laten geloven dat ik geen vader had? Kon een liefhebbende ouder tot zo'n geraffineerde wreedheid in staat zijn?

'Hij had er zijn redenen voor,' benadrukte madame, 'en niets kon hem ervan afbrengen. Hij kon niet aan zijn noodlot ontkomen. Het achtervolgt hem nog altijd, en hij zal er pas vrij van zijn als de dood hem heeft verlost. Het enige wat voor hem van belang is, is de teruggave van wat Emily Carteret en Phoebus Daunt hebben ontvreemd. Die onverzoenlijke, aanhoudende verplichting heeft al zijn daden doortrokken, en voor die niet-aflatende behoefte moet al het andere wijken.'

'Nadat hij in ballingschap was gegaan,' vervolgde ze, 'kon hij zijn ambitie zelf niet meer verwezenlijken, en dus heeft hij er al zijn energie en wilskracht in gestoken om jou, mijn lieve kind, tot zijn plaatsvervangster te laten uitgroeien. Ik zeg je nogmaals dat hij van je houdt – hij heeft altijd van je gehouden, maar er is hier een kracht in het spel die groter is dan de liefde.'

'Maar waar is hij naartoe gegaan?' vroeg ik haar. 'En waarom heeft hij u verlaten nu u ziek bent en zo lijdt?'

'Hij is gisteren vertrokken,' antwoordde ze. 'Ik weet niet waar hij heen is, alleen dat hij heeft gezegd dat hij nooit meer terugkomt.'

'Maar waarom?' vroeg ik nogmaals.

'Omdat ik niet langer van nut voor hem ben. Omdat hij gelooft dat de Grote Opgave is mislukt. En omdat zíj dood is.'

Ik zweeg ongelovig. Hoe kon hij er zo gauw achter zijn gekomen dat Emily dood was?

Het bleek dat mijn vaders invloed ver reikte. Hij had iemand bij de recherche omgekocht om voor hem te spioneren. Van hem vernam hij wat het bewijsmateriaal tegen Emily inhield, en zo had hij de waarheid omtrent Perseus' geboorte en de samenzwering tussen Emily en lord Tansor ontdekt.

'Het was een verschrikkelijke slag voor hem,' zei madame, 'toen hij vernam dat de Grote Opgave niet kon worden volbracht door een huwelijk van Perseus en jou. Je vader heeft zich dagenlang afgezonderd, at nauwelijks en wilde niemand zien. Net toen hij er weer een beetje bovenop begon te komen, ontving hij een telegrafische boodschap met het nieuws van lady Tansors dood en vernam hij ook dat de jongste van de broers Duport al getrouwd was.'

'Een telegrafische boodschap!' riep ik verbaasd uit. 'Van wie?'

'Je vader is een uiterst vindingrijk man – dat stamt nog uit de tijd dat hij assistent en vertrouweling van wijlen mijnheer Christopher Tredgold was. Hij heeft veel contacten onderhouden, niet altijd met de meest verheffende lieden, die bereid en in staat zijn hem aan vrijwel alle informatie te helpen die hij nodig heeft. Zelf is hij, toen dat voor hem noodzakelijk was, incognito naar Londen gereisd, en enkele keren ook naar Northamptonshire.

Je moet eveneens weten dat hij op Evenwood iemand in dienst heeft genomen die daar voortdurend alles in het oog hield. Die heeft ook de telegrafische boodschap gestuurd.'

'Dat moet kapitein Willoughby zijn,' zei ik driest.

'Nee,' antwoordde madame. 'Niet kapitein Willoughby, niet bepaald, hoewel hij, zoals je nu weet, ook door je vader was aangesteld om elke dag op jou te letten. Het was Jonah Barrington, de hoofdlakei, die in de Krimoorlog onder de kapitein heeft gediend. Via Barrington werden we regelmatig gerustgesteld ten aanzien van jouw veiligheid en welzijn – je moet geloven dat we daar altijd het meest bezorgd over waren.

Wat kapitein Willoughby betreft, zijn ware naam is Willoughby Le Grice, en hij is de oudste vriend en vertrouweling van je vader. Hij heeft hem in de jaren van zijn ballingschap altijd bijgestaan, en je vader kan altijd op hem rekenen.'

Barrington! De somber ogende, immer zwijgende Barrington, die mij op mijn eerste avond op Evenwood mijn avondmaal had gebracht! Naar nu bleek had hij sindsdien elke dag ongezien en buiten mijn medeweten over me gewaakt, en ik veronderstelde dat ik daarvoor bij hem in het krijt stond. Zijn vertrouwde aanwezigheid had nooit het geringste vermoeden bij me opgeroepen dat hij niet de man was die hij leek te zijn, en heel anders was dan ik hem in mijn Geheime Boek had beschreven. Ik besefte nu echter dat hij juist dankzij zijn onopvallende, saaie verschijning als spion bijzonder effectief was.

Tot mijn verbazing bleek tevens dat Barrington er, op instigatie van mijn vader, voor had gezorgd dat mijn voorgangster, mejuffrouw Plumptre, was ontslagen. Hij had de broche die zij zou hebben gestolen weggehaald en op haar kamer verborgen. Vervolgens had hij plechtig gezworen dat hij haar Emily's vertrekken had zien verlaten op een dag dat Emily in Londen verbleef – uitgerekend de dag waarop het voorwerp moest zijn ontvreemd. Toen was haar kamer doorzocht, de broche was ontdekt, en ofschoon de ongelukkige mejuffrouw Dorothy Plumptre verontwaardigd volhield onschuldig te zijn, werd ze onmiddellijk weggestuurd, zodat madame de vereiste kans kreeg voor een poging om mij bij lady Tansor in dienst te laten treden.

Na een lichte maaltijd schoven madame en ik onze stoelen dicht bij de haard, want door de wind en de regen was het een onaangenaam kille avond geworden.

Ik wilde het gesprek liever pas de volgende ochtend hervatten, maar hoewel madame door alle inspanning uitgeput was, wilde ze haar bekentenis beslist voortzetten.

Om te beginnen smeekte ze me om haar te vergeven wat ze uit liefde voor mijn vader had gedaan. Ik zei dat ik haar mettertijd misschien kon vergeven, maar nu nog niet, niet voordat alle geheimen en leugens waren geopenbaard.

'Er zijn geen belangrijke geheimen en leugens meer,' antwoordde ze vermoeid. 'Ik heb je alles verteld wat we voor je verborgen hebben gehouden. Maar als ik je in enig opzicht niet tevreden heb gesteld, vraag me dan wat je wil. Ik kan deze wereld pas verlaten nadat ik jouw vertrouwen en genegenheid heb herwonnen.'

Met een kus verzekerde ik haar dat ik altijd genegenheid voor haar zou voelen.

Wat het vertrouwen betrof...

Plotseling greep ze mijn hand zo verbluffend stevig vast dat ik het bijna uitschreeuwde.

'Ik smeek je: vertel me dan hoe ik dat vertrouwen kan verdienen. Wat wil je verder nog weten, mijn lieve kind?'

'Vooralsnog,' antwoordde ik, 'twee dingen. Vertel me eerst of mijn vader de hand heeft gehad in de dood van mijnheer Roderick Shillito.'

Mijn vraag was zo direct dat ze pas na enige aarzeling antwoordde. Ik had op een categorische ontkenning gehoopt, maar ze wilde alleen kwijt dat ze geen deel had gehad aan de vele, in haar woorden, 'vertrouwelijke regelingen' die mijn vader de afgelopen maanden had getroffen.

'Hij sprak daar nooit met mij over, en ook niet over wat er voorviel als hij zelf naar Londen ging. Hij heeft me natuurlijk over de moord op mijnheer Shillito verteld – ik heb er ook een verslag van gelezen in een van de Engelse kranten, maar meer weet ik niet.'

Haar veelzeggende blik gaf echter te kennen wat we allebei dachten: dat mijn vader mijnheer Shillito had laten vermoorden om te voorkomen dat hij verder zou spitten naar de ware identiteit van de man die zich Edwin Gorst noemde en die hij op Madeira had ontmoet.

Madame wilde verdere onaangename speculaties over deze kwestie duidelijk vermijden en vroeg me vervolgens wat ik in de tweede plaats van haar wilde weten.

'Dat betreft de dood van lady Tansor,' antwoordde ik. 'Waarom is mijn vader na dat bericht weggegaan? Hebben jullie tegenover mij niet allebei in de krachtigst mogelijke bewoordingen benadrukt dat ze een onverzoenlijke vijand van mijn belangen was en dat we erop uit waren haar te gronde te richten? En hebben jullie me niet ook verteld dat mijn vader vroeger weliswaar van haar had gehouden, maar dat zijn gevoelens in haat waren omgeslagen door wat zij hem had aangedaan?'

'Hij is altijd van haar blijven houden,' antwoordde ze op deerniswekkende toon, 'ook toen hij deed alsof hij haar haatte en terwijl het niets veranderde aan zijn fanatieke streven om haar voor haar verraad te laten boeten. We hebben er echter nooit rekening mee gehouden dat ze zou sterven. We waren er alleen op uit haar te schande te maken en haar te laten veroordelen, en door jouw huwelijk met Perseus Duport de bloedlijn van je vader in ere te herstellen. Ik durf wel te zeggen dat je vader volgens mij zelfs de dwaze en onvervulbare hoop heeft gekoesterd om zich als alles achter de rug was op de een of andere onbegrijpelijke manier met haar te verzoenen. Een waanzinnige fantasie, natuurlijk, maar ik denk nu dat hij dat wel heeft gedacht.

Hij hield niet van mij. Vroeger, toen hij en zijn eerste vrouw van de Quai de Montebello hierheen kwamen, dacht ik van wel. Hij had mij opgespoord, met die toewijding en volharding die altijd kenmerkend voor hem zijn geweest, en in mijn armzalige dwaasheid dacht ik dat hij handelde vanuit een lang verdrongen genegenheid voor mij, die was ontstaan toen Emily en ik vriendinnen waren.

Wat zij hem had aangedaan was voor mij onverdraaglijk – ik kon die verachtelijke, doelbewuste wreedheid geen moment langer aanzien. En dat alles ter wille van hém, die verwaande, gewetenloze parvenu, Phoebus Daunt, die nog niet in de schaduw van je vader kon staan.

Ik praatte mezelf dus aan dat je vader met zijn eerste vrouw naar Parijs was gekomen met de uitdrukkelijke bedoeling om mij terug te vinden en iets te laten herleven van wat hij was kwijtgeraakt. Je moeder ging dat ook geloven, maar hij heeft ons allebei in dat opzicht bedrogen – en in alle andere opzichten. Hij hield ook niet van je moeder – al pretendeerde hij van wel en was hij altijd lief en teder voor haar, behalve als hij een van zijn zwartgallige buien had. Dan hadden wij het allebei zwaar. Maar van mij hield hij evenmin.

Nee. Het ging altijd om haar. En dat zal altijd zo blijven. En nu is ze dood.'

II
Aanvaarding

Ik kon madame niet alleen achterlaten in de staat van lichamelijke en geestelijke ontreddering waarin ik haar had aangetroffen. En omdat ik zolang mijn zaken het niet vereisten geen dringende reden had om naar Engeland terug te gaan, schreef ik de volgende ochtend aan mijnheer Wraxall dat ik van plan was in Parijs te blijven totdat hij me zou vragen om te komen. In zijn antwoord verzekerde hij me dat hij zich zou wijden aan de afwikkeling van de juridische procedures. Na een voorlopig advies van verschillende eminente collega's te hebben ingewonnen, had hij er alle vertrouwen in dat de zaak zo snel als de wet toeliet met succes kon worden afgehandeld.

De daaropvolgende dagen verliepen rustig, en madame en ik spraken verder over de zaken die verborgen waren geweest. Er keerde iets van onze vroegere intimiteit terug, maar algauw werd duidelijk dat de dokter gelijk had gehad.

In een verontrustend tempo ging mijn voogdes hopeloos achteruit. Ik zat 's morgens en 's middags, en vaak ook 's nachts, aan haar bed en las haar voor en waakte bij haar als ze sliep, zoals zij had gedaan toen ik klein was. Ik borstelde haar haar, waste haar gezicht, schudde haar kussens op en streelde haar weggeteerde handen als ze onrustig werd of het in haar slaap uitschreeuwde. Maar met de dag zakte ze verder weg in een stille, verre wereld, buiten bereik van al mijn liefdevolle verzorging.

Slechts één keer, enkele dagen voor het einde, ontwaakte ze even uit de bewusteloosheid waarin ze steeds vaker wegloed en vroeg mij haar kleine zilveren crucifix van haar hals te halen.

'Ik wil dit aan jou geven, mijn lieve kind,' fluisterde ze, zo zachtjes dat ik mijn oor vlak bij haar gesprongen lippen moest houden en haar moest vragen het te herhalen. Vervolgens vroeg ze, vlak voordat ze weer wegzakte: 'Heb ik vergiffenis gekregen, mijn lieve kind?'

'Ja,' fluisterde ik terug. 'U hebt vergiffenis gekregen.'

Ze stierf in de derde week van juni, toen zwaluwen in een wolkenloze hemel boven het Bois de Boulogne duizelingwekkende toeren uithaalden.

Ik was, na de hele nacht bij haar te hebben gewaakt, een ogenblik van haar zijde geweken om het raam te openen en de verrukkelijke zomerlucht binnen te laten. Toen ik me weer naar het bed toekeerde, besefte ik dat ze was overleden.

Die dag kwam er een einde aan een tijdperk in mijn leven. Voor het eerst stond ik nu werkelijk alleen op de wereld, op de drempel van een nieuw, onbekend bestaan.

Alleen? Ja. Hoewel ik door de ontdekking dat mijn vader nog leefde geen wees meer was, zoals ik altijd had gedacht, was mijn situatie naar mijn gevoel niet veranderd. Hij was voor mij even dood en onwerkelijk als eerder de mythische Edwin Gorst. Wie had ik nog als familie nu madame, mijn tweede moeder, me was ontnomen?

Marie-Madeleine de l'Orme, geboren Buisson, werd begraven op het kerkhof Père Lachaise. In haar testament liet ze mij het huis aan de Avenue d'Uhrich na, en tevens een forse som gelds – het restant van haar aanzienlijke fortuin, dat ze van haar eerste man had geërfd en dat was verdeeld over verschillende liefdadige doelen waarin ze belang had gesteld en over haar twee trouwe bedienden Jean Dutout en Marie Simon, die naar nu bleek altijd van haar geheime huwelijk met mijn vader op de hoogte waren geweest. Híj erfde niets van haar.

Ze liet mij ook een foto na: een zelfportret van mijn vader dat hij in 1853 had gemaakt.

Zijn gezicht was me uiteraard volkomen vertrouwd, want onder de schitterende baard en snor was 't het gezicht van mijnheer Thornhaugh: lang en smal, met een donkere gelaatskleur, achterovergekamd zwart haar dat bijna tot op de schouders viel en bij de slapen al wat dun werd, en grote, donkere ogen, precies zoals mijn moeder in haar dagboek had beschreven.

Ik heb de foto nog altijd en haal hem weleens tevoorschijn, als ik mezelf erop wil attenderen dat ik eens een vader heb gehad.

Voordat ik uit de Avenue d'Uhrich vertrok ging ik naar de autoriteiten, en na verloop van tijd werd de kist van Edwin Gorst opgegraven en het graf geruimd. Ik liet mijn moeder vervolgens op een andere, open en zonnige locatie herbegraven, ver van de constante schaduw waarin ze zo lange tijd had moeten liggen. Ik gaf ook opdracht een nieuwe, staande zerk te maken, met daarop in het Engels de inscriptie:

TER EEUWIGE NAGEDACHTENIS

AAN

MARGUERITE ALICE BLANTYRE

1836-1859

Dit gedenkteken werd geplaatst door haar liefhebbende dochter
juli 1877

Ik bleef nog een maand in Parijs, en aan het eind van die maand keerde ik naar Engeland terug, zij het niet meteen naar Evenwood.

Ik had een brief van mevrouw Ridpath gekregen, waarin ze me uitnodigde bij haar in Devonshire Street te logeren tot alle juridische kwesties waren afgehandeld. Ik wees dit aanbod dankbaar maar resoluut van de hand. Want hoewel het goed was bedoeld, was mevrouw Ridpath naar mijn gevoel enigszins bezoedeld door haar banden met mijn vader. Ik had intussen besloten dat ik hem nooit meer wilde zien, zelfs niet als hij zou proberen met me in contact te komen. Vervolgens drong mijnheer Wraxall erop aan dat ik bij hem zou verblijven, maar hoewel deze uitnodiging me veel meer aansprak, wees ik haar ook van de hand.

In plaats daarvan nam ik mijn intrek in Mivart's Hotel, waar ik bijna dagelijks bezoek kreeg van mijnheer Wraxall, maar waar ik de vrijheid had om op elk moment te doen waar ik zin in had. Ik kan niet zeggen dat ik er gelukkig was, want ik werd nog gekweld door mijn verdriet om madame en mijn pijnlijke herinneringen aan Perseus, en ik tobde voortdurend over wat de toekomst zou brengen. Wanneer ik echter niet door vaak onoplosbaar gepieker in beslag werd genomen, voelde ik gedurende die vreemde, onbestemde weken een soort kalme voldoening. Ik verkende de bruisende straten van de geliefde stad van mijn vader, vulde de bladzijden van mijn opschrijfboek met observaties en beschrijvingen of zat peinzend aan de grote, grijze rivier, in afwachting van wat komen ging.

Zoals verwacht luidde de uitkomst van het onderzoek naar lady Tansors dood dat ze zelfmoord had gepleegd, en nadat inspecteur Alfred Gully van de recherche het bewijsmateriaal had gepresenteerd, wist iedereen waarom de zesentwintigste barones Tansor haar leven in de Evenbrook had beëindigd.

Vervolgens brak er een geweldig schandaal uit. De premier was direct over milady's dood en de doodsoorzaak ingelicht. Vervolgens werd Hare Majesteit op de hoogte gesteld. Volgens mijnheer Wraxall (die dat uit zeer gezaghebbende bron vernam) had ze de premier plechtig aangehoord en vervolgens haar opluchting uitgesproken omdat ze lady Tansor, hoewel ze haar graag mocht, nooit aan het hof had gekoesterd.

's Lands periodieken produceerden een stortvloed aan artikelen en verslagen – de toon was nuchter, bespiegelend, speculatief, hijgerig, veroordelend of medelevend, al naar gelang de aard van het blad en de instelling van de schrijver. Er werden vragen gesteld in het parlement, terwijl in de society vriend en vijand maandenlang over niets anders spraken.

Aangezien niemand bezwaar maakte, werd Emily Grace Duport, geboren Carteret, in het mausoleum op Evenwood bijgezet. Ik woonde de korte plechtigheid niet bij, maar kreeg verslag van mijnheer Wraxall. Het aantal aanwezigen was op verzoek van de broers beperkt tot Perseus, mijnheer Randolph en ongeveer tien anderen. Dominee Thripp hield de lijkrede en slaagde er voor één keer in zich waardig en beknopt uit te drukken; deze plechtigheid was zo schrijnend dat zelfs de predikant om woorden verlegen zat.

Ik zal mijn lezers niet vermoeien met de bijzonderheden van de onder toezicht van mijnheer Wraxall afgewikkelde juridische procedures na Emily's dood, en de publieke onthullingen over Perseus' afkomst. Het recht nam moeizaam zijn loop, mijn aanspraak als rechtmatig opvolgster van wijlen lord Tansor werd erkend, en ten slotte kwam de dag waarop ik, niet meer als kamenier en gezelschapsdame maar als Esperanza Alice Duport, zevenentwintigste barones Tansor, naar Evenwood terugkeerde.

Toen het rijtuig de Rise af reed, al ratelend de brug overstak waar Emily's lichaam door de stroming van de Evenbrook naartoe was gespoeld en voor de voordeur tot stilstand kwam, stond mijnheer Wraxall met de verzamelde bedienden en arbeiders van het landgoed op de toegangshof.

'Welkom thuis, milady,' zei mijnheer Wraxall, en hij maakte een plechtige buiging.

'Komaan, mijnheer,' antwoordde ik op gespeeld vermanende toon. 'Ik wens van u geen "milady" te horen. U dient mij met mijn voornaam aan te spreken, als het u belieft. Dat is mijn eerste gebod, en ik verwacht dat het strikt wordt nageleefd.'

Zo betraden we gearmd, lachend en onder applaus van de menigte het grote huis op Evenwood om thee te gaan drinken.

Tot de eerste daden die ik als vrouw des huizes op Evenwood verrichtte behoorde het aanstellen van mijnheer Montagu Wraxall als bibliothecaris en archivaris. We zijn erg nauw bevriend geraakt en brengen veel tijd in elkaars gezelschap door. Ik heb niet meer het gevoel alleen op de wereld te zijn. Mijnheer Wraxall is er altijd voor me, staat klaar met gedegen advies, is immer teder en bezorgd of gepast kritisch wanneer de gelegenheid het vraagt, en waakt fanatiek over mijn belangen.

Hij is nu mijn vader. Ik zou geen andere vader willen.

Voor mijn arme Perseus waren de rampzalige dood van zijn moeder en de omstandigheden waaronder hij zijn bezit en status verloor, bijna onverdraaglijk. Hij sloot zich maandenlang op in zijn Londense woning, zag geen mens en onderhield alleen via zijn advocaat contact met de buitenwereld. Uiteindelijk verliet hij Engeland en vertrok naar Italië, waar hij kennelijk wilde blijven.

Mijnheer Randolph was, zoals hij zich had voorgenomen, kort na de dood van zijn moeder uit Wales teruggekeerd om bij het onderzoek aanwezig te zijn. Hij oogstte daarmee veel bewondering, want hij moest het pijnlijke verslag van zijn moeders wandaden tot het einde toe aanhoren, en intussen veelbetekenende blikken op zich gericht voelen omdat iedereen nu op de hoogte was van zijn huwelijk met Jane Paget, het voormalige hoofd van de huishouding van zijn moeder.

Met betrekking tot zijn eigen positie deed hij geen poging om mijn aanspraak als opvolgster van zijn moeder aan te vechten, wat hij wel had kunnen doen. Hij had me vroeger verzekerd dat het niet zijn wens was om heer van Evenwood te worden, en ik had geen reden om daaraan te twijfelen. Ik hoopte echter ook dat hij om nog een reden van juridische stappen had afgezien, en wel omdat hij toch – in hoe geringe mate ook – bepaalde gevoelens voor mij koesterde die zijn vrouw niet zou goedkeuren.

Men hoeft mij niet te vertellen dat ik geluk heb gehad. Ik weet het en dank God dagelijks voor de benijdenswaardige positie die ik nu in het leven inneem, maar ik ben niet erg tevreden. Ik lijd veel onder neerslachtigheid en word bijna elke nacht door boze dromen en pijnlijke herinneringen gekweld, want ik zit nog steeds gevangen in het bestaan dat mijn vader voor me heeft uitgestippeld. Mijn vader – van wie ik vroeger dacht dat hij dood was, maar die nu toch in leven is, daar moet ik tenminste van uitgaan. Mijn vader – de moordenaar van Phoebus Daunt. Mijn vader – die mijn leven heeft gestolen en het zichzelf heeft toegeëigend. Mijn vader – die in mij zetelt, als onverzoenlijk heerser over mijn bestaan.

Meestal zit ik hier 's middags in het zitje in de vensternis waar ik vroeger Emily zo vaak de gedichten van haar overleden geliefde heb voorgelezen en zomaar wat met haar heb gepraat; nu kijk ik uit over het terras en de lusthof aan de beboste horizon.

Soms ben ik daar, met mijn rug tegen het oude venster gedrukt, gelukzalig verdiept in een nieuwe roman. Dan weer denk ik voor de zoveelste keer na over de gebeurtenissen waaraan ik mijn huidige bestaan dank – ik denk dat ik dat altijd zal blijven doen.

Voortdurend staar ik in het Venster van de Tijd, de toverspiegel waarin de schimmen uit het verleden voor mijn geestesoog steeds opnieuw hun zwijgende schouwspel opvoeren. In het heden volgen de dagen elkaar aangenaam rustig – en ja, vaak saai – op.

Maar ik klaag niet. Ik heb nieuwe vrienden en vriendinnen gemaakt. Ik ben me enthousiast aan het tuinieren gaan wijden en heb veel hoognodige verbeteringen aan het huis laten uitvoeren. Ik leer Italiaans en Spaans en heb dominee Thripp nagevolgd door zelf ook een terriër te nemen – een heerlijk guitig schepsel met een onbeperkt talent voor ondeugend gedrag. Hij heet Bowser, gaat er met mijn schoenen vandoor en bijt voortdurend gaten in mijn japonnen. Hij heeft een formidabele kameraad in een rode, voornaam ogende maar krijgshaftig aangelegde kater, die hem in bedwang houdt en die ik Tiger heb genoemd, naar de kat met wie ik in mijnheer Lazarus' huis in Billiter Street kortstondig had kennisgemaakt.

Ook heb ik in Emily's oude zitkamer boekenplanken laten aanbrengen die nu al zuchten onder het gewicht van de Engelse en Franse romans en dichtbundels die me maandelijks worden toegestuurd, en verstrijkt er slechts zelden een week waarin ik mijn moeders dagboek niet opsla, dat ik nu in zijn geheel bezit. Meer dan ooit lijd ik eronder dat de dood me de mogelijkheid heeft onthouden om als kind die oneindig kostbare band met een moeder te vormen waarvoor – naar ik nu geloof – geen echt substituut bestaat.

Mijn grootste bron van vermaak is dit huis, dit wonderbaarlijke paleis van overvloed. Meer dan ooit ben ik volledig in de ban van de schoonheid ervan geraakt. En wanneer ik hier weg moet, al is het voor een bezoek aan de Avenue d'Uhrich, droom ik van de bekoepelde torens en vooral van de kleine binnenplaats met de fontein en de duiventil waar ik ooit – het lijkt alweer zo lang geleden – heb zitten dromen, en verlang ik vurig naar huis terug. Voortdurend dwaal ik, zowel bij dag als bij nacht, door de kamers en gangen, en verwonder me over wat ik zie, raak het aan en maak het open, want het is nu allemaal van mij.

Ik zal van dit huis nooit genoeg krijgen. Zelfs als ik een kwijlend, in omslagdoeken gewikkeld, frêle en slechtziend oud dametje ben geworden, zal ik nog steeds door deze kamers dwalen en me over de grenzeloze, droomachtige pracht van dit alles verbazen. Misschien zal mijn geest hetzelfde doen en de hemelse woning die door het geloof wordt beloofd bereidwillig de rug toekeren om in plaats daarvan tot in de eeuwigheid in het aardse paradijs van Evenwood rond te spoken.

Hoewel het verkeerd is en ik me er uit alle macht tegen verzet, mis ik haar soms: mijn vroegere meesteres. Altijd en overal moet ik aan haar denken, en ik voel haar aanwezigheid alom, vooral als ik een wandelingetje over het terras voor de bibliotheek maak of hier in het zitje in de vensternis zit, tegenover de kast van waaruit ik mijnheer Vyse en haar heb bespioneerd. Ik heb geen spijt van de onverwachte manier waarop de Grote Opgave uiteindelijk werd volbracht – de rechtvaardigheid gebood het – maar uit de grond van mijn hart zou ik willen dat deze afloop niet door mij was veroorzaakt.

Ook mis ik soms de wilde tijd van avontuur en intriges. Natuurlijk zou ik ze niet terugwillen, want ze hebben een bittere erfenis nagelaten, maar ik moet bekennen dat mijn hart wat sneller klopt als ik terugdenk aan de dagen dat ik Esperanza Gorst was, kamenier en vervolgens gezelschapsdame van de zesentwintigste barones Tansor.

En zo neem ik afscheid van mijn geduldige lezers. De onpeilbare tijd en het onkenbare noodlot hebben hun werk gedaan. De Grote Opgave is volbracht en mijn Geheime Boek kan nu worden weggelegd en zal – naar ik vurig hoop – nooit meer door mij worden geopend.

E.A.D.
Evenwood, 1879

38

Laatste strofe

Evenwood, december 1884

I
Gerechtvaardigde hoop

Er zijn vijf jaar verstreken sinds ik de woorden schreef waarmee ik –
naar ik destijds oprecht geloofde – het verhaal van mijn geheime leven
afsloot, van die bitterzoete reis van het huis van mijn jeugd aan de Avenue d'Uhrich naar het aardse paradijs van Evenwood. Ik moet nu een
beroep doen op de verdraagzaamheid van mijn lezers, want ik neem de
pen nogmaals op om te vertellen over bepaalde latere gebeurtenissen,
waarvan zij die zo geduldig zijn geweest om mij op mijn reis te vergezellen, naar mijn overtuiging graag kennis zullen nemen. Ik kan uiteraard
nog niet zeggen of ze het einde van mijn verhaal zullen blijken te zijn, of
het begin van een nieuw verhaal vormen. Ik neem slechts de taak op me
ze u zo beknopt mogelijk uiteen te zetten.

Toen ik op een mooie junimorgen in 1880 aan het meer naar de Tempel
der Winden zat te kijken en zoals gebruikelijk over het verleden nadacht, bracht een van de lakeien me het vreselijke nieuws dat Randolph
tijdens een beklimming van de berg Crib Goch met zijn oude vriend en
zwager Rhys Paget, een dodelijke val had gemaakt.

   Randolph en ik hielden er, wanneer hij weleens voor familiezaken
naar Evenwood terugkwam, losse maar vriendschappelijke betrekkingen op na, maar zijn weduwe had ik sinds de dood van mijn vroegere
meesteres (vreemd genoeg duid ik haar nog altijd met die woorden aan,
maar het is een gewoonte waarin ik gemakkelijk terugval) nooit meer
gezien.

   Na de begrafenis van haar man spraken mevrouw Duport en ik korte
tijd onder vier ogen met elkaar op het terras voor de bibliotheek, waar

ik op mooie middagen weleens met Bowser aan mijn zijde in een oude rieten stoel van de vroegere lord Tansor zat.

Het was een vreemde bijeenkomst – allebei hadden we nu dezelfde achternaam, en allebei waren we vroeger dienares van de zesentwintigste barones geweest. Zij was echter niet meer de vrouw die ik als mevrouw Battersby had gekend toen ik zelf nog Esperanza Gorst en kamenier was. Ze was een stuk ouder en ingetogener geworden, al prijkte nog steeds die merkwaardige halve glimlach op haar gezicht, een verwarrend contrast met het verdriet dat zo duidelijk uit haar fletse, rode ogen sprak. We hadden het over Randolphs vele beminnelijke eigenschappen: zijn vriendelijkheid, zijn innemende manieren, zijn enthousiasme, zijn zachte karakter en open natuur – over al deze en vele andere punten konden we elkaar moeiteloos vinden. Over gevoeliger kwesties met betrekking tot het verleden zeiden we echter geen woord.

Toen ik opstond en wilde gaan, legde ze een hand op mijn arm en vroeg of ze nog iets mocht zeggen. Vervolgens biechtte ze op dat Randolph het merendeel van het geld dat zijn moeder hem had nagelaten bij verschillende mislukte zakelijke transacties was kwijtgeraakt. Toen ik zijn moeder was opgevolgd had ik eveneens enkele bedragen aan hem ter beschikking gesteld, maar ook die waren kennelijk verdwenen.

'Net als mijn vader was hij in die dingen erg onnozel,' zei ze met een zucht. 'Maar hij wilde zo graag bewijzen dat hij niet voor zijn broer onderdeed. Hij begreep er alleen niets van en stelde zijn vertrouwen in lieden die alleen maar op zijn geld uit waren en nooit een penny teruggaven.'

Ze keek naar haar schoot, en haar lange, bleke handen speelden nerveus met een zakdoek. Ik zag hoe zwaar het de ooit zo trotse mevrouw Battersby viel om zich zo te vernederen, en had met haar te doen. Ze had me vroeger gehaat, zoals ik haar zou hebben gehaat als de rollen omgekeerd waren geweest. Ze was nu echter aangetrouwde familie van me, en ik kon haar niet helemaal aan haar lot overlaten.

Ik zei dan ook dat ik haar graag enige steun wilde bieden en heb woord gehouden, al zal ik haar hier niet nog eens ontvangen. Bovendien heb ik gehandeld in het belang van Randolphs vaderloze zoontje Ernest – het is een schattig ventje, en ik heb besloten me actief voor zijn toekomst in te zetten.

Randolph werd in het mausoleum ter ruste gelegd, naast de tombe van zijn moeder. Perseus was uiteraard van de dood van zijn broer op de hoogte gesteld en had mij in een kort briefje meegedeeld dat hij bij de uitvaart aanwezig zou zijn, maar daarna onmiddellijk zou vertrekken om enkele dagen in zijn Londense woning door te brengen, en dan naar Italië terug te keren.

Sinds de dood van zijn moeder hadden we geen rechtstreeks contact met elkaar gehad. Alle correspondentie met betrekking tot de toekenning van de baronie Tansor aan mij was op zijn verzoek door tussenpersonen gevoerd, voornamelijk door mijnheer Donald Orr.

Zodra ik lady Tansor was geworden, had ik Perseus een niet onaanzienlijke geldelijke toelage toegekend, om hem in staat te stellen tot een leven in de stijl die hem paste. Hij had zich echter niet verwaardigd mij voor dit oprecht belangeloze gebaar, dat was bedoeld om zijn verlies enigszins te compenseren, meer dan enkele in een brief aan mijnheer Orr opgenomen bruuske woorden van erkentelijkheid over te brengen. In weerwil van deze kille reactie en na lang piekeren had ik hem vervolgens een uitvoerig verslag gestuurd waarin ik uiteenzette waarom ik naar Evenwood was gestuurd. Het bevatte onder meer een overzicht van de voornaamste gebeurtenissen die ik op deze pagina's heb beschreven.

Ik verwachtte antwoord, maar er kwam niets. Het briefje waarin hij bevestigde dat hij voor de uitvaart van zijn broer naar Engeland zou terugkeren was het eerste persoonlijke, eigenhandig geschreven berichtje dat ik van hem kreeg. Ik wilde geen afstand van deze grote kostbaarheid doen en stopte het in een fluwelen etuitje dat ik als een soort talisman bij me droeg, in de dwaze hoop dat het op een positieve wending in onze verhouding wees.

Hoewel ik Perseus al bijna drie jaar niet had gezien, was hij een belangrijke rol in mijn leven blijven spelen. Vrijwel iedere ochtend werd ik wakker met de gedachte aan hem in mijn hoofd en vroeg ik me af wat hij deed en of hij ook weleens aan mij dacht. En vrijwel iedere avond legde ik mijn hoofd ter ruste in de zekerheid dat ik gauw zou dromen van hem, en van wat we eens voor elkaar hadden betekend. De wetenschap dat ik hem weer in levenden lijve zou zien, vervulde me van vreugdevolle verwachting.

De dag van de uitvaart brak aan. Bij het ontwaken verkeerde ik in een staat van buitengewone verwarring: ik treurde om die arme Randolph, voor wie ik ondanks wat er tussen ons was voorgevallen grote genegenheid was blijven koesteren, maar zag ook vol opwinding uit naar de terugkeer van zijn broer op Evenwood, al was het maar voor een dag.

De bezoekers verzamelden zich in de toegangshof voor de korte rit naar het mausoleum, maar Perseus was nergens te bekennen. De klokken sloegen elf uur – het tijdstip waarop de plechtigheid moest beginnen – en hij was nog altijd niet verschenen. Omdat langer uitstel niet mogelijk was, begaf het gezelschap zich naar het mausoleum.

In het mausoleum, dat soms nog in mijn boze dromen terugkeert, werd Randolphs kist in de daartoe bestemde grafkamer bijgezet, waarna de ijzeren poorten met een hangslot werden afgesloten. Gedurende de korte plechtigheid, die werd geleid door dominee Valentine, de opvolger van de afgelopen najaar overleden dominee Thripp, stond ik nerveus in het door kaarsen verlichte halfduister en hoopte dat Perseus op dit late uur toch nog door de geopende metalen deuren naar binnen zou lopen en zijn plaats naast mij zou innemen. Maar nadat dominee Valentine het laatste gebed had voorgedragen en de aanwezigen zich opmaakten om naar hun rijtuig terug te keren, wist ik dat mijn hoop ijdel was geweest.

Om vier uur 's middags waren de gasten, met inbegrip van Randolphs weduwe, vertrokken. Ik was het afgelopen uur verdiept geweest in een recente roman van Thomas Hardy, die mijn boekhandelaar me enkele maanden geleden had toegestuurd, maar waaraan ik pas kortgeleden was begonnen.* Terwijl ik het boek neerlegde, wierp ik een blik uit het raam.

Aan de overkant van de sloot, precies op de plaats waar ik op een mistige ochtend in 1876 de mij toen nog onbekende vriend kapitein Willoughby Le Grice had gezien, stond een man naar mijn raam te kijken. Ondanks de afstand herkende ik hem meteen.

Razendsnel vloog ik de trap af en het terras voor de bibliotheek over en bleef in vuur en vlam voor de sloot staan. Het leek wel een eeuwigheid te duren, zoals we elkaar aankeken op de steile, met gras begroeide

---

* Vermoedelijk *Two on a Tower: A Romance*, dat in oktober 1882 verscheen. Hardy's volgende roman, *The Mayor of Casterbridge*, zou pas in 1886 verschijnen.

oevers van die sloot, onder de late middagzon – jaren geleden was ik op de Ponte Vecchio door eenzelfde zon bijna verblind.

We zeiden geen woord, maar leken elkaar volkomen te begrijpen.

Het vertrek van de stoomboot die hem van Boulogne naar Folkestone had moeten brengen, was enkele uren vertraagd. Omdat hij de vertraging niet meer kon goedmaken, was hij pas een halfuur geleden in Easton aangekomen. Hij had zijn bagage in de Duport Arms achtergelaten en onmiddellijk een huurrijtuig naar Evenwood genomen. Dit verneem ik nadat ik hem in de hal formeel heb begroet.

We staan tegenover elkaar onder aan de trap – precies op de plek waar we elkaar voor het eerst ontmoetten. Het portret van zijn vader als Turkse zeerover is in mijn opdracht naar een van de zolderkamers gebracht. Hij kijkt naar de plaats op de muur waar het vroeger hing, maar zegt niets.

Hij is nog even knap als altijd, maar anders dan de Perseus Duport die ik het laatst heb gezien, op die allerafschuwelijkste dag waarop zijn moeder uit de Evenbrook werd gehaald. Hij is wat zwaarder geworden. Zijn lange haar, waarop hij vroeger zo trots was, draagt hij nu kort en strak in model, terwijl de dichte zwarte baard die hem zo op zijn vader deed lijken, is verdwenen en plaats heeft gemaakt voor een fraaie snor waarvan de punten met was zijn opgestreken.

Ook zijn houding heeft een opmerkelijke verandering ondergaan. Hoewel ik ernaar heb verlangd hem terug te zien, vreesde ik op grond van de toon van zijn briefje dat hij nog altijd gekrenkt en vol wrok zou zijn over wat hem was overkomen en over mijn aandeel daarin. Tot mijn grote vreugde en verrassing blijkt deze vrees echter ongegrond. Hij maakt volstrekt geen verongelijkte of vijandige indruk. Zijn gedrag en toon zijn rustig en verzoenend, zijn glimlach is warm en ongedwongen. Hij lijkt de verandering van zijn status zelfs opmerkelijk en onverwacht goed te hebben geaccepteerd, en de woede en schaamte die hem na de dood van zijn moeder verteerden voorgoed achter zich te hebben gelaten. Het meest valt evenwel op dat uit zijn blik niet langer een karakter spreekt dat bekneld zit in zijn introverte trots, maar dat zijn ogen stralen van medeleven en energie, alsof hij een man is die zich graag op de buitenwereld richt. Het zijn niet meer de ogen van zijn moeder. Ze zijn nog even groot, welgevormd en fascinerend als in mijn herinnering, maar tonen nu het karakter van de man als geheel, de ware Perseus Duport, met al zijn tegenstrijdigheden. Want hij hoeft niet meer de rol te spelen die hem vanaf zijn geboorte door zijn moeder is toegedacht. Net als ik heeft hij het masker afgeworpen dat hij van zijn naaste omgeving moest dragen. Hij kent nu de waarheid over zichzelf en weet wie hij werkelijk is. Dat alles zie ik duidelijk aan zijn gezicht en hoor ik duidelijk in zijn stem. En mijn hart begint te bonzen van nieuwe hoop.

'Goedemiddag, milady.'

'Wil je me geen Esperanza noemen, net als vroeger?' vraag ik.

'Zeker wel, als milady het goedvindt.'

'Met genoegen – mits het met je eigen wensen overeenstemt.'

Opgeruimd gaan we met dit spelletje door tot het ijs volledig gebroken is. Vervolgens herpakken we ons en worden tijdens een gesprek over Randolph weer serieus. Ik zie duidelijk dat zijn dood Perseus heviger heeft aangegrepen dan ik vroeger zou hebben gedacht.

Terwijl we samen naar de bibliotheek lopen, praten we nog altijd over zijn arme, overleden broer. We blijven staan voor een van de hoge ramen met uitzicht op Molesey Woods.

'Ik heb mijn broer verkeerd beoordeeld,' zegt hij. 'Hij was een door en door goede vent – dat zie ik nu in, maar ik verachtte hem omdat ik vond dat hij de adellijke naam die hij en ik droegen niet verdiende. Maar hij had meer recht om zich Duport te noemen dan ik.'

Ik werp tegen dat hij te streng voor zichzelf is, maar hij valt me in de rede.

'Nee, nee. Dat is de waarheid. Ik weet nu wie ik ben en wat ik ben, en welke naam ik eigenlijk hoor te dragen.'

'Misschien veracht je mij nu juist,' zeg ik, 'omdat ik je heb afgenomen wat je naar jouw idee rechtens toekwam.'

Hij werpt me een heel tedere blik toe.

'Zeg dat toch niet. Hoe zou ik jou ooit kunnen verachten? Ik geef toe dat ik je vroeger heb verweten wat mij is overkomen, maar dat is voorbij. Ik weet nu dat jou net zo min als mij iets te verwijten valt en dat je alleen hebt teruggenomen wat je rechtens toekwam. Jij bent een echte Duport, ik niet. Allebei zijn we zonder het te weten het slachtoffer van anderen geweest. Alles is hun schuld, niet de onze.'

Vervolgens hebben we het over zijn moeder, en zeer onverwachts geeft hij uiting aan zijn genegenheid voor haar. Tot mijn onuitsprekelijke opluchting verzekert hij me ook dat hij me geenszins voor haar dood verantwoordelijk houdt. Hij wijt alles aan haar blinde hartstocht voor zijn vader, Phoebus Daunt.

'Ze had een sterke wil,' zegt hij, terwijl we door het middelste gangpad van de bibliotheek lopen naar de vroegere werkkamer van zijn grootvader – tegenwoordig mijnheer Wraxalls kamer. 'Maar mijn vader had een nog sterkere wil, zelfs in de dood. Ze kon zich er nooit van bevrijden. Ze heeft verantwoording afgelegd voor haar zonden, maar wat ze gedaan heeft, deed ze voor hem. Ze is tot het laatst toe zijn slavin geweest.'

De zon begint nu achter de beboste einder te zakken en vult de grote zaal met zijn glorieuze, wegstervende schijnsel. Als ik een banale opmerking over de schoonheid van het uitzicht maak, valt hij me in de rede en zegt dat een bepaalde kwestie tussen ons voor eens en voor altijd moet worden uitgesproken.

Even ben ik verontrust door zijn ernstige blik, maar dan werpt hij me weer een geruststellend tedere glimlach toe en legt uit dat het gaat om de vijandschap die tussen onze vaders bestond.

'Ik moet jouw vader vergeven, en jij moet mijn vader vergeven. Alleen dan kunnen we van hen bevrijd raken. Ik geloof dat ik ertoe in staat ben – werkelijk, ik heb hem vergeven. Kun jij dat ook?'

Ik vertel hem dat ik bang ben dat we nooit van hen bevrijd zullen raken: hun nalatenschap is te groot. 'Maar ik zal proberen hun vergiffenis te schenken, want hoe kan ik anders ooit mijn eigen leven leiden? We hebben allebei een bittere tol voor hun zonden betaald.'

'Dan zij het zo,' zegt hij. 'Het verleden zal ons niet meer in zijn greep kunnen krijgen. Het is tijd dat we ons allebei zelfstandig op de toekomst richten, niet als hun marionetten.'

De uren verstrijken, de duisternis valt in, en wij gaan door over wat ons tot dit punt in ons leven heeft gebracht – totdat alle geheimen zijn onthuld en ik opmerk dat het al laat is.

'Wil je niet blijven?' vraag ik met het hart op de tong. 'In elk geval vannacht?'

Hij bleef een week, en toen nog een week, en zo is het begonnen. Het eindigde op een frisse oktobermorgen om elf uur in de kerk van St Michael and All Angels op Evenwood. Toen werd ik de vrouw van mijn neef Perseus Verney Duport.

Toen we twee maanden eerder op een warme augustusavond op het schemerige terras bij lamplicht over onze dagen in het Palazzo Riccioni zaten te praten, had hij een klein doosje uit zijn zak gehaald. Daarin zat de ring die hij me op de Ponte Vecchio had gegeven en die hij in de haard had gegooid toen hij dacht dat ik hem ten gunste van zijn broer had afgewezen.

'Ik kon hem daar niet laten liggen,' geeft hij nu toe en hij haalt de ring uit het doosje. 'Hij was van jou geweest, en ik wou zo ontzettend graag dat hij weer van jou zou zijn. Neem je hem voor de tweede keer aan, als een vriendschappelijk cadeau?'

Ik vertel hem dat ik hem aanneem, met hart en ziel, maar alleen onder dezelfde voorwaarden als de eerste keer.

Hij schudt zijn hoofd.

'Nee, dat kan niet. Een huwelijk is onmogelijk. Iedereen zal denken dat ik door jouw man te worden alleen maar probeer terug te krijgen wat ik ben kwijtgeraakt. Misschien denk jij dat zelfs wel, en dat zou ik niet kunnen verdragen, want ik ben niet in staat om het tegendeel te bewijzen.'

Hij laat zich niet door mijn tegenwerpingen en geruststellende woorden vermurwen en houdt koppig vol dat we neef en nicht en vriend en vriendin moeten blijven, verder niets. Geduldig en hardnekkig begin ik hem echter te overreden dat de mening van de buitenwereld niet telt, en dat wij alleen de toekomstige koers van ons leven moeten uitzetten. Ik van mijn kant had geen bewijs van zijn oprechtheid nodig. En waarom zou hij geen deel kunnen hebben aan wat tegenwoordig aan mij toebehoort, als ik dat wil? Hij blijft zich verzetten, maar uiteindelijk zit de ring weer aan mijn vinger, wordt de vraag die hij me op de Ponte Vecchio heeft gesteld nog eens gesteld, en volgt daarop hetzelfde antwoord.

Aldus vroeg de zoon van Phoebus Daunt voor de tweede keer de dochter van Edward Glyver, de moordenaar van zijn vader, ten huwelijk en aanvaardde zij dankbaar en van ganser harte zijn aanzoek. Uit hun verbintenis werd op 23 september 1881 een zoon geboren: Petrus, de kostbare rots waarop zijn ouders nu alle hoop voor de toekomst van het oude geslacht Duport hebben gevestigd.

Terwijl ik dit schrijf zit hij aan mijn voeten op de grond en kijkt vergenoegd in een prentenboek – en wel in mijn eigen oude exemplaar van *Piet de smeerpoets*, met de kleurenprent van de langbenige Scharenman die de duimen afknipt van het stoute jongetje dat niet wil ophouden met duimzuigen. Hij vindt het kennelijk net zo gruwelijk en fascinerend als ik, en heeft de afgelopen vijf minuten zijn blik niet van de pagina afgewend.

Petrus is nu drie jaar oud. Hij is sterk en gezond, en al een opvallend mooi kind dat erg op zijn vader lijkt. Soms is hij een beetje wild en weerspannig, en dan ben ik bang dat hij bepaalde karaktertrekken en het temperament van een van zijn grootvaders heeft geërfd – of van allebei – en dat, als hij niet stevig wordt berispt, die eigenschappen later in zijn leven problemen zullen veroorzaken. Perseus houdt vol dat de wildheid wel weer overgaat en dat hij een uitstekende erfopvolger wordt. Ik hoop dat hij gelijk heeft.

Mijn man en ik kunnen het erg goed met elkaar vinden, en ik geloof niet dat ik in dit leven nog gelukkiger kan worden. Hij heeft zijn oude zwijgzaamheid overwonnen en zegt me vaak dat hij van me houdt en dat ik zijn steun en toeverlaat ben, zoals hij voor altijd aan mij toebehoort. Er staan dan ook in Walkers *Pronouncing Dictionary*, dat ik nog altijd regelmatig raadpleeg, geen woorden genoeg om te beschrijven wat ik voor Perseus voel en zal blijven voelen tot de dag waarop mijn hart ophoudt te slaan. De liefde kan een corrumperende en vernietigende uitwerking hebben, ze kan mensen misleiden en verraden – dat weet ik uit bittere ervaring, maar ik weet nu ook dat we zonder de liefde niets betekenen.

We maken samen wandelingen, gaan samen uit rijden en lezen samen. En vaak zit ik naast hem wanneer hij in de kapel op het orgel speelt en sla de bladzijden om van de fuga's van Bach die hij zo bewonderenswaardig bedreven en gevoelig uitvoert. Soms, als hij niet kan slapen, staat hij op en gaat naar de kapel om te spelen. Tot hij weer terugkomt lig ik dan te luisteren naar de majestueuze cadensen en harmonieën die door de stille nachtlucht golven alsof ze door God zelf worden voortgebracht.

Het is een van mijn grootste genoegens om Perseus met zijn werk te helpen: ik lees hem voor, schrijf zijn gedichten in het net, en verifieer de juistheid van historische feiten. Helaas verkoopt zijn poëzie niet goed, ondanks zijn wonderbaarlijke, gestage vlijt en het geld dat hij mijnheer Freeth voor de productie- en promotiekosten betaalt. Hij hoopt echter dat het nageslacht de onwelwillende oordelen van zijn tijdgenoten zal bijstellen. De gedachte dat hij daarin weleens teleurgesteld zou kunnen raken, doet me veel leed.

Hij heeft evenwel een nieuwe, commerciële uitgeverij ontdekt – Grendon & Co., Boekverkopers en Uitgevers, gevestigd aan de Strand – die bereid is zijn werk op eigen risico uit te brengen. Ik moet eigenlijk zeggen dat de uitgeverij hém heeft ontdekt, want hij is rechtstreeks benaderd door de directeur, dr. Edmund Grendon, die op Perseus een diepe indruk heeft gemaakt met zijn eruditie, zijn smaak en het onderbouwde enthousiasme dat hij voor zijn werk aan de dag heeft gelegd. Hoewel de uitgeverij pas net bestaat, hopen we dat met de hulp van dr. Grendon eindelijk het literaire succes zal komen dat Perseus zo ten volle verdient maar dat hem tot dusver niet ten deel is gevallen.

Perseus acht dr. Grendon hoog als vriend en raadgever, en daar ben ik blij om, want hij heeft niet veel andere kameraden. Deze man is Perseus zelfs zo gaan fascineren dat ik dolgraag met hem wil kennismaken. Omdat hij echter een wat teruggetrokken natuur heeft en tevens vaak voor zaken afwezig is, slaat hij vooralsnog verschillende uitnodigingen af om ons op Evenwood te bezoeken. Om zijn nieuwe vriend en mentor te raadplegen was Perseus dan ook genoodzaakt veelvuldig naar Londen te gaan en daar soms een hele week te blijven.

Zo gaat ons leven zijn gangetje. We zien niet veel van de grote societywereld met zijn holle pracht en praal, wijden ons daarentegen aan de zorg van onze zoon en erfopvolger, en maken hem klaar voor de dag waarop hij het hoofd van deze grote familie zal worden. Toch hangt er nog steeds een schaduw over ons. We kunnen nooit ontsnappen aan de erfenis van vroeger, vooral hier, in dit huis, waar de lucht die we ademen van het verleden doortrokken is. Ook al doen we, in het belang van onze zoon, nog zo ons best, we merken dat we ons niet volledig kunnen bevrijden van de ketenen waarmee we aan ons oude zelf zijn gebonden. Ik denk niet dat we daar ooit toe in staat zullen zijn.

II
Over slapende honden

Ik moet nog over één laatste voorval vertellen, dan ben ik klaar.

Een paar weken geleden kwam Charlie Skinner naar me toe met een boodschap van mijnheer Wraxall, die vroeg of ik in de gelegenheid was om hem die middag in de bibliotheek te ontmoeten.

Op de tafel van zijn werkkamer lag een fraai gebonden boek in folio.

Op de rug stond de titel *Historia*, en op de voorkant was het wapen van de Duports gedrukt.

'Wat is dit?' vroeg ik.

'Sla het maar open,' zei mijnheer Wraxall, die dit keer niet glimlachte.

Ik sloeg het open en begon te bladeren. Het was geen gedrukt boek, zoals ik had gedacht, maar een op gelinieerd papier geschreven gebonden manuscript. Het duurde niet lang voordat ik zag wat het was en wat erin stond.

'Hoe bent u daaraan gekomen?' vroeg ik en ik sloeg het boek dicht.

'Er kwam gisteren een brief. Hij was ondertekend door "iemand die het beste met u voorheeft" – misschien weet u nog dat ik eerder al een berichtje heb gekregen van iemand die dezelfde schuilnaam gebruikte. Onze onbekende briefschrijver onthulde waar het boek al ruim twintig jaar verborgen heeft gelegen. Het is voortdurend in de bibliotheek aanwezig geweest, recht onder onze neus.'

Ik vroeg hem of hij de brief nog had.

Hij ging naar zijn werktafel, opende een la en haalde een enveloppe tevoorschijn. Nadat ik een blik op de adressering had geslagen hoefde ik de brief zelf niet meer te zien. Met een rilling van ontsteltenis constateerde ik alleen dat hij in Londen was gepost.

'Hij is van hem,' zei ik en ik gaf mijnheer Wraxall de enveloppe terug. 'Het handschrift van mijnheer Basil Thornhaugh is mij zeer vertrouwd.'

'Ja, mijn beste,' zei mijnheer Wraxall en hij legde de brief weer in de la. 'Ik denk dat u gelijk hebt.'

Hij was dus nog in leven, ergens op de wereld, misschien in Engeland, ongetwijfeld onder een nieuwe naam en onder dezelfde ondergaande zon die nu schaduwen over het terras wierp. Ik was daar al van uitgegaan, maar bij deze ondubbelzinnige bevestiging sloeg mijn hart een slag over.

Mijnheer Wraxall zag mijn ongeruste blik en legde geruststellend zijn hand op de mijne.

'Rustig maar, mijn beste,' zei hij. 'Hij komt niet. Zijn tijd is voorbij.'

Even hield hij teder en intens zijn grijze ogen op me gevestigd.

'Wat wilt u dat ik ermee doe?' vroeg hij vervolgens en hij pakte het boek op, waarvan de inhoud jaren geleden door mijnheer John Lazarus naar Engeland was gebracht. 'Ik heb er de hele nacht in gelezen. Er staat veel in dat u wellicht graag wilt weten, maar misschien ook veel dat u liever niet weet.'

Op dat moment weerklonk het geluid van de klink van de poort voor het raam van de werkkamer, en ik keek op.

Met de kleine Petrus bij de hand kwam Perseus door de zuilengang het terras op. Samen keken ze uit over het winterse landgoed. Toen bukte Perseus zich, nam zijn zoon in zijn armen en kuste hem.

'Leg het maar terug,' zei ik in antwoord op mijnheer Wraxalls vraag. 'Ik wil niet weten waar, en u mag het mij of mijn man nooit vertellen. Ik wil niet langer door hem worden beheerst.'

Mijnheer Wraxall knikte instemmend. Vervolgens tastte hij in zijn zak.

'Dit zat erin,' zei hij en hij reikte me een strookje geel papier aan. 'Ik weet zeker dat de man die dit heeft geschreven blij zou zijn dat u hebt besloten zijn advies op te volgen.'

Ik nam het velletje van hem aan en las de korte tekst die er in een fijn, zorgvuldig handschrift op geschreven stond:

Deze documenten, die mij zijn bezorgd door de heer John Lazarus, cargadoor in Billiter Street, in de City, en die door de heer Riviere met behulp van antieke materialen zijn gebonden zodat het geheel op een zeventiende-eeuws boek in folio lijkt, werden – in opdracht van de auteur – op 30 november 1856 heimelijk in de bibliotheek van Evenwood Park gelegd door mij, Christopher Martin Tredgold, advocaat, opdat anderen ze kunnen vinden, of niet, afhankelijk van wat het lot of het toeval besluit.

Tot zover heb ik deze boodschap precies volgens de instructies van de auteur op papier gezet. Op eigen initiatief schrijf ik alleen nog dit, voor wie het ooit lezen mag:

Quieta non movere.*

C.M.T.

'Kent u uw Latijn nog?' vroeg mijnheer Wraxall.
'Ja,' zei ik. 'Jazeker. Dat vergeet ik nooit.'

FINIS

*'Geen slapende honden wakker maken.'

Dankbetuiging

Deze roman kwam in een moeilijke periode in mijn leven tot stand. Voor hun bijdrage aan de voltooiing ervan wil ik in het bijzonder de volgende mensen bedanken:

Mijn agent A.P. Watt: Natasha Fairweather, Naomi Leon, Judy-Meg Kennedy, Linda Shaughnessy en Teresa Nicholls.

Mijn uitgever John Murray: mijn redacteur Roland Phillips, Rowan Yapp, James Spackman, Nikki Barrow en Caro Westmore.

W.W. Norton: mijn Amerikaanse redacteur Jill Bialosky.

McClelland & Stewart: mijn Canadese redacteur Ellen Seligman en Lara Hinchberger.

Opnieuw betuig ik mijn erkentelijkheid voor het deskundige advies van Clive Cheesman – Rouge Dragon Poursuivant – van het College of Arms, en de deskundigheid die Celia Levitt en Nick de Somogyi respectievelijk als copy-editor en proeflezer aan de dag hebben gelegd. Ook ben ik dank verschuldigd aan mijn assistente Sally Owen, voor haar administratieve vaardigheden.

Alle specialisten, artsen en gezondheidszorgers die mij de afgelopen twee jaar op de been hebben gehouden kan ik nooit genoeg bedanken. Het gaat vooral om professor Christer Lindquist, dokter Christopher Nutting, Michael Powell, David Roberts, Nigel Davies, Naresh Joshi, dokter Diana Brown, dokter Peter Schofield, dokter Adrian Jones en professor John Wass.

Tot besluit mijn familie en vrienden. Voor hun liefde, steun en geduld dank ik met name mijn vrouw Dizzy, van wie ik tegenwoordig meer dan ooit afhankelijk ben, onze dochter Emily (opnieuw met excuses omdat ik een van de hoofdfiguren naar haar heb genoemd) en haar partner Kips Davenport, mijn stiefkinderen Miranda en Barnaby, onze kleinkinderen Eleanor, Harry en Dizzy junior, onze schoondochter

Becky, mijn ouders Gordon en Eileen Cox, mijn schoonmoeder Joan Crockett en Jamie, Ruth, Joanna en Rachel Crockett.

Al deze mensen en de vele anderen die ik niet heb genoemd en die op verschillende manieren hulp hebben geboden of een bijdrage aan de totstandkoming van dit boek leverden, ben ik diep en oprecht dankbaar.

Michael Cox
Denford, maart 2008